Für Bastian

von mir –
für Dich

Hannjörg

9. 4. 19 8B

Tessloffs Tierwelt in Farbe

Aus dem Englischen
von Christel Wiemken

Fachliche Beratung durch
Prof. Dr. Gerd Hartmann

ISBN 3-7886-0526/X

Druck, Bindearbeiten: Graficromo S. A., Córdoba
Printed in Spain

Tessloffs Tierwelt in Farbe

Ein Nachschlagewerk für junge Leser

Cathy Kilpatrick

John Hard

Tessloff Verlag

BILDNACHWEIS

Dias

Heather Angel, Farnham 36, 52 65 oben, 70, 71, 72 unten, 88, 90 oben, 91, 93, 98, 111, 117, 119 unten, 120, 122—123, 125 oben, 125 unten, 128, 131, 135, 142, 148, 162 unten, 184, 230 rechts, 235, 315 unten;

Aquila Photographics, Studley 154, 192 oben, G. V. Hawksley, 170 unten, Gary Weber, 157, 197 unten;

Ardea Photographics, London 158 unten, I. R. Beames Umschlag-Vorderseite, 49, 56 oben, Graeme Chapman 208 oben u. unten, K. W. Fink Umschlag-Vorderseite, Nebenbild unten links, 170 oben, 201, Clem Haagner 250 oben, P. Morris Umschlag-Vorderseite, Nebenbild oben, ganz links, 9 oben, 62 oben, 107, 223, 232, C. K. Mylne 209 oben, Ron und Valerie Taylor 26, 103, Adrian Warren 252;

Biofotos — S. Summerhays 63;

S. C. Bisserot, Bournemouth Titelseite, Nebenbild Mitte, 72 oben, 73 oben, 79, 81, 82 oben, 89, 115, 124, 144 unten, 145, 150 oben, 156—157, 227, 230 links, 237;

Bruce Coleman, Uxbridge 138 unten, 208, 243, 257, 289 unten, 293 unten, 305 unten, Helmut Albrecht 244, Ken Balcomb 246, Jen und Des Bartlett 31 oben, 137 unten, 236, 242 oben, 284 oben, S. C. Bisserot 39, 122, R. und M. Borland 66, Jeffrey Boswall 200, Mark Boulton 42, 303, Jane Burton 20 unten, 42 top, 42 unten, 75 unten, 87 oben, 94, 114 unten, 120—121, 228, 254 oben, 267 oben, 275, 280 oben, 283, 310 oben, Bob und Clara Calhoun 35 oben, 266, 312 unten, R. I. M. Campbell 242 unten, 307, Alain Compost 295 unten, Eric Crichton 312 oben, Gerald Cubitt 33, 311, A. J. Deane 57, Jack Dermid 193 unten, Francisco Erize 14 links, 14 rechts, 41, 222—223, 224, 247 unten, 248 oben, 284 unten, J. Fennell 9 unten, Jeff Foott 261, 264, Dian Fossey 245 Mitte, M. Freeman 254 unten, C. B. Frith 234, Francisco Futil 182—183, Mary Grant 136, Jerry L. Hunt 306, Jon Kenfield 116, Stephen J. Krasemann 249, Gordon Langsbury 251, Norman Lightfoot 31 unten, 271 unten, Lee Lyon Umschlag-Vorderseite, Nebenbild oben rechts, 7 oben, 245 oben, 245 unten, 292 oben, John Markham 241, Norman Myers 212—213, 255, 263 unten, 268 unten, 309 unten, M. Timothy O'Keefe 104, 276, Oxford Scientific Films 253 unten, Roger Tory Peterson 13, Graham Pizzey 17, 220 unten, 225 unten, G. D. Plage 285, 291, Mike Price 286 oben, Hans Reinhard 11, 12, 48, 80, 106, 226, 253 Mitte links, 262 oben, 290, 297 oben, 297 unten, 304, Leonard Lee Rue III 218, 256—257, 259 unten, 270 unten, 281 unten, W. E. Ruth 298, Frieder Sauer 60, Horst Schaffer 288, John Shaw 21 oben, 75 oben, Stouffer Productions 45 unten, 253 Mitte, 280 unten, Barrie Thomas 268, Norman Tomalin 15, 40, 238, 239 unten, 265 oben, 265 unten, D. und K. Urry 45 oben, Joe van Wormer Titelseite, 10, 47, 172, 262 unten, 308, Rod Williams 267 unten, Bill Wood 7 unten, 87 unten, Jonathan Wright 6 unten links, Gunter Ziesler 78, 110, 176 unten, 233, 248 unten, 295 oben, Christian Zuber 192;

Adrian Davies, Wallington 174 unten, 181 links;

Robert Gillmor 181 rechts;

Brian Hawkes, Sittingbourne 21 unten, 30, 183, 206—207, 209 unten, 274;

D. P. Healey, Middlesborough 126, 134;

David Hosking, London 18, 51 oben, 112 unten, 179, 259 oben, 282;

Eric Hosking, London Umschlag-Rückseite, 6 rechts, 22—23, 35 unten, 37, 55, 140 unten, 146, 150 unten, 152—153, 161, 163 unten, 164, 165, 168, 174 oben, 175, 176 oben, 185 unten, 191 unten, 196, 204, 206, 211 oben, 211 unten, 229, 240, 250 unten, 260, 272, 287, 300;

Jacana, Paris 155, 158 oben, 278 unten, Devez Cnrs 133 oben, Andre Ducot 195, Brian Hawkes 178, P. Laboute 151 unten, Varin Visage 133 unten;

Frank Lane, Pinner 199, Peter David 68;

Mansell Collection, London 182, 277;

Natural History Photographic Agency, Saltwood 210, Douglas Baglin 141 oben, 144 oben, 216, 221 unten, 222, 225 oben, Anthony Bannister 34, 69, 73 unten, 83 oben, 84, 129 unten, 138 oben, 143 unten, B. Barnetson 119 oben, Joe B. Blossom 185 oben, N. A. Callow 82 unten, 83 unten, Stephen Dalton 6 oben links, 58, 65 unten, 74, 77, 127, 143 oben, 188—189, 203, 207, Robert J. Erwin 151 oben, Brian Hawkes 162 oben, 256, 299, 314, 315 oben, E. A. Janes 20 oben, Peter Johnson Vorsatz, Roy D. Mackay 217, M. Morcombe 147 oben, 205, W. J. C. Murray 278 oben, K. B. Newman 149 oben, L. H. Newman 220 oben, Roger Perry 16, E. Hanumantha Rao 139, 239 oben, 263 oben, 273, Philippa Scott 140 oben, James Tallon 187, 302, M. Tomkinson 293 oben, A. J. Van Aarde 270 oben, P. Wayne 247 oben;

Natural Science Photos, Watford — M. E. Bacchus 129 oben, C. Banks 149 unten, 221 oben, Isobel Bennett und P. G. Myers 62 unten, P. Boston 193 oben, P. J. K. Burton 186, H. Dossenbach 202, Nat Fain 27, A. Grandison Titelseite, Nebenbild links, J. A. Grant 76, F. Greenaway 178—179, J. M. Hobday 173, Ricard Kemp 289 oben, 309 oben, G. Kinns 292 unten, D. B. Lewis 95, 163 oben, Gil Montalverne 100, Stephen Morley 305 oben, L. E. Perkins 118, M. R. Stanley Price 147 unten, 310 unten, D. M. Turner-Ettlinger 160, 180, C. A. Walker 141 unten, 166, 167, 197 oben, P. H. Ward 85, 132, 137 oben, 156, 281 oben, 296, Curtis E. Williams 194;

Oxford Scientific Films, Long Hanborough 50, 86 oben, 86 unten;

Photo Aquatics, Theydon Bois — Carl Roessler 271 unten;

R.I.D.A. Photographic Library — Miles Harrison Umschlag-Vorderseite, Nebenbild oben links;

Seaphot, Bristol — Roberto Bunge 24, Peter Capen 109, Richard Chesher 90 unten, Dick Clarke 64, 97, Peter David 112 oben, Walter Deas Umschlag-Vorderseite, Nebenbild unten rechts, 28, 51 unten, 102, Christian Petron 101, Rod Salm 114 oben, Warren Williams 67;

J. Wagstaff Titelseite, Nebenbild rechts;

Worldwide Butterflies — Robert Gooden 56 unten.

Illustrationen

Ray Burrows; Creative Cartography Limited; Linden Artists Limited; Susan Neale; The Tudor Art Agency Limited; Mike Woodhatch (David Lewis Artists).

Abbildungen des Einbandes

Vorderseite: Löwe; Einsatz: Wasserfloh (ganz oben links), Perlmutterfalter (oben links), Grauwal (unten links), Vogelskelett (Mitte), Afrikanische Elefanten (oben rechts), Seestern-Füßchen (unten rechts).

Rückseite: Rothirsche.

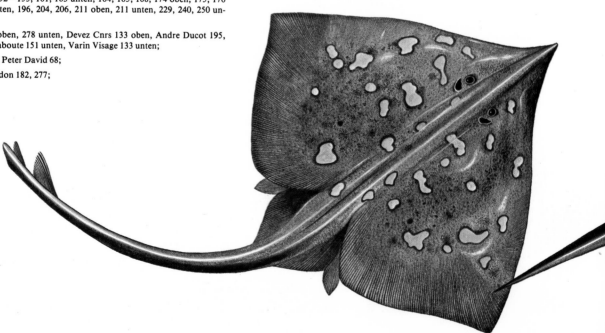

Inhalt

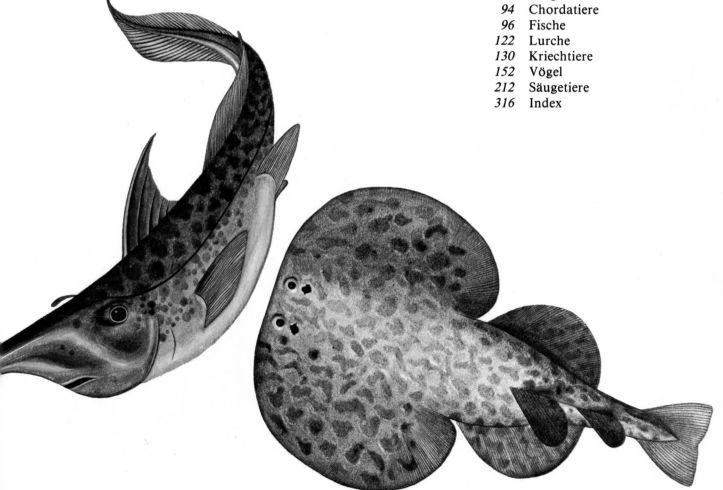

Einführung

Auf unserem Planeten gibt es mehr als eine Million Tierarten. Ihre Größe reicht von den winzigen Blutparasiten, die den Menschen befallen können und meist nur ein paar Hundertstelmillimeter messen, bis zu den gewaltigen Walen, die Längen bis zu fast 30 Metern erreichen.

Die Bandbreite der Lebensräume, in denen die verschiedenen Tierarten

— die Fauna — anzutreffen sind, ist ebenso erstaunlich wie die der Größen. In allen Ozeanen wimmelt es von Lebewesen, von den nahe der Wasseroberfläche treibenden Medusen und Larvenformen bis hin zu den merkwürdigen Würmern und Fischen in den Abgründen der Tiefsee, einer Region mit konstanter Temperatur nur wenig oberhalb des Gefrierpunktes und völlig ohne Licht.

Flüsse und Seen haben ihre eigene Fauna. Zwischen Steinen und Pflanzen tummeln sich zahlreiche Insekten und Krebstiere, im tieferen Wasser leben Fische und an den Ufern viele Vögel und Nagetiere.

Auf dem trockenen Land sind die Lebensräume vielfältiger als im Was-

ser, denn hier herrschen unterschiedliche Temperaturen, und Regen und Wind sorgen für ständige Schwankungen. Im Hochgebirge gibt es zwar reichlich Wasser; es ist jedoch häufig in Form von Schnee und Eis gebunden und kann deshalb von Tieren und Pflanzen kaum genutzt werden; das zum Leben unerläßliche Wasser kommt überwiegend als Regen aus den Wolken. Auch Sauerstoffmangel und schneidende, kalte Winde stellen für die Tiere im Hochgebirge so schwerwiegende Probleme dar, daß in extremen Höhenlagen nur besonders angepaßte Arten wie Yak, Steinbock und Lama und wenige Vögel, zum Beispiel Kondor, Lämmergeier und Alpendohle, anzutreffen sind. Andere Tiere würden in der extremen Kälte in Winterschlaf verfallen.

Im tropischen Regenwald dagegen wimmelt es von Lebewesen, da Tem-

Ganz oben: *Ein Zug von Wanderameisen in der für sie typischen Formation. Ihre Kiefer schnappen jede Beute, die ihnen begegnet. Obwohl kleine Tiere, sind sie durch das Zusammenwirken in großen Massen geschützt; der Tod des Einzelwesens spielt keine Rolle.*
Oben: *Diese prächtigen Mustangs sind dem Leben auf den offenen Prärien Nordamerikas oder den weiten Ebenen Zentralasiens bestens angepaßt. Hier zeigen zwei junge Hengste mit schnellen Reaktionen und fliegenden Hufen. daß sie zu kämpfen verstehen.*
Rechts: *Ein Amerikanischer Uhu (Bubo virginianus). Die großen Augen und das vorzügliche Gehör ermöglichen es den Eulenvögeln, nachts auf Nahrungssuche gehende Nager zu erbeuten. Die für die Ohreulen typischen Federbüschel haben mit dem Gehör nichts zu tun, sondern sind nur Zierde.*

peraturen und Feuchtigkeit das ganze Jahr hindurch gleichmäßig hoch sind und selbst die primitivsten wirbellosen Tiere existieren können, ohne sich Temperaturschwankungen anpassen zu müssen. Leider hat der Mensch einige der besten Wälder und Dschungelregionen gerodet; das hat dazu geführt, daß viele Arten zahlenmäßig geschrumpft und teilweise sogar ausgestorben sind. So wurden zum Beispiel auf der Insel Madagaskar mehr als 80 Prozent des Waldes abgeholzt, und von ihrer einzigarti-

gen Fauna ist heute kaum noch etwas vorhanden.

Wieder andere Tiere leben in lichten Wäldern und auf Grasfluren; in den verschiedenen Weltteilen kommen zwar unterschiedliche Arten vor, aber in ihrer Lebensweise gibt es viele Ähnlichkeiten. Allgemein bekannt sind die grasfressenden Säugetiere Afrikas — Gazellen, Zebras und Gnus. In Südamerika gibt es weniger Großtiere, dafür aber zahlreiche Nager, während in Australien die Känguruhs die typischen Grasfresser

sind. Welche Arten auf einem bestimmten Kontinent anzutreffen sind, hängt von seiner Entstehungsgeschichte ab.

Eine für Tiere problematische Umwelt sind die Wüstenregionen, aber trotz der Wasserknappheit und der ungeheuren Temperaturschwankungen gibt es in ihnen zahlreiche kleine Insekten, Spinnen und Skorpione, die sich von der spärlichen Vegetation, Früchten und natürlich anderen Lebewesen ernähren. Diese kleinen Gliederfüßer sind ein wichtiger Nahrungsbestandteil wüstenbewohnender Reptilien, Nager und Vögel.

Die ungeeignetste Region dürfte die bis heute unbesiedelte Trockenwüste im Zentrum der Antarktis sein. Dort gibt es weder Eis noch Schnee, sondern nur trockene, mit einem Salzfilm überzogene Sandkörner. Die Temperatur liegt ständig unter dem Gefrierpunkt, und es gibt weder Feuchtigkeit noch Leben.

An anderer Stelle dieses Buches werden die verschiedenen Lebensräume und einige der sie bewohnenden Tiere genauer beschrieben. Den Hauptteil bildet die Darstellung der verschiedenen Tierstämme, denen die fast unglaubliche Zahl der Arten zugeordnet wurde.

Oben: *Eine Herde Afrikanischer Elefanten mit etlichen Kühen und zwei Jungen, die gerade getrunken und sich im Schlamm gewälzt haben. Feuchter Schlamm dient diesen großen Säugetieren nicht nur zur Kühlung, sondern hilft ihnen auch, die auf ihrer dicken Haut sitzenden Schmarotzer und Insekten loszuwerden.*

Afrikanische Elefanten verbringen einen Großteil ihres Lebens damit, auf Nahrungssuche die weiten Ebenen zu durchwandern. In einigen Naturschutzparks haben sie sich so stark vermehrt, daß sich weite Landstriche durch zu starkes Abweiden und die nachfolgende Bodenerosion in Halbwüsten verwandelt haben. Die Zahl der Tiere muß zwar in Grenzen gehalten werden, aber Wildern führt nur zum langsamen Dahinsiechen Hunderter von Elefanten.

Rechts: *Einer der vielen reizvollen Haarsterne schwenkt seine zahlreichen gefiederten Arme, während er über die Oberfläche eines Korallenriffs gleitet. In den Korallenriffen leben einige der farbschönsten Tiere; zugleich sind sie jedoch der Schauplatz von heftigem Kampf und Tod (siehe Seite 87).*

7

Die großen biogeographischen Regionen

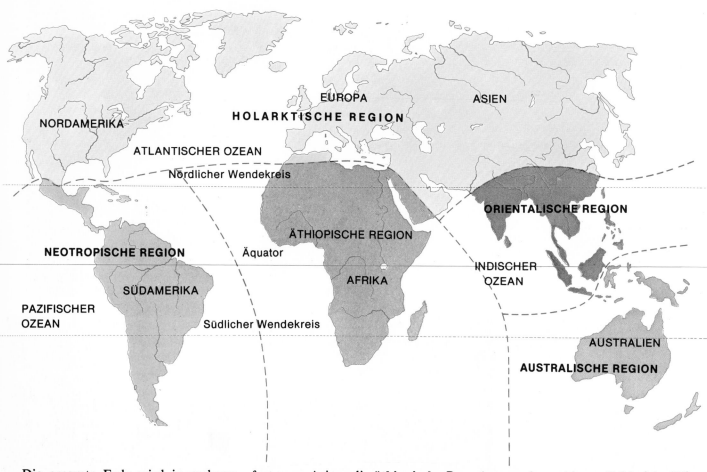

Die gesamte Erde wird in mehrere große Regionen (Faunenreiche) unterteilt, von denen jede ganz bestimmte Tierarten aufweist. Welche Tiere in jeder dieser Regionen anzutreffen sind, hängt von zwei Faktoren ab — dem Klima und der Vegetation. Das Klima wird bis zu einem gewissen Grade von der Entfernung eines Gebietes von den Polarzonen oder dem Äquator bestimmt; das Klima wiederum beeinflußt die Vegetation, denn Niederschläge und Temperaturen sind für alle Pflanzen von entscheidender Bedeutung.

Die Biologen unterscheiden fünf große Regionen: die **holarktische** Region, bestehend aus Nordamerika, Europa, einem Teil Nordafrikas und fast ganz Asien; die **äthiopische** Region, zu der fast ganz Afrika und ein Teil Arabiens gehören; die **orientalische** Region — Indien, Malaysia, Birma und Südchina; die **neotropische** Region, bestehend aus Mittel- und Südamerika; sowie die **australische** Region mit Australien, Neuguinea, Neuseeland und einigen der südindonesischen Inseln.

Die größten Barrieren zwischen diesen Regionen stellen Ozeane und Gebirge dar; die äthiopische Region wird durch die Wüste Sahara vom Südrand der Holarktis getrennt. Die Barrieren, die wir heute kennen, haben möglicherweise nicht immer bestanden, und viele jetzt weit voneinander getrennte Gebiete waren früher eng benachbart. Zahlreiche Wissenschaftler sind der Ansicht, daß sie vor mehr als 100 Millionen Jahren auseinanderbrachen und dann „davontrieben". So bildeten Südamerika und Afrika einst einen zusammenhängenden Kontinent; dann trieb Südamerika westwärts, und es entstand der Südatlantik. Um die gleiche Zeit löste sich die Antarktis von Australien und bewegte sich südwärts in ihre jetzige Position.

Rechts: *Pflanzen wie diese versteinerten Farne gediehen vor rund 300 Millionen Jahren in dichten Regenwäldern. Ihre Überreste liefern den wichtigsten fossilen Brennstoff, die Kohle. Noch heute sind die Rippen der Wedel deutlich zu erkennen.*

Den Beweis dafür, daß diese Kontinente einst zusammengehörten, liefern alte Gesteinsschichten. In der Antarktis gibt es Kohlenlager mit den fossilen Überresten von Pflanzen, die einst in einem warmen Klima lebten. Entsprechende Kohlenlager wurden in Afrika und Südamerika gefunden. Wenn sich Kontinente voneinander gelöst haben, ist es durchaus möglich, daß sie alte Tierformen gemeinsam hatten. Neuere Formen dagegen dürften sich unterschiedlich entwickelt haben, es sei denn, daß die Tiere riesige Wanderungen unternahmen. Je länger ein Gebiet von allen anderen Landmassen getrennt ist, desto größer ist die Eigenständigkeit seiner Fauna. Den besten Beweis dafür liefert der australische Kontinent.

Rechts: *Ein fossiler Ammonit. Die Überreste ausgestorbener Tiere wie beispielsweise der Ammoniten halfen dem Menschen, entwicklungsgeschichtliche Veränderungen in der Tierwelt zu erforschen. Ammoniten sind ausgestorbene Verwandte der Tintenfische.*

Holarktische Region

Diese bei weitem größte der biogeographischen Regionen wird in zwei Unterregionen unterteilt — die nearktische (Nordamerika) und die paläarktische (Eurasien).

In diesen beiden Regionen der Holarktis gibt es sehr unterschiedliche Landschaftsformen, von den Wissenschaftlern Biome genannt. Den Norden bedecken die Eismassen der Arktis und die kalte Tundra. Daran schließen sich die dunklen Koniferenwälder, das Biom der Taiga, an, das sich über Kanada, Nordamerika und Nordeuropa erstreckt. Südlicher gibt es auch Laubwälder mit zahlreichen Formen tierischen und pflanzlichen Lebens. Ein weiteres Biom bilden die Grasflächen der russischen Steppe und der amerikanischen Prärie. Zahlreiche Flüsse und Seen bieten Fischen, Fröschen, Insekten und Krebstieren eine Heimstatt, und in den Deltas und Sümpfen Europas und im Süden der Vereinigten Staaten wimmelt es von Fischen und Vögeln.

Die Landschaften Eurasiens sind erheblich vielgestaltiger als die Nordamerikas; deshalb gibt es hier eine weitaus größere Zahl von Lebensräumen für die verschiedenen Tierarten. Das wiederum hat zur Folge, daß in der paläarktischen Region wesentlich mehr Arten anzutreffen sind als in der nearktischen. So gibt es beispielsweise in Eurasien zahlreiche Ziegen- und Schafarten, von beiden Familien dagegen nur jeweils eine oder zwei in Nordamerika. Entsprechendes gilt für Rinder und Hirsche mit wesentlich mehr europäischen und asiatischen als nordamerikanischen Arten.

Zwischen den Tieren Nordamerikas und denen der übrigen Gebiete der holarktischen Region bestehen enge Beziehungen. Dies ist darauf zurückzuführen, daß die beiden Kontinente dort, wo sich heute die Beringstraße befindet, einst durch eine Landbrücke miteinander verbunden waren, über die die Tiere wandern konnten. Nachdem sie in ihrer neuen Heimat Fuß gefaßt hatten, konnten sie dort leben, bis die Unbil-

Legende der Karte:

- Alpine Tundra und Kältewüste
- Nadelwald
- Laubwald und Naturwiesen
- Immergrüne Bäume und Sträucher
- Temperierter Regenwald
- Tropischer Regenwald
- Dornbaumwald
- Grasland
- Dornsavanne, Steppe und Halbwüste
- Trockenwüste

Oben: *Freilebende Waschbären verbringen sehr viel Zeit auf Jagd in Wassernähe. Sie können Bäume erklettern.*

den der Eiszeit sie nach Süden vertrieben. Einige der im Norden Amerikas heimischen Arten wanderten durch Mittelamerika bis nach Südamerika und kehrten nach dem Abschmelzen des Eises wieder in den Norden zurück. In Eurasien sind solche Wanderungen weniger deutlich.

Einige Tierarten entstanden in einem Bereich der holarktischen Region, wanderten in einen anderen und blieben dort; in ihrer ursprünglichen Heimat dagegen starben sie aus. Ein deutliches Beispiel hierfür liefert

die Geschichte der Kamele und Pferde. Diese Tierfamilien entstanden in Nordamerika, wanderten nach Eurasien und Südamerika (Kamele) und lebten dort in verschiedenen Lebensräumen; in Nordamerika starben sie aus. Erst später wurde das Pferd mit großem Erfolg wieder in Nordamerika eingeführt. Die Waschbären entwickelten sich in Nordamerika, breiteten sich nach Eurasien und Südamerika aus und wichen dann in Nordamerika und Eurasien vor dem Eis zurück. In Nordamerika nahmen sie nach dem Abtauen des Eises das Land wieder in Besitz, während es in der paläarktischen Region keine le-

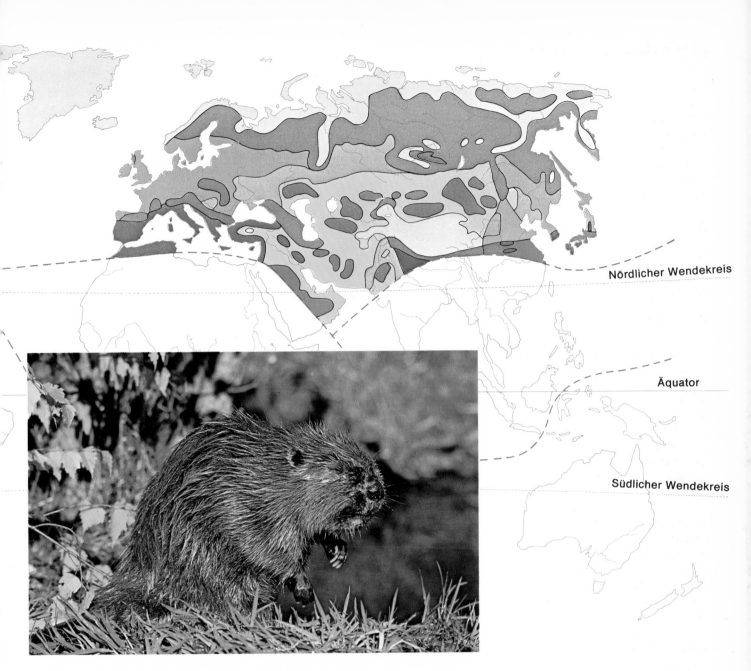

benden Arten mehr gibt. Ihr nächster Verwandter ist der Bambusbär oder Riesenpanda im Norden der orientalischen Region. Dennoch sind die Ähnlichkeiten zwischen der Fauna der nearktischen und der paläarktischen Region deutlich ausgeprägt. In beiden gibt es keine Beuteltiere; Affen fehlen in der nearktischen Region völlig, während sie in der paläarktischen nur in den Grenzbereichen im Süden und Osten anzutreffen sind.

Große Ähnlichkeiten gibt es bei den Raubtieren: Wölfe, Füchse, Luchse, Marder und Bären, darunter der Eisbär, leben in beiden Regionen; auch Nager wie Ratten, Mäuse,

Oben: *In der gesamten holarktischen Region bauen Biber ihre Dämme und tragen damit zur natürlichen Regulierung von Wasserläufen bei.*

Wühlmäuse, Lemminge und Biber sind in der gesamten Holarktis anzutreffen. Der europäische Wisent ist mit dem nordamerikanischen Bison nahe verwandt.

Auch die Fische und Amphibien in den vielen Flüssen und Seen der beiden Hemisphären sind einander sehr ähnlich. Diese Gewässer entstanden durch abschmelzenden Schnee und werden ständig durch Zuflüsse aus den Gebirgen gespeist.

Dank ihrer hervorragenden Flug-

fähigkeit sind Vögel in der gesamten holarktischen Region in nahe verwandten oder sogar identischen Arten in Gebieten anzutreffen, die Tausende von Kilometern voneinander entfernt sind. Möwen und andere Seevögel leben an der europäischen und an der amerikanischen Küste des Atlantik, und Wildgänse und -enten sind an den Flüssen und Seen Kanadas und Nordamerikas ebenso vorhanden wie an den kalten Seen Nordeuropas und den Flüssen Asiens. Auch bei den Greifvögeln bestehen enge Verwandtschaften. Zahlreiche Arten sind über die gesamte holarktische Region verbreitet.

Äthiopische Region

Die im Norden von der riesigen Wüstenfläche der Sahara begrenzte äthiopische Region wird von einigen der schönsten und bekanntesten Tiere bewohnt, darunter Löwen, Elefanten, Gorillas, Giraffen und Straußen. Terrain und Klima weisen in Afrika zwar eine beachtliche Bandbreite auf, aber nur einige wenige geographische Faktoren beeinflussen die verschiedenen Biome.

Da ist einmal die Sahara und das große, südlich von ihr gelegene Gebiet, in dem nur Gestrüpp und spärlicher Graswuchs anzutreffen sind. In dieser Wüste und Halbwüste können nur wenige Großtiere existieren; die Fauna beschränkt sich in erster Linie auf Insekten, Skorpione, Echsen, Schlangen, Wüstenratten, Wüstenfüchse und ein paar Vogelarten. Ähnliche Verhältnisse herrschen in der Wüste Namib in Südwestafrika und ihrer Umgebung.

Der tropische Regenwald zerteilt Afrika wie ein breiter Gürtel. Die kraftvoll wachsenden Bäume drängen dem Licht entgegen und bilden ein dichtes Blätterdach, in dem ein Großteil der Tierwelt zu Hause ist. Hier wimmelt es von Affen, Hörnchen und verschiedenen Nagern, die sich von Blättern und Früchten ernähren. Da es auf dem Boden kaum Gras und frisches Grün gibt, sind Weidetiere selten. Auch abgefallene Blätter, in den sommergrünen Laubwäldern Europas ein vertrauter Anblick, fehlen, weil sie von üppig gedeihenden Pilzen und Insekten unglaublich schnell zersetzt werden. Verrottendes Holz wird sofort von den allgegenwärtigen Termiten vernichtet. Der auffälligste und lauteste Teil der Fauna des tropischen Regenwalds sind die Vögel — Papageien, Nektarvögel, Hornvögel und Bartvögel, allesamt mit leuchtendem Gefieder ausgestattet. Greifvögel wie Sperber, Eulen und Habichte holen sich andere Vögel und Nagetiere von den Bäumen.

Zwei weitere wichtige Regionen Afrikas sind Dornsavanne und Trockensavanne; diese beiden Vegetationsformen gehen ineinander über, und deshalb sind einige Tiere — zum Beispiel Elefanten, Geparden, Giraffen und Löwen — in beiden anzutreffen. Typisch für die Dornsavanne sind extreme Trockenheit und zähe Pflanzen, die sich mit dünnen, ledrigen und dornigen Blättern der Dürre angepaßt haben. Zwei Regenperioden im August und November bewirken erstaunliche Veränderungen: Die Pflanzen blühen und bringen in sehr kurzer Zeit Früchte und Samen hervor.

Die Veränderungen, die beim Einsetzen des Regens in der Trockensavanne vor sich gehen, sind kaum weniger dramatisch, aber Bäume und Sträucher sind seltener, weil auf einem harten Untergrund aus erstarrter Lava nur eine dünne Schicht Oberboden liegt und Pflanzen mit tiefreichenden Wurzeln nicht existieren können. Die Trockensavanne ist ein idealer Lebensraum für Weidetiere. Hier finden sich die größten Antilopenherden der Welt, und gewaltige Scharen von Zebras, Gazellen und Gnus durchwandern gemächlich das gesamte Gebiet. In der Regel brauchen die zahlreichen Weidetiere jedoch nicht um ihre Nahrung zu kämpfen, da sie verschiedene Pflanzenformen fressen. Zebras ernähren sich von langem, Gnus von etwas kürzerem und Gazellen von ganz

Rechts: Löwen sind gesellige Tiere, die in Gruppen oder Rudeln aus mehreren Weibchen mit ihren Jungen und einem dominierenden Männchen zusammenleben. Hier hat ein Rudel vor der sengenden Hitze des Tages im Schatten Zuflucht gesucht.

kurzem Gras, während sich die Kuhantilopen mit den zähen Stengeln begnügen, die die anderen übriggelassen haben. Ähnliches gilt für die Blattfresser — die Giraffe verspeist die ganz hoch sitzenden Blätter und Zweige, die Giraffengazelle stellt sich auf die Hinterbeine und knabbert an tiefer sitzenden Blättern und Zwei-

gen, während die Windspielantilope nur wenige Zentimeter oberhalb des Bodens wachsende Blätter abweidet.

Weil die Weidetiere so zahlreich sind, gibt es viele Raubtiere, denen sie als Nahrung dienen; den Jägern folgen die Aasfresser wie zum Beispiel Geier und Hyänen, die mit den Überresten aufräumen.

Auch in und an den großen Flüssen leben zahlreiche Tiere, von den massigen Flußpferden und Krokodilen bis zu den zierlichen Wasservögeln wie Reihern und Flamingos.

Unten: Flamingos leben in Kolonien und bauen ihre Nester aus weichem, später verhärtendem Schlamm.

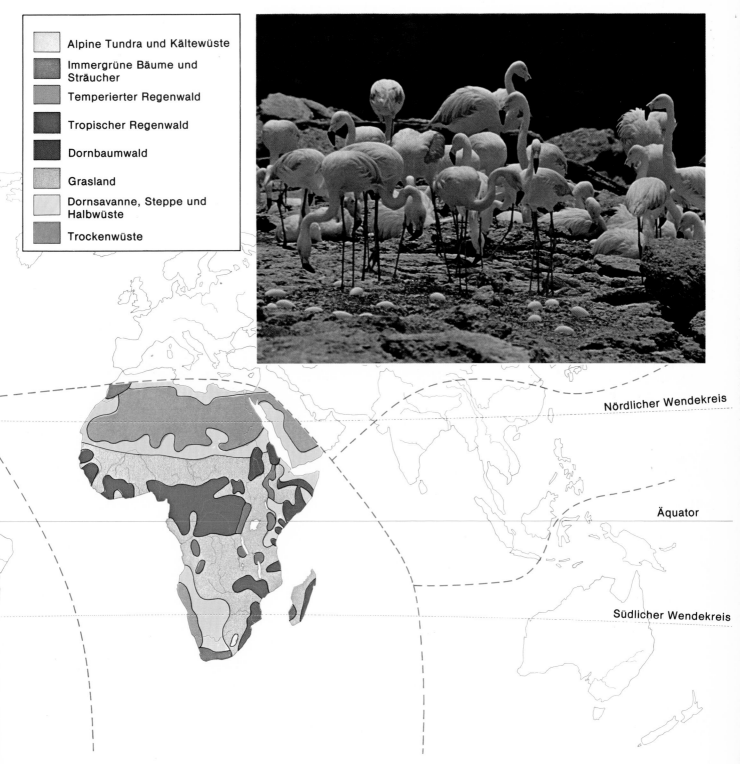

Legende:

- Alpine Tundra und Kältewüste
- Immergrüne Bäume und Sträucher
- Temperierter Regenwald
- Tropischer Regenwald
- Dornbaumwald
- Grasland
- Dornsavanne, Steppe und Halbwüste
- Trockenwüste

Nördlicher Wendekreis

Äquator

Südlicher Wendekreis

Neotropische Region

Zur Hauptsache besteht diese Region aus drei Biomen: dem tropischen Regenwald im Einzugsgebiet des Amazonas, der langgestreckten Bergkette der Anden (der größten der Welt) und dem gemäßigten Grasland (den Pampas). Weitere Biome sind Steppen mit regelmäßigen Niederschlägen zu bestimmten Zeiten, Hochebenen, Trockenwüste und südliche Tundra.

Die bunte Mischung der Fauna (Beuteltiere existieren neben höher entwickelten plazentalen Säugetieren wie Ozelot und Hirsch) ist geschichtlich bedingt. Vor rund 70 Millionen Jahren gab es eine Landbrücke, die die neotropische Region mit Nordamerika verband und auf der Tiere nach Südamerika einwandern konnten. Später wurde diese Landbrücke von Wasser überflutet und Südamerika zur riesigen Insel, auf der sich die vorhandenen Tierarten weiterentwickelten. Vor 3 bis 4 Millionen Jahren kam die Panama-Landbrücke wieder zum Vorschein, und eine zweite Wanderung setzte ein. Die Neuankömmlinge waren häufig stärker als die eingebürgerten Arten, von denen viele ausstarben, weil sie im Kampf ums Dasein nicht bestanden.

Auf keinem anderen Kontinent sind so weite Landstriche von dichtem Regenwald bedeckt. In der sehr hohen Luftfeuchtigkeit gedeihen ungezählte Baumarten, und auf den großen Pflanzen wachsen viele kleinere. Der Boden liegt in tiefem Schatten und ist schwarz und mit Pflanzenabfällen übersät. Da das Gebiet regelmäßig überschwemmt wird, können die meisten Tiere entweder schwimmen (Fische, Reptilien, Nager und Tapire) oder klettern

Leben auf dem Gipfel

Die Gebirgsregion der Anden ist so groß, daß sie kaum als einheitlicher Lebensraum zu beschreiben ist. Sie besteht überwiegend aus Hochplateaus, von tiefen Tälern durchzogen und von Felsklippen und Abhängen umgeben, während im Hintergrund schneebedeckte Gipfel aufragen. Bei einer durchschnittlichen Höhe von 3000 bis 4000 Metern stellt, neben starken Temperaturschwankungen, der Sauerstoffmangel das größte Problem dar. Diesen Lebensbedingungen haben sich Guanako *(Lama guanicoë)* und Vikunja *(Lama vicugna)* besonders erfolgreich angepaßt.

Unten: *Die Capybaras* (Hydrochoerus hydrochaeris), *auch Wasserschweine genannt, sind die größten Nagetiere der Welt und leben nahe am Wasser.*

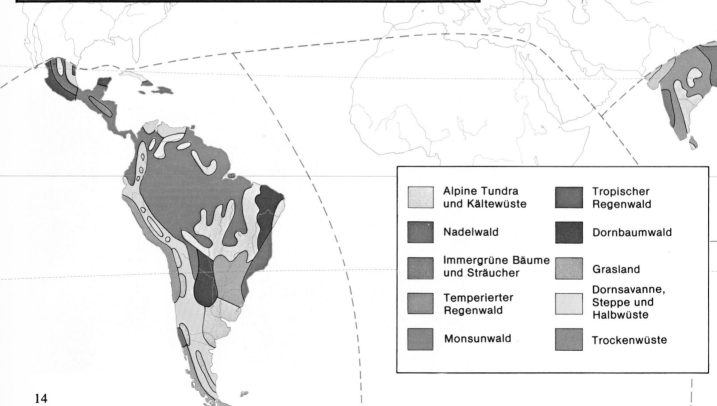

Alpine Tundra und Kältewüste	Tropischer Regenwald
Nadelwald	Dornbaumwald
Immergrüne Bäume und Sträucher	Grasland
Temperierter Regenwald	Dornsavanne, Steppe und Halbwüste
Monsunwald	Trockenwüste

(Klammeraffen, Stachelschweine und Faultiere). Einige Arten, so zum Beispiel der Jaguar, können sowohl schwimmen als auch klettern.

Die Pampas bestehen aus offenem Grasland und Steppe, auf der nur kümmerliches Gestrüpp und gelegentlich ein paar Bäume wachsen. Sie sind überwiegend im südlichen Teil des Kontinents anzutreffen; typisch sind lange, von kurzen Regenzeiten unterbrochene Trockenperioden. Im tiefen Süden, wo es nur gelegentlich regnet, ist eine staubige Trockenwüste entstanden; nur in Senken oder an geschützten Stellen wachsen zähe Gräser. Die Pampas sind die ideale Umwelt für Weidetiere; dort finden sich Arten wie zum Beispiel der Pampashirsch, aber die typischen Pflanzenfresser Südamerikas sind Nager wie Viscachas, Meerschweinchen und Capybaras.

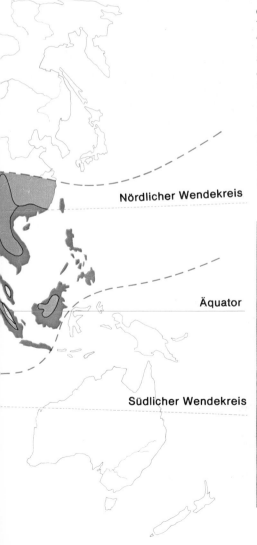

Orientalische Region

Die orientalische Region verfügt mit sehr vielen verschiedenen Lebensräumen im wesentlichen über drei Biome: heißen, feuchten Regenwald, Trocken- und Dornsavanne und Gebirgslandschaften. Die Berge und Trockenwüsten im Norden grenzen an die Holarktis, im Südosten besteht die orientalische Region aus zahllosen Inseln, darunter dem Malaiischen Archipel und Indonesien.

Das pflanzliche Leben und damit auch das der von der Vegetation abhängigen Tiere wird von Regen und Wind — dem Monsun — bestimmt. Der Sommermonsun weht von Südwesten, der Wintermonsun von Nordosten.

In Assam und auf Borneo zum Beispiel gibt es dschungelartigen Regenwald; die Niederschläge fallen das ganze Jahr hindurch reichlich, die Temperaturen sind gleichbleibend hoch. Dort leben zahlreiche Tiere, die sich von Früchten oder Insekten ernähren. Durch das Blätterdach dringt nur wenig Licht auf den Waldboden; deshalb wachsen dort kaum Gräser oder andere Pflanzen, die abgeweidet werden können. Typische Tiere dieses Primärwaldes sind Gibbon, Orang-Utan, einige Hirsche, zahlreiche Vögel, Fledermäuse und Insekten. An der Küste

tritt an die Stelle des Regenwaldes der Mangrovensumpf mit seiner einzigartigen Fauna. Im lichteren Sekundärwald nehmen Languren und Makaken den Platz der Gibbons und Orang-Utans ein. Bei diesen Sekundärwäldern handelt es sich häufig um Monsunwälder mit starken Niederschlägen in sechs Monaten des Jahres, gefolgt von einer sechsmonatigen Trockenzeit.

In Gegenden mit noch geringerem Niederschlag entstanden laubwerfende Wälder; hier ähnelt die Landschaft Teilen der Holarktis. Wo jährlich weniger als 75 Zentimeter Niederschlag fallen, können anstelle der Wälder weite Ebenen mit Trocken- und Dornsavanne bedeckt sein, die den entsprechenden Landschaftsformen Afrikas ähneln. Große Bereiche Indochinas sind mit savannenähnlichem Grasland und Dornsträuchern bedeckt. Nur an den Flußufern findet sich eine dichtere Vegetation. Auf diesem Grasland leben, ähnlich wie in der äthiopischen Region, Herden von Weidetieren, vor allem Elefanten, Gaure (Rinder) und Hirsche, und Raubtiere wie Wildhunde und Leoparden.

Unten: *Gibbons sind große Affen, die sich mit Hilfe ihrer langen Arme und Greifhände anmutig von Baum zu Baum schwingen. Die Hangelarme sind so lang, daß die Tiere auf dem Boden unbeholfen wirken.*

Australische Region

In dieser Region, die gelegentlich auch als australasiatische bezeichnet wird, findet sich die ungewöhnlichste Fauna der Welt; einige Tiere kommen nur in Australien und nirgendwo sonst vor. Die Tierwelt der Inselkette im Norden weist zwar Verwandtschaften mit der der orientalischen Region auf (hier gibt es zum Beispiel den Koboldmaki und das Bankivahuhn), aber auf den unmittelbar nördlich von Australien gelegenen Inseln leben mehr typisch australische Arten wie Kakadu, Känguruh und Kasuar.

Die Wissenschaftler nehmen an, daß die Landbrücke zur orientalischen Region vor vielen Millionen Jahren abbrach und daß sich die auf dem australischen Kontinent heimischen Tiere dort weiterentwickelten. Das gilt vor allem für die Beuteltiere (Marsupialia) wie Känguruh, Wallaby und Koala. Erst als vor wenigen tausend Jahren der Mensch auf der Bildfläche erschien, traten Veränderungen ein. Vor allem in den letzten 200 Jahren hat der Mensch durch die Einfuhr von Rindern und Schafen sowie Hunden, Katzen und Ratten Verhältnisse geschaffen, die sich nachteilig auf die heimische Fauna auswirkten.

Das Zentrum des australischen Kontinents besteht aus Wüste und Halbwüste, umgeben von trockener Steppe mit spärlichem Graswuchs. Die Vegetation der ausgedehnten Savanne ähnelt der Afrikas. Im Nordosten und Südosten gibt es einen Regenwaldgürtel; die Berghänge bedecken Wälder, die zum großen Teil aus Eukalypten bestehen.

Unten: Auf den Galápagosinseln gibt es einige faszinierende Beispiele für die Evolution, darunter die Darwin-Finken mit 14 Arten, die wahrscheinlich alle auf eine Spezies zurückgehen. Die Körnerfresser unter ihnen besitzen kurze, dicke Schnäbel und halten sich überwiegend auf dem Boden auf, während die Insektenfresser mit langen, spitzen Schnäbeln die Bäume bewohnen. Der Spechtfink (Cactospiza pallida) benutzt einen Kaktusdorn, um in der Baumrinde nach Insekten zu stochern — wie der Specht mit seinem langen Schnabel.

Isolierte Inseln

Es gibt zwei Haupttypen von Inseln — kontinentale und ozeanische. Die kontinentalen Inseln befinden sich in der Nähe großer Landmassen, und bei ihrer Flora und Fauna handelt es sich meist um kontinentale Formen, die sich vor oder nach der Ablösung der Inseln vom Festland eingebürgert haben. Ozeanische Inseln sind durch die Tätigkeit von Vulkanen entstanden und oft von allen Landmassen isoliert; zu den letzteren gehören zum Beispiel die Hawaii-Inseln im Pazifik sowie Tristan da Cunha und Gough Island im Südatlantik.

Die ozeanischen Inseln sind gewöhnlich relativ klein, und ihr Klima wird von dem sie umgebenden Ozean bestimmt. Geeignete Lebensräume sind in der Regel nur der Küstenstreifen, Felsen, Sand und Gestrüpp. Meeresströmungen und Winde tragen Samen, Früchte, Sporen und Tiere an ihre Ufer. So bringt zum Beispiel der Benguelastrom Arten aus Afrika zur Insel Ascension. Häufig sind Tiere, die fliegen können, die einzigen tierischen Bewohner solcher Inseln.

Süßwasser ist oft sehr knapp, und demzufolge fehlen zumeist auch Süßwasserfische und Amphibien, die ohne Süßwasser nicht leben können. Hat sich ein Tier einmal eingebürgert, entwickelt es häufig eine Reihe verschiedener, den unterschiedlichen Lebensräumen angepaßter Spezies. Das beste Beispiel hierfür liefern die Darwin-Finken auf den Galápagosinseln.

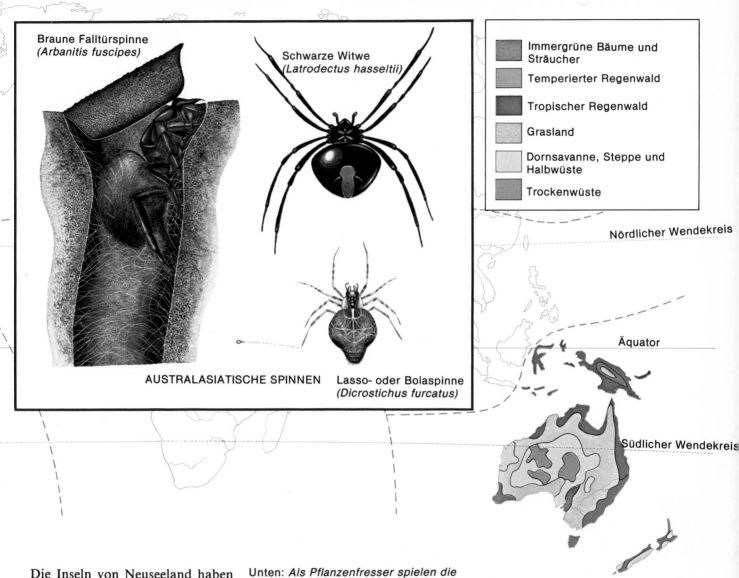

Braune Falltürspinne
(Arbanitis fuscipes)

Schwarze Witwe
(Latrodectus hasseltii)

AUSTRALASIATISCHE SPINNEN

Lasso- oder Bolaspinne
(Dicrostichus furcatus)

Immergrüne Bäume und Sträucher	
Temperierter Regenwald	
Tropischer Regenwald	
Grasland	
Dornsavanne, Steppe und Halbwüste	
Trockenwüste	

Nördlicher Wendekreis

Äquator

Südlicher Wendekreis

Die Inseln von Neuseeland haben ihr eigenes Klima und eine Flora, die von den Moosen und Flechten des Hochgebirges bis zur dichten Vegetation der Täler reicht; weite Teile der Inseln sind Grasland.

Zur einzigartigen Tierwelt Australiens gehört das Schnabeltier *(Ornithorhynchus anatinus),* das an und in den Flüssen Ostaustraliens lebt. Das Schnabeltier und die fünf Arten von Ameisenigeln (TACHYGLOSSIDAE) stellen als eierlegende Säugetiere eine zoologische Besonderheit dar; sie werden als Kloakentiere bezeichnet. Die zweite Gruppe ungewöhnlicher Säugetiere sind die Beuteltiere; sie waren sehr zahlreich und bewohnten viele verschiedene Lebensräume, bis der Mensch mit seinen Haustieren eintraf und ihnen den Lebensraum streitig machte.

Unten: *Als Pflanzenfresser spielen die Känguruhs in der Ökologie Australiens eine wichtige Rolle.*

17

Wälder

Tropische Wälder

Wie ein Gürtel, der vom Amazonasgebiet, an den Ufern des Kongo entlang und durch Ostafrika bis zum üppigen Dschungel Südostasiens reicht, erstrecken sich tropische Regenwälder um die ganze Welt. Damit diese Vegetationsform entstehen kann, sind das ganze Jahr hindurch reichliche Niederschläge und hohe Lufttemperaturen erforderlich, denn nur sie gestatten ständiges Wachstum, das einer Vielzahl von Tieren Nahrung bietet. Dies wiederum bedeutet, daß sich die Tiere in ihren Freßgewohnheiten stark spezialisieren können, ohne daß ihnen im Wandel der Jahreszeiten die Nahrung ausgeht. Hier gedeihen Arten wie Kolibris und Schwärmer, die sich von Nektar ernähren, ebenso wie solche, die wie Tukane und Flughunde ausschließlich Früchte fressen.

Typisch für tropische Wälder sind viele verschiedene Baumarten mit Kronen auf unterschiedlichen Ebenen. Auf jedem dieser Stockwerke leben spezielle Tierarten — Insekten und Nager in den bodennahen, krautigen Gewächsen; Vögel, Insekten, Echsen und Schlangen zwischen Schößlingen und Sträuchern und ungezählte Arten in den oberen Etagen.

Im tropischen Regenwald gibt es kaum Gras, und herabfallende Blätter werden so rasch zersetzt, daß der Waldboden nackt und kahl erscheint, wenn man ihn mit dem von Gräsern, krautigen Pflanzen und Blättern übersäten Boden der Laubwälder oder dem feuchten Nadelteppich der Koniferenwälder der nördlichen Regionen vergleicht.

Baumbewohner müssen gut sehen können, um Entfernungen richtig abzuschätzen. (Da die Baumstämme die Sicht behindern, sind die Tiere auf dem Waldboden mehr auf ihr Gehör als auf ihre Augen angewie-

Links: *Im tropischen Regenwald sind selbst auf einer kleinen Fläche viele verschiedene Pflanzenarten vertreten. Das dichte Unterholz bietet Schutz und Nahrung zugleich, aber sonnenliebende Tiere ziehen die Baumkronen vor.*

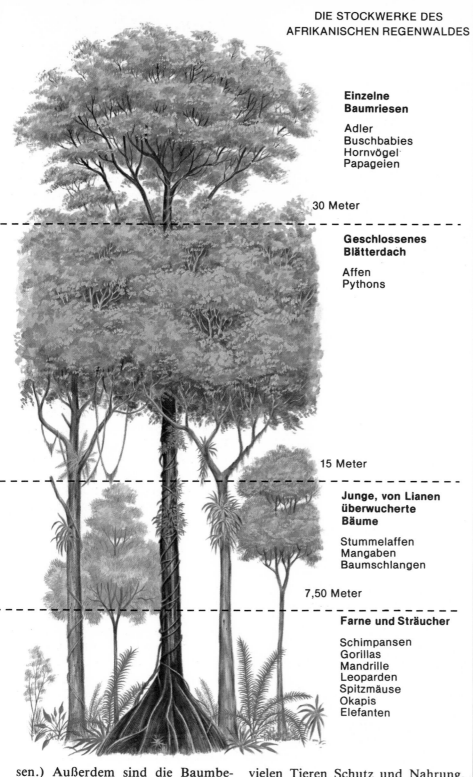

DIE STOCKWERKE DES
AFRIKANISCHEN REGENWALDES

**Einzelne
Baumriesen**

Adler
Buschbabies
Hornvögel
Papageien

30 Meter

**Geschlossenes
Blätterdach**

Affen
Pythons

15 Meter

**Junge, von Lianen
überwucherte
Bäume**

Stummelaffen
Mangaben
Baumschlangen

7,50 Meter

Farne und Sträucher

Schimpansen
Gorillas
Mandrille
Leoparden
Spitzmäuse
Okapis
Elefanten

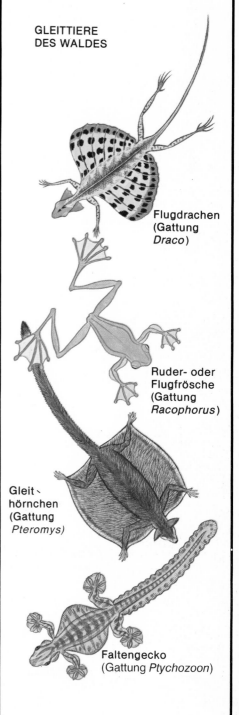

Kletterer und Flieger

Die meisten Urwaldtiere sind Kletterer
wie die zahlreichen Affenarten, Ratten,
Hörnchen und Schlangen oder Flieger
wie Vögel, Fledermäuse und Insekten.
Einige Arten bewegen sich gleitend von
Baum zu Baum, wobei ihnen Körperan-
hänge helfen, die wie Fallschirme wir-
ken. Unter ihnen finden sich Echsen,
Hörnchen, Kletterbeutler und sogar
Schlangen und Frösche.

GLEITTIERE
DES WALDES

Flugdrachen
(Gattung
Draco)

Ruder- oder
Flugfrösche
(Gattung
Racophorus)

Gleit-
hörnchen
(Gattung
Pteromys)

Faltengecko
(Gattung *Ptychozoon*)

sen.) Außerdem sind die Baumbewohner in der Regel leichter gebaut
als die schwerfälligeren Bodenbewohner und überdies mit langen,
dünnen Gliedmaßen oder Greiforga-
nen ausgestattet.

In tropischen Wäldern sind Flüsse
das einzige offene Gelände. Die dichte Vegetation an ihren Ufern bietet
vielen Tieren Schutz und Nahrung,
darunter auch einigen größeren Arten, die in den dicht mit Bäumen be-
standenen Gebieten keinen geeigneten Lebensraum finden. Zu ihnen gehören die auf Java und Sumatra lebenden Nashornarten, das Krokodil,
die Anakonda, der Wasserbüffel und
sogar der Elefant.

Laubwälder der gemäßigten Zone

Zwischen den Tropen und den Polarregionen liegen Zonen mit gemäßigtem Klima. Typisch für den hohen Norden sind die an die Tundra angrenzenden Nadelwälder; sie werden im Süden von den Wäldern der gemäßigten Zone mit zahlreichen Arten laubwerfender Bäume abgelöst. In der südlichen Hemisphäre finden sich Laubwälder der gemäßigten Zone in Argentinien und Chile (neotropische Region) sowie in Form schmaler Gürtel in Neuseeland und Australien (australische Region).

Die Laubwälder der gemäßigten Zone bilden heute keinen so dichten Gürtel mehr wie die Nadel- oder tropischen Regenwälder. Das ist in erster Linie auf menschliche Einflüsse zurückzuführen. Der Boden der Laubwälder ist wesentlich nährstoffreicher als der der Nadelwälder, und das gemäßigte Klima wird vom Menschen besser vertragen als das tropische. Die Folge hiervon ist, daß der Mensch einen unvorstellbar großen Teil der natürlichen Laubwälder abgeholzt hat. In Nordamerika ist nur ein Prozent des ursprünglichen Waldbestandes erhalten geblieben,

Oben: *Die Laub-Mischwälder der gemäßigten Zone stellen für Tiere einen lichteren Lebensraum dar als die tropischen Wälder, aber auch hier finden zahlreiche Arten geeignete Habitate.*

das sich fast ausschließlich in Naturparks und Naturschutzgebieten befindet.

Typisch für die Laubwälder der gemäßigten Zone ist der Laubfall im Herbst, nachdem sich die absterbenden Blätter in vielen verschiedenen Rot- und Goldtönen gefärbt haben. Die auf dem Boden angehäuften Blätter beginnen im Winter langsam zu verwesen und zersetzen sich allmählich immer weiter.

In diesem Blätterteppich herrscht reges Leben — Bakterien, Pilze, Würmer und Gliederfüßer leben von dem verrottenden organischen Material. Sie wiederum locken Fleischfresser wie Spinnen, Spitzmäuse, Mäuse und Hundertfüßer an, während sich Tausendfüßer und Asseln von zähen Blättern und Ästchen ernähren. Sie alle produzieren Mineralien, die das Wachstum der gesamten Vegetation fördern — der krautigen Pflanzen, der Sträucher sowie der verschiedenen Baumarten.

Sträucher und die ausladenden Kronen der Bäume bieten zahlreichen Vögeln, Insekten und kleinen Säugetieren Schutz und Nahrung.

Oben: *Die in feuchten Waldregionen gedeihenden Moose bieten wasserliebenden Tieren ein geeignetes Revier. Die Rollassel (Armadillidium vulgare) ernährt sich von abgestorbenem Moos.*

Hier finden sich die weitverbreiteten Insektenfresser — Igel, Spitzmäuse, Grasmücken und Laubsänger, Baumläufer, Blindschleichen und Eidechsen. Um den Unbilden und dem Nahrungsmangel des Winters zu entfliehen, fallen viele Insektenfresser der Laubwälder in Winterschlaf, während zahlreiche Vögel in wärmere Gegenden ziehen.

Nadelwälder

Im Norden der holarktischen Region erstreckt sich, fast 13 000 Kilometer lang, die Zone der Nadelwälder, die Taiga. Vorherrschende Bäume sind Kiefern, Tannen, Hemlockstannen und Lärchen. Unter diesen Bäumen herrscht tiefer Schatten, der im Verein mit einem nährstoffarmen Boden das Wachstum von Sträuchern und anderen Pflanzen unter ihnen weitgehend verhindert. Nur an den Ufern der Flüsse findet sich dichtes Unterholz, und andere Baumarten, vor allem Birken, Pappeln und Weiden, säumen in dünnen Gürteln die Flußufer und tragen zur Ernährung der Pflanzenfresser bei.

Stellenweise sind die Nadelwälder sehr naß und sumpfig, wie zum Beispiel die kanadischen Moore und die russische Taiga. In diesen Landschaften gibt es zwischen Koniferengruppen zahlreiche Teiche und Wasserläufe, die im Sommer Millionen von Wildvögeln Nahrung bieten.

Unten: *Kiefernwälder bedecken weite Gebiete Nordeuropas; an vielen Stellen verhindern sie an felsigen Abhängen die Erosion des Bodens.*

Die Koniferen können im kalten Norden existieren, weil eine Wachsschicht ihre Blätter vor dem Austrocknen schützt, die zudem durch ihre Nadelform dem Wind wenig Angriffsfläche bieten. Von den biegsamen, abwärts geneigten Ästen gleitet der Schnee zum größten Teil ab; damit wird verhindert, daß die Bäume unter großen Schneelasten brechen.

Die in den Wäldern des Nordens lebenden Tiere müssen zwei Problemen begegnen — der Kälte und Nahrungsknappheit im Winter. Alle im Winter aktiven Tiere müssen ein dickes Fell haben; viele von ihnen passen ihre Fellfarbe sogar der Landschaft an. So tragen zum Beispiel Schneehase, Eisfuchs und Hermelin im Winter ein weißes Fell, mit dessen Hilfe sie sich unbemerkt an ihre Beute anschleichen können. Viele Nagetiere ziehen sich mit einem Vorrat an Früchten und Wurzeln in unterirdische Baue zurück.

Da auf dem Waldboden kaum Pflanzen wachsen, liefern Bäume für die meisten Tiere die Nahrung. Vögel, Hörnchen und Hasen ernähren sich von Knospen, Rinde, Blättern und Zapfen; sie wiederum werden von Mardern, Eulen, Luchsen, Wölfen und Bären verspeist.

Zapfen- und Knospenfresser sind

Oben: *Streifenhörnchen sind in den wärmeren Jahreszeiten lebhafte Bewohner der Kiefernwälder; die kalten Monate mit ihrem Nahrungsmangel verschlafen sie in der Erde.*

unter anderem Eichhörnchen, Backenhörnchen, Kreuzschnäbel und Auerhühner sowie zahllose Insekten wie Kieferneulen, Blattwespen und Holzwespen.

An den Flüssen, die die Nadelwälder durchziehen, finden sich größere Säugetiere wie Elche und Bären ebenso wie Nager, darunter Waldmurmeltiere und Wühlmäuse.

Grasfluren

und vereinzelte Sträucher, ausgenommen im Uferbereich der Flüsse.

Steppen und Prärien sind die ideale Umwelt für Weidetiere, die dort in großen Herden anzutreffen sind. Gabelböcke und Bisons profitieren vom Herdenleben, denn die Wachsamkeit vieler Einzelwesen bietet verstärkten Schutz. Das Fehlen von Deckung zwingt die Weidetiere und ihre Jäger zu ständiger Aufmerksamkeit, denn im Gegensatz zu den Waldtieren sind sie über große Entfernungen hinweg zu sehen. Dieser Umstand hat zur Entwicklung eines besonders guten Sehvermögens bei den Weidetieren geführt. Viele von ihnen, zum Beispiel Wildesel, Gabelbock und der flugunfähige Emu, können sich überdies sehr schnell bewegen.

Welche Art von Vegetation sich in einer Landschaft entwickelt, hängt von Boden und Klima ab, wobei die Verteilung der Niederschläge über das Jahr der wichtigste Faktor ist. Dementsprechend gibt es zwei Haupttypen von Grasfluren: Savanne und Steppe.

Oben: *Die prächtigen Rappenantilopen (Hippotragus niger) leben in Rudeln, die gewöhnlich aus einem der dunkler gefärbten Bullen und drei oder vier Weibchen bestehen. Die großen Ohren helfen ihnen, gefährliche Raubtiere rechtzeitig auszumachen.*

Grasfluren der gemäßigten Zone

Zwischen den Wäldern und den Wüsten erstreckt sich eine grasbewachsene Zone; sie findet sich häufig im Innern der Kontinente, denn dort herrschen in der Regel klimatische Bedingungen, die ihrer Entwicklung förderlich sind. Zumeist sind es niederschlagsarme Gegenden mit deutlich ausgeprägten Jahreszeiten — heißen, trockenen Sommern und sehr kalten Wintern.

Grasfluren finden sich in den gemäßigten Zonen der meisten Kontinente: In Nordamerika sind es die weiten Prärien, in Südamerika die Pampas, in Australien und Neuseeland savannenähnliche Gebiete. Bei weitem die größte zusammenhängende Grasflur ist die eurasische Steppe, die sich 3 200 Kilometer weit von Ungarn bis nach China erstreckt.

Im Gegensatz zu den verschiedenen Waldtypen besitzen die Grasfluren immer einen humusreichen Boden; berühmt ist zum Beispiel die „schwarze Erde" der russischen Steppe. Wegen der geringen Niederschlagsmenge wachsen jedoch trotz des fruchtbaren Bodens nur Gräser

Dornstrauchsavanne

In Gegenden mit etwas stärkeren Niederschlägen, zum Beispiel an den Abhängen von Bergen oder in geschützten Senken, können sich neben den Gräsern auch Sträucher entwickeln, die verschiedenen Tierarten Nahrung und Schutz bieten, zum Beispiel kleinen Vögeln, die sich von Grassamen ernähren, aber ohne die Sträucher keine geeigneten Nistplätze finden könnten. Die strauchige Vegetation ist von Land zu Land verschieden — in Australien herrschen die Eukalypten vor, in Afrika die Akazien —, auf jeden Fall muß sie jedoch zäh und so widerstandsfähig sein, daß sie nicht darunter leidet, wenn die Knospen abgefressen oder vom Frost vernichtet werden.

Sekundäre Grasfluren

Sie entstehen, wenn der natürliche Graswuchs durch eine Getreideart ersetzt wurde oder der Mensch die Wälder abgeholzt hat, um Platz zu schaffen für Weiden, Felder oder Plantagen.

In jedem Fall hat eine solche Veränderung die Vernichtung der natürlichen Fauna zur Folge; allerdings wird das vom Menschen kultivierte Land oft von anderen Tieren besiedelt. Wo sich die sekundäre Vegetation auf einige wenige Pflanzenarten beschränkt — zum Beispiel Weizen auf den Prärien und Sonnenblumen auf der Steppe —, ist auch die neue Fauna relativ artenarm und das natürliche ökologische Gleichgewicht gestört, weil zum Beispiel zu viele kleine Pflanzenfresser vorhanden sind. In den meisten Fällen wird dieser unnatürliche Zustand jedoch durch die Eingriffe des Menschen aufrechterhalten.

Unten: *Dieses Photo von einer Akaziensavanne veranschaulicht die zähe Vegetation, die den wandernden Weidetieren als Nahrung dient. Im Vordergrund erheben sich junge Akazien aus trockenem Gras. Die jungen Sträucher sind bei den Tieren besonders beliebt, und viele wachsen nicht zu Bäumen heran.*

Gebirge

Die größten Gebirgsketten der Welt sind die Rocky Mountains in Nordamerika, die Anden in Südamerika, die Alpen in Europa sowie Hindukusch und Himalaja mit ihren gewaltigen Gipfeln nördlich von Indien.

Obwohl die Gebirge nur einen kleinen Teil der Erdoberfläche bedecken, sind sie aus verschiedenen Gründen in biologischer Hinsicht von größter Bedeutung. Für die meisten Lebensräume ist das jeweilige Klima ausschlaggebend, und das gilt auch für Gebirgsketten. Es gibt jedoch keine andere Landschaftsform, die sich so drastisch auf die klimatischen Verhältnisse auswirkt wie eine Bergkette — sie kann das Klima in weitem Umkreis bestimmen. Ein anschauliches Beispiel hierfür liefert der Himalaja: Der Südwestmonsun

staut sich, wenn er seine Flanken erreicht; dadurch erhalten die südlich des Gebirges liegenden Gebiete den weitaus größten Teil der Niederschläge, während nördlich des Himalaja trockene, wüstenähnliche Verhältnisse herrschen. Ein weit interessanterer Faktor ist der Unterschied im Klima und damit auch in der Besiedlung an den beiden Flanken einer Bergkette. An den Südhängen des Himalaja beispielsweise ist das Klima bei weitem wärmer und feuchter als an seinen Nordhängen; dementsprechend gibt es im Süden eine wesentlich reichere Tier- und Pflanzenwelt.

In welchem Höhenbereich eine bestimmte Vegetation und bestimmte Tierarten vorkommen, hängt von den physikalischen Gegebenheiten einer Landschaft ab. So finden sich

Oben: Dieser kalte See hoch oben in den Anden hat einen steinigen Grund und ist ringsum von steilen Felsen umgeben. Die Vegetation an seinen Ufern besteht aus kleinen Bäumen und Sträuchern, die Wind und Kälte vertragen. In der Ferne ragen kahle, von ewigem Schnee bedeckte Gipfel auf.

zum Beispiel die Nadelbäume Skandinaviens und der Rocky Mountains in Höhenlagen zwischen 300 und 1500 Metern, während auf Gebirgen, die wie die nördlichen Anden näher beim Äquator liegen, die gleichen Arten noch mehrere hundert Meter höher existieren können. Ähnliche Unterschiede gibt es im Kaukasus: An den Südhängen finden sich noch Mischwälder in Höhenlagen, die an den Nordhängen bereits oberhalb der Baumgrenze liegen.

Ein weiterer wichtiger Gesichtspunkt ist die Tatsache, daß Gebirgsketten Tierarten, die ursprünglich nahe miteinander verwandt waren, so wirksam voneinander trennen können, daß es nach langer Zeit aufgrund inzwischen erfolgter Mutationen nicht mehr möglich ist, die getrennten Arten miteinander zu kreuzen, weil sie sich zu ganz unterschiedlichen Lebewesen entwickelt haben.

Eine Wanderung von den sanften Abhängen am Fuße einer Bergkette bis hinauf zum Gipfel liefert ein anschauliches Bild von den verschiedenen Vegetationszonen und damit der wechselnden Fauna. An der Basis wachsen die Pflanzen, die dem jeweiligen Breitengrad entsprechen, zum Beispiel tropische Bäume in Äquatornähe und Laubbäume in der gemäßigten Zone; in beiden Fällen treten jedoch mit zunehmender Höhe Nadelbäume an ihre Stelle. Allmählich wird der Bestand an Nadelbäumen lichter, bis die Baumgrenze erreicht ist. Oberhalb der Baumgrenze wachsen nur noch zähe, drahtige Gräser; dazu kommen, in geschützten Senken, einige Sträucher sowie alpine Blütenpflanzen wie Enzian und Alpenmohn.

In noch größeren Höhen finden sich die Gräser nur in Felsspalten, während auf exponierten Flächen ausschließlich Moose und Flechten gedeihen. Diese primitiven Pflanzen und die in ihnen lebenden winzigen

Tiere reichen bis zur Schneegrenze. Über ihr bleiben nur kahle, windgepeitschte Felsklippen das ganze Jahr hindurch schnee- und eisfrei.

Die Tierwelt der Nadel- und Laubwälder wurde bereits beschrieben; darüber hinaus bieten diese Waldformen an Berghängen zahlreichen alpinen Arten Schutz vor Winterstürmen, zum Beispiel den Gemsen Eurasiens und des Himalaja, darunter dem Goral und dem Serau.

Auf den alpinen Wiesen und Hochebenen grasen spezifische Weidetiere. Im Himalaja sind es Tibetgazellen sowie Esel, Yaks und Tschirus. Typisch für die Anden sind Chinchillas, Guanakos und Vikunjas; in den Rocky Mountains leben Dickhorn- und Dallschafe, und in Europa wei-

den Gemsen und Alpensteinböcke die zähe Vegetation ab. Unter den Raubtieren der Gebirgsregionen sind Puma, Schneeleopard und Wolf die größten; sie teilen sich die Beute mit mehreren alpinen Greifvogelarten.

ZONIERUNG EINES ÄQUATORNAHEN BERGES IN ASIEN VOM FUSS BIS ZUM GIPFEL

Schnee und Eis

Bloßliegendes Gestein

Mattenzone

Nadelwald

Gemsenzone

Immergrüne Bäume

Berg-Regenwald

Bärenzone

Epiphyten auf Bäumen

Tiefland-Regenwald

Baumschlangen

Großgreifvögel

Die Meere

Die Ozeane bedecken gut 70 Prozent der Erdoberfläche — ein riesiges Areal für eine Unzahl von Lebewesen, von dem jedoch ein Großteil nur für ganz spezialisierte Tiere und Pflanzen geeignet ist, weil kein Lichtschimmer in seine Tiefen dringt. Die durchschnittliche Tiefe der Weltmeere liegt bei 4 000 Metern, manche Gräben sind bis zu 11 000 Meter tief.

Der Meeresboden ist so vielfältig ausgeprägt wie die Oberfläche der Kontinente: Es gibt Unterwassergebirge mit Gipfeln, die höher sind als der Mount Everest, und Täler mit kilometerhohen Flanken. Die Wissenschaftler nehmen an, daß die unterschiedlichen Formationen des Meeresbodens im Laufe der Entstehung und Verschiebung der Kontinente entstanden sind.

Alle Tiere sind für ihre Ernährung auf Pflanzen angewiesen, entweder direkt als Pflanzenfresser oder indirekt als Fleischfresser. Die Grünpflanzen beschränken sich auf die obere, nur etwa hundert Meter tiefe Meereszone, in die das von den Pflanzen für die Photosynthese benötigte Licht einfallen kann.

Die weitaus wichtigsten Meerespflanzen sind winzige, driftende Algen — das Phytoplankton. Sie liefern die Nahrung für das aus vielen tierischen Organismen wie kleinen Krebsen, Garnelen, Pfeilwürmern und winzigen Quallen bestehende Zooplankton. Darüber hinaus gibt es zahlreiche Tiere, die das Jugend- oder Larvenstadium ihres Lebens im Plankton treibend verbringen. Dazu gehören Würmer, Seesterne, Seeigel, Kalmare, Kraken und viele andere Weichtiere. Auch viele kleine Fische schwimmen mit dem Plankton und ernähren sich von seinen tierischen und pflanzlichen Bestandteilen.

Oben: *In den kühlen Tiefen der Weltmeere herrscht reges Leben. Riesige Fischschwärme wie diese Heringe sind keine Seltenheit.*

Die großen Meeresströmungen wie zum Beispiel der Humboldtstrom vor der Westküste Südamerikas und der Benguelastrom vor der afrikanischen Atlantikküste führen große Wassermengen mit frischen Vorräten an Mineralien und lebenden Organismen mit sich. Darüber hinaus tragen sie in ihren jeweiligen Durchflußgebieten auch zu einer ständigen Wasservermischung bei.

Diese Wasservermischung und die Zufuhr von Nährstoffen löst eine beträchtliche Zunahme des Pflanzenwachstums aus, und diese wiederum fördert ein entsprechendes Anwachsen der Tierwelt. Das Zooplankton dient etwas größeren Fleischfressern,

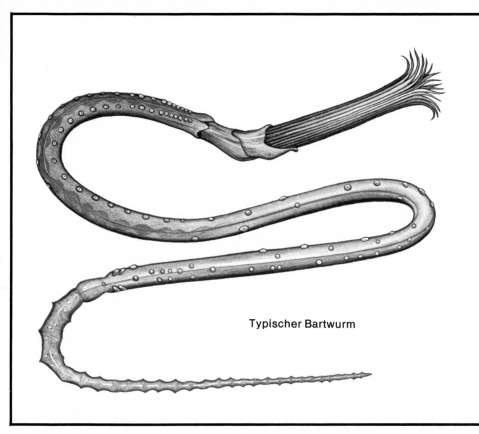

Typischer Bartwurm

Die Tiefen der Ozeane

In die ewige Nacht der Tiefsee gelangen Mineralien nur in Form von Fragmenten von Pflanzen und Tieren, die irgendwo in den höheren Regionen leben. Diese absinkenden Abfälle dienen einer Reihe von merkwürdigen Geschöpfen als Nahrung. Auf der auf diese Weise entstandenen Schlammschicht sitzen Seelilien und Seesterne. Im Schlamm vergraben leben die Bartwürmer (KLASSE POGONOPHORA) und strecken eine Krone aus feinen Tentakeln heraus. Sie besitzen keinen Darm, sondern absorbieren die feinen Nahrungspartikel durch die Tentakel.

Viele Krebstiere tragen leuchtende Flecke auf ihrem Körper; sie dienen wahrscheinlich dazu, die Gruppen in den dunklen Gewässern zusammenzuhalten. Auch bei den Fischen finden sich leuchtende Körperregionen, mit denen sie andere Tiere ködern und sich auf diese Weise eine Mahlzeit verschaffen. Da die Tiefsee relativ dünn besiedelt ist, besitzen viele Fische extrem große Kiefer und Mägen; auf diese Weise können sie sich große Portionen einverleiben und halten es dann aus, bis sie wieder einen guten Fang machen.

vor allem frei schwimmenden Fischen, als Nahrung. Im Gegensatz zum treibenden Plankton können die Fische nach Belieben von einem Gebiet in ein anderes schwimmen. Da die Wanderungen von Fischschwärmen für den Fischfang von großer Bedeutung sind, haben wir durch die Hochseefischerei vieles über die Bewegungen und Wanderungen der Fische erfahren.

Nicht nur die Fische folgen dem Plankton, sondern auch große Wale, die sich von den treibenden Organismen ernähren. Dabei handelt es sich um die Bartenwale, bei denen vom Gaumen herabhängende Hornplatten (Barten) wie ein Sieb das Zooplankton vom Wasser trennen. Ein Blauwal *(Balaenoptera musculus)* kann täglich bis zu zwei Tonnen Plankton verzehren.

Weitere im Meer lebende Säugetiere sind Robben und Delphine sowie

Rechts: *Das Phytoplankton, eine Masse aus winzigen Pflanzen, bildet — direkt oder indirekt — die Nahrungsgrundlage aller Meerestiere. Von ihm ernähren sich kleine Lebewesen, zum Beispiel Krebstiere und ihre Larven. Sie bilden das hier abgebildete Zooplankton.*

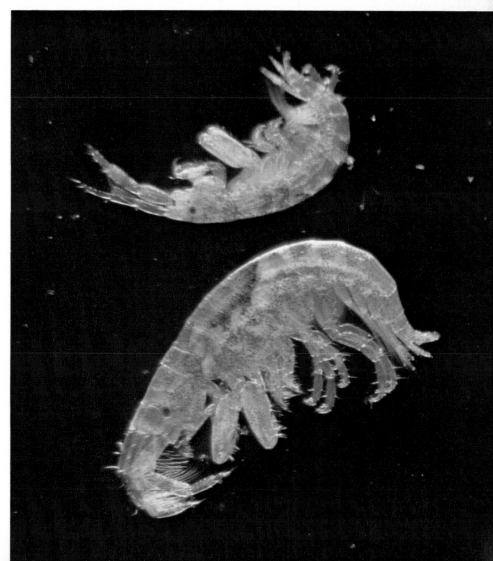

Korallenkolonien

Korallenriffe und -atolle bilden sich aus den Kalkskeletten ungezählter Korallenpolypen — Tiere, die mit den Seeanemonen nahe verwandt sind und in gewaltigen Kolonien leben. Korallen gedeihen nur in warmen Gewässern mit reichlich Licht, das für die mit ihnen in Symbiose lebenden Algen unerläßlich ist. Aus diesem Grund findet man Korallen fast ausschließlich in tropischen Meeren. Korallenriffe gibt es auf küstennahen Felsen ebenso wie auf weiter von der Küste entfernten, aber noch zu ihrem Bereich gehörenden Felsbarrieren. Ein Korallenatoll wächst um einen sinkenden Vulkan herum und wird vom Meeresgrund her aufgebaut. Wenn der Vulkan weiter absinkt, wachsen die Korallen nach, um in der warmen, hellen Oberflächenregion zu bleiben. Schließlich ist ein Ring aus Korallen mit einer Lagune in der Mitte entstanden — das Atoll.

Korallenriffe sind wie Honigwaben, in denen zahllose leuchtendbunte Fische und Garnelen leben. Große Schäden an Korallenriffen richtet die Dornenkrone *(Acanthaster planci)* an, ein Seestern, der Korallenpolypen abweidet.

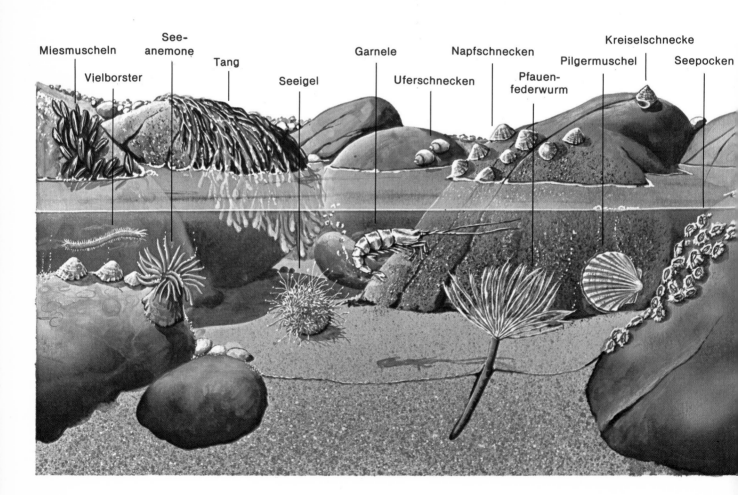

Miesmuscheln — Vielborster — See-anemone — Tang — Seeigel — Garnele — Uferschnecken — Napfschnecken — Pfauen-federwurm — Pilgermuschel — Kreiselschnecke — Seepocken

die Schwertwale. Sie alle ernähren sich vor allem von Fischen, nur der Schwertwal frißt auch Vögel und andere Meeressäugetiere.

Alle bisher erwähnten Tiere finden sich nur in dem von der Sonne erhellten Bereich der Meere oder unmittelbar darunter. Ein anderer wichtiger Lebensraum ist das Kontinentalschelf, die Fortsetzung der Kontinente unter Wasser. An ihrem Rand fallen sie — oft sehr steil — ab; diese Region wird als Kontinentalabfall bezeichnet. An sie schließt sich der Tiefseegrund an, der durchweg tiefer liegt als 1850 Meter.

Das Kontinentalschelf gehört zum Teil zu der vom Sonnenlicht durchleuchteten Region. Dort herrscht gewöhnlich reges Leben. Die Gebiete um Grönland und Island und vor den Westküsten Europas und Südamerikas gehören zu den reichsten Fischgründen der Welt.

Die Kontinentalabfälle sind oft sehr unregelmäßig ausgebildet; es gibt dort Spalten und Schluchten, durch die sich Schlammströme wälzen. Wo der Grund unbewegt ist, findet sich häufig eine feine Sedimentschicht aus Mineralien, die vom Land oder dem Kontinentalschelf herabgespült wurden. Auch Überreste des Planktons lagern sich hier ab. Dieser „Regen" aus abgestorbenen Partikeln dient den am Boden lebenden Tieren — Würmern, Krebstieren, Seesternen und Seelilien — als Nahrung. Diese kleinen Lebewesen werden von Kraken, Schildkröten und ungezählten Fischarten verspeist, und die Fische locken die Zahnwale an, die im Gegensatz zu den Bartenwalen auf größere Beute Jagd machen.

An den Küsten der Weltmeere gibt es zahlreiche Lebensräume, von denen jeder seine eigene Fauna aufweist. Alle Arten müssen jedoch über Einrichtungen verfügen, die es ihnen ermöglichen, die Feuchtigkeits- und Temperaturschwankungen bei ablaufender Flut zu überleben. An felsigen Küsten leben Tiere wie Seepocken

Die Gemeine Seepocke *(Balanus balanoides)* durchkämmt mit rankenförmigen Fangarmen das Wasser nach Nahrung.

und Napfschnecken, die dem Druck der Wellen widerstehen können. An sandigen und schlammigen Stränden dagegen gibt es Tiere, die sich eingraben — darunter viele Würmer, Krabben und Muscheln.

FAUNA DER MEERESKÜSTE

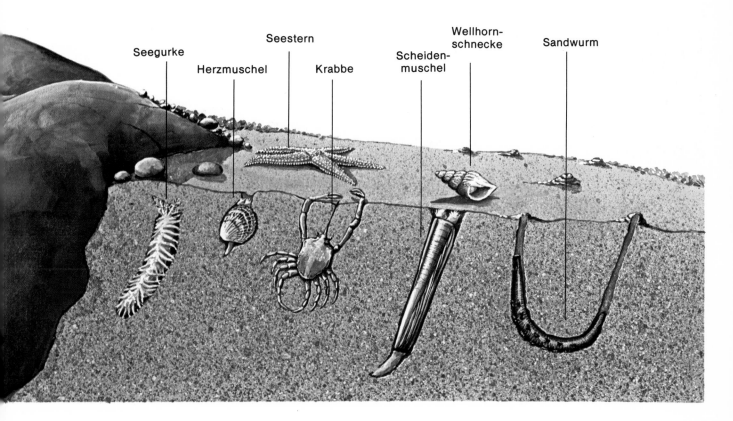

Seegurke — Herzmuschel — Seestern — Krabbe — Scheidenmuschel — Wellhornschnecke — Sandwurm

Polargebiete

Die Grenzen zwischen den Polargebieten und den gemäßigten Klimazonen bilden der nördliche und der südliche Polarkreis. Die Arktis, das Polargebiet im Norden, besteht aus einer Eismasse in einem Meer, das fast vollständig von Land umgeben ist. Die nördlichsten Teile von Amerika, Europa und Asien ragen in die Arktis hinein; dort finden sich besonders viele Polartiere. Das Nordpolarmeer ist das ganze Jahr hindurch gefroren, aber auf den Landspitzen, die in das Polargebiet hineinragen, herrschen zumindest während einiger Sommerwochen Temperaturen über dem Gefrierpunkt.

Die Antarktis ist eine kontinentale Landmasse, größer als Europa oder Australien, und von kalten Ozeanen umgeben. Wegen der gewaltigen Schnee- und Eisfläche, die stellenweise über 1600 Meter dick ist, und den schneidenden Winden, die aus dem Zentrum des erstarrten Kontinents wehen, ist die Antarktis wesentlich kälter als das Gebiet im Umkreis des Nordpols.

Die Arktis

In der Eis- und Schneewüste der Zentralarktis kann kaum ein Lebewesen existieren, aber auf dem Festland leben das ganze Jahr hindurch, selbst während der kalten, dunklen Wintermonate, einige Tiere.

Die dem Nordpol am nächsten gelegenen Festlandsgebiete werden Tundra genannt. Hier ist der Wind so kalt und stark, daß Bäume und Sträucher nicht gedeihen können; die Vegetation besteht nur aus Flechten, Moosen, Gräsern, Seggen und besonders widerstandsfähigen Blütenpflanzen wie einigen Heidegewächsen. Im Winter graben Moschusochsen, Rentiere und Lemminge den Schnee beiseite, um an die Flechten und Moose zu kommen, die für sie lebensnotwendig sind.

Die Lemminge dienen Eisfuchs und Schnee-Eule als Beute, während der Eisbär, das größte Raubtier der Arktis, imstande ist, einen Moschusochsen oder ein Rentier zu töten. Der Eisbär ist ein sehr wanderfreudiges Tier, das schwimmen und über Eis und Schnee klettern kann. Seine Hauptnahrung bilden die Fische und Robben, die im Nordpolarmeer leben, sowie Seevögel und ihre Eier.

Oben: Die Tundra ist eine kahle, offene Landschaft mit Gestein, das durch Frosteinwirkung erodiert und geborsten ist. Pflanzen finden sich überwiegend in geschützten Nischen zwischen den Steinen; sie halten die lockeren Felspartikel an Ort und Stelle. In überfluteten Gebieten leben Krebstiere und zahlreiche Zugvögel.

Rechts: *Adeliepinguine (Pygoscelis adeliae) sind in der Antarktis weit verbreitet. Sie bauen ihre Nester aus Stein und wandern, um steinigen Boden zu finden, oft 80 Kilometer weit übers Eis.*

Wenn im Frühjahr und Sommer der Schnee schmilzt und eine nur wenige Zentimeter dicke Bodenschicht auftaut, ist die gesamte Tundra mit flachen Teichen und Flüssen bedeckt. In diesen seichten Gewässern nutzen Krebstiere, Frösche und Insekten die knappe Zeit zur Fortpflanzung, und die arktischen Gewächse bringen rasch Blätter und Blüten hervor, bevor die Kälte wieder einsetzt. Dieses plötzlich erwachende Leben zieht viele Vögel an, und so erscheinen im Sommer Tausende von Stock-, Krick- und Eiderenten, Schneegänsen, Schwänen und zahllose weitere Arten. In den seichten Tümpeln und Flüssen finden sie reichlich Nahrung und können, fern vom Menschen und vor Raubtieren verhältnismäßig sicher, brüten und ihre Jungen aufziehen.

Unten: *Die Schnee-Eule (Nyctea scandiaca) lebt in der Arktis und ernährt sich von Nagetieren. Bei diesem Jungvogel sind noch die Krallen zu sehen, die später dicht befiedert sind.*

Die Antarktis

Im Gegensatz zur arktischen Tundra gibt es in der Antarktis nur zwei Arten von Blütenpflanzen; im übrigen beschränkt sich die Vegetation auf Flechten, Moose und Algen. An wirbellosen Tieren existieren nur ein paar Krebstiere und Insektenarten.

Nur wenig mehr als ein Dutzend Arten von höheren Tieren brüten an den Küsten der Antarktis — vier Robbenarten, zwei Pinguinarten, die Antarktische Riesenmöwe, die Antarktische Seeschwalbe, die Heringsmöwe und 6 Sturmvogelarten. Sie alle finden ihre Nahrung in der reichen Fauna der Ozeane; nur die Riesenmöwe erbeutet, wenn sich die Gelegenheit bietet, auch Pinguinküken.

31

Trockengebiete

Savanne

Im voraufgegangenen Abschnitt über die Grasfluren wie Prärie, Pampas und Steppe wurde die Savanne bereits erwähnt. Savannen gibt es in tropischen Gegenden, in denen sich die Niederschläge auf wenige Sommermonate beschränken; dabei kann es durchaus sein, daß mehr Regen fällt als auf die Grasfluren der gemäßigten Zone. Gegenwärtig trifft diese Voraussetzung auf vier Gebiete der Erde zu — auf Afrika, Nordaustralien, das nördliche Südamerika und Teile von Indien. Bei der indischen Savanne handelt es sich jedoch nicht um eine natürliche Landschaftsform; sie ist erst nach dem Roden der dort ursprünglich vorhandenen Wälder entstanden.

Die südamerikanische Savanne erstreckt sich zu beiden Seiten des Regenwalds im Amazonasgebiet; der größte Teil von ihr liegt in Brasilien nördlich der weiten Pampas.

Am gründlichsten wurde die Savanne in Afrika erforscht; dort sind rund 35 Prozent des gesamten Kontinents von den hohen Gräsern bedeckt, die für diese Landschaftsform typisch sind. Wie in Südamerika wird auch in Afrika die Savanne durch einen Regenwaldgürtel in zwei Teile zerschnitten.

In der afrikanischen Savanne gibt es die schönsten und größten Weidetiere der Welt. Jedem Reisenden fallen die riesigen Herden und der erstaunliche Artenreichtum auf. Langsam wandern Gazellen, Zebras und Kuhantilopen über das Land, stetig grasend und dennoch immer auf der Hut, um jede verdächtige Witterung oder Bewegung ihrer Feinde — Löwen, Leoparden und Geparden — rechtzeitig wahrzunehmen.

Trotz der zahlreichen Arten gibt es zwischen den Weidetieren kaum Rivalitäten, da sich die verschiedenen Gruppen auf unterschiedliche Teile der Vegetation spezialisiert haben. So ernährt sich zum Beispiel die Giraffe von Dornbäumen mit einer Höhe bis zu 5,50 Metern, die Elenantilope von den Knospen und Blättern der Sträucher und die Gazellen von Gras. Die große Zahl der Nager frißt Wurzeln, Früchte und Blätter auf verschiedenen Ebenen. Auch die Vö-

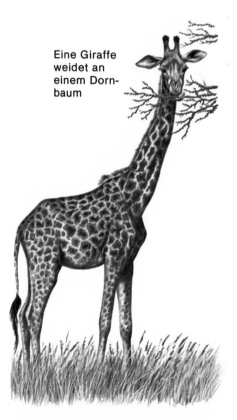

Eine Giraffe weidet an einem Dornbaum

gel haben unterschiedliche Freßgewohnheiten — manche fressen Samen, andere Insekten und Raupen; die Madenhacker befreien Nashörner und Rinder von lästigen Schmarotzern und Krankheitsüberträgern.

Zu der Fülle von Säugetier- und Vogelarten gesellen sich noch mehr Insekten, die von der Vegetation ebenso leben wie von anderen Tieren, ihren Exkrementen und Kadavern. Die reiche Insektenfauna dient kleinen Fleischfressern wie Skorpionen, Spinnen und Hundertfüßern als Nahrung, und sie wiederum werden von den zahlreichen Echsen, Schlangen und Nagern verspeist. Direkt oder indirekt ist die gesamte Tierwelt von dem hohen Gras, den Dornsträuchern und den flachkronigen Akazien abhängig.

Die südamerikanische Savanne ist der afrikanischen sehr ähnlich, nur das Gras ist durchweg kürzer. In manchen Gegenden im Norden, zum Beispiel in den Llanos des Orinokotieflandes, ist die Landschaft offener und wirkt wesentlich kahler, weil sie nur von einigen Sträuchern durchsetzt ist; Bäume finden sich ausschließlich an den Flußufern und in den an den tropischen Regenwald angrenzenden Sumpfgebieten. Ähnliches gilt für die Savanne südlich des Amazonas.

Diese Bedingungen haben zur Entwicklung von Weidetieren geführt, die kleiner sind als die afrikanischen Arten. So gibt es in der südamerikanischen Savanne weniger Wiederkäuer — der größte ist der Pampashirsch —, dafür aber zahlreiche kleine Säugetiere und Insekten. Nager finden sich überall in der Savanne. Viscachas, Meerschweinchen und Capybaras wurden bereits als typische Pampastiere erwähnt; in der Savanne gesellen sich ihnen viele weitere zu. Die Zahl der südamerikanischen Nager wird in Grenzen gehalten durch Raubtiere wie die Pampaskatze, die Skunks und zahlreiche Arten von Fuchs und Wolf sowie durch Eulen, Falken und andere Greifvögel.

Rechts: *Diese Zebras haben vermutlich einen weiten Weg zurückgelegt, bis sie die Wasserstelle erreichten, denn die spärliche Vegetation läßt die Auswirkungen einer langen Dürreperiode erkennen. Akazienbäume und -sträucher sind die einzigen größeren Pflanzen in einer weiten Landschaft aus vertrocknetem und abgestorbenem Gras.*

Trockenwüsten

Ungefähr ein Fünftel der Erdoberfläche ist von Wüsten bedeckt; die meisten von ihnen liegen in der holarktischen Region. Die größte Wüste ist die Sahara in Afrika mit einer Fläche von rund 9 Millionen Quadratkilometern, auf der es nur Sand und trockenen Fels gibt. Weitere Wüsten liegen in Nordamerika, Zentralasien, Südwestafrika, Australien und Südwestamerika.

Die Wüsten im Zentrum eines Kontinents, zum Beispiel die Wüste Gobi in Asien, sind entstanden, weil die Region zu weit von den feuchten Küstenwinden entfernt liegt. Andere, wie die Wüsten in Nordamerika, liegen im Windschatten eines Gebirgszugs und erhalten deshalb keine Niederschläge. Hochgelegene Wüstenregionen wie die Gobi und die Trockengebiete des Tibetanischen Hochlandes sind kalt, andere wie die Sahara und die arabischen Wüstengebiete sehr heiß.

Die Niederschläge in Wüstengebieten liegen oft unter 25 Zentimeter pro Jahr; das bedeutet, daß nur ein paar zähe Gräser und besonders spezialisierte Pflanzen wie Kakteen gedeihen können. Die spärliche Vegetation vermag nur wenigen Tieren Nahrung zu bieten; die durch das

Oben: *Die Wüste Namib in Südwestafrika läßt einige der Probleme von Wüstentieren erkennen. Es gibt kaum Vegetation, und der Boden besteht entweder aus geborstenem Gestein oder grobem Kies. Das Fehlen von Schatten macht das Leben fast unerträglich.*

Fehlen einer Pflanzendecke verursachte Dünenbildung, die Wasserknappheit und die extreme Hitze (oder Kälte) sind weitere Faktoren, die das tierische Leben in engen Grenzen halten.

Tiere finden Schatten, indem sie sich eingraben. Der Temperaturunterschied zwischen dem glühend heißen Sand an der Oberfläche und nur wenige Zentimeter darunter ist erstaunlich. Messungen im Bau von

Rechts: *Die Taschenspringer gehören zu den Nagern, die sich den Lebensbedingungen in den Wüsten Nordamerikas am besten angepaßt haben. Sie werden dort „Känguruhratten" genannt.*

Nagetieren in der Mojavewüste ergaben eine Differenz von 35 Grad Celsius zwischen der Öffnung und dem 50 Zentimeter unter der Oberfläche liegenden Ende eines Baus.

Viele Tiere übersommern, das heißt, sie verschlafen die heißeste Zeit des Jahres. Zu ihnen gehört das Erdhörnchen der Mojavewüste.

Insekten, Skorpione und Spinnen haben sich dem Wüstenleben ebenso gut angepaßt wie manche Echsen, vor allem Geckos und Skinke, sowie einige Schlangen. Doch selbst sie suchen gewöhnlich Schutz vor der Hitze, indem sie sich eingraben oder unter Steinen oder in Felsspalten verschwinden. Von den Säugetieren sind die Nager am weitesten verbreitet, zum Beispiel die Taschenspringer in Nordamerika, die Wüstenspringmaus in Nordafrika und die vielen Erdhörnchen in Nord- und Südamerika. Andere Wüstensäugetiere sind die Goldmulle in Südwestafrika, der Fennek oder Wüstenfuchs der Sahara und die berühmten Kamele und Dromedare in den Wüstenregionen Asiens. In den Zentren der Wüsten gibt es kaum Vögel; viele Arten leben jedoch in den Randgebieten oder in der Nähe von Oasen, und da sie fliegen können, vermögen sie weite Strecken, darunter auch die Zentralregionen, zu überqueren. Typische Wüstenvögel sind Triele, Elfenkauz, Brachschwalben und Wachteln.

Das Leben ohne Wasser

Die verschiedenen Tiere begegnen dem Problem der Wasserknappheit auf ganz unterschiedliche Weise. Manche von ihnen, wie zum Beispiel der nordamerikanische Taschenspringer *(Dipodomys deserti),* können existieren, ohne zu trinken. Diese kleinen Nager decken ihren Wasserbedarf ausschließlich aus saftigen Pflanzenstücken.

Viele Nager und Insekten scheiden nur ganz geringe Urinmengen aus, und die meisten Säugetiere der Wüsten schwitzen nicht. Das Steppenhuhn *(Syrrhaptes paradoxus)* kann, wenn es eine Wasserstelle findet, mit seinem Bauchgefieder Wasser aufnehmen und es zu den Jungen transportieren, die dann durch die feuchten Körper ihrer Eltern vor der Sonne geschützt werden.

Rechts: *Das hier abgebildete Flughuhn gehört einer von 16 in Halbwüsten und Trockengebieten heimischen Arten an. Sie sind keine Baumbewohner, sondern suchen in Sträuchern Zuflucht vor der Hitze des Tages. Ausgewachsene Tiere fliegen täglich Hunderte von Kilometern, um Wasserstellen aufzusuchen.*

Der Süßwasser-Lebensraum

Süßwasser bedeckt nur einen ganz kleinen Bruchteil der Erdoberfläche und macht nur ein Drittel Prozent der gesamten Wassermenge auf unserem Planeten aus. Dennoch bietet es der Tierwelt zahlreiche Lebensräume — fast so viele und verschiedenartige wie das feste Land.

Viele große Flüsse beginnen ihren Lauf im Hochgebirge, wo sie einer Bergquelle entspringen und von Niederschlägen gespeist werden. Bergbäche sind gewöhnlich nicht tief, aber das Wasser fließt schnell über ein steiniges Bett. Die Wassermenge schwankt je nach den Niederschlägen, aber ein angeschwollener Bergbach kann in seinem schmalen Bett kleinere und größere Felsbrocken mitreißen und die unbefestigten Ufer fortspülen. Auf dem steinigen, bewegten Boden eines solchen Gewässers können kaum Pflanzen wachsen, und nur Moose und gelegentlich auch Farne siedeln sich am Ufer an.

Sobald der Bergbach ein wenig breiter geworden ist, erscheinen einige, der Existenz in kaltem, unruhigem Wasser angepaßte Tiere, darunter solche, die wie die Flohkrebse (GAMMARIDAE) in den Felsritzen leben; andere sind abgeflacht oder verfügen über Einrichtungen, mit denen sie sich an den Steinen festkrallen oder -saugen können. Das gilt für die Larven der Stein- und Eintagsfliegen ebenso wie für Napfschnecken und Blutegel. Die einzigen Fische sind kräftige Schwimmer wie Bachforellen und Schmerle, die der Strömung widerstehen können.

Sobald der Fluß die Bergregion verlassen hat, wird er breiter, langsamer und — durch Nebenflüsse gespeist — auch reicher an Mineralien. Die Vegetation nimmt zu, und der mit Schlick, Schlamm und Sand bedeckte Boden ist ideal für Würmer und Weichtiere, die sich eingraben. Die dichtere Vegetation bietet ungezählten Insekten und ihren Larven — Schlammfliegen, Eintagsfliegen und vielen verschiedenen Käfern — Unterkunft. Im Wasser tummeln sich Fische wie Elritzen, Aale und junge Lachse, während sich zahllose Vögel von den Insekten am Ufer und im Wasser ernähren; die Wasseramseln können sogar schwimmen und auf dem Grund herumlaufen.

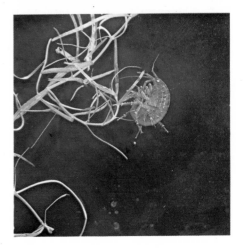

Unten: *Von den zahlreichen Flohkrebs-arten ist der Bachflohkrebs (Rivulogammarus pulex) in europäischen Gewässern am häufigsten anzutreffen. Wie viele seiner Verwandten schwimmt er auf der Seite und kann sich deshalb auf der Nahrungssuche gut zwischen Pflanzen und Steinen bewegen.*

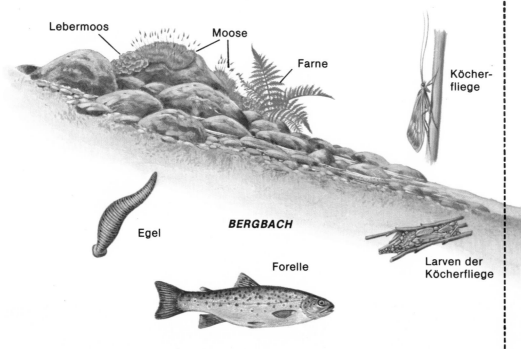

Lebermoos

Moose

Farne

Köcherfliege

Wasseramsel

Egel

BERGBACH

Forelle

Larven der Köcherfliege

Sumpfdotterblume

FLORA UND FAUNA EINES FLUSSES VON DER QUELLE BIS ZUR MÜNDUNG

Hat ein Fluß schließlich das Tiefland erreicht, windet er sich häufiger und ergießt sich schließlich in einen See oder das Meer. In diesem Abschnitt findet sich das reichste Tier- und Pflanzenleben. Schilf und Binsen säumen die Ufer von Flüssen und Seen und bieten Insekten, Vögeln und Fischen wie Hecht und Flußbarsch geeignete Lebensräume, und schließlich siedeln sich an den Ufern auch Säugetiere an, darunter Wühlmäuse, Otter und Spitzmäuse. In den Tropen reicht der Regenwald bis ans Ufer heran, und viele Tiere können sich auf dem Wasser besser fortbewegen als im dichten Unterholz; dementsprechend finden sich hier auch größere Arten wie Tapire, Kaimane, Elefanten und Hirsche, während in Europa nur kleinere Säugetiere und Reptilien vorkommen. Eine unübersehbare Rolle spielen die Vögel: Reiher, Enten, Taucher und Eisvögel jagen auf der Suche nach Nahrung übers Wasser.

Die Fauna der Seen hängt davon ab, wie alt der See ist und in welchem Land er sich befindet. Junge Seen haben durchweg einen steinigen Grund und enthalten nur wenige Mineralien; pflanzliches und tierisches

Leben sind gering. Ältere Seen dagegen sind teilweise verschlammt; in ihnen herrscht reges, den klimatischen Verhältnissen entsprechendes Leben. Afrikanische Seen zum Beispiel ziehen zahlreiche Flußpferde, Kaffernbüffel und Flamingos ebenso an wie Raubtiere, die sich von den Pflanzenfressern ernähren.

In Gegenden mit hohem Grundwasserstand und schlechter Dränage

Oben: *In diesem See in Kenia wachsen teils im, teils auf dem Wasser zahlreiche Pflanzen, die vielen Tieren Schutz und Nahrung bieten.*

bilden sich Marschen und Sümpfe mit einem dichten Bewuchs aus Schilf und Riedgräsern. Hier wimmelt es von Insekten, die Grasmücken, Frösche und Sumpfschildkröten mit Nahrung versorgen.

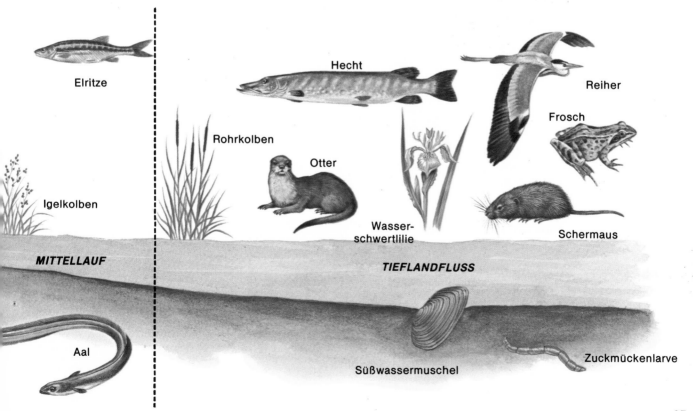

Elritze

Hecht

Reiher

Frosch

Rohrkolben

Otter

Igelkolben

Wasserschwertlilie

Schermaus

MITTELLAUF

TIEFLANDFLUSS

Aal

Süßwassermuschel

Zuckmückenlarve

Spezielle Lebensräume

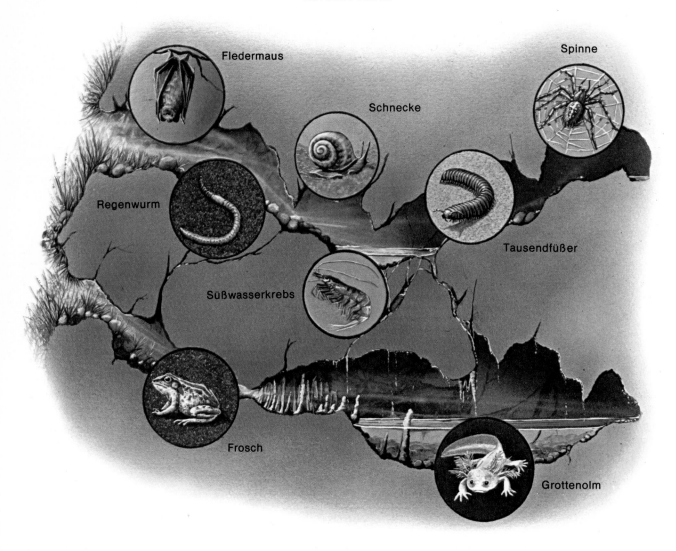

Fledermaus

Spinne

Schnecke

Regenwurm

Tausendfüßer

Süßwasserkrebs

Frosch

Grottenolm

Auf den voraufgegangenen Seiten wurde eine Reihe von Lebensräumen mit Beispielen der für sie typischen Fauna beschrieben. Dabei handelte es sich um relativ weit verbreitete Biotope; dieser Abschnitt dagegen ist ungewöhnlicheren Lebensräumen mit einer auf diese Umwelt spezialisierten Fauna gewidmet. Einige dieser Lebensräume — zum Beispiel Höhlen und heiße Quellen — wurden von der Natur geschaffen, andere

wie beispielsweise Aquarien und Naturschutzparks, sind das Werk von Menschenhand.

Höhlen

Die meisten Höhlen liegen entweder an den Meeresküsten, wo die See Teile der Kliffs zerstört hat, oder im Binnenland in Kalksteingebirgen;

Beispiele hierfür sind die Höhlen bei der englischen Stadt Cheddar, im Staate Arkansas in den USA und in Jugoslawien. Höhlen im Meer stehen überwiegend mit den Höhlen der Brandungszone in Verbindung und sollen deshalb hier nicht weiter behandelt werden.

Kalksteinhöhlen entstehen, wenn kohlensäurehaltiges Sickerwasser den Fels ausgelaugt hat. In vielen dieser Auslaugungshöhlen gibt es

Seen oder Flüsse, und in ihnen leben einige äußerst seltsame Tiere.

Da kein Lichtstrahl unter die Erdoberfläche dringt, gibt es auch keine Grünpflanzen, von denen Tiere leben könnten. Deshalb muß alle Nahrung von außen kommen, entweder in Form hereingewehter, vom Wasser hereingespülter oder von Tieren wie Fledermäusen und Vögeln hereingetragener, lebender oder toter Pflanzenteile und Mineralien. Die Exkremente der in die Höhlen fliegenden Tiere fördern das Wachstum von Bakterien, Pilzen und Protozoen, und diese niederen Tiere und Pflanzen bilden den Anfang der Nahrungskette.

Kleine wirbellose Tiere wie Würmer, Milben und ein paar Insektenarten leben auf dem Grund und an den Ufern des Wassers, während in manchen Höhlen, zum Beispiel in Nordamerika, auch größere Höhlenkrebse vorkommen.

Fleischfresser sind eine Reihe kleinerer Fische und merkwürdige Molche mit dünnen Gliedmaßen und einem abgeflachten, schnabelähnlichen Maul. Diese Molche finden sich nicht nur in den nordamerikanischen, sondern auch in den jugoslawischen Kalksteinhöhlen.

In tiefen, mit der Außenwelt verbundenen Höhlen leben auch hochentwickelte Arten wie zum Beispiel die Fledermäuse, die bei Tage schlafen und nachts auf Nahrungssuche gehen, und einige Vögel wie zum Beispiel der Fettschwalm *(Steatornis caripensis)* in Südamerika. Dieses

Tier stößt Schreie und Rufe aus, mit deren Hilfe es sich im Dunkeln — ähnlich wie die Fledermäuse — durch eine Art Echopeilung orientiert. In Höhlen, in denen Fledermäuse leben, gibt es zahlreiche Insekten, die sich von ihren Exkrementen und Kadavern ernähren, und sie wiederum ziehen Fleischfresser wie Spinnen und Nagetiere an.

Oben: *Fettschwalme verbringen den Tag auf Simsen in Höhlen schlafend und fliegen abends auf Nahrungssuche aus. Ihre Nester bauen sie aus ausgespienen Fruchtkernen und Exkrementen. Die Eingeborenen „ernten" das im Bauchfell der Jungen enthaltene Fett.*

Höhlensalmler *(Anoptichthys jordani)*

Höhlenspezialisten

Alle bisher erwähnten Höhlentiere haben in dunklen Höhlen ein von der Außenwelt isoliertes Leben geführt und sich dementsprechend anders entwickelt als ihre Verwandten im Tageslicht. Weil sie ohne Licht leben müssen, sind die meisten von ihnen blind, haben dafür aber zumeist besonders empfindliche Tastorgane entwickelt. Der in Südamerika lebende Blinde Antennenwels besitzt lange Barteln, die Krebse antennenähnliche Fühler, und viele kleine Fische verfügen über Einrichtungen, die auf Druck reagieren.

Hausgenossen des Menschen

In den Behausungen der Menschen gibt es — neben den rechtmäßigen Bewohnern — auch viele „fremde" Tiere. Eine Reihe von ihnen könnte man als „Touristen" bezeichnen — sie sind häufig anzutreffen, aber nur auf der Durchreise. Zu ihnen gehören Schmetterlinge, Wespen und Mücken. Andere Tiere jedoch kommen, richten sich häuslich ein und können unter Umständen sehr lästig werden. Küchen und andere Räume, in denen Nahrungsmittel aufbewahrt werden, locken Aasfresser an, und wenn sie nicht rechtzeitig vernichtet werden, wächst eine Generation von Fliegen und Schaben nach der anderen heran. Andere unerfreuliche Hausgenossen sind Mäuse und Ratten, die nicht nur Lebensmittel verzehren und Krankheiten übertragen, sondern auch Möbel, Bauholz und — im Falle der Ratten — sogar elektrische und Wasserleitungen stark beschädigen können.

Käferlarven fallen über Kleidung, Möbel, Teppiche und Holz her; gelegentlich werden die Balken eines Hauses so stark angefressen, daß Einsturzgefahr besteht. In tropischen Ländern richten die Termiten in dieser Hinsicht noch schwerwiegendere Schäden an.

In Papier, Büchern und Tapeten nisten die kleinen Silberfischchen, primitive, flügellose Insekten, und die Bücherläuse, denen der in den Buchrücken enthaltene Leim besonders gut zu schmecken scheint. Beide bevorzugen feuchte Räume und sind deshalb in Kellern oder — im Falle der Silberfischchen — in Badezimmern anzutreffen.

Stroh- und reetgedeckte Häuser bieten zahlreichen Käfern, Vögeln und Nagern Unterkunft; sie unterstützen die Pilze bei der langsamen Zerstörung solcher Bedachungen.

Die zahlreichen in den Häusern lebenden Insekten ziehen andere Tiere an, die von ihnen leben, vor allem Spinnen. Die Hausspinne (*Tegenaria domestica*) ist in vielen Ländern der

Oben: *Unter den Insekten, die in Läden, Wohnhäusern und Lagerschuppen unermüdlich nach Nahrung suchen, sind Haus- und Küchenschaben besonders häufig anzutreffen.*

Welt anzutreffen und über die gesamte holarktische Region verbreitet. Ihr Netz spinnt sie über die Ecken von Fensterrahmen, Türen und Schränken. Ohne die verschiedenen, in unseren Häusern lebenden Spinnenarten wären wir den Insekten und den durch sie angerichteten Schäden weit stärker ausgeliefert.

In tropischen Gegenden sind die Insekten noch zahlreicher als in den gemäßigten Zonen, aber sie bevorzugen die gleichen Stellen, die ihnen Nahrung bieten. Allerdings gibt es in den Tropen auch mehr Fleischfresser, denen sie zum Opfer fallen: in Dachtraufen, Deckmaterial und Gebälk eines Hauses leben zahlreiche Schlangen und Echsen, die sich auf jedes Insekt stürzen, das in ihre Nähe kommt. Gern gesehene Hausbewohner sind die Mungos oder Ichneumons, die nicht nur auf möglicherweise gefährliche Schlangen Jagd machen, sondern auch Mäuse und Ratten unerbittlich verfolgen.

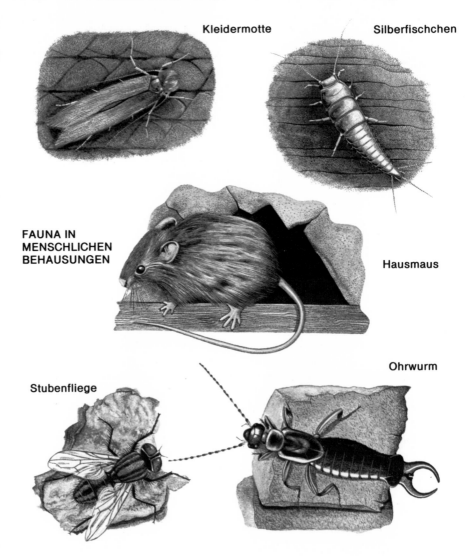

Kleidermotte

Silberfischchen

FAUNA IN MENSCHLICHEN BEHAUSUNGEN

Hausmaus

Ohrwurm

Stubenfliege

Tiere im Gehege

Gehege, in denen Tiere gehalten werden, dienen einer ganzen Reihe von Zwecken. In früheren Zeiten waren Aquarien und zoologische Gärten lediglich Plätze, die der Unterhaltung des Publikums dienten; die Tiere wurden einfach bestaunt. Heute haben zoologische Gärten und Wildparks wichtige Aufgaben zu erfüllen — es sind Gebiete, in denen Tiere so geschützt und überwacht werden, daß sie sich erfolgreich fortpflanzen können; außerdem helfen sie mit, die Verheerungen, die in freier Wildbahn angerichtet wurden, ein wenig auszugleichen. Auch heute noch werden Tiere nur allzuoft aus ihren angestammten Lebensräumen vertrieben oder ihrer Felle, Stoßzähne oder Federn wegen getötet.

Eine ähnliche Rolle wie die Gehege spielen die großen Reservate — in ihrer natürlichen Form belassene Landschaften, in denen die dort heimischen Tiere gesetzlich vor jedem menschlichen Eingriff geschützt sind. Die großen Nationalparks in Afrika und Nordamerika erfüllen die ihnen zugedachten Aufgaben aufs beste; zudem geben sie vielen Menschen Gelegenheit, das Verhalten der Tiere in der Natur zu studieren. Der Wert solcher Gebiete liegt vor allem darin, daß die natürliche Vegetation unangetastet bleibt; die Nahrungskette kann ihrem normalen Ablauf folgen, und die unnatürlichen Aspekte einer Existenz in zoologischen Gärten fallen fort. Etliche Tiere konnten dadurch, daß sie in Gefangenschaft gehalten wurden, vor dem Aussterben bewahrt werden. Zu ihnen gehören der Davidshirsch (*Elaphurus davidianus*), der nach seiner Ausrottung in China jetzt dort wieder eingeführt wird, und die Hawaiigans (*Branta sandvicensis*). Ihr Bestand war auf 42 Tiere geschrumpft, als man im Wildfowl

Oben: *Der Davidshirsch wurde im Tierpark von Woburn Abbey (England) vor dem Aussterben bewahrt. Die letzten freilebenden Exemplare dieses schönen Tieres wurden in seiner chinesischen Heimat um 1900 getötet, doch in diesem Fall ist es dem Menschen gelungen, eine Art zu erhalten.*

Trust in Slimbridge (England) mit nur zwei Gänsen und einem Ganter ein Zuchtprogramm startete, das so erfolgreich verlief, daß diese Vögel inzwischen auf ihrer Heimatinsel wieder eingeführt werden können.

Aquarien und Terrarien bieten Gelegenheit, Fische, Amphibien und Reptilien in Gegenden zu studieren, deren natürliches Klima ihnen nicht zusagt. Es ist relativ einfach, Luft- und Wassertemperaturen in einem Glasbecken zu kontrollieren, so daß man die Tiere jederzeit beobachten kann. Dabei ist jedoch zu bedenken, daß sie in Gefangenschaft oft ein anderes Verhalten an den Tag legen als in freier Natur.

Schmarotzer

Es gibt eine Reihe von Organismen, die von oder in anderen Tieren und Pflanzen leben und dabei Schäden anrichten. Flöhe und Zecken sind verbreitete Schmarotzer im Fell unserer Haustiere wie Katzen und Hunde, während viele wertvolle Nutztiere der Landwirtschaft von inneren Parasiten wie Band- und Hakenwürmern sowie einer Reihe von Blutparasiten befallen werden können.

Viele Tiere leben in enger Gemeinschaft und fügen sich dennoch keinerlei Schaden zu. So teilen zum Beispiel viele der Würmer, die im Schlamm und Schlick einer Meeresküste leben, ihre Behausung mit anderen Tieren. Ein Vielborster, *Nereis fucata*, haust oft in der Schale eines Einsiedlerkrebses *(Pagurus bernhardus)*, ohne daß ein Tier das andere beeinflußt; in solchen Fällen spricht man von Kommensalismus.

Manche Parasiten suchen ihre Wirte nur vorübergehend heim.

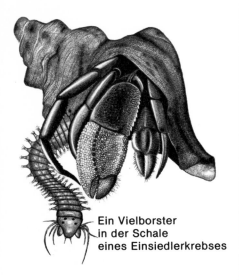

Ein Vielborster in der Schale eines Einsiedlerkrebses

Mücken und Blutegel zum Beispiel saugen sich voll und verlassen ihren Wirt dann wieder. Diese Schmarotzer sind in der Lage, sich ebenso zu bewegen wie ihre nichtparasitären Verwandten und unterscheiden sich von ihnen nur durch ihre Ernährung.

Stärker spezialisierte Parasiten dagegen haben auf ihre Fortbewegungsmöglichkeiten verzichtet und

halten sich mehr oder minder dauernd bei ihrer Nahrungsquelle, dem Wirt, auf. Dabei brauchen die sogenannten Ektoparasiten — Schmarotzer, die auf der Körperoberfläche ihrer Wirte leben — eine Möglichkeit, sich dort festzuhalten. Zu diesem Zweck haben Flöhe und Läuse Gliedmaßen mit Klauen und stechende Mundwerkzeuge entwickelt und einige parasitisch lebende Plattwürmer Haftorgane; so heften sich zum Beispiel manche Saugwürmer an den Kiemen von Fischen fest.

Die im Innern eines Wirtes lebenden Endoparasiten müssen sich weiteren Problemen anpassen: Sie müssen nicht nur in ihrem Wirt bleiben, sondern erst einmal in ihn hineingelangen und dann dafür sorgen, daß er sich ihrer nicht wieder entledigen kann. Bandwürmer gelangen durch befallenes Fleisch in ihren Wirt, passieren seinen Magen und setzen sich dann mit Hilfe der an ihrem Kopf vorhandenen Hakenkränze und Saugnäpfe an der Darmwand fest.

Einige Parasiten wechseln im Laufe ihres Lebens in verschiedenen Entwicklungsstadien mehrfach den Wirt. So findet sich der Große Leberegel als Larve in Schlammschnecken, als Erwachsener in Schafen, und die Pärchenegel, die die Bilharziose hervorrufen, benutzen für ihre Larven gleichfalls Schnecken als Zwischenwirte.

Vom Standpunkt der Natur aus gesehen sind Parasiten wie die Erreger von Bilharziose und Malaria schlecht eingerichtet, da sie ihre Wirte relativ rasch umbringen. Besser ergeht es jenen Schmarotzern, deren Wirte am Leben bleiben, ihnen eine unversiegbare Nahrungsquelle bieten und damit ihre erfolgreiche Fortpflanzung gewährleisten.

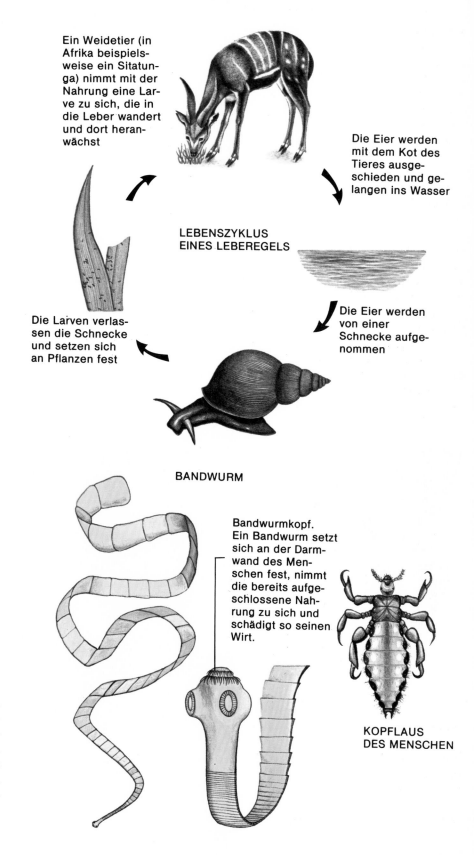

Ein Weidetier (in Afrika beispielsweise ein Sitatunga) nimmt mit der Nahrung eine Larve zu sich, die in die Leber wandert und dort heranwächst

Die Eier werden mit dem Kot des Tieres ausgeschieden und gelangen ins Wasser

LEBENSZYKLUS EINES LEBEREGELS

Die Eier werden von einer Schnecke aufgenommen

Die Larven verlassen die Schnecke und setzen sich an Pflanzen fest

BANDWURM

Bandwurmkopf. Ein Bandwurm setzt sich an der Darmwand des Menschen fest, nimmt die bereits aufgeschlossene Nahrung zu sich und schädigt so seinen Wirt.

KOPFLAUS DES MENSCHEN

Tierwanderungen

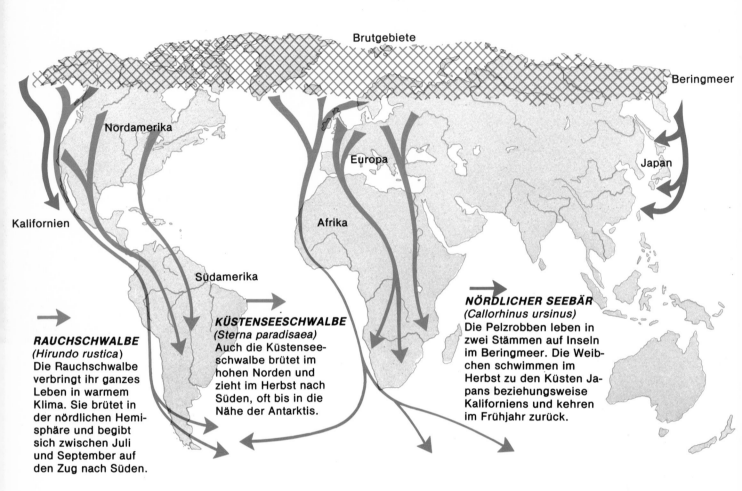

Brutgebiete

Beringmeer

Nordamerika

Europa

Japan

Kalifornien

Afrika

Südamerika

RAUCHSCHWALBE
(Hirundo rustica)
Die Rauchschwalbe
verbringt ihr ganzes
Leben in warmem
Klima. Sie brütet in
der nördlichen Hemi-
sphäre und begibt
sich zwischen Juli
und September auf
den Zug nach Süden.

KÜSTENSEESCHWALBE
(Sterna paradisaea)
Auch die Küstensee-
schwalbe brütet im
hohen Norden und
zieht im Herbst nach
Süden, oft bis in die
Nähe der Antarktis.

NÖRDLICHER SEEBÄR
(Callorhinus ursinus)
Die Pelzrobben leben in
zwei Stämmen auf Inseln
im Beringmeer. Die Weib-
chen schwimmen im
Herbst zu den Küsten Ja-
pans beziehungsweise
Kaliforniens und kehren
im Frühjahr zurück.

Als Wanderung wird der regelmäßige Zug von Tieren in andere Gebiete und die spätere Rückkehr von dort bezeichnet. Solche Ortsveränderungen finden zu bestimmten Jahreszeiten statt und werden deshalb periodische Wanderungen genannt. Gründe dafür können Klimawechsel, Nahrungsknappheit und Übervölkerung sein. So ist zum Beispiel die Arktis im Juni ein weitaus angenehmerer Aufenthaltsort als im Januar, wenn extrem niedrige Temperaturen herrschen und bitterkalte Winde wehen; zu den Unbilden der Witterung gesellt sich der Mangel an geeigneter Nahrung für Fleisch- und Pflanzenfresser. Diesen Verhältnissen entfliehen zum Beispiel die Vögel. Sie ziehen vor Einbruch des arktischen

Winters nach Süden und kehren erst zurück, wenn die Temperaturen angestiegen sind, der Schnee getaut ist und Pflanzen und Insekten wieder gedeihen. Dann bietet die Arktis den Zugvögeln einen angenehmen Lebensraum, in dem sie genügend Nahrung finden und brüten können. Der Umstand, daß nur sehr wenige Tiere ständig in der Arktis leben und die Vögel genügend Platz für geeignete Brutreviere finden, bietet einen weiteren Anreiz für die Reise in den hohen Norden.

Vögel

Von allen Tieren sind die Vögel die größten Wanderer; sie sind so flugfä-

hig, daß sie Flüsse, Berge und sogar Meere überqueren können. Die Küstenseeschwalbe *(Sterna paradisaea)* brütet im hohen Norden Europas, Asiens und Amerikas, aber im Herbst zieht sie bis in die südlichen Regionen Afrikas, Amerikas und Australiens. Hier bleibt sie bis zum Februar oder März des folgenden Jahres, um dann in ihre nördlichen Brutgefilde zurückzukehren. Bei dieser kaum vorstellbaren Wanderung legt sie jährlich mehr als 35 000 Kilometer zurück.

Fische

Gleich hinter den Vögeln rangieren die Fische. Sie verbringen sehr viel

Zeit auf Wanderschaft, doch handelt es sich bei ihnen zum Teil um reine Nahrungswanderungen im Gefolge von Meeresströmungen.

Einer der bekanntesten Fische Europas und Nordamerikas ist der Lachs, der als Nahrung für den Menschen und andere Tiere eine wichtige Rolle spielt. Die ausgewachsenen Tiere leben im Meer, wandern aber zum Laichen ins Süßwasser der Flüsse. Bei diesem Weg stromaufwärts müssen sie gewaltige Anstrengungen unternehmen; sie überwinden zum Beispiel im Sprung Wasserfälle mit Höhen von drei bis vier Metern. Nach dem Ablaichen lassen sich die erwachsenen Tiere wieder stromabwärts treiben; oft sterben sie unterwegs, erschöpft von der Wanderung gegen den Strom. Wenn die Jungen geschlüpft sind, lassen sie sich von der Strömung ins Meer tragen, eine Reise, die bis zu vier Jahren dauern kann. Sobald sie den Ozean erreicht haben, zerstreuen sie sich in alle Richtungen und leben im Meer, bis auch für sie die Zeit gekommen ist, zur Mündung des Flusses zurückzukehren, in dem ihr Leben begann. Dann kämpfen auch sie verzweifelt gegen die Strömung, um ihre Laichgründe im Oberlauf des Flusses oder seiner Zubringer zu erreichen.

Säugetiere

Die meisten Säugetiere sind Landbewohner, die von Flüssen und Gebirgen an allzu weiten Wanderungen gehindert werden. In Afrika kann man jedoch immer noch Herden von Gnus, Zebras, Elefanten und Thomsongazellen bei der Wanderung über die weiten, staubigen Ebenen beobachten. Sie sind ständig auf der Suche nach frischer, grüner Nahrung und — in der Trockenzeit — auch

Wasser. Wenn die Regenzeit beginnt, saugt der ausgedörrte Boden das Wasser auf, und das junge Gras beginnt zu sprießen. Um diese Zeit werden die Jungen geboren, die so einen guten Start ins Leben haben. Nach ein paar Wochen ist das Land abgeweidet und die Herde muß weiterziehen, aber die Jungtiere sind dann bereits so kräftig, daß sie mit den Erwachsenen Schritt halten können.

Unten: *Dieser ausgewachsene Lachs zeigt die Kraft und die Anmut, für die dieses Tier berühmt ist. Die kräftigen Schwanzmuskeln und die breite Rückenflosse helfen beim Überspringen von Stromschnellen und den darunterliegenden Felsen.*

Tierisches Verhalten

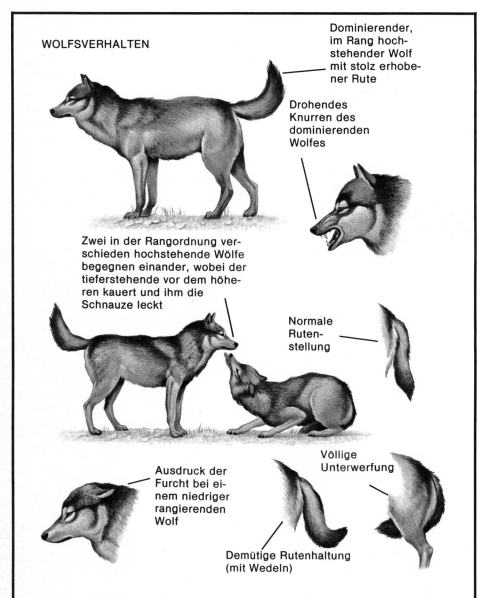

WOLFSVERHALTEN

Dominierender, im Rang hochstehender Wolf mit stolz erhobener Rute

Drohendes Knurren des dominierenden Wolfes

Zwei in der Rangordnung verschieden hochstehende Wölfe begegnen einander, wobei der tieferstehende vor dem höheren kauert und ihm die Schnauze leckt

Normale Rutenstellung

Ausdruck der Furcht bei einem niedriger rangierenden Wolf

Völlige Unterwerfung

Demütige Rutenhaltung (mit Wedeln)

Körpersprache

Beim Studium von Wölfen in einem großen europäischen Reservat stellten spanische Wissenschaftler fest, daß Ohrenstellung, Rutenhaltung und entblößte Zähne im Leben eines Wolfsrudels eine wichtige Rolle spielen. Nur dem Leitwolf war es gestattet, seine Rute über das Niveau des Rückens zu erheben, und jeder andere Rüde, der es wagte, seine Rute so hoch zu tragen, wurde als Konkurrent um die Führerrolle angesehen.

Auch die Schimpansen benutzen ihren Körper, um ihre Artgenossen über ihre Gefühle zu unterrichten und auf ihre Position in der Gesellschaft hinzuweisen.

Ebenso bedient sich der Mensch bestimmter Zeichen, um anderen seine gesellschaftliche Position zu verdeutlichen, verläßt sich jedoch in der Hauptsache auf die Sprache, die es ihm ermöglicht, mit seinem Wissen zu imponieren. Darüber hinaus benutzt er seinen Besitz als Statussymbol. So pflegen viele Leute ihre Vorgärten — nicht nur, weil sie Blumen lieben oder der Bereich vor ihrem Haus ordentlich aussehen soll, sondern auch, weil sie Passanten beeindrucken möchten. Auf ähnliche Weise wird das neueste Modell eines Autos oder eine Auslandsreise — nicht viel anders als die erhobene Rute eines Wolfes — dazu benutzt, die Mitmenschen auf den sozialen Status hinzuweisen.

Kommunikation

In den Vereinigten Staaten unternahm ein Wissenschaftler das Experiment, ein siebeneinhalb Monate altes Schimpansenmädchen zusammen mit seinem zehn Monate alten Sohn aufzuziehen. Die beiden Kinder erfuhren die gleiche Behandlung, und in den frühen Stadien des Experiments war die kleine Schimpansin dem Jungen eindeutig überlegen. Sie lernte rasch, einfache Anweisungen zu befolgen, und war besser imstande, Gegenstände zu handhaben und zu bewegen. Nach einiger Zeit jedoch machte der Junge Fortschritte; vom fröhlichen gemeinsamen Kritzeln mit seiner Affenfreundin ging er dazu über, Briefe zu schreiben und Dinge zu zeichnen, die eindeutig als Alltagsgegenstände erkennbar waren. Aus seinem sinnlosen Geplapper wurden Worte, die er schließlich zu Sätzen aneinanderreihte. Diese beiden Schritte, den Übergang vom Kritzeln und Plappern zum Schreiben und zur Sprache, konnte die Schimpansin nicht vollziehen.

Als der Junge Schreiben, Lesen und Sprechen gelernt hatte, konnte er andere Menschen verstehen und ihnen seine Wünsche mitteilen; ohne diese Fähigkeiten hätte sein geistiges Niveau nur wenig über dem der Schimpansin gelegen.

Der Mensch ist ein intelligentes Lebewesen mit äußerst komplizierter Lebensweise. Er verfügt über verschiedene Möglichkeiten, mit anderen Menschen zu kommunizieren, darunter Sprache, Schrift und auch Gesten. Sprache und Schrift haben es ihm ermöglicht, sein Wissen von einer Generation auf die andere zu überliefern und von dieser Überlieferung zu profitieren. In jüngster Zeit sind die Kommunikationsmöglichkeiten durch Schallplatten, Magnettonbänder und Filme noch erheblich erweitert worden.

Auch der Schimpanse *(Pan troglodytes)* ist ein intelligentes Lebewesen mit einer — im Vergleich zu vielen anderen Tieren — komplizierten Lebensweise. Zum Bewegen von Gegenständen bedient er sich seiner Hände, Füße, Lippen und Zähne. Die Zahl der Laute, aus denen sich seine Sprache zusammensetzt, ist allerdings beschränkt. Wie viele andere Säugetiere machen auch die Schimpansen ihre Artgenossen durch Gesichtsausdrücke auf ihre Empfindungen aufmerksam. Wissenschaftler haben die entscheidenden Bewegungen auf Filmen festgehalten.

GESICHTS-
AUSDRÜCKE
DES
SCHIMPANSEN

Vergnügen
(Lächeln)

Nachdenken

Verärgerung
(scheinbares
Lachen)

Revier

Bisher haben wir uns nur mit dem Verhalten von Säugetieren und Menschen beschäftigt, aber sie sind nicht die einzigen Tiere, die miteinander kommunizieren können.

Da sich viele Tiere innerhalb eines bestimmten Areals aufhalten, sofern dieses genügend Nahrung bietet, müssen sie darauf hinweisen, daß ein Revier ihnen gehört. Vögel geben ihre Anwesenheit oft dadurch zu verstehen, daß sie sich auf einen Pfahl oder Baum setzen und laut singen. Diese Aufgabe übernehmen in der Regel die männlichen Tiere; sie weisen die anderen Männchen darauf hin, daß ein bestimmtes Revier besetzt ist. Das Rotkehlchen (*Erithacus rubecula*) liefert hier ein gutes Beispiel. Dieser aggressive kleine Vogel warnt seine Rivalen durch lauten Gesang und spart sich dadurch die Mühe, sein Revier im Kampf verteidigen zu müssen.

Unter den Säugetieren gibt es viele, die ihr Revier markieren. Das Flußpferd zum Beispiel grenzt es mit einer Mischung aus Kot und Urin ein. Rehe benutzen eine scharfe Flüssigkeit, die von besonderen Drüsen nahe den Augen abgesondert wird, um Zweige, Büsche und sogar den Boden in einem Gebiet zu markieren, das sie als das ihre beanspruchen. Mit anderen Worten: Diese Säugetiere kommunizieren mit Hilfe von Gerüchen, der Vogel mit Hilfe von Lauten. Da ein Rotkehlchen-Männchen durch die roten Brustfedern eines Herausforderers zum Angriff veranlaßt wird, ist auch das Sehvermögen entscheidend an der Kommunikation zwischen Tieren beteiligt.

Unten: *Dieses männliche Rotkehlchen stellt sein leuchtend gefärbtes Brustgefieder zur Schau und singt, um seinen Revieranspruch geltend zu machen.*

Paarungsverhalten

Reviere werden nicht nur im Interesse einzelner Tiere abgesteckt. Viele Männchen tun dies auch, um Weibchen anzuziehen und damit die Paarung und die Aufzucht von Jungen zu ermöglichen. Ganz offensichtlich liegt es im Interesse der Erhaltung der Art, wenn nur die kräftigsten Männchen für die Fortpflanzung sorgen, und deshalb bemühen sich oft mehrere Tiere um die Weibchen. Solche Konkurrenzkämpfe enden jedoch bei weitem nicht immer mit dem Tode eines der Beteiligten, denn das wäre Verschwendung. Im allgemeinen gibt der Unterlegene auf und sucht sich ein weniger dicht besiedeltes Revier, um sich dort fortzupflanzen. In jedem Kampf, besonders aber in einem Kampf zwischen männlichen Tieren, kommt der Augenblick, in dem einer der Kämpfenden erkennt, daß er unterlegen ist. In der Regel nimmt das Tier dann eine bestimmte Haltung ein, die dem stärkeren Gegner signalisiert, daß er gewonnen hat und der Kampf vorüber ist. Bei den Wölfen gehört zu diesen „Demutsgebärden", daß sich der Unterlegene auf die Seite oder den Rücken legt und Bauch und Hals zeigt — zwei besonders verletzliche Körperteile, die normalerweise sorgsam gedeckt werden.

Eltern und Junge

Ein weiterer Anlaß für Kommunikation zwischen Tieren ist das Verlangen nach irgendwelchen Dingen oder die Bitte um Hilfe. Ein hungriges Kind schreit, um die Aufmerksamkeit auf sich zu lenken. Junge Vögel fordern ihre Eltern mit Hilfe visueller Signale auf, ihnen Futter zu brin-

Eine junge Silbermöwe hackt nach dem roten Fleck am Schnabel des Alttiers.

Oben: Zwei männliche Rothirsche (Cervus elaphus) kämpfen mit ineinander verhakten Geweihen. Im Hintergrund äst ein weibliches Tier.

gen. So weisen zum Beispiel die Jungvögel verschiedener Arten eine farbige Zeichnung im Mund auf, und die Eltern versuchen immer, in weit geöffnete Schnäbel mit dieser Farbe — ob sie nun von der Natur oder vom Menschen stammt — etwas Freßbares zu stopfen. Junge Silbermöwen *(Larus argentatus)* verlangen Futter, indem sie nach dem roten Fleck hacken, den die Altvögel am Schnabel tragen. Das sind nur zwei von vielen Methoden, mit denen sich Vögel untereinander verständigen.

Von größter Bedeutung für alle gesellig lebenden Tiere sind Signale, die den Aufenthalt von Einzelwesen angeben und damit helfen, die Gruppe im Interesse des gegenseitigen Schutzes zusammenzuhalten. Dieses Signal kann — wie bei einigen Fischen und Schmetterlingen — ein Geruch sein, aber auch ein Geräusch, wie viele Insekten es hervorbringen, oder die Farbe von Fell oder Federn.

Rechts: Junge Heckenbraunellen (Prunella modularis) zeigen die gefärbten Schnabelöffnungen. Die Eltern reagieren instinktiv mit Futtergaben.

Fortpflanzung im Tierreich

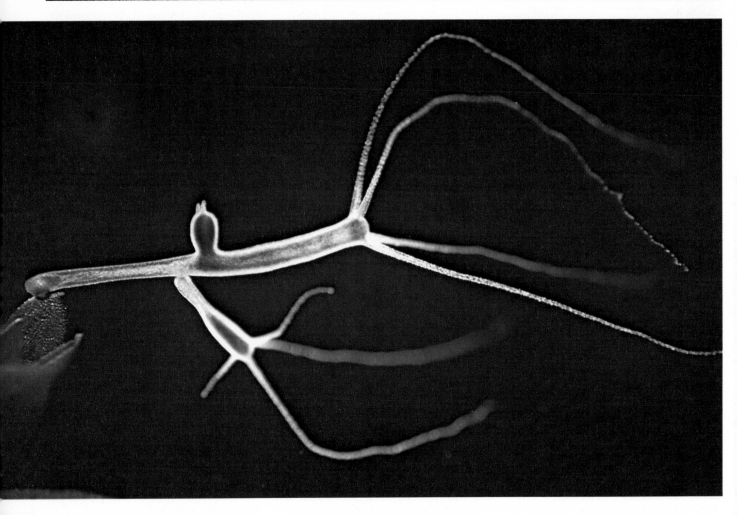

Oben: *Die Fortpflanzung einer Hydra beginnt damit, daß am Mutterpolypen eine kleine Schwellung, die Knospe, entsteht. Sie entwickelt sich zum kleineren Ebenbild des Muttertiers und bricht dann ab. Die Abbildung zeigt zwei Knospen, die eine erst halb entwickelt, die andere fast fertig ausgebildet und bereit, ein Eigenleben zu beginnen.*

Die Fortpflanzung dient dazu, die Anzahl von Tieren oder Pflanzen durch Hervorbringung einer neuen Generation zu bewahren oder zu vergrößern. Dabei ist letzten Endes jedes Lebewesen bestrebt, so viele Nachkommen zu erzeugen, daß sie in neue Reviere auswandern und so zur Verbreitung der Art beitragen kön-

nen. Bei geschlechtlicher Fortpflanzung weisen die Jungen eine Kombination der Eigenschaften ihrer Eltern auf und dazu möglicherweise auch einige neue, die ihnen helfen, sich ihrer Umgebung besser anzupassen.

Ungeschlechtliche Fortpflanzung

Bei dieser Art der Fortpflanzung kann sich ein Teil vom Elterntier ablösen und zu einem neuen Individuum heranwachsen. Dieser Vorgang, der gewöhnlich als „Knospung" bezeichnet wird, läßt sich an einer Hy-

dra, einem Süßwasserpolypen, besonders deutlich verfolgen. Auch die Süßwasserplanarien, die unter Steinen in Teichen und Flüssen leben, können sich ungeschlechtlich fortpflanzen. Diese Tiere sind imstande, den hinteren Körperteil abzutrennen, an dem sich danach rasch wieder ein Kopf und innere Organe ausbilden, so daß ein vollständiges neues Exemplar entsteht.

Einige primitive Tiere wie zum Beispiel die einzelligen Amöben pflanzen sich durch Teilung fort.

Dieser Vorgang läuft in zwei Stadien ab: Der Kern einer Zelle, in dem alle Erbanlagen enthalten sind, spaltet sich genau in der Mitte; daran schließt sich die Teilung des gelartigen Zytoplasmas an, aus dem der Rest der Zelle besteht. Das Ergebnis sind zwei völlig identische Zellen, von denen jede zur Fortbewegung und zu einer selbständigen Existenz imstande ist.

Geschlechtliche Fortpflanzung

Bei der geschlechtlichen Fortpflanzung muß sich eine männliche Samenzelle (Spermatozoon) mit dem Ei eines weiblichen Tieres vereinigen; aus dem so befruchteten Ei entwickelt sich ein Nachkomme. Bei einigen primitiven Tieren, sogenannten Zwittern, werden Spermien und Eier vom gleichen Lebewesen hervorgebracht. Dabei ist jedoch zumeist dafür gesorgt, daß es nicht zu einer Selbstbefruchtung kommen kann.

Bei den Tieren finden sich sehr unterschiedliche Methoden der Fortpflanzung und Brutpflege. Bei einer der primitivsten werden Eier und Spermien in Wasser abgelegt; ob sie zusammenfinden, bleibt dem Zufall überlassen. Solche Tiere, zu denen zum Beispiel die Palolowürmer gehören, müssen natürlich gewaltige Eiermassen hervorbringen, wenn sie sich erfolgreich fortpflanzen wollen.

Eine andere Methode besteht darin, daß ein Weibchen seine Eier in einem vorbereiteten Nest ablegt, wo sie das Männchen dann besamt; dieser Methode bedient sich der Stichling. Bei den Fröschen dagegen paaren sich Männchen und Weibchen; das bedeutet, daß die Eier sofort befruchtet werden. Danach kümmert sich der Frosch allerdings nicht mehr um seine Nachkommen; von einer gallertartigen Schutzhülle umgeben, bleiben die Eier (der Laich) sich selbst überlassen.

Anpassung an die Fortpflanzung zu Lande

Als die Tiere anfingen, das Land zu besiedeln, standen sie vor dem Problem, Eier und Sperma feucht zu halten. Einige Tiere, wie beispielsweise die Frösche, haben im Laufe ihrer Entwicklungsgeschichte dieses Problem nicht gelöst; sie sind bei der Fortpflanzung nach wie vor auf das Wasser angewiesen. Erfolgreichere Tiere verhindern das Austrocknen der Spermien, indem sie sie direkt in den Körper des Weibchens übertragen. Die auf diese Weise befruchteten Eier werden dann entweder mit einer Schale ausgestattet abgelegt oder bleiben bis zu einem höheren Entwicklungsstadium im Mutterleib.

Beschalte Eier legen Insekten, Spinnen, Vögel und Reptilien. In manchen Fällen bleiben die Eier ungeschützt sich selbst überlassen. Meeresschildkröten legen ihre Eier auf dem Land ab. Da sie

dort jedoch nicht leben können, graben sie Nester in den feuchten Sand und schützen die Eier mit einer Sandschicht.

Oben: *Ein Weibchen von* Euploea cora *legt seine Eier auf einem Sproß der nahrungsgebenden Pflanze ab.*

Die meisten Vögel dagegen bleiben nicht nur auf ihren Eiern sitzen, um sie auszubrüten, sondern beschützen und füttern auch die Jungtiere.

Je mehr Schutz und Pflege die Eltern den Eiern und den Jungen angedeihen lassen, desto geringer darf die Zahl der Eier sein. So legen zum Beispiel Fische Millionen von Eiern, Vögel aber nur einige wenige. Die Eier der Säugetiere werden im weiblichen Körper befruchtet, wo sich auch der Embryo entwickelt, bis er als kleines Ebenbild der Eltern geboren wird. Alle Säugetiere ernähren ihre Kinder mit Milch und beschützen sie, bis sie zu selbständigem Leben fähig sind.

Links: *Weibliche Suppenschildkröten* (Chelonia mydas) *kriechen an Land und graben Löcher in den Sand, in die sie ihre Eier ablegen.*

Die Sinnesorgane der Tiere

Daß sich Tiere bewegen, hat verschiedene Gründe — Nahrungssuche, Fortpflanzung oder die Besiedlung neuer Gebiete wegen Übervölkerung der alten. Um erfolgreich jagen oder wandern zu können, müssen sie ihre Umwelt genau wahrnehmen; nur so können sie sich auf die Art bewegen, die sie am wenigsten gefährdet. Die nötigen Informationen über die Umwelt liefern Sinnesorgane wie Augen und Ohren.

Wie hoch ein bestimmtes Sinnesorgan entwickelt ist, hängt von der Lebensweise eines Tieres ab, und diese wiederum wird zum Teil von seinem Lebensraum bestimmt. Das Studium der verschiedenen Lebensräume läßt

Oben: *Die Anemonen- oder Clownfische (Gattung* Amphiprion) *besitzen wahrscheinlich eine besondere Schleimschicht, die sie vor dem Nesselgift der Seeanemonen schützt, mit denen sie zusammenleben und die ihnen einen gewissen Schutz bieten.*

erkennen, wie wichtig ein bestimmtes Sinnesorgan ist.

Wassertiere

Tiere, die im Wasser leben — ganz gleich, ob in Süß- oder Salzwasser — benutzen in erster Linie den Geruchs- und den Tastsinn. Die kleinen, von den Strömungen mitgeführten Nahrungspartikel werden von den im Wasser lebenden Tieren entweder gerochen oder geschmeckt.

Bei Tieren, die wie die Schwämme an einem Ort festsitzen, sind Geruchs- und Geschmackssinn vielleicht am wichtigsten, da sie nicht jagen, sondern lediglich aus dem, was sie heranstrudeln, ihre Auswahl treffen. Andere festsitzende Tiere wie die Seeanemonen riechen ihre Nahrung nicht nur, sondern machen ihre Beute auch durch Betasten aus. Die Tentakel einer Seeanemone können fühlen, riechen und vorbeischwimmende Beutetiere sogar lähmen.

Aber auch viele freischwimmende, aktiv jagende Tiere bedienen sich ihres Geruchssinns. Der Hai ist berüchtigt für seine Fähigkeit, Blut zu riechen. Seine Augen sind wie die der meisten Fische zum Entdecken der Bewegungen anderer Tiere kaum geeignet, zumal das Wasser oft trübe ist und Lichtstrahlen nur schwer passieren läßt.

Eine nützliche Einrichtung zum Entdecken möglicher Feinde oder auch der nächsten Mahlzeit sind druckempfindliche Organe, so zum Beispiel die Seitenlinie der Fische. Mit ihrer Hilfe können sie Bewegungen in dem sie umgebenden Wasser wahrnehmen. Einige Arten scheinen sogar herausfinden zu können, um welches Tier und um wie viele Exemplare es sich handelt.

Auch der Gleichgewichtssinn spielt im Wasser eine wichtige Rolle, da das Gewicht der Tiere vom Wasser getragen wird und sie ohne weiteres mit dem Bauch nach oben treiben könnten. Das verhindern Gleichgewichtsorgane, die Statozysten genannt werden und sich bei vielen Tieren finden, darunter Quallen und Hummern sowie — in abgewandelter Form — in den Ohren höher entwickelter Tiere wie Fische und Wale.

Landtiere

Bei den Landtieren spielt das Sehvermögen die wichtigste Rolle, und dementsprechend sind ihre Augen besonders hoch entwickelt, bei Jägern wie den Löwen ebenso wie bei ihrer möglichen Beute, zum Beispiel einer Antilope. Darüber hinaus verfügen viele Landtiere auch über gute Nasen und Ohren; diese Sinne helfen sowohl dem Jäger wie seiner Beute.

Das beste Sehvermögen findet sich bei den Vögeln, die Gegenstände in weiter Ferne ausmachen und zudem durch die Höhe, in der sie fliegen, große Gebiete überblicken können. Zusammen mit den Gleichgewichtsorganen im Ohr dient das Sehvermögen der Orientierung im Raum — bei fliegenden Tieren ein äußerst wichtiger Faktor.

Auch Fledermäuse können gut fliegen. Viele Arten bedienen sich einer Art Echolot, indem sie Töne von hoher Frequenz ausstoßen, deren Wellen von Gegenständen in ihrer Umgebung reflektiert und von ihren hochempfindlichen Ohren wieder aufgenommen werden. Dagegen ist das Sehvermögen bei den Fledermäusen nur schwach entwickelt.

Andere Landtiere, die nur schlecht sehen, sind die unterirdisch lebenden Arten. Dafür haben die Maulwürfe jedoch einen feinen Geruchssinn ausgebildet, und Würmer können Vibrationen in der Erde wahrnehmen.

TIERAUGEN

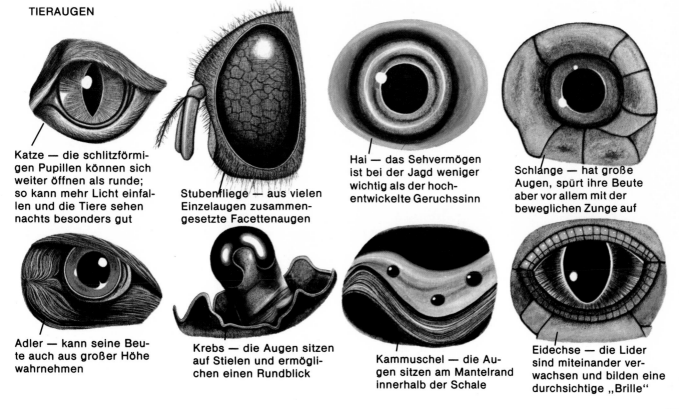

Katze — die schlitzförmigen Pupillen können sich weiter öffnen als runde; so kann mehr Licht einfallen und die Tiere sehen nachts besonders gut

Stubenfliege — aus vielen Einzelaugen zusammengesetzte Facettenaugen

Hai — das Sehvermögen ist bei der Jagd weniger wichtig als der hochentwickelte Geruchssinn

Schlange — hat große Augen, spürt ihre Beute aber vor allem mit der beweglichen Zunge auf

Adler — kann seine Beute auch aus großer Höhe wahrnehmen

Krebs — die Augen sitzen auf Stielen und ermöglichen einen Rundblick

Kammuschel — die Augen sitzen am Mantelrand innerhalb der Schale

Eidechse — die Lider sind miteinander verwachsen und bilden eine durchsichtige „Brille"

Gefährdete Tiere

Grizzlybär
(Ursus horribilis)

VOM AUSSTERBEN
BEDROHTE TIERE

Indri
(Indri indri)

Pottwal
(Physeter catodon)

Als der Mensch nur Jäger war und lediglich tötete, was er für Nahrung und Kleidung brauchte, richtete er im Gleichgewicht der Natur kaum Schaden an. Heute dagegen leben Milliarden von Menschen auf der Erde, viele von ihnen in großen Städten; die Folge davon ist eine erhebliche Störung des natürlichen Gleichgewichts in ihrer Umwelt.

Weite Teile unserer Erde sind heute besiedelt und bebaut; dafür mußten Tausende von Quadratkilometern Wald gerodet werden. Städte sind durch Straßen und Bahnlinien miteinander verbunden, die nicht nur gleichfalls Land brauchten, sondern auch einst ungeteilte Landstriche in kleinere Einheiten zerteilt haben. Für größere Lebewesen wie die Raubtiere sind diese kleineren Einheiten häufig ungeeignet; als Folge davon ist die Zahl dieser Tiere geschrumpft, obwohl der Mensch vielleicht gar nicht beabsichtigte, sie zu vertreiben.

Weitere Wälder wurden gerodet, um Acker- und Weideland zu gewinnen. Unüberlegter Anbau und unsachgemäße Nutzung von Weideflächen haben daraus minderwertige Grasfluren gemacht; nach der Erosion des Oberbodens sind in manchen Gegenden sogar wüstenähnliche Verhältnisse entstanden, so zum Beispiel in den ans Mittelmeer angrenzenden Ländern und vor allem in Nordafrika; dort haben Ziegen Sträucher und kleine Bäume kahlgefressen und zu einer Ausweitung der Sahara beigetragen.

Die Rodung der Wälder für landwirtschaftliche Zwecke und den Städtebau haben vielen Ländern ein völlig anderes Gesicht gegeben. So sind zum Beispiel in Nordamerika die ursprünglichen Laubwälder fast völlig verschwunden. Die Einführung von Nutzvieh hat die natürliche Nahrungskette zerstört, und Raubtiere wie Wolf und Puma wurden erbarmungslos gejagt, ebenso alle Tiere, von denen man annahm, daß sie mit den Tieren des Menschen um die Nahrung konkurrierten. In Australien wurden Känguruhs zu Tausenden hingeschlachtet, weil man annahm, sie beeinträchtigten die Schafzucht und minderten den Profit.

Eine Ironie der Natur liegt darin, daß manche eingeführten Arten mehr Schaden angerichtet haben als die einheimischen Tiere. Australien, in dem die eingeführten Kaninchen viele Weideflächen kahlgefressen haben, bietet hierfür ein anschauliches Beispiel. Darüber hinaus haben Katzen und Hunde sowie die Tiere im Gefolge des Menschen, vor allem Ratten, unter den Beuteltieren Australiens große Verheerungen angerichtet und viele Arten ausgerottet.

Die Greifvögel haben unter den Insektiziden und Pestiziden zu leiden, die in der modernen Landwirtschaft versprüht werden. Diese Chemikalien werden von den Insekten aufgenommen und gelangen dann in die Körper der kleinen Raubtiere, Nager und Vögel, die sie fressen. Die Kleinsäuger und Vögel wiederum stellen die Hauptnahrung der größeren Greifvögel dar, und auf diese Weise finden die gefährlichen Pflanzenschutzmittel ihren Weg in Habichte, Bussarde und Adler, machen ihre Eier unfruchtbar und töten zum Teil die Vögel selbst.

Die Tiere, die einst in den vom Menschen besiedelten Gebieten lebten, haben an Zahl beträchtlich abgenommen — sie wurden entweder getötet oder waren nicht imstande, sich der veränderten Umwelt anzupassen. Manche Tiere wurden erlegt, weil sie eine bequeme und leicht zugängliche Nahrungsquelle waren; das gilt für den nordamerikanischen Bison ebenso wie für die Dronten auf der Insel Mauritius. Andere Tiere, so die Wandertaube in Nordamerika, fielen dem Vergnügen an der Jagd und am Schießen zum Opfer.

Manche Tiere wurden und werden noch heute wegen ihres Fells, ihrer Federn oder eines Körperteils gejagt. Glücklicherweise wird in der Öffentlichkeit jetzt immer lauter und deutlicher gegen eine solche Ausbeutung der Tiere protestiert.

Das Anwachsen der Industrie mit ihrem ständigen Bedarf an Rohmaterialien hat gleichfalls zur Zerstörung der natürlichen Landschaft beigetragen; außerdem wurden Tiere getötet, weil man ihre Produkte — zum Beispiel das Öl der Wale — brauchte.

DER WEG DER PFLANZENSCHUTZMITTEL IN DAS GEWEBE GRÖSSERER TIERE

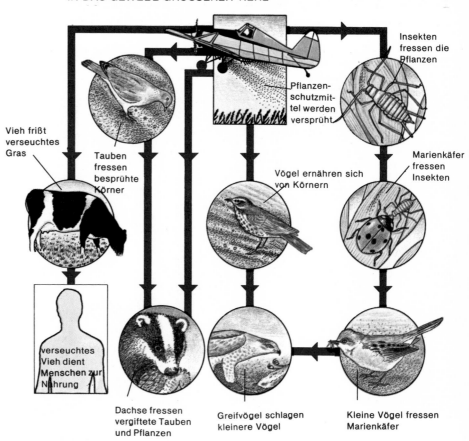

Vieh frißt verseuchtes Gras

Pflanzenschutzmittel werden versprüht

Insekten fressen die Pflanzen

Tauben fressen besprühte Körner

Vögel ernähren sich von Körnern

Marienkäfer fressen Insekten

verseuchtes Vieh dient Menschen zur Nahrung

Dachse fressen vergiftete Tauben und Pflanzen

Greifvögel schlagen kleinere Vögel

Kleine Vögel fressen Marienkäfer

Darüber hinaus haben die Abfallstoffe der Industrie Land, Flüsse und Seen verschmutzt. Die Großen Seen Nordamerikas liefern hierfür ein erschreckendes Beispiel.

Unten: Viele Walarten, darunter der Pottwal, sind durch den Bedarf an Walöl stark gefährdet. Hier wird von einem erlegten Wal der Speck abgeschnitten.

Die Färbung der Tiere

es sich bewegte und Laute von sich gäbe, die die Aufmerksamkeit eines Feindes auf sein Versteck lenkten.

Sogar innerhalb einer Art gibt es gelegentlich Formen, die sich verschiedenen Umgebungen angepaßt haben. Der Birkenspanner *(Biston betularia)* kommt in einer weißlichen und in einer sehr dunklen Form vor. Die weißlichen Tiere leben überwiegend auf dem Lande, wo Häuser und

Links: *Die Raupen des Monarchfalters* (Danaus plexippus) *sind ungenießbar und enthalten ein für manche Vögel tödliches Gift, das von den Pflanzen stammt, die sie fressen. Die Warnfarbe ist deshalb für die Raupen selbst wie für die Vögel von großem Nutzen.*

Unten: *Die Raupen des Birkenspanners* (Biston betularia) *tarnen sich durch Farbe und Struktur gleichzeitig. Wenn sie reglos dasitzen, sehen sie einem kleinen Zweig zum Verwechseln ähnlich.*

Die unterschiedliche Färbung von Tieren hat vor allem drei Gründe: Sie dient als Tarnung, als Warnung oder spielt bei der Partnerwerbung eine Rolle. Tarn- und Schutzfarben finden sich in der gesamten Tierwelt, sind aber bei Vögeln und Säugetieren am auffälligsten. Nicht nur die wehrlose Beute ist so gefärbt, daß sie unauffällig mit ihrem Hintergrund verschmilzt, sondern auch der Jäger, dem es sonst wesentlich schwerer fallen würde, seine Beute zu stellen und zu erlegen. Viele Hirsche sind so gezeichnet, daß sie in ihrer Umgebung nicht auffallen, und das gestreifte Fell des Tigers ist eine hervorragende Tarnung, wenn er im Schatten der hohen Gräser und Sträucher Indiens auf die Jagd geht.

Auch die Jungen der am Boden nistenden Vögel liefern ein gutes Beispiel für perfekte Tarnung, und ihr Verhalten steigert noch die Wirkung der Schutzfarbe; wenn die Mutter sie verläßt, rühren sie sich nicht, und kein Jäger kann eine Bewegung wahrnehmen. Ein Tier, das sich zu tarnen versucht, wäre töricht, wenn

Bäume relativ sauber sind, die dunkleren dagegen in den Städten und ihrer Umgebung, wo Bäume und Häuser von Schmutz und Ruß geschwärzt sind.

Die Werbung hat den Sinn, Männchen und Weibchen aufeinander aufmerksam zu machen, so daß sie sich paaren und Nachwuchs zeugen können. Viele Tiere bedienen sich bei der Werbung sehr vielfältiger Gesten und Verhaltensweisen, aber eine ganze Reihe setzt auch Farben und Zeichnungen ein, um sich einem möglichen Partner von der besten Seite zu zeigen. So spreizt zum Beispiel der Pfau seinen großen, herrlich gemusterten Schwanz und zeigt ihn dem Weibchen. Das Stichlingsmännchen trägt ein Hochzeitskleid mit roter Brust und Kehle, blaugrünen Schuppen und leuchtend blauen Augen. Alle Fische der gleichen Größe und Färbung jagt er davon, umwirbt aber die gelblich gefärbten Weibchen.

Auch Tiefseefische machen von Farben Gebrauch, die jedoch in ihrem Fall im Dunkel leuchten, weil in tiefere Gewässer wenig oder gar kein Licht einfällt.

Schutzfarben

Einige Tiere können verschiedenfarbige Kleider anlegen; die besten Beispiele hierfür bieten ein paar in der Arktis lebende Arten. Schneehase und Eisfuchs haben im Sommer ein braunes Fell, im Winter dagegen ein weißes; auf diese Weise sind sie der jeweils vorherrschenden Landschaftsfarbe bestens angepaßt und immer gut getarnt.

Tiere mit Warnfarben weisen darauf hin, daß es gefährlich ist, sie anzugreifen, oder daß sie schlecht schmecken. Wespen und verschiedene Schlangen warnen andere Tiere durch farbige Streifen. Einige harmlose Tiere haben von den gefährlichen die Warnfarben übernommen und schützen sich so vor möglichen Feinden. Die Schwebfliegen zum Beispiel sind genauso gestreift wie die Wespen; deshalb glauben viele Menschen und Tiere, sie könnten stechen, und gehen ihnen aus dem Wege. In Wirklichkeit ernähren sich die Schwebfliegen von Nektar und sind völlig harmlos.

Links: *Das Tagpfauenauge* (Inachis io) *schreckt mit leuchtenden Farbflecken etwaige Feinde ab. Die „Augen" auf den Hinterflügeln sehen echten Augen täuschend ähnlich.*

SCHNEEHASE

Sommer

Winter

Die Klassifikation der Tiere

In diesem Buch werden die Tiere nach **Stämmen** (Phyla) gegliedert, mit den primitivsten Tieren beginnend und mit den höchsten endend. Man spricht in diesem Fall von einer „systematischen" Gliederung, weil sie die fortschreitende Entwicklung von einem Stamm zum nächsten verdeutlicht — jeder Stamm steht auf einer etwas höheren Entwicklungsstufe als der vorhergehende. Die Stämme werden in kleinere Einheiten unterteilt — ein Stamm in **Klassen**, eine Klasse in **Ordnungen**, eine Ordnung in **Familien** und eine Familie in **Gattungen**. Innerhalb jeder dieser Einheiten weisen die Tiere mehr Gemeinsamkeiten auf und sind näher miteinander verwandt. Die kleinste und letzte Einheit ist die **Art**. Die einheimischen Namen der Arten sind von Sprache zu Sprache verschieden: die Honigbiene heißt im Englischen honey bee, im Französischen mellifère, aber der wissenschaftliche Name *Apis mellifica* ist international gültig und identifiziert das Tier genau.

In den voraufgegangenen Abschnitten wurden zahlreiche Tiere erwähnt, vorwiegend solche, die ein Rückgrat besitzen — mit anderen Worten, Wirbeltiere (Vertebraten). Eine ganze Reihe von Wirbeltieren ist groß und auffällig gefärbt und deshalb gut sichtbar und jedermann bekannt. In Wirklichkeit machen die Wirbeltiere jedoch nur fünf Prozent der gesamten Tierwelt aus. Die Wissenschaftler kennen mehr als eine Million Arten, von denen rund 95 Prozent kein Rückgrat besitzen, also wirbellose Tiere (Invertebraten) sind.

Dennoch haben auch die wirbellosen Tiere häufig kompliziert gebaute Körper, die von einer Art Skelett gestützt werden. Die Würmer werden von einem flüssigen „Skelett" in Form gehalten; Korallen scheiden Kalk aus; Schnecken und Muscheln haben Schalen; und die Gliederfüßer wie Spinnen- und Krebstiere sowie viele Insekten umgeben sich mit einem Panzer.

Bei den wirbellosen Tieren kommen sehr unterschiedliche Gestalten, Größen und Lebensformen vor. Manche von ihnen, zum Beispiel Spinnen, Schnecken und Regenwürmer, sind fast jedermann vertraut. Andere, weniger bekannte Geschöpfe sind neben anderen die Parasiten wie Hakenwurm, Blutegel und die Malariaerreger. Daneben gibt es jedoch auch viele Arten, die beim Menschen sehr beliebt sind. Austern und Krebse werden als Delikatesse geschätzt, und die Honigbiene bestäubt nicht nur Blüten, sondern liefert auch Honig.

Die ersten Tiere, die sich auf der Erde entwickelten, waren einfache Invertebraten und vermutlich Einzeller. Einzeller (Protozoen) gibt es noch heute; es ist jedoch durchaus möglich, daß sie sich von ihren Vorläufern erheblich unterscheiden.

Im Laufe der Zeit entwickelten sich kompliziertere, aus vielen Zellen bestehende Lebewesen, die sich allmählich dem Dasein in einer Vielzahl von Lebensräumen anpaßten.

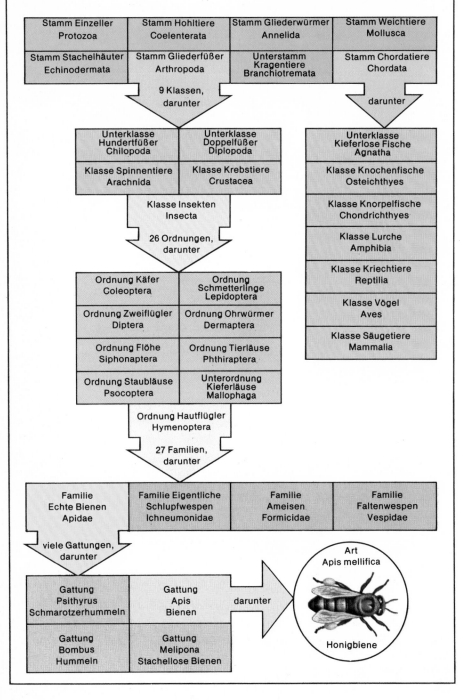

Von diesen Vielzellern (Metazoen) konnte sich eine ganze Reihe nicht anpassen und starb deshalb wieder aus. Leider besitzen wir von den ausgestorbenen Arten kaum Fossilien, da ihr Gewebe in Schlamm und Gestein nur schlecht konserviert wurde. Während der Evolution der wirbellosen Tiere kam es jedoch zu einigen bedeutsamen Fortschritten, die die Entstehung der erfolgreicheren Tiergruppen auslösten.

Einer dieser Fortschritte war die Entwicklung der Würmer, aus denen die Gliedertiere hervorgingen. Würmer finden sich nur in Wasser oder feuchter Erde; Gliedertiere dagegen können sowohl im Wasser als auch auf dem trockenen Land leben.

Eine weitere wichtige Gruppe stellen die Weichtiere dar, zu denen neben anderen die Schnecken, Austern und Tintenfische gehören. In diesem sehr artenreichen Stamm finden sich die größten unter den wirbellosen Tieren, nämlich die Riesenkalmare mit Armlängen bis zu 15 Metern.

Zu den Stachelhäutern, einem weiteren Stamm wirbelloser Tiere, gehören Seesterne und Seeigel; unter ihren Vorfahren gab es Arten, die sich zu Wirbeltieren fortentwickelten, ein Umstand, der die Stachelhäuter für die Zoologen zum besonders interessanten Forschungsobjekt macht.

Schließlich sollte man nicht vergessen, daß es keine Wirbeltiere waren, die das Land am erfolgreichsten besiedelten, sondern eine Klasse von Wirbellosen, nämlich die Insekten. Es gibt keine andere Gruppe, deren Artenreichtum auch nur entfernt an den der Insekten heranreicht. Die Insekten machen rund 75 Prozent aller den Wissenschaftlern bekannten Tiere aus und sind in allen erdenklichen Lebensräumen auf dem trockenen Land und in Süßwasser anzutreffen.

Rechts: *Diese Wabe in einem Bienenstock wimmelt von Arbeiterinnen, die die in einigen Zellen im oberen Bildteil erkennbaren Larven füttern. Jede einzelne Larve braucht täglich mehr als 1 000 Pollenmahlzeiten.*

Einzeller (UNTERREICH PROTOZOA)

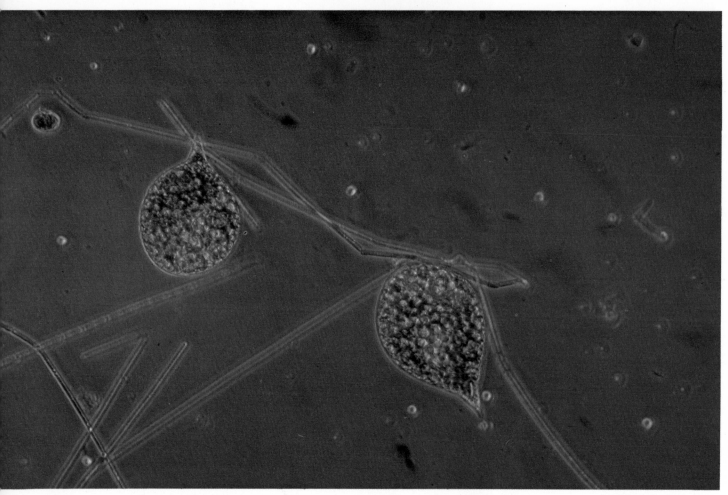

Die Protozoen sind sehr kleine Tiere, die nur aus einer einzigen Zelle mit allen zum Leben notwendigen Funktionen bestehen. Bei einigen Angehörigen dieser Gruppe ist die Zelle von einer Art Haut oder Schale überzogen. Besonders deutlich ausgeprägt ist die Deckschicht bei den Lochträgern (FORAMINIFERA) und Rädertierchen (RADIOLARIA). Die Foraminiferen spielen auch eine wirtschaftliche Rolle, da ihre fossilen Überreste zur Identifizierung von Gesteinsschichten herangezogen werden können und Hinweise auf Erdölvorkommen liefern.

Einige der primitivsten Einzeller, zum Beispiel die Wechseltiere oder Amöben (AMOEBINA), lassen unter einem gewöhnlichen Mikroskop kaum Einzelheiten erkennen; dennoch finden sich diese Tiere in den

Ozeanen, in Teichen und Seen und sogar in feuchter Erde. Das ist ein beachtlicher Erfolg, denn er bedeutet, daß diese simplen Tierchen in fast alle Erdwinkel vorgedrungen sind, wobei die einzige Voraussetzung für ihre Existenz das Vorhandensein von Wasser ist.

Viele Arten bilden von zähen Hüllen umschlossene Sporen aus, die auch Trockenperioden überstehen. Sie werden mit dem Staub herumgeweht und können auf diese Weise beträchtliche Entfernungen zurücklegen und sich weit von ihrem Ursprungsort entfernen.

Aber nicht nur der Wind kann Einzeller verbreiten; sie unternehmen auch weite Reisen im Körper größerer Tiere. Die ungeschlechtliche Vermehrung sorgt für schnelle Fortpflanzung. Eine Zelle teilt sich in

Oben: Viele ursprüngliche Organismen lassen nur schwer erkennen, ob sie Tiere oder Pflanzen sind. Die Angehörigen der Gattung Astasia sind Einzeller, die wie die Pflanzen Chlorophyll enthalten, sich aber mit Hilfe peitschenähnlicher Geißeln fortbewegen.

zwei Teile, diese beiden teilen sich gleichfalls, so daß jetzt vier Tiere vorhanden sind, und so geht es in rascher Folge weiter.

Viele Einzeller fressen, indem sie ihre Nahrung umschlingen; mit anderen Worten, ein Teil ihres gallertartigen Körpers umfließt die Beute zusammen mit einem Tropfen des Wassers, in dem sie schwimmt. Dieser Tropfen Flüssigkeit mit der in ihm enthaltenen Nahrung wird als Vakuole (Nahrungsbläschen) bezeichnet und in der Zelle verdaut.

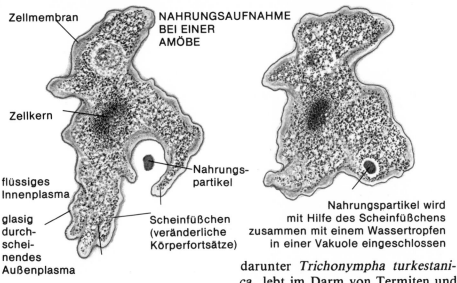

Zellmembran

NAHRUNGSAUFNAHME
BEI EINER
AMÖBE

Zellkern

flüssiges
Innenplasma

glasig
durch-
schei-
nendes
Außenplasma

Nahrungs-
partikel

Scheinfüßchen
(veränderliche
Körperfortsätze)

Nahrungspartikel wird
mit Hilfe des Scheinfüßchens
zusammen mit einem Wassertropfen
in einer Vakuole eingeschlossen

Protozoen können nützliche Tiere sein. Eine Reihe von Geißelträgern, darunter *Trichonympha turkestanica,* lebt im Darm von Termiten und verdaut Holz und anderes pflanzliches Material, das die Insekten zu sich nehmen. Dafür erhalten die Geißelträger ein warmes, feuchtes Heim mit einem unerschöpflichen Nahrungsvorrat.

Auch im Magen von Rindern leben nützliche Protozoen, die sich vermutlich von den dort befindlichen Bakterien ernähren. Die Bakterien spalten das von der Kuh aufgenommene Pflanzenmaterial auf, und die Einzeller liefern ihrem Wirt zusätzliches Eiweiß.

Unter den Amöben gibt es neben harmlosen Arten auch Parasiten, die im Darm von wirbellosen und Wirbeltieren leben. Besonders gefährlich ist *Entamoeba histolytica,* die beim Menschen die Amöbenruhr hervorruft, eine ernste Erkrankung, die zum Tode führen kann.

Parasitisch lebende Protozoen

Unter den Einzellern gibt es eine Reihe von Parasiten, die beim Menschen und seinem Nutzvieh großen Schaden anrichten können; die bekanntesten sind die Erreger der Malaria und der Schlafkrankheit. Die Malaria wird von Angehörigen der Gattung *Plasmodium* hervorgerufen, deren Keime im Speichel der Anophelesmücke leben. Wenn die Mücke einen Menschen sticht, gelangen mit ihrem Speichel auch die Keime des Parasiten in die Wunde. Dort fressen sie, wachsen und bilden schließlich Stadien aus, die sich teilen und andere Zellen infizieren, während sich andere zu geschlechtlichen Formen entwickeln, die von einer Mücke aufgenommen werden können, wenn sie einen erkrankten Menschen sticht. Im Mückendarm durchläuft der Parasit eine Reihe von Entwicklungsstadien, bis schließlich wieder der in den Speicheldrüsen des Insekts lebende Keim entstanden ist und auf ein weiteres Opfer übertragen werden kann. Malariakranke leiden unter periodisch wiederkehrenden Fieberanfällen; in vielen Fällen führt die Krankheit zum Tode.

DER LEBENSZYKLUS DER
PLASMODIEN (im Uhrzeigersinn)

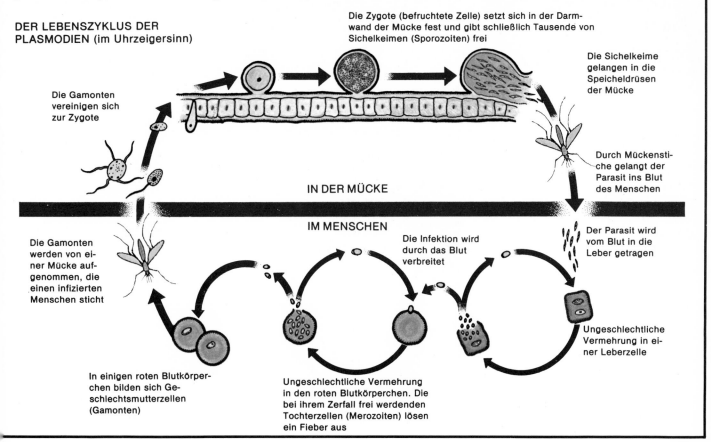

Die Zygote (befruchtete Zelle) setzt sich in der Darmwand der Mücke fest und gibt schließlich Tausende von Sichelkeimen (Sporozoiten) frei

Die Gamonten vereinigen sich zur Zygote

Die Sichelkeime gelangen in die Speicheldrüsen der Mücke

IN DER MÜCKE

Durch Mückenstiche gelangt der Parasit ins Blut des Menschen

IM MENSCHEN

Die Gamonten werden von einer Mücke aufgenommen, die einen infizierten Menschen sticht

Die Infektion wird durch das Blut verbreitet

Der Parasit wird vom Blut in die Leber getragen

Ungeschlechtliche Vermehrung in einer Leberzelle

In einigen roten Blutkörperchen bilden sich Geschlechtsmutterzellen (Gamonten)

Ungeschlechtliche Vermehrung in den roten Blutkörperchen. Die bei ihrem Zerfall frei werdenden Tochterzellen (Merozoiten) lösen ein Fieber aus

Hohltiere (UNTERABTEILUNG COELENTERATA)

Die Hohltiere leben im Wasser, die meisten von ihnen in den Meeren. Ihr Körper besteht aus zwei Zellschichten, zwischen denen sich eine gallertartige Stützsubstanz befindet. Das Zentrum der Tiere nimmt ein großer Hohlraum ein, der alle Verdauungsfunktionen ausführt. Hohltiere haben nur eine Körperöffnung, den Mund; er ist meist von Tentakeln umgeben, die sehr lang sein können.

Die Hohltiere sind relativ primitive Geschöpfe ohne komplizierten Muskelapparat und bewegen sich deshalb nur langsam. Manche von ihnen, wie beispielsweise die Korallenpolypen, verbringen sogar ihr ganzes Leben an einem Ort festsitzend. Andere, wie die Quallen, lassen sich von den Meeresströmungen passiv dahintreiben; ihre einzige aktive Bewegung besteht darin, daß sie Wasser aus ihrem Schirm herauspressen, sich also einer Art langsamen und primitiven Düsenantriebs bedienen.

Bei den Nesseltieren (STAMM CNIDARIA) gibt es zwei deutlich voneinander unterschiedene Erscheinungsformen: die mehr oder weniger festsitzenden Polypen und die freischwimmenden Medusen; nur sie sind zu geschlechtlicher Fortpflanzung fähig.

Hydrozoen

(KLASSE HYDROZOA)

Bei den Hydrozoen oder Hydropolypen sind die beiden Erscheinungsformen deutlich zu erkennen. Die Polypen bilden Kolonien und fressen unaufhörlich; sie bringen Tausende von winzigen Medusen hervor, die kleinen Quallen gleichen. Die Portugiesische Galeere oder Seeblase zum Beispiel ist eine kolonienbildende Staatsqualle, bei der die einzelnen Angehörigen ihre Form modifiziert und sich auf bestimmte Aufgaben spezialisiert haben. So bilden manche ausschließlich Tentakel, andere sind so geformt, daß sie nur als

Links: *Die Portugiesische Galeere* (Physalia physalis) *ist in warmen, tropischen Gewässern heimisch, gelangt jedoch gelegentlich mit Hilfe des Golfstroms auch in europäische Gewässer.*

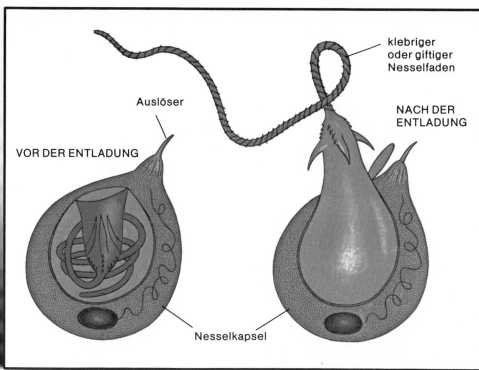

VOR DER ENTLADUNG

Auslöser

klebriger
oder giftiger
Nesselfaden

NACH DER
ENTLADUNG

Nesselkapsel

Die „Waffen" der Hohltiere

Obwohl sich die Hohltiere hinsichtlich ihrer Form zum Teil erheblich voneinander unterscheiden, besitzen doch fast alle Nesselkapseln (Cniden), die verschiedene Formen haben können: Einige von ihnen durchdringen die Haut eines vorüberschwimmenden Tieres und setzen ein Gift frei, während andere klebrig sind und sich um die widerstrebende Beute schlingen. Zumeist sitzen Tausende von Nesselkapseln an den Tentakeln der Hohltiere; sie dienen dazu, die Beute zu lähmen und festzuhalten, während die Tentakel sie zum Mund des Tieres führen. Manche Quallen können Schwimmer, die mit ihnen in Berührung kommen, ernsthaft verletzen. Eine Berührung mit der Portugiesischen Galeere führt zu Blasenbildung auf der Haut, und die im Pazifik heimische Seewespe *(Chiropsalmus quadrigatus)* kann mit ihrem Nesselgift sogar erwachsene Männer binnen zehn Minuten töten.

„Magen" operieren, während das Leben anderer nur der Fortpflanzung gewidmet ist.

Blumentiere

(KLASSE ANTHOZOA)

Eine weitere große und wichtige Klasse der Hohltiere sind die Blumentiere. Zu ihnen gehören die Seeanemonen, die größten einzeln lebenden Polypen; sie haften mit einer Fußscheibe auf ihrer Unterlage. Alle Seeanemonen besitzen zahlreiche Tentakel und sind oft bunt gefärbt.

Fächerkorallen entstehen aus einzeln lebenden Polypen mit langen, dünnen Tentakeln, an denen neue Polypen sprossen. Diese Tiere wirken sehr schlank und besitzen ein stützendes Kalkskelett.

Die kolonienbildenden Korallenpolypen bilden die größten Tieransammlungen im Tierreich. Aus Hunderten verschiedener Arten bestehende Korallenriffe können sich kilometerweit im Meer erstrecken und bie-

Links: *Der fleischige Körper dieser Seeanemone ist zwar halb im Schlick vergraben, sitzt aber fest auf dem darunterliegenden Felsen. Neben den Graten der Tentakel sind die Nesselkapseln angeordnet.*

ten einer reichen Fischfauna eine Heimat. Die verschiedenen Korallenformationen wurden im Abschnitt über das Meer bereits erwähnt.

Echte Quallen

(KLASSE SCYPHOZOA)

Die vielen Menschen bekannten Echten oder Scheibenquallen bilden eine dritte Klasse der Hohltiere. Ihre auffälligste Generation ist die der Meduse, die, von Strömungen und Winden getrieben, im Meer herumschwimmt.

Oben: *Eine Lederkoralle ist die Meer- oder Seemannshand (Alcyonium digitatum). Sie besteht aus vielen, durch Kanäle miteinander verbundenen kleinen Polypen. Im Gegensatz zu den riffbildenden Korallen mit ihren Kalkskeletten haben die Lederkorallen Skelette aus zähem Gallert.*

Die Größenskala reicht von winzigen Arten mit nur wenigen Millimetern Durchmesser bis zu solchen, die mehr als zwei Meter messen. Die Haarquallen im Nordatlantik können ihre Tentakel bis auf Längen von 60 Metern ausstrecken.

Weichtiere (STAMM MOLLUSCA)

Die Weichtiere sind die zweitgrößte Gruppe im Tierreich; nur der Stamm der Gliederfüßer (Arthropoda) zählt noch mehr Arten. In bezug auf Größe und Form finden sich bei den Weichtieren erhebliche Unterschiede; sie haben nur einige wenige Merkmale gemeinsam, aber viele von ihnen besitzen eine Schale, die ihnen Schutz bietet.

Diese Schale kann glatt und rund sein wie bei manchen Schnecken, aber auch spiralig gewunden, wie ein Zahn gekrümmt, fächerförmig oder sogar mit Stacheln bedeckt. Gelegentlich ist die Schale aus zwei miteinander verbundenen Teilen zusammengesetzt wie bei den Muscheln und Austern; bei anderen Arten — zum Beispiel dem Gemeinen Tintenfisch *(Sepia officinalis)* — liegt die Schale im Körperinnern.

Die in diesen Schalen lebenden Weichtiere sind im wesentlichen aus zwei Teilen zusammengesetzt: dem Rumpf mit dem Verdauungsapparat und den Fortpflanzungsorganen und dem muskulösen Fuß, der eine ganze Reihe von Aufgaben erfüllen kann. Die Schnecken benutzen ihn, um sich fortzubewegen; bei den Kalmaren und Kraken ist er so abgewandelt, daß sie ihn zum Beutefang benutzen können; vielen Muscheln dient ihr Fuß dazu, die Löcher zu graben, in denen sie leben.

Oben: *Dieser Tintenfisch hat gerade einen Krebs gefangen — die Antennen sind noch zu sehen. Die Tintenschnecken besitzen ein inneres Kalkskelett, mit dem die Muskeln verbunden sind. Der der Fortbewegung dienende Trichter liegt unter dem Auge.*

Innerhalb des Stamms der Weichtiere gibt es verschiedene Klassen. Kleine, recht primitive Tiere sind die Käferschnecken (KLASSE PLACOPHORA). Manche von ihnen leben an den Meeresküsten, wo sie, von einer achtteiligen Rückenschale gut geschützt, gewöhnlich auf flachen Steinen sitzen.

Recht merkwürdige Tiere sind die Grabfüßer (KLASSE SCAPHOPODA).

schen auch als Nahrung. Leider können sie an unbefestigten Ufern durch ihre Grabearbeit Schäden anrichten; besonders die Schiffsbohrmuscheln (Gattung *Teredo*) sind imstande, Hafenanlagen, Schiffsböden und Deichbefestigungen schwer zu beschädigen. Die Schiffsbohrmuscheln dringen bereits als Larven in die weichen äußeren Holzschichten ein und verbringen dann ihr gesamtes Leben damit, das Holz zu durchbohren, das ihnen als Nahrung dient. Zum Bohren bedienen sie sich ihrer mit starken Zacken oder Zähnen besetzten Schalenklappen, die durch ständiges Öffnen und Schließen wie eine Raspel wirken.

Eine der bekanntesten Muscheln ist die weltweit verbreitete Miesmuschel *(Mytilus edulis)*, ein wichtiger Bestandteil der Nahrung von Küstenbewohnern. Die großen Muschelbänke entstehen, wenn sich die jungen Tiere mit Hilfe dünner, aber sehr zäher Fäden an Felsen oder Pfähle anheften. Da an diesen Fäden auch feine Sand- und Schlammpartikel haften, können — wie zum Beispiel vor der Ostküste der Vereinigten Staaten — große, riffartige Gebilde entstehen, aufgebaut von unzähligen Generationen von Miesmuscheln, die sich auf den leeren, aber noch festsitzenden Schalen ihrer Vorfahren angesiedelt haben.

Sie leben ausschließlich in den Meeren, und zwar im Sand, in den sie sich mit Hilfe ihres kegelförmigen Fußes eingraben.

Eine weitere Gruppe der Weichtiere sind die Muscheln (KLASSE BIVALVIA). Typisch für sie ist die zweiteilige Schale, die auf dem Rücken wie durch ein Scharnier zusammengehalten wird. Kräftige Muskeln sorgen für das Schließen der Schalen; der Fuß kann zwischen ihnen herausra-

Oben: Muscheln ernähren sich, indem sie Wasser heranstrudeln, aus dem sie feine Partikel von organischem Material herausfiltern. Auf dem Photo sind die ausgestreckten, tentakelähnlichen Gebilde erkennbar, die den Tieren helfen, den Wasserstrom zu „schmecken" und zu kontrollieren.

gen, wenn er zum Graben oder zur Nahrungssuche gebraucht wird.

Die Muscheln sind wichtige Tiere, denn sie liefern Perlen und dekorative Schalen und dienen dem Men-

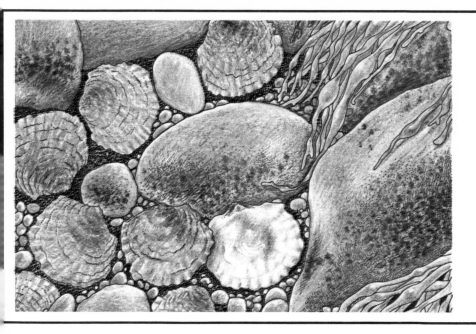

Austern und Perlmuscheln

In den als Delikatesse geschätzten Austern können sich, wie bei verwandten Arten, auch Perlen bilden; der wichtigste Perlenlieferant ist jedoch die Große Seeperlmuschel *(Pinctada margaritifera)*. Eine Perle entsteht, wenn ein Fremdkörper, zum Beispiel ein Sandkorn, das Bindegewebe so reizt, daß Zellen aus der Manteloberfläche ihn einkapseln.

Früher wurden die Perlen von natürlichen Bänken abgefischt; diese sind jetzt jedoch weitgehend erschöpft, und Perlmuscheln werden wie Austern in „Gärten" gezüchtet. Vor allem in Japan betreibt man die Perlenzucht, indem man feine Kiespartikel in junge Muscheln einführt, die dann in Drahtkörbe gesetzt werden. Nach zwei Jahren kann sich bereits eine Perle gebildet haben.

Vielarmige Tiere

Die letzte Klasse der Weichtiere bilden die Kopffüßer (CEPHALOPODA), unter denen sich einige der am höchsten entwickelten wirbellosen Tiere finden — Kraken, Kalmare, Tintenschnecken und Perlboote. Mit einer Körperlänge bis zu 6 Metern und 10 Meter langen Fangarmen sind die Riesenkalmare (Gattung *Architeuthis*) die größten Invertebraten. Alle Kalmare stellen den Fischen erbarmungslos nach, doch selbst die Riesenkalmare fallen dem Pottwal zum Opfer.

Die Kraken sind langsamer und schwerfälliger und halten sich zumeist in Felsspalten auf dem Meeresboden auf. Wie Kalmare und Tintenschnecken tragen auch die Kraken Saugnäpfe auf den Tentakeln, besitzen aber im Gegensatz zu innen nur acht Fangarme.

Links: *Der Anglerkalmar* (Chiroteuthis
veranyi) *verfügt über zwei verschiedene
Typen von Fangarmen — zwei lange,
dünne, die hervorschießen und die
Beute packen, und acht dickere Arme,
die denen der Kraken gleichen.*

Noch zwei weitere Muschelfami-
lien spielen eine wichtige Rolle — die
Herz- und die Kammuscheln; beide
werden vom Menschen verzehrt und
sind in allen einschlägigen Geschäf-
ten erhältlich. Die Kammuscheln gehören zu den tüchtigsten Schwim-
mern; sie bewegen sich, indem sie ihre Schalen zusammenklappen. Außerdem verfügen sie über zahlreiche
empfindliche Tentakel am Mantelrand sowie sehr viele große, blaugrün
gefärbte Augen (siehe Seite 53).

Die größte der sieben Klassen der
Weichtiere bilden die Schnecken
(KLASSE GASTROPODA). Typisch für
die Schnecken ist eine Schale, die
mehr oder minder gewunden sein
kann und aus der ein großer, der
Fortbewegung dienender Fuß herausragt, sowie ein Kopf mit Augen
und zwei Fühlern. Zwei bekannte
Arten sind die Weinbergschnecke
(Helix pomatia) und die Wellhornschnecke *(Buccinum undatum)*.

Die meisten Schnecken finden sich
im Meer oder an den Meeresküsten.
Weit verbreitete Gattungen wie die
Strand- und Wellhornschnecken dienen nicht nur dem Menschen als
Nahrung, sondern spielen auch in
der Nahrungskette der Natur eine
wichtige Rolle. Strandschnecken
fressen Algen; die Wellhornschnecken sind Fleischfresser, die
sich von lebenden Tieren ebenso ernähren wie von Aas.

Die Seeohren (Gattung *Haliotis*)
werden in manchen Ländern nicht
nur als Delikatesse (Abalonen) geschätzt, sondern auch wegen ihrer
reizvollen Schale, aus der Intarsien,
Knöpfe und Schließen gefertigt werden können.

Zu den größten Schnecken gehören die in tropischen Gewässern heimischen Tritonshörner (Gattung
Charonia). Sie können bis zu 40 Zentimeter groß werden und wurden früher als Kriegstrompeten verwendet.
Das größte Weichtier in nordamerikanischen Gewässern ist *Pleuroploca*

gigantea; auch ihre Schale wurde als
Kriegstrompete verwendet und dient
noch heute zur Herstellung dekorati-
ver Artikel.

Die sogenannten Lungenschnek-
ken haben einen primitiven Luftat-
mungsapparat entwickelt und sich
damit dem Leben auf dem Lande angepaßt; zu ihnen gehören einige verbreitete Arten von Nackt- und Gehäuseschnecken, die in Gärten oft

Oben: *Ein Beispiel für die herrliche Färbung der Meeresnacktschnecken liefert
diese tropische Form, die über ein Korallenriff kriecht. Die bunten fleischigen
Hautlappen vergrößern die der Atmung
dienende Körperoberfläche.*

großen Schaden anrichten. Allerdings haben nicht nur die bei uns heimischen Nacktschnecken ihre Schale
verloren; zu den schönsten Meeres-
bewohnern gehören die Meeresnacktschnecken.

Springende Herzmuscheln

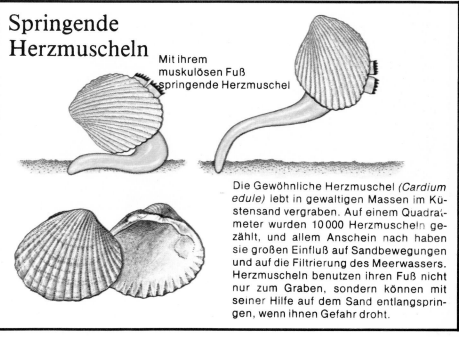

Mit ihrem muskulösen Fuß
springende Herzmuschel

Die Gewöhnliche Herzmuschel *(Cardium
edule)* lebt in gewaltigen Massen im Küstensand vergraben. Auf einem Quadrat-
meter wurden 10 000 Herzmuscheln ge-
zählt, und allem Anschein nach haben
sie großen Einfluß auf Sandbewegungen
und auf die Filtrierung des Meerwassers.
Herzmuscheln benutzen ihren Fuß nicht
nur zum Graben, sondern können mit
seiner Hilfe auf dem Sand entlangsprin-
gen, wenn ihnen Gefahr droht.

Gliederwürmer (STAMM ANNELIDA)

Es gibt eine ganze Reihe von Würmerstämmen — Plattwürmer, Kelchwürmer und Schlauchwürmer, um nur einige zu nennen. Als Beispiel haben wir die Gliederwürmer ausgewählt, deren Körper sämtlich in kurze Abschnitte, sogenannte Segmente, unterteilt sind. Diese Segmente spielen bei der Fortbewegung der Tiere eine wichtige Rolle, denn sie können sich winden und vorwärtsbewegen, indem sie jeweils die Muskeln einiger ihrer Segmente zusammenziehen.

Alle Würmer sind einem Leben in Wasser oder zumindest in sehr feuchter Erde angepaßt, weil sie nur eine dünne Haut besitzen, durch die sie atmen. Sie haben kaum Verteidigungswaffen und spielen deshalb in der Nahrungskette eine wichtige Rolle — sie liefern Fischen und Vögeln eiweißreiches Futter. Um sich vor ihren zahlreichen Feinden zu schützen, leben die meisten Würmer in Röhren, die sie aus körpereigenen Stoffen abscheiden oder in die Erde graben; zum letzteren Typ gehören die Regenwürmer.

Vielborster

(KLASSE POLYCHAETA)

Innerhalb der Gliederwürmer bilden die Vielborster die größte Klasse; ihren Namen verdanken sie den steifen Borsten, die gewöhnlich auf paddelähnlichen, paarweise am ganzen Körper angeordneten Hautlappen sitzen. Die Hautlappen helfen den Tieren beim Schwimmen — die Vielborster sind fast alle Meerestiere. Mit Hilfe der Borsten können sie sich auch in Sand und Schlamm eingraben und verankern. Bei manchen Arten können die steifen Borsten dem Menschen heftig brennende Stiche beibringen.

Wie bereits erwähnt, leben die Vielborster zum Teil in gegrabenen Gängen, zum Teil in Röhren; andere schwimmen frei umher, suchen aber häufig in Felsspalten Schutz. Ein gutes Beispiel für einen freischwimmenden Vielborster liefert der Samoa-Palolo (*Eunice viridis*); aber auch er verbringt einen Teil seines Lebens in den Spalten von Korallenriffen. Die Palolowürmer — der Samoa-Palolo ebenso wie der in den Riffen der Bermudas und Westindiens lebende Atlantische Palolo (*E. fucata*) — sind durch ihr Fortpflanzungsverhalten berühmt geworden, denn zu bestimmten Jahreszeiten trennen sich die Hinterkörper der Tiere mit Eiern

Links: *An jedem Segment dieses Viel-*
borsters sitzen zwei borstengesäumte
Hautlappen. Die Unterteilung des Kör-
pers in Segmente ist an den farbigen
Querstreifen deutlich erkennbar. Die
zahlreichen Borsten helfen dem Tier
bei der Fortbewegung.

und Samen ab und schwimmen zur Wasseroberfläche, um sich zu paaren. Dies geschieht so regelmäßig während bestimmter Mondphasen, daß die Eingeborenen genau wissen, wann die Würmer erscheinen; sie paddeln dann in ihren Kanus hinaus und fischen sie auf.

Die rechts abgebildete Art *Nereis diversicolor* wird bis zu 10 Zentimeter lang und dürfte der an den Küsten Europas am häufigsten vorkommende Vielborster sein. Dieser Wurm lebt in Wasserlachen an der Gezeitengrenze, gräbt sich in Schlick ein oder schwimmt über den Meeresboden. Mit seinen kräftigen Kiefern kann er große Stücke aus toten Tieren reißen. Auf der Abbildung sind die zahlreichen Paddel und Tentakel erkennbar, die dem Wurm bei der Nahrungssuche helfen.

Eine weitere in Europa weit verbreitete Art ist der Sand- oder Köderwurm *(Arenicola marina).* Wie viele Vielborster gehört er zu den Höhlenbauern; in seinem Fall sind die Wände mit Schleim verfestigt. Mit Hilfe seiner Paddel erzeugt er einen ständi-

Oben: *Nereis diversicolor ist den Ang-*
lern als Köder wohlbekannt. Auch bei
diesem Wurm sind die vielen paddel-
ähnlichen Hautlappen und Borsten
deutlich zu sehen. Am Kopf (oben
rechts) sitzen Tastorgane und Augen.

gen Wasserstrom, der ihn mit Nahrung und Sauerstoff versorgt; er fließt zum einen Ende der Röhre herein und wird zum anderen wieder hinausgepumpt. Dieser Methode bedient sich eine ganze Reihe von röhrenbewohnenden Vielborstern.

Gürtelwürmer

(KLASSE CLITELLATA)

Die Gürtelwürmer, zu denen der Gemeine Regenwurm *(Lumbricus terrestris)* gehört, haben sich einem Leben in der Erde angepaßt, indem sie auf Augen, Tentakel und die Paddel verzichteten, die ihrer Fortbewegung nur hinderlich wären. Die Regenwürmer sind wichtige Tiere, denn sie schichten den Boden um, belüften und dränieren ihn; außerdem dienen sie anderen Tieren als Nahrung.

Egel

(ORDNUNG HIRUDINAE)

Die Egel, die wie die Regenwürmer zu den Gürtelwürmern gehören, leben vor allem in Süßwasser oder in feuchtwarmen Gegenden. Sie haben sich auf Blut als Nahrung spezialisiert, das ihnen andere Tiere — von den Schnecken bis zu den größten Säugetieren — liefern.

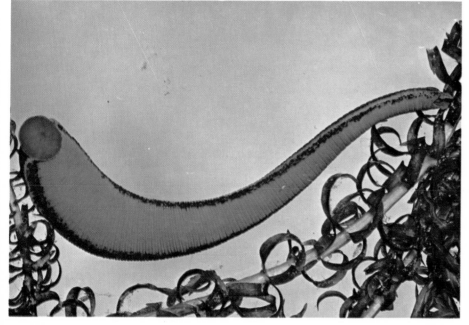

Links: *Der Medizinische Blutegel* (Hirudo medicinalis medicinalis) *war früher in ganz Europa verbreitet, ist heute aber relativ selten geworden. Der Mund liegt in der Mitte des vorderen Saugnapfes; ein Egel kann bis zu fünf Kubikzentimeter Blut auf einmal saugen.*

Stummelfüßer (STAMM ONYCHOPHORA)

Diese Tiergruppe steht zwischen den Gliederwürmern und den Gliederfüßern. Da sie einige Merkmale mit den Gliederwürmern gemeinsam haben, werden sie nicht den Gliederfüßern zugestellt, sondern bilden einen eigenen Stamm. Die verbreitetsten Stummelfüßer sind die Angehörigen der Gattung *Peripatus*, tropische Tiere, die vor allem in abgefallenem Laub, unter der Rinde faulender Bäume oder in feuchter Erde leben. Wärme und Feuchtigkeit sind lebensnotwendig für die Stummelfüßer, die nachts auf Nahrungssuche gehen und sich von Insekten und Aas ernähren.

Rechts: *Ein Exemplar der Gattung* Peripatus *sucht eiligst Deckung, denn diese Tiere halten sich selten lange im Freien auf. Die Stummelfüßer suchen ihre Nahrung mit Hilfe von Fühlern und fesseln ihre Beute dann mit einem klebrigen Strahl aus Drüsen an ihrem Kopf.*

Gliederfüßer (STAMM ARTHROPODA)

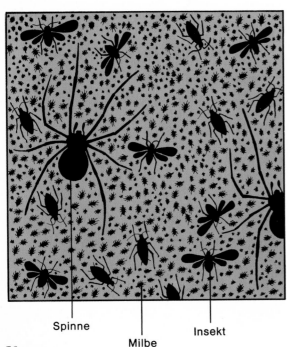

Spinne

Milbe

Insekt

Links: *Auf einem Wiesenausschnitt von 7,5 Zentimetern im Quadrat kann man damit rechnen, 1,43 Spinnen, 14,3 Insekten und 858 Milben zu finden.*

Die Gliederfüßer sind der bei weitem artenreichste Stamm des Tierreichs; neben rund einer Million bekannter Arten dürfte es weitere Zehntausende geben, die bisher noch nicht identifiziert wurden. Die Gliederfüßer sind in jedem erdenklichen Lebensraum der Erde anzutreffen; bemerkenswert ist nicht nur die Menge der Arten, sondern die auch fast unvorstellbare Zahl von Individuen. Auf einem Morgen Weideland können ohne weiteres eine Million Spinnen, zehn Millionen Insekten und mehr als 600 Millionen Milben leben.

Die Gliederfüßer gehörten zu den ersten Tieren, die sich erfolgreich einem Leben auf dem trockenen Land anpaßten, wobei ihnen, wie schon erwähnt, ihre kräftigen Panzer von großem Nutzen waren. Ein Landtier

Tiere mit Außenskelett

Es ist äußerst schwierig, bei einer Tiergruppe mit einer Million verschiedener Arten Merkmale zu finden, die allen gemeinsam sind. Das auffälligste gemeinsame Merkmal ist die Ausbildung der Gliedmaßen. Alle Gliederfüßer besitzen in Segmente unterteilte Gliedmaßen, die untereinander und mit dem Körper durch Gelenke verbunden sind. Der gesamte Körper und zum Teil auch die Gliedmaßen sind in der Regel von einem schützenden Panzer umgeben — ein Merkmal, das in erheblichem Maße zur erfolgreichen Ausbreitung der Gliederfüßer beigetragen hat.

Die Gliederfüßer stammen von primitiven Gliederwürmern ab, deren Nachkommen die noch heute existierende große Gruppe der meeresbewohnenden Vielborster sind. Der gegliederte Körper, den die Gliederfüßer von ihren Vorfahren übernommen haben, ist das dritte allen Arten gemeinsame Merkmal.

Weil der Panzer durchweg sehr steif ist, waren die Unterteilung der Gliedma-ßen und die Gelenke zwischen den Körperringen unerläßlich. Wenn sich ein Gliederfüßer auf seinen Beinen bewegen oder Teile seines Körpers biegen will, muß er über Gelenke und Muskeln verfügen. Alle Weichteile werden vom harten Außenpanzer geschützt.

Einige Gliederfüßer, bei denen — wie zum Beispiel bei den Krebstieren — das Gewicht keine Rolle spielt, besitzen ein mit Kalksalzen verstärktes Außenskelett. Solche Panzer können sehr schwer sein, aber da die Tiere vom Wasser getragen werden, in dem sie leben, werden sie dadurch in ihrer Bewegungsfähigkeit nicht gehindert.

Andere, auf dem Lande lebende Gliederfüßer haben anstelle eines schweren Außenskeletts einen dünnen, aber zähen Panzer entwickelt, der einen wächsernen Überzug trägt. Diese Wachsschicht verhindert, daß die Tiere von der Sonne ausgedörrt werden; so waren Gliederfüßer wie Insekten, Spinnen und Skorpione imstande, auch die Trockengebiete der Erde zu besiedeln.

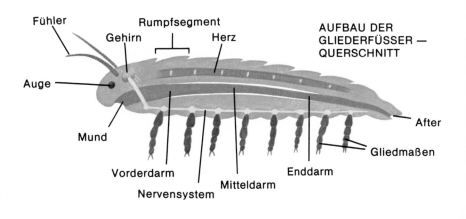

AUFBAU DER GLIEDERFÜSSER — QUERSCHNITT

Fühler — Rumpfsegment — Gehirn — Herz — Auge — Mund — Vorderdarm — Nervensystem — Mitteldarm — Enddarm — After — Gliedmaßen

---

muß sich nicht nur frei bewegen können, ohne auszutrocknen, sondern auch über Atmungsorgane verfügen, die den in der Luft enthaltenen Sauerstoff verwerten können. Im Wasser lebende Tiere atmen durch die Haut oder durch Kiemen. Bei den auf dem Lande lebenden Gliederfüßern findet sich eine ganze Reihe von Atmungsmethoden; die Insekten besitzen ein System von Atemröhren, Tracheen genannt, während die Spinnentiere außerdem durch zahlreiche flache Blätter atmen, die man als „Blätterlungen" bezeichnet.

In Anbetracht ihrer ungeheuer großen Zahl und der beträchtlichen Unterschiede in Form und Größe ist es sehr schwierig, die Gliederfüßer systematisch zu ordnen. Im allgemeinen werden sie von den Wissenschaftlern jedoch in vier oder fünf Unterstämme eingeteilt.

Dreilapper

(UNTERSTAMM TRILOBITA)

Die Dreilapper oder Trilobiten, eine Gruppe meeresbewohnender Gliederfüßer, sind heute völlig ausgestorben; sie lebten vor 350 bis 500 Millionen Jahren. Damals stellten sie einen beherrschenden und wichtigen Teil der Fauna dar, die durch die Meere der Vorzeit kroch und schwamm. Sie wiesen bereits die für die Gliederfüßer typische Unterteilung des Körpers in Kopf, Rumpf und Schwanz auf. Verschiedene Arten waren imstande, sich einzurollen; dabei handelte es sich vermutlich um einen Verteidigungsmechanismus, wie wir ihn noch heute bei Tieren wie der Assel, dem Igel und dem Schuppentier beobachten können.

Unten: An diesem fossilen Trilobiten ist die charakteristische Segmentierung des Körpers deutlich zu erkennen. Man vermutet, daß dieser Gliederfüßer auf und im Meeresschlamm lebte und sich von Kleinstlebewesen ernährte.

Spinnentiere

(KLASSE ARACHNIDA)

Vielen Leuten graust es, wenn von den Spinnentieren die Rede ist, und es dürfte kaum eine Tiergruppe geben, die einen schlechteren Ruf hat als diese, denn zu ihr gehören Spinnen, Skorpione, Milben und Zecken.

Fossile Skorpione (ORDNUNG SCORPIONES) wurden in mehr als 400 Millionen Jahre altem Gestein gefunden; damit sind sie die älteste Gruppe unter den landbewohnenden Gliederfüßern. Sie besitzen kräftige Greifscheren und den berüchtigten Giftstachel. Nur wenige Arten werden dem Menschen wirklich gefährlich; aber etliche von ihnen können ihm schmerzhafte Wunden beibringen. Einige Arten sind in Wüstengebieten heimisch, andere im tropischen Regenwald. Ganz offensichtlich haben sich die Skorpione einer Vielzahl von Lebensräumen angepaßt; alle brauchen jedoch Wärme, um leben zu können.

Als Fleischfresser sind die Spinnen eine Tiergruppe von kaum zu überschätzender Bedeutung, denn sie nützen dem Menschen, indem sie Insekten und ihre Larven fressen, die sonst erhebliche Schäden anrichten würden. Viele Arten produzieren aus ihren Spinnwarzen Fäden und bauen daraus Netze, in denen sich ihre Beute verstrickt, um dann mit einem tödlichen Biß überwältigt zu werden. Andere Arten bauen keine Netze, sondern leben in Erdröhren, die sie zum Teil mit einer Tür verschließen. Diese Falltürspinnen sind in den Tropen heimisch, aber nahe Verwandte, zum Beispiel die Hauswinkelspinnen, sind auch in den gemäßigten Breiten anzutreffen.

Milben und Zecken (ORDNUNG ACARI) spielen eine große Rolle, weil viele von ihnen Parasiten sind. Sie richten nicht nur Schaden an, indem sie das Blut vieler Wirtstiere, darunter auch des Menschen, saugen; sie übertragen auch die Erreger gefährlicher Krankheiten. Der Biß einer Zecke bringt nicht nur Blutverlust und lästige Hautreizungen mit sich, sondern kann auch zu Fleckfieber und anderen schweren Erkrankungen führen. Als „Rote Spinne" werden mehrere Spinnmilbenarten bezeichnet, die an Obstbäumen und in Gewächshäusern großen Schaden anrichten.

Links: *Spinnmilben richten in Gewächshäusern und an Obstbäumen großen Schaden an, indem sie an den Unterseiten von Blättern und weichen Trieben die Pflanzensäfte saugen.*

Oben: *Bei diesem Kaiserskorpion (Pandinus imperator) ist der Giftstachel am Schwanzsegment nicht zu übersehen. Auf vier Paar Laufbeinen kann er schnell in Felsspalten verschwinden, und die Greifscheren packen jede erreichbare Beute.*

Auch die Hausmilben sind lästige Tiere; sie lösen bei manchen Leuten Allergien aus. Ihre toten Körper und Panzer in Möbeln und Matratzen sind Teil des Staubes im Haus; empfindliche Menschen reagieren auf sie mit Husten und zum Teil auch mit Hautausschlägen.

Eine weitere Gruppe der Spinnentiere sind die Weberknechte (ORDNUNG OPILIONES), die im Aussehen den Spinnen sehr ähnlich sind. Sie töten ihre Beute jedoch nicht mit Gift wie die eigentlichen Spinnen, sondern nur mit ihren kräftigen Mundwerkzeugen. Viele Weberknechte sind Allesfresser, die sich von pflanzlichen und tierischen Überresten gleichermaßen ernähren.

Hundertfüßer und Tausendfüßer

Diese beiden Tiergruppen werden zwar in einer Klasse (MYRIAPODA) zusammengefaßt, gehören jedoch zwei verschiedenen Unterklassen an, da sie sich in vielen Punkten voneinander unterscheiden. Die Tausendfüßer sind Pflanzenfresser, die sich von abgestorbenem Material und gelegentlich auch jungen Sämlingen ernähren. Einige wenige Arten fressen auch Aas.

Alle Tausend- oder Doppelfüßer (UNTERKLASSE DIPLOPODA) besitzen röhrenförmige, auffällig in Segmente unterteilte Körper; an jedem Segment sitzen zwei Beinpaare. Ungeachtet ihres Namens haben sie keineswegs tausend Füße, sondern im Höchstfall 240. Mit wellenförmigen Bewegungen ihrer Beine schieben sie sich durch totes Laub und unter der Rinde von Bäumen entlang. Die Tausendfüßer sind über die ganze Welt verbreitet und überall dort anzutreffen, wo es feuchte Pflanzenüberreste gibt. Die Arten der gemäßigten Zonen werden selten länger als 3 Zentimeter, in den Tropen dagegen können sie bis zu 30 Zentimeter lang werden. Diese großen, langsamen und anscheinend wehrlosen Tiere verteidigen sich mit Drüsen, die in Reihen an ihren Körperseiten angeordnet sind und giftige oder bittere Abwehrstoffe erzeugen. Alle Arten besitzen einen zähen Panzer, und die Angehörigen einer Familie, der Saftkugler, können sich so zusammenrollen, daß sie einem Angreifer nur eine Reihe von Rückenplatten darbieten.

Die Hundertfüßer (UNTERKLASSE CHILOPODA) sind flinke Tiere, die im Boden und in abgestorbenem Laub auf Jagd gehen. Sie ähneln den Tausendfüßern, haben aber abgeflachte Körper und an jedem Körpersegment nur ein Paar Beine, die zum Teil jedoch erheblich länger sind. Sie besitzen kräftige Mundwerkzeuge mit Giftdrüsen, um ihre Beute zu töten. Die Hundertfüßer gehen überwiegend nachts auf die Jagd und fressen dann kleine Insekten, Regenwürmer und alle Maden, die sie zwischen Laub und Zweigen finden. Die größeren Arten können neben Würmern und Insekten auch kleine Säugetiere, Jungvögel und Echsen töten.

Unten: *Dieser große Hundertfüßer aus Botswana besitzt massige Klauen mit Giftdrüsen, die als braune Gebilde beiderseits des gepanzerten Kopfes erkennbar sind.*

Wehrhafte Spinnentiere

Die Walzenspinnen (ORDNUNG SOLIFUGA) sind eine besonders kräftige Gruppe von Spinnentieren. Diese beängstigend aussehenden Geschöpfe mit ihren mächtigen Scheren leben in heißen Gegenden, vor allem in den Wüstenregionen Arabiens, Afrikas sowie Nord- und Südamerikas. Sie sind unersättliche Fleischfresser, die, obwohl nur zwischen 1 und 5 Zentimeter lang, kleine Nagetiere, Vögel, Echsen und andere Gliederfüßer angreifen und verspeisen. Sie packen ihre Beute mit gewaltigen Mundwerkzeugen, die kräftig zupacken können; ihr Biß ist zwar schmerzhaft, aber für Menschen ungefährlich.

Links: *Die Scheren der Walzenspinnen können einer großen tropischen Heuschrecke mühelos den Garaus machen. Ihre Mundwerkzeuge sind insofern ungewöhnlich, als sie von oben und unten zubeißen. Walzenspinnen sind jedoch nicht giftig; beim Erlegen ihrer Beute verlassen sie sich auf List, Schnelligkeit und ihren durchdringenden Biß.*

Krebstiere

(KLASSE CRUSTACEA)

Mit etwa 35 000 über die ganze Welt verbreiteten Arten stellen die Krebstiere innerhalb der Gliederfüßer eine beachtliche Klasse dar. Sie leben fast ausschließlich im Wasser, überwiegend in den Ozeanen, zum Teil aber auch in Süßwasser. Nur einige wenige Arten sind Landbewohner; selbst wenn sich eine größere Zahl von Krebstieren einem Leben auf dem Trockenen anpassen könnte, müßten sie mit den Insekten, der größten, auf dem Lande fest etablierten Klasse von Gliederfüßern, um diesen Lebensraum konkurrieren.

Ein typisches Merkmal der Krebstiere ist die Spezialisierung der Gliedmaßen. An jedem Körpersegment sitzt ein Paar Beine, die in der Kopfregion besonders gut entwickelt und zahlreichen Funktionen angepaßt sind. Besonders auffällig sind zwei Antennenpaare, die zum Erkunden der Umgebung dienen. Die Augen sitzen oft auf Stielen und sind so drehbar, daß sie jeder Lichtveränderung folgen können. Die Mundwerkzeuge sind unterschiedlich ausgebildet: die Krabben besitzen große Greifscheren, mit denen sie ihre Beute halten und zerreißen können; viele Garnelen verfügen über kammähnlich ausgebildete Organe zum Filtern von Nahrung, und bei parasitisch lebenden Formen gibt es nadelähnliche Fortsätze, mit denen sie ihre unglücklichen Wirte kneifen.

Ein weiteres Merkmal der größeren Krebstiere ist das kräftige Außenskelett, das Kopf und Rumpf bedeckt. Es dient als schwerer, schützender Panzer, fehlt jedoch bei primitiveren Formen.

Zu den kleinsten Krebstieren gehören die Blattfußkrebse (UNTERKLASSE PHYLLOPODA) und die Ruderfußkrebse (UNTERKLASSE COPEPODA). Vor allem die zu den Blattfußkrebsen gehörenden Wasserflöhe sind allen Aquarienbesitzern bekannt; sie verwenden besonders die Angehörigen der Gattung *Daphnia* als Lebendfutter für Zierfische. Die zahlreichen

Wasserfloharten leben in Teichen und Seen und dienen Insekten, Fischen, Vögeln, Würmern und anderen Wasserbewohnern als unerschöpfliche Nahrungsquelle. Eine ebenso wichtige Rolle spielen die Ruderfußkrebse in den Ozeanen, da sie einen beträchtlichen Teil des Zooplanktons ausmachen. Sie bilden die Hauptnahrung wirtschaftlich bedeutender Fische wie der Heringe, aber auch des in seiner Existenz bedrohten Bartenwals.

Unter den Ruderfußkrebsen gibt es jedoch auch Arten, die für die Fische alles andere als nützlich sind. Sie dienen ihnen nicht als Nahrung, sondern leben als Schmarotzer in und auf ihren Kiemen.

Auch andere Krebstiere führen ein Schmarotzerdasein, zum Teil sogar in und auf anderen Angehörigen ihrer Klasse. Harmlose Geschöpfe sind die Seepocken; die erwachsenen Tiere verbringen ihr ganzes Leben an Felsen, Hafendämmen und Schiffsrümpfen festsitzend. Sie können Leuten, die ihren Urlaub an der See verbringen, zwar lästig werden, schädigen andere Tiere aber nicht, sondern ernähren sich, indem sie feine Partikel aus dem Meerwasser herausfiltern. Ein Verwandter der Seepocken dagegen, *Sacculina carcini*, befällt vor allem Strandkrabben *(Carcinus maenas)*. Dieser Wurzelkrebs nistet sich in den Eingeweiden seines unglücklichen Wirts ein. Dort wird er so groß, daß er aus dem Hinterleib der Krabbe hervorbricht und diese dadurch tötet.

Die bekanntesten Krebstiere sind die an allen Meeresküsten vorkommenden Garnelen, Krabben und Hummer, die jedoch auch in der Tiefsee anzutreffen sind. Tiefseekrebse besitzen Leuchtorgane, die ihnen wahrscheinlich helfen, auch in der dunklen Tiefe im Schwarm zusammenzubleiben. Andere Arten, so zum Beispiel die Seespinnen, sind dagegen Bewohner der Kontinentalschelfe. Bei einer japanischen Art erreicht der Körper einen Durchmesser von gut 50 Zentimetern, während die Beine eine Spannweite von mehr als 2,50 Metern haben. Andere Krebse bewohnen die Küsten der tropischen Meere. Die unverwechselbaren Winkerkrabben (Gattung *Uca*) finden sich in Mangrovensümpfen, wo das Männchen mit seiner übergroßen Winkschere das Weibchen lockt und sein Revier verteidigt. Die tropischen Landkrabben dagegen verbringen einen Großteil ihres Lebens auf dem trockenen Land, wo sie sich von Insekten und Maden ernähren; nur die Jungen leben zeitweise im Wasser.

Die Meeres-Einsiedlerkrebse sind nicht vollständig von einem Außenskelett bedeckt; sie verbergen deshalb ihren ungeschützten Hinterleib

Rechts: Die Wasserflöhe der Gattung Daphnia *bilden ein wichtiges Glied in der Nahrungskette von Seen und Teichen. Sie filtern kleine Partikel aus dem Wasser heraus und dienen selbst anderen Tieren als Nahrung.*

in den verlassenen Schalen von Schnecken und Muscheln. Ein interessanter Land-Einsiedlerkrebs ist der Palmendieb *(Birgus latro)*, der Palmen erklettert und angeblich Kokosnüsse von ihnen abschneidet. Nur junge Tiere schützen ihren Hinterleib mit Schneckenhäusern, bei älteren verhärtet er. Diese Einsiedlerkrebse haben sich dem Landleben so weit angepaßt, daß sie ertrinken, wenn man sie zu lange unter Wasser hält.

Die bekanntesten unter den an Land lebenden Krebstieren sind die über die ganze Welt verbreiteten Landasseln, die sich von jungen

Pflanzen, Pflanzenabfällen und totem Holz ernähren. Neben den Kiemen besitzen sie Organe, mit denen sie Luft atmen können, aber auch sie sind auf eine feuchte Umgebung angewiesen.

Die letzte und bei weitem größte Klasse der Gliederfüßer bilden die Insekten, mit denen wir uns im nächsten Abschnitt beschäftigen wollen.

Unten: *Ein Winkerkrabben-Männchen stellt sich auf die „Zehenspitzen", um für seine berühmten Winkbewegungen mit der übermäßig vergrößerten linken Schere bei Weibchen und Rivalen zusätzliche Aufmerksamkeit zu erregen.*

Insekten (KLASSE INSECTA)

Unter den Gliederfüßern stellen die Insekten die größte Klasse dar; die Zahl ihrer Arten — mehr als eine Dreiviertelmillion — ist größer als die aller anderen Tiere zusammen.

Die wissenschaftliche Beschäftigung mit den Insekten heißt Entomologie; sie ist von größter Wichtigkeit, da diese Tiere dem Menschen, seinen Nutztieren und Ernten, seinen Vorräten und Materialien und sogar seinen Häusern und Fabriken unermeßlichen Schaden zufügen können. Doch ungeachtet der von Insekten verursachten Schäden und Krankheiten können sie dem Menschen auf einigen Gebieten auch von Nutzen sein. So bestäuben sie zum Beispiel die Blüten zahlreicher Pflanzen. Einige Arten erzeugen Produkte von kommerziellem Wert — die Bienen liefern Honig und Wachs, während die Raupen des Echten Seidenspinners *(Bombyx mori)* feine Fäden hervorbringen, die zu wertvollen Stoffen verarbeitet werden.

Bevor wir uns mit den einzelnen Insektengruppen und einigen wesentlichen Merkmalen ihrer Lebensweise beschäftigen, wollen wir einen Blick auf die Eigentümlichkeiten werfen, die fast allen Insekten gemeinsam sind. Als Gliederfüßer besitzen auch die Insekten zähe Panzer, gegliederte Füße und in Segmente unterteilte Körper. Außerdem bestehen ihre Körper aus drei deutlich voneinander getrennten Regionen — Kopf, Rumpf und Hinterleib.

Am Kopf sitzt in der Regel ein Paar gegliederter Fühler oder Antennen; sie helfen den Insekten beim Aufspüren von Nahrung, warnen sie aber auch vor drohender Gefahr. Dicht neben der Basis der Fühler befinden sich die Augen, die aus zahlreichen Linsen zusammengesetzt sind; das bedeutet, daß alles, was das Insektenauge wahrnimmt, aus vielen kleinen Punkten besteht, die ungefähr den Rasterpunkten entsprechen, aus denen sich ein Zeitungsphoto zusammensetzt. Solche aus vielen Linsen bestehenden Augen werden Facettenaugen genannt. Sehr unterschiedlich sind die Mundwerkzeuge (Kiefer) der Insekten ausgebildet; sie sind der jeweiligen Ernährung der Tiere angepaßt; einige von ihnen sind auf Seite 77 abgebildet.

Die zweite Körperregion ist der Rumpf. Er besteht aus drei Segmenten, von denen jedes ein Beinpaar trägt; deshalb kann man die Insekten mit ihren sechs Beinen leicht von den Spinnen unterscheiden, die acht Beine besitzen. Außer den Beinen tragen das zweite und dritte Rumpfsegment

Unten: *Auf diesem Photo sind die zahlreichen Einzelaugen, aus denen sich das wabenförmige Fliegenauge zusammensetzt, deutlich zu erkennen. Größe und Wölbung des Auges ermöglichen einen scharfen Rundblick. Auch die feinen Härchen sind Sinnesorgane, sogenannte „Sensillen", die den Tast- und Geruchssinn unterstützen.*

je ein Flügelpaar. Bei einigen Insekten sind diese Flügel mit Schuppen bedeckt, die ihnen herrlich bunte Farben verleihen, bei anderen dagegen sind sie schmal und durchsichtig. Auch mit den unterschiedlich ausgebildeten Flügeln und vielen anderen Merkmalen werden wir uns später eingehender beschäftigen.

An den Segmenten des Hinterleibs sitzen keine Beine; sie enthalten die Fortpflanzungsorgane und einen Großteil des Verdauungssystems. Bei einigen Insekten findet sich am Ende des Hinterleibs noch ein Anhang. Er kann, wie zum Beispiel bei den Zikaden, der Eiablage dienen, aber auch wie bei den Wespen und der Hornisse (*Vespa crabro*) schmerzhafte Stiche verursachen.

Rechts: *Der Distelfalter* (Vanessa cardui) *ist ein in Europa wohlbekannter Schmetterling, der alljährlich aus Nordafrika nach Norden fliegt. Die langen Fühler mit den verdickten Enden sind für die meisten Schmetterlinge typisch.*

Mundwerkzeuge der Insekten

Alle Insekten besitzen die gleichen Anlagen, aus denen die Kiefer und die anderen der Nahrungsaufnahme dienenden Körperteile hervorgegangen sind. Im Verlauf der Entwicklungsgeschichte, die sich über viele Millionen Jahre erstreckte, haben sich die Insekten jedoch auf sehr unterschiedliche Nahrung spezialisiert, und dieser Nahrung haben sich die Mundwerkzeuge der einzelnen Arten angepaßt. Die meisten Insekten bedienen sich einer von zwei Methoden der Nahrungsaufnahme: Sie beißen entweder Stücke ab und zerkauen sie, oder sie saugen Flüssigkeiten wie Nektar oder Blut in sich hinein. Die Schaben besitzen große Mundgliedmaßen mit zwei kräftigen Beißwerkzeugen, sogenannten Mandibeln, die beide scharfe, zugespitzte Schnittflächen tragen, die den Zähnen einer Säge ähneln. Diese zum Schneiden und Kauen bestimmten Mundwerkzeuge finden sich auch bei anderen Insekten, zum Beispiel Wespen, Heuschrecken und vielen aasfressenden Käfern.

Die Stechmücken sind berüchtigt für die schmerzhaften Bisse, die sie anderen Lebewesen mit zugespitzten, röhrenförmigen Mundwerkzeugen beibringen. Auch andere Insekten besitzen beißende und saugende Mandibeln: Tierparasiten wie Tsetsefliege, Läuse und Flöhe, aber auch Blattläuse und Thripse, die sich von Pflanzensäften ernähren.

Bei der Großen Stubenfliege (*Musca domestica*) sitzt an einem langen Stiel ein schwammähnliches Tupforgan. Dieser Stiel senkt sich auf die Nahrung, und durch Röhren ergießt sich Speichel in den Tupfer. Der Speichel weicht die Nahrung auf, die dann in Form halbverdauter Flüssigkeit aufgesaugt und ins Verdauungssystem transportiert wird.

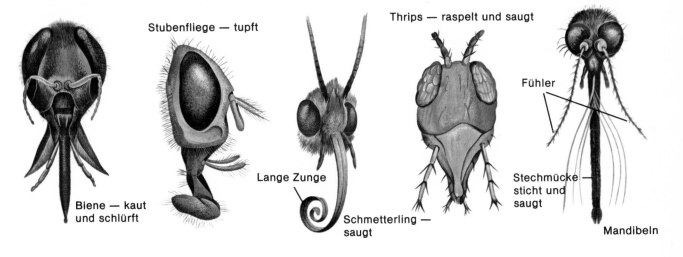

Stubenfliege — tupft

Thrips — raspelt und saugt

Fühler

Lange Zunge

Biene — kaut und schlürft

Schmetterling — saugt

Stechmücke sticht und saugt

Mandibeln

Ein hochspezialisierter Jäger

Einer ganz besonderen Jagdmethode bedient sich die Gottesanbeterin *(Mantis religiosa)*, die reglos dasitzt, bis eine Beute in Reichweite kommt. Durch ihre grüne Färbung getarnt, sitzt diese Fangschrecke zwischen Blättern auf einem Zweig, wo sie sich mit dem zweiten und dritten Beinpaar festhält, während das erste Beinpaar vor dem Kopf zusammengefaltet ist. Diese Vorderbeine sausen blitzschnell vor und packen die Beute, die dann im unerbittlichen Zugriff der mit Dornen und Haken bewehrten Fangbeine gehalten und teilweise von ihnen durchbohrt wird.

Insektenbeine

Auch die gegliederten Beine der Insekten haben sich auf sehr vielfältige Weise spezialisiert. Anlaß für diese unterschiedliche Entwicklung waren zum Teil Ernährungsgewohnheiten, zum Teil aber auch die jeweilige Fortbewegungsmethode. Die einfachste Beinform findet sich bei vielen Käfern und Schaben; hier sind alle drei Beinpaare sehr ähnlich gebaut und dienen nur zum Laufen oder Rennen. Bei anderen Insekten dagegen ist das hintere Beinpaar so abge-wandelt, daß es zum Springen eingesetzt werden kann; diese Anpassung zeigt sich besonders deutlich bei Grashüpfern, Heuschrecken und Grillen. Das Springvermögen der Flöhe ist geradezu sprichwörtlich: Flöhe waren früher die Hauptakteure im sogenannten „Flohzirkus".

Die Beine der im Wasser lebenden Käfer und Wanzen sind in der Regel abgeflacht und durch einen Haarsaum verbreitert. Sie fungieren als Paddel, wenn die Insekten im Wasser schwimmen oder über die Wasseroberfläche gleiten.

Die Maulwurfsgrille gräbt Gänge im Boden; wie das Säugetier, nach dem sie benannt ist, besitzt sie breite und kräftige Vorderbeine. Sie trägt scharfe Klauen, mit denen das Tier die Erde durchpflügen und dünne Wurzeln zerschneiden kann, die ihm beim Tunnelbau im Wege sind.

Insektenflügel

Die Flügel der Insekten sind Bestandteile des Panzers, zu sehr dünnen Flächen ausgezogen und durch ein feines Netz aus Nerven und Ate-

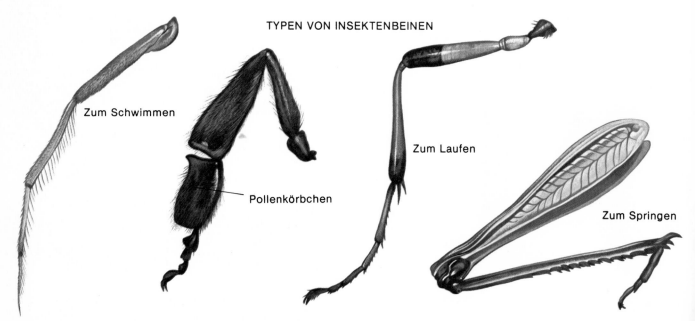

TYPEN VON INSEKTENBEINEN

Zum Schwimmen

Pollenkörbchen

Zum Laufen

Zum Springen

röhrchen verstärkt. Sie unterscheiden sich deshalb erheblich von den Flügeln der anderen flugfähigen Tiere, der Vögel und der Fledermäuse. Bei den Vögeln dienen die gesamten vorderen Gliedmaßen als Flügel; bei den Fledermäusen verbindet eine lederige Flughaut die verlängerten Finger.

Die Insektenflügel sind also nicht an die Stelle anderer Gliedmaßen getreten, sondern stellen lediglich verlängerte Teile des Panzers dar. Die meisten fliegenden Insekten besitzen zwei Paar Flügel; bei den Käfern die-

Die Schuppen auf einem Schmetterlingsflügel

nen die Vorderflügel als Schutz für die dünnen, zarten Hinterflügel, die nur zum Flug ausgebreitet werden.

Die Fliegen haben ihr zweites Flügelpaar verloren; es hat sich in Organe verwandelt, die dem Gleichge-

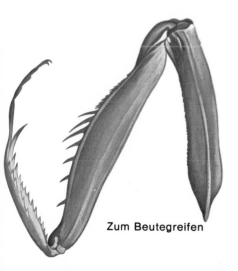

Zum Beutegreifen

wicht dienen. Nur die Vorderflügel werden zum Fliegen gebraucht.

Die Flügel der Schmetterlinge sind mit Schuppen bedeckt, die einander wie die Ziegel auf einem Dach überlappen. Wenn man sie berührt, lösen sie sich sehr leicht ab.

Die Lebenszyklen der Insekten

Einer der Gründe für den Erfolg der Insekten liegt in ihrer sehr breit gefächerten Lebensgeschichte. Die meisten Insekten legen Eier, aber das, was aus den Eiern schlüpft, kann erstaunlich unterschiedlich sein.

Bei den primitivsten Formen schlüpfen aus den Eiern kleine Ebenbilder der ausgewachsenen Tiere, die sich während des Heranwachsens mehrfach häuten. Jedesmal, wenn sie ihre alte Haut abgeworfen haben, können sie wieder ein wenig größer werden. Ein bekanntes Beispiel für diese Lebensform bietet das Silberfischchen (*Lepisma saccharina*). Dieses kleine Insekt ist in Badezimmern anzutreffen, zwischen alten Büchern und Papieren und überall dort, wo es im Hause dunkel und halbwegs

feucht ist und wo es Schlupfwinkel und stärkehaltige Nahrung findet. Im Laufe seines Lebens kann sich das kleine Silberfischchen bis zu fünfzigmal häuten.

Wesentlich komplizierter sind die anderen beiden Lebenszyklen; die aus den Eiern schlüpfenden Jungen sehen ihren Eltern nicht ähnlich.

Bei einer Form der Entwicklung werden die aus den Eiern schlüpfenden Larven als Nymphen bezeichnet; ihr Körper gleicht schon weitgehend dem der erwachsenen Tiere. Die Flügel sind angelegt, aber noch nicht ausgebildet; außerdem besitzen die Nymphen noch keine Fortpflanzungsorgane. Sie sind äußerst gefräßig, und einige von ihnen gehören zu den gierigsten Fleischfressern unter den Insekten. Die Larven der Großlibellen fressen praktisch alles, was sie erreichen und mit ihren Mundwerkzeugen festhalten können. Sie fressen Insekten, aber auch kleine Wirbeltie-

Unten: *Die Seejungfern sind mit den Großlibellen nahe verwandt und häufig an Flüssen anzutreffen, wo sie über dem Uferbereich nach Beute jagen. Die Libellen sind gute Flieger mit großen Augen, die bei der Nahrungssuche eine wichtige Rolle spielen.*

DIE ENTWICKLUNGSSTADIEN EINER LIBELLE

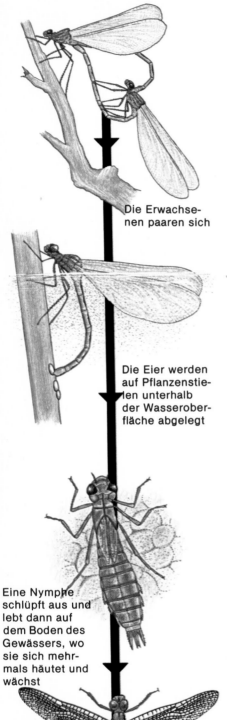

Die Erwachsenen paaren sich

Die Eier werden auf Pflanzenstielen unterhalb der Wasseroberfläche abgelegt

Eine Nymphe schlüpft aus und lebt dann auf dem Boden des Gewässers, wo sie sich mehrmals häutet und wächst

Nach der letzten Häutung kommt die geflügelte Erwachsenenform zum Vorschein

re wie zum Beispiel Kaulquappen und sogar Fische wie Elritzen und Stichlinge. Gefürchtet sind die Larven der Wanderheuschrecke *(Locusta migratoria)*. Sie ziehen langsam quer durch Teile von Afrika, Asien und Indien und fressen dabei alles, was ihnen in den Weg kommt. Da sie die Ernten vernichten, werden sie von den Bauern dieser Gebiete gehaßt und gefürchtet.

Im Laufe ihres Heranwachsens häuten sich die Nymphen mehrere Male; nach dem vorletzten Häuten besitzen sie bereits Flügelstummel. Aus der letzten Häutung geht schließlich das fertige Insekt hervor.

Bei den höheren Insekten — Fliegen, Käfern, Bienen und Schmetterlingen — ist die Entwicklung komplizierter und läuft in vier Stadien ab.

Aus den zahllosen Eiern schlüpfen kleine Larven, die fast unaufhörlich fressen, anfangs vor allem deshalb, weil die winzigen Eier nur sehr wenig Dotter enthielten. Fliegenmaden und Schmetterlingsraupen sind Insekten im Larvenstadium. Beide können dem Menschen erheblichen Schaden

zufügen. Die Kohlweißlingsraupen zerstören Kohlanpflanzungen, die Larven der Kleidermotte fressen Löcher in Kleidungsstücke und andere Textilien, und die Larven einiger Käfer sind besonders in Museen gefürchtet, weil sie nicht nur das Bauholz angreifen, sondern auch die wertvollen Ausstellungsstücke.

Viele Larven verschlingen ungeheure Mengen an Nahrung — nicht nur, um Energie zu speichern, sondern auch deshalb, weil sie oft relativ nährstoffarm ist. Einige Larven leben sogar innerhalb ihrer Nahrung — die mancher Käfer und Fliegen zum Beispiel im Mist. Die Larven des Hirschkäfers entwickeln sich in morschem Holz, zum Beispiel in Eichenbalken; da sie bis zu fünf Jahre darin leben können, ist anzunehmen, daß sie dort keine hochwertige Nahrung

Unten: *Zwei Hirschkäfer-Männchen (Lucanus elephas) haben bei einem Kampf ihre geweihähnlichen Mandibeln ineinander verhakt. Die Kiefermuskeln sind zu schwach, um die mächtigen „Geweihe" gezielt zu bewegen; es ist also unwahrscheinlich, daß sie anderen Tieren damit Verletzungen zufügen.*

vorfinden, wenn sie trotz der großen Mengen, die sie verzehren, für ihre Entwicklung so viel Zeit brauchen.

Schließlich finden alle Insektenlarven einen Ort, an dem sie vor den Unbilden der Witterung und ihren Feinden halbwegs geschützt sind. Dann beginnt das dritte Stadium ihres Lebens — sie werden zur Puppe. Am deutlichsten ist dieses Stadium fast völliger Reglosigkeit bei den Schmetterlingen zu beobachten. Innerhalb der Puppenhaut verwandelt sich die Larve in das erwachsene Tier. Dieser Übergang von einem Stadium ins andere wird als Metamorphose bezeichnet.

Bei allen Insekten übernehmen die erwachsenen Tiere die Aufgaben der Fortpflanzung und legen zum Teil Tausende von Eiern. Häufig ist das Erwachsenendasein recht kurz. Der oben bereits erwähnte Hirschkäfer (*Lucanus cervus*) lebt nur zwei Monate, und das Leben einer Eintagsfliege währt nur wenige Stunden.

Ungeachtet der verschiedenen Entwicklungsformen der Insekten besteht häufig ein erheblicher Unterschied zwischen der Ernährungsweise der jungen und der erwachsenen Tiere. Die Larven vieler Schmetterlinge ernähren sich von Blättern, während die Erwachsenen Nektar schlürfen. Das ist insofern von großer Bedeutung, als es verhindert, daß Angehörige einer Art um Nahrung konkurrieren. Ganz anders sieht es bei den Säugetieren aus, wo sich die Neugeborenen zuerst von der Muttermilch ernähren, dann aber die gleiche Nahrung zu sich nehmen wie die ausgewachsenen Tiere.

Die verschiedenen Insektentypen

In Anbetracht der großen Zahl und der vielen verschiedenen Ordnungen, denen diese Fülle von Tieren zuge-

stellt wurde, können wir hier nur einige wenige unter den vielen wichtigen Gruppen herausgreifen.

Käfer

(ORDNUNG COLEOPTERA)

Mit annähernd 300 000 Arten bilden die Käfer die größte Gruppe der Insekten. Wie gewaltig diese Zahl ist, wird deutlich, wenn man bedenkt, daß alle Wirbeltiere — Fische, Amphibien, Reptilien, Vögel und Säugetiere — zusammen lediglich 43 000 Arten zählen.

Das auffälligste Merkmal der Käfer sind die Flügeldecken (Elytren), die sich aus den Vorderflügeln entwickelt haben. Sie schützen nicht nur die empfindlichen Hinterflügel, sondern überdies den größten Teil des Hinterleibs. Der Erfolg der Käfer ist zum Teil auf diese schützenden Deckflügel zurückzuführen, zum Teil aber auch auf ihre erstaunlich vielseitige Ernährung. Die Käfer fressen fast alles, was man sich nur vorstellen kann — von lebenden Pflanzen über Humus und humushaltige Böden bis zu Aas, Mist, Holz, anderen Tieren und sogar ganz speziellen Materialien wie Seide. In Anbetracht dieser sehr unterschiedlichen Nahrung ist es kaum verwunderlich, daß die Käfer weltweit verbreitet und in allen erdenklichen Lebensräumen anzutreffen sind.

Zu den bekanntesten Käfern gehören die Marienkäfer. Sie bewohnen alle besiedelten Kontinente und sind

mit rund 4000 Arten eine wichtige Gruppe von Jägern, die sich auf Blattläuse spezialisiert hat. Marienkäfer vertilgen diese Schädlinge in solchen Mengen, daß sie sogar in besonderen Instituten gezüchtet und dann an Gärtner und Landwirte verkauft werden, damit sie ihnen bei der Schädlingsbekämpfung helfen. So wurden zum Beispiel in den kalifornischen Orangenplantagen viele Millionen Marienkäfer ausgesetzt.

So beliebt die Marienkäfer sind, so gefürchtet und verhaßt sind die Rüsselkäfer, eine weit verbreitete und wirtschaftlich bedeutende Gruppe von Pflanzenfressern, die häufig Früchte und Samen befällt. Wie sein Name besagt, ernährt sich der Ginstersamenkäfer von Ginstersamen; er wurde in Neuseeland eingeführt, um das Wachstum des wilden Ginsters unter Kontrolle zu halten. Das ist einer der wenigen Fälle, in denen ein Mitglied dieser Familie von Nutzen ist; der Schaden, den die Rüsselkäfer anrichten, ist dagegen kaum zu ermessen. Besonders berüchtigt ist der Baumwollkapselkäfer, denn der Schaden, den er den Baumwollpflanzungen in den Vereinigten Staaten zufügte, war so groß, daß die Südstaaten es sich nicht mehr erlauben konnten, wirtschaftlich ausschließlich von Baumwolle und Tabak abhängig zu sein, und dazu übergehen mußten, die Agrarproduktion auf andere Güter auszudehnen. Auch Zuckerrüben, Möhren und Steckrüben haben unter Rüsselkäfern zu leiden, und für jeden Landwirt, der Getreide lagert, stellt der Kornkäfer eines der größten Probleme dar.

Typisch für die Pillendreher sind ihre bunt schillernden Panzer, ihre Größe und ihre Gewohnheit, Kot und Dung zu Kugeln zu formen, die sie in ihre Stollen schleppen, damit sie den Larven als Nahrung dienen können; gleichzeitig düngen sie mit ihnen den Boden.

Die größten Käfer, die es auf der Welt gibt, sind die in Afrika heimischen Goliathkäfer mit einer Länge von rund 10 Zentimetern; nicht viel kleiner sind die grotesk anmutenden Nashornkäfer, während der Eurasische Hirschkäfer eine durchschnittliche Länge von 5 Zentimetern erreicht. Da seine Kiefermuskeln jedoch zu schwach sind, um dem Menschen schmerzhafte Bisse beizubrin-

gen, brauchen wir die geweihartig vergrößerten Oberkiefer des Hirschkäfers nicht zu fürchten.

Links: *Ein Pillendreher formt einen Kotball, den er dann als Nahrungsvorrat für seine Larven vergräbt. Die meisten Mistkäfer besitzen sehr dekorative, metallisch glänzende Panzer.*

daß der Mensch in seiner Hoffnung, die Malaria endgültig ausrotten zu können, zu optimistisch war — die Stechmücken breiten sich wieder aus und nehmen an Zahl zu.

Stubenfliegen und die nahe mit ihnen verwandten Schmeißfliegen ernähren sich von vielen Dingen, die auch der Mensch verzehrt, und außerdem von verrottendem Material. Ihre Larven, die Fliegenmaden, leben in ihrer Nahrung; im Gegensatz zu den Schmetterlingsraupen sind sie beinlos. Da sich die Fliegen von Kot, Aas und den Nahrungsmitteln des Menschen gleichermaßen ernähren, verbreiten sie Krankheiten, indem sie Krankheitserreger mit ihren Mundwerkzeugen oder Beinen übertragen.

Die beste Möglichkeit, der Fliegen Herr zu werden, besteht darin, keinen Unrat herumliegen zu lassen, Nahrungsmittel abzudecken und für Sauberkeit und hygienische Verhältnisse zu sorgen. Mit einer Vielzahl von Sprays und Insektiziden hat man versucht, die Fliegen zu bekämpfen, aber da sich inzwischen zahlreiche resistente Rassen entwickelt haben, sind auf lange Sicht gesehen alle der

Unten: *Schmeißfliegen werden besonders im Sommer sehr lästig, wenn sie um die Fenster dröhnen. Gewöhnlich sind es nur die Weibchen, die ins Haus kommen.*

Schmetterlinge

(ORDNUNG LEPIDOPTERA)

Viele Leute unterscheiden zwischen den Tagfaltern und den Nachtfaltern oder „Motten", weil die letzteren zumeist nachts ausfliegen, gefiederte Antennen besitzen und die Flügel flach zurückgelegt tragen, während die meisten Schmetterlinge bei Tage fliegen, Antennen mit keulenförmig verdickten Enden besitzen und die Flügel in der Senkrechten zusammenschlagen. Diese Merkmale sind jedoch sehr allgemein, und es gibt so viele Ausnahmen, daß sich eine solche Unterscheidung nicht aufrechterhalten läßt.

Zweiflügler

(ORDNUNG DIPTERA)

Diese große Gruppe unterscheidet sich von allen anderen Insekten dadurch, daß sie nur ein Flügelpaar besitzt; das andere Paar ist zu stockähnlichen Gleichgewichtsorganen, den Schwingkölbchen, umgebildet.

Besonders unbeliebt sind die Stechmücken wegen ihrer lästigen und manchmal schmerzhaften Stiche. Die Männchen ernähren sich von Pflanzensäften und Nektar; nur die Weibchen sind Blutsauger. Ein Mückenstich ist zwar unangenehm,

aber die dabei verursachte Wunde ist nicht gefährlich; die Gefahr bei einem Stich liegt darin, daß die Mücke mit einer Krankheit infiziert sein kann, die sie durch ihren Speichel überträgt. Zwei wohlbekannte und gefährliche Krankheiten, die durch Mückenstiche übertragen werden, sind Gelbfieber und Malaria.

Da sich alle Mückenlarven im Wasser entwickeln, kann der Mensch dieser Schädlinge am besten Herr werden, indem er Teiche, Seen und Pfützen mit Pestiziden besprüht und die Dränage verbessert. Doch trotz beachtlicher Erfolge seit dem Ende des Zweiten Weltkrieges hat sich in den letzten Jahren herausgestellt,

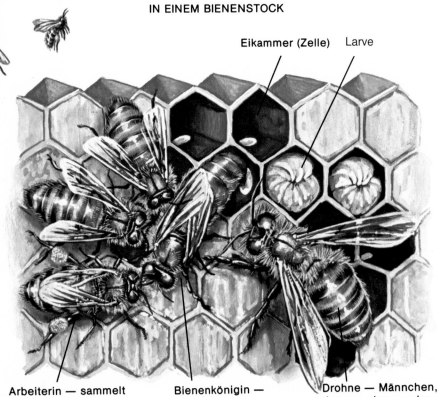

IN EINEM BIENENSTOCK

Eikammer (Zelle)   Larve

Arbeiterin — sammelt
Pollen und Nektar und
füttert die Larven

Bienenkönigin —
legt Eier

Drohne — Männchen,
das aus einem unbe-
fruchteten Ei hervorge-
gangen ist

Reinlichkeit und Hygiene dienenden
Maßnahmen das sicherste Mittel.

Die mit den Stubenfliegen eng verwandten Bremsen sind lästige Tiere,
die vor allem Pferden und Rindern
häßliche Wunden beibringen und
auch den Menschen nicht verscho-
nen. Auch sie können zahlreiche
Krankheiten auf Menschen und Tiere
übertragen.

Die Schlafkrankheit wird von den
Tsetsefliegen (Gattung *Glossina*)
übertragen, wenn ein Tier, das sich
an der heimischen Fauna infiziert
hat, einen Menschen oder ein Nutz-
tier sticht. Wegen dieser Fliege und
der von ihr übertragenen Krankheit
ist in weiten Teilen Afrikas das Leben von Wild- und Nutztieren ständig gefährdet.

Wespen, Bienen und Ameisen

(ORDNUNG HYMENOPTERA)
Zur großen Gruppe der Hautflügler
gehören viele Arten, die in Staaten

Links: *Ameisen kehren mit reicher, teils bereits toter, teils erst sterbender Beute von einem Raubzug zurück.*

zusammenleben und sich gegenseitig unterstützen. Im Mittelpunkt eines Bienenstaates steht die Königin, deren Aufgabe es ist, Eier zu legen, während die Drohnen nur dazu da sind, die Königin zu befruchten. Die gesamte Arbeit wird von unbegatteten Weibchen, den sogenannten Arbeiterinnen, erledigt.

Auch bei den Ameisen gibt es Staatenbildung, wobei den Einzelwesen oft hochspezialisierte Aufgaben zufallen. In einigen Weltgegenden leben die Staaten nomadisch, das heißt, sie ziehen ständig von Ort zu Ort — so zum Beispiel die vor allem in den Tropen beheimateten Treiber- und Wanderameisen. Sie sind zumeist Fleischfresser, die jedes Lebewesen vertilgen, das das Pech hat, in ihre Bahn zu geraten.

Die meisten Ameisen bauen unterirdische Nester im Boden. Die Bienen dagegen leben in Nestern, in die sie aus Wachs gefertigte Waben einbauen. Einige Wespen stellen kunstvolle Nester aus zerkautem Holzbrei her.

Flöhe und Läuse

(ORDNUNGEN SIPHONAPTERA, PHTHIRAPTERA, PSOCOPTERA und MALLOPHAGA)
Flöhe und Läuse sind Schmarotzer, die auf einer ganzen Reihe von Wirtstieren anzutreffen sind. Sie werden oft zusammen genannt, obwohl sie verschiedenen Ordnungen angehören; beide sind flügellose Insekten, unter denen in erster Linie Vögel und Säugetiere zu leiden haben.

Flöhe finden sich oft bei Vögeln, die wie Spechte und Uferschwalben in Röhren oder Höhlen nisten, und bei Säugetieren, die einen Bau oder ein festes Lager bewohnen. Der Mensch gehört zu den wenigen Primaten, die von Flöhen gepeinigt werden.

Auch bei diesen Schmarotzern liegt das eigentliche Problem nicht in der Belästigung und dem Blutverlust, sondern darin, daß sie ihren Wirt mit einer Krankheit infizieren können. Es waren Ratten- und Menschenflöhe, die im Spätmittelalter den „Schwarzen Tod", die Beulenpest, von ihren Wirtstieren, den Ratten, auf den Menschen übertrugen.

Der Typhus, eine andere gefährliche Krankheit, die vor allem in schmutzigen und übervölkerten Städten auftritt, kann durch Läuse verbreitet werden.

Grashüpfer, Heuschrecken und Schaben

(ÜBERORDNUNG ORTHOPTERA)
Dieser Insektengruppe gehören Pflanzen- und Aasfresser an. Grashüpfer und Grillen sind harmlose Bewohner von Gärten und Wiesen, aber die Heuschrecken sind gefräßige Schädlinge, die unermeßliche Schäden anrichten können. Schaben sind in den Wohnungen der Menschen und ihrer Umgebung zu Hause und ernähren sich von gelagerten Nahrungsmitteln und Abfällen.

Unten: *Eine Gespenstschrecke ist vor dem Hintergrund eines Pflanzenteils kaum zu erkennen. Die Gespenstschrecken (PHASMIDA) sind berühmt für ihre vollkommene Tarnung.*

Stachelhäuter (STAMM ECHINODERMATA)

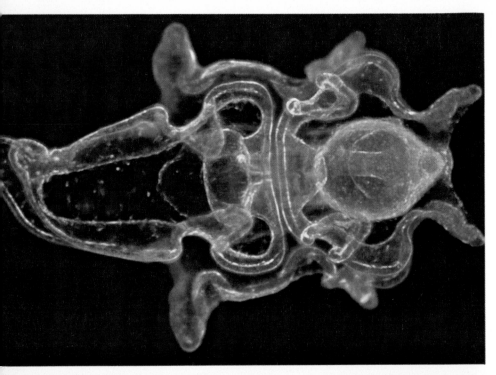

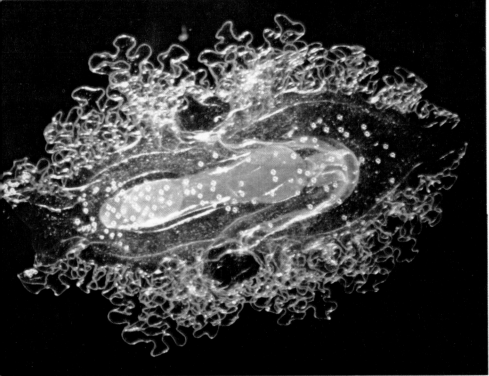

Die Stachelhäuter sind eine wichtige Gruppe unter den wirbellosen Tieren, weil ihre Larven ähnlich gebaut sind wie die der Kragentiere (UNTERSTAMM BRANCHIOTREMATA) und diese wiederum ein Bindeglied zu den Wirbeltieren darstellen.

Die Larven der Stachelhäuter sind je nach Klassenzugehörigkeit unterschiedlich ausgebildet, aber alle sind bewegliche Tiere, die in den oberen Schichten der Ozeane frei herumschwimmen. Sie bewegen sich mit Hilfe feiner, haarartiger Wimpern und bilden einen wesentlichen Bestandteil des Planktons.

Im Gegensatz zu den beweglichen Larven, die zweiseitigsymmetrisch gebaut sind, sind die Erwachsenen sehr schwerfällige und manchmal sogar festsitzende Tiere von radiärsymmetrischem Bau. Der Körper ist in fünf von einer Mittelachse abgehende Radien gegliedert. Alle Stachelhäuter sind Meerestiere; sie leben auf dem Meeresgrund, unter Felsen und zwischen Korallen.

Es ist oft nicht einfach, einen Stachelhäuter zu erkennen, wenn man ihn in einem tiefen Felsentümpel erblickt, da die Tiere gern in Spalten oder unter Steine kriechen und ihre Körperoberfläche oft dermaßen mit Stacheln oder Fortsätzen bedeckt ist, daß ihr Umriß kaum auszumachen ist und mit den Felsen und den Algen verschmilzt. Außer den Stacheln ragen aus dem Stützskelett der Stachelhäuter noch schlauchförmige Fortsätze heraus, die als „Füßchen" bezeichnet werden und der Fortbewegung und der Atmung dienen; zum Teil sind sie auch mit Saugnäpfen ausgestattet, mit denen die Tiere Nahrung fangen und an Felsen Halt finden können.

Die rund 5000 bekannten Arten von Stachelhäutern werden in fünf Klassen unterteilt: Seesterne (ASTEROIDEA), Schlangensterne (OPHIUROIDEA), Seeigel (ECHINOIDEA), Seegurken (HOLOTHUROIDEA) sowie Seelilien und Haarsterne (CRINOIDEA).

Ganz oben: *Diese merkwürdige transparente Larve ist die Jugendform eines Seesterns. Bei den leuchtenden Linien handelt es sich um feine Wimperkränze, die ihr bei der Fortbewegung und beim Nahrungsfang helfen.*

Oben: *Die Seegurkenlarve besitzt gleichfalls Wimperkränze, die in verschlungenen Linien angeordnet sind. Der Rumpf hat bereits die für die Erwachsenen typische längliche Form angenommen. Auch sie ist transparent.*

Seesterne

(KLASSE ASTEROIDEA)

Wie alle Stachelhäuter sind auch die Seesterne in sämtlichen Weltmeeren anzutreffen, am häufigsten jedoch in den warmen Gewässern des Pazifischen und des Indischen Ozeans. An ihrer Körperform sind sie leicht zu erkennen — die meisten von ihnen besitzen fünf von einer zentralen Körpermasse nicht deutlich abgesetzte Arme. Der Mund liegt in der Mitte der Unterseite des Sterns, und an der Unterseite jedes Arms verläuft eine Furche, die in der Mundregion mit den anderen Furchen zusammentrifft. In diesen Armfurchen stehen die schlauchförmigen Füßchen.

Die meisten Seesterne sind gelblich oder rötlich gefärbt; bei den tropischen Arten kommen jedoch auch leuchtendere Farben mit lebhaften scharlachroten und dottergelben Flecken vor.

Rechts: *Seesterne besitzen zahlreiche aus der Körperoberfläche herausragende Füßchen, die der Fortbewegung, der Nahrungsaufnahme und der Atmung dienen.*

Die gefräßigen Seesterne

Alle Seesterne sind Fleischfresser, aber viele von ihnen fressen auch Aas und Pflanzen. Mit ihren langen, muskulösen Armen packen die Seesterne ihre Beute — Weichtiere, kleine Krebse und Würmer. Einige von ihnen können ihren Magen durch die Mundöffnung nach außen stülpen, die Beute damit umhüllen und zu verdauen beginnen. Dann wird der halbverdaute Nahrungsbrei in den Magen gesaugt. Zu den bekanntesten Seesternen zählt die Dornenkrone *(Acanthaster planci)*, die sich von lebenden Korallen ernährt und vor allem am Großen Barrierriff vor der Nordostküste Australiens beträchtlichen Schaden angerichtet hat.

Rechts: *Die Dornenkrone, ein Seestern, der die Polypen riffbildender Korallen abweidet, hat in den letzten Jahren so überhand genommen, daß sie viele Riffs zerstört und damit die Nahrungskette ebenso verändert hat wie die Meeresströmungen.*

Schlangensterne

(KLASSE OPHIUROIDEA)

Schlangensterne sind ähnlich gebaut wie Seesterne, aber ihre Körperscheibe ist wesentlich kleiner, die Arme sind deutlich von dieser abgesetzt und sehr lang und dünn. Im Englischen heißen sie „Brittlestars" (spröde Sterne) — vermutlich deshalb, weil sie imstande sind, im Falle eines Angriffs einen Arm oder einen Teil davon abzuwerfen, der sich dann weiterhin bewegt und wahrscheinlich als Köder dient, während das Tier

schleunigst die Flucht ergreift. Wie die Seesterne können auch die Schlangensterne verlorene Gliedmaßen regenerieren und so den Verlust rasch wieder wettmachen. Schlangensterne sind weniger oft zu sehen als Seesterne, weil sie überwiegend Nachttiere sind und einen Großteil ihres Lebens in Sand vergraben oder unter Felsen und in Felsspalten versteckt verbringen. Sie können sich zwar relativ schnell bewegen, begnügen sich aber zumeist damit, im Wasser treibende und auf dem Meeresboden liegende Partikel aus pflanzlichem und tierischem Material einzu-

Oben: *Diese drei Schlangensterne sind typische Angehörige ihrer Klasse. Bei allen sind der kompakte Rumpf und die sehr langen, dünnen Arme deutlich zu erkennen. Besonders aktiv und beweglich sind die Armspitzen. Mit ihrer Hilfe ziehen sich die Tiere in Felsspalten.*

fangen und zu fressen.

Infolge ihres Körperbaus sind sie empfindlicher als die Seesterne und deshalb in Küstennähe seltener anzutreffen als ihre robusteren Verwandten. Ihr Lebensraum erstreckt sich jedoch weit über die Kontinentalschelfe und -abhänge hinaus.

Seeigel

(KLASSE ECHINOIDEA)

Viele Seeigel bewohnen die Küstengebiete der Meere, und die ange-
schlagenen Überreste ihrer rundlichen Schalen sind oft am Spülsaum
zu finden. Sie machen zwar mit ihrem stachelgespickten Körper einen
massigen und unbeholfenen Eindruck, aber viele von ihnen können
sich erstaunlich behende in den Sand
eingraben. Die Gewohnheit, sich ein-
zugraben, ist bei den Seeigeln weit
verbreitet; von manchen Arten ist bekannt, daß sie Gänge in festen Sand,
weichen Kalkstein und sogar harte
Gesteine bohren.

Die Stacheln helfen nicht nur bei
der Fortbewegung, sondern dienen
auch der Verteidigung. Bei der Fortbewegung fungieren sie als Stelzen;
sie werden dabei von Dutzenden von
schlauchförmigen Füßchen unterstützt, die gewöhnlich in Saugnäpfen
enden. Mit Hilfe dieser eigentümlichen Kombination von Stacheln und
Füßchen können manche Seesterne
Felsen und Dämme und sogar die
Glaswände von Aquarien erklettern.

Auch bei den Seeigeln liegt der
Mund an der Unterseite des Rump-
fes; er trägt fünf große Zähne, die
durch Muskeln zu einem Apparat
verbunden sind, der einer altertümli-
chen Öllampe ähnelt und deshalb als
,,Laterne des Aristoteles" bezeichnet
wird. Die Hauptnahrung der Seeigel
besteht aus Aas und Algen.

Die getrockneten Schalen dieser
Stachelhäuter werden als bunte Sou-
venirs in Badeorten an den Küsten
der Weltmeere angeboten.

*Rechts: Der Diademseeigel (Diadema
setosum) ist eine tropische Art mit den
für die Seeigel typischen zugespitzten
Stacheln, die bis zu 25 Zentimeter lang
werden können. Die Seeigel laufen auf
diesen Stachel wie auf Stelzen; da sie
von Muskeln gesteuert werden, ermöglichen sie ganz gezielte Bewegungen.
Zwischen einigen Stacheln sind die
Füßchen zu sehen. Bei manchen Arten
enthalten die Stacheln auch für Menschen sehr lästige Giftstoffe.*

KÖRPERBAU DES SEEIGELS

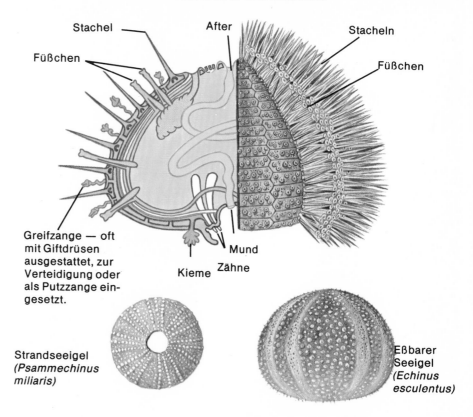

Stachel
After
Stacheln
Füßchen
Füßchen
Greifzange — oft
mit Giftdrüsen
ausgestattet, zur
Verteidigung oder
als Putzzange ein-
gesetzt.
Kieme
Zähne
Mund

Strandseeigel
*(Psammechinus
miliaris)*

Eßbarer
Seeigel
*(Echinus
esculentus)*

SCHALEN VON SEEIGELN

Seegurken

(KLASSE HOLOTHUROIDEA)

Diese gurken- oder walzenförmigen Stachelhäuter besitzen keine Stacheln und auch kein starres Außenskelett; ihre Haut ist lederig und wird von mikroskopisch kleinen, in sie eingelagerten kalkigen Skelettelementen geschützt. Die Seegurken kommen überwiegend in warmen Gewässern vor. Sie sind sehr träge Tiere, die sich im Sand und Schlamm von feinen Tier- und Pflanzenpartikeln ernähren; ihre Nahrung fangen sie mit Hilfe einer um den Mund herum angeordneten Tentakelkrone ein.

Typisch für die Seegurken ist, daß sie bei Gefahr ihre Eingeweide herauspressen können, die dann einige Zeit außerhalb des Körper umherkriechen; die Tiere können die verlorenen Organe rasch regenerieren.

Seelilien und Haarsterne

(KLASSE CRINOIDEA)

Die Seelilien leben in tiefen, fast unbewegten Gewässern. Sie haften mit einem stielartigen Körperfortsatz fest aus dem Meeresgrund. Ihr Körper ist becherförmig und wird von fünf Armen gekrönt, die häufig in zahlreiche „Finger" unterteilt sind. Ihre Nahrung besteht aus den Teilchen, die sie aus dem Wasser herausfiltern.

Die Haarsterne besitzen zarte, vielfach verzweigte Arme; in der Jugend sitzen sie wie die Seelilien fest, später lösen sie sich von ihren Stielen und können sich dann durch Kriechen oder Schwimmen frei bewegen.

Links oben: *An einer in den Tropen heimischen weißen Seegurke ist die zarte Tentakelkrone, die den Mund umgibt, deutlich zu erkennen. Die Füßchen sind in Reihen angeordnet; bei den Tentakeln handelt es sich um abgewandelte Füßchen. Es fällt schwer, zwischen der zarten, durchsichtigen Larve (Seite 86) und diesem massigen Tier einen Zusammenhang zu sehen.*
Links: *Mit ihren gefiederten Tentakeln strudeln Haarsterne Nahrung heran.*

Kranzfühler (STAMM TENTACULA)

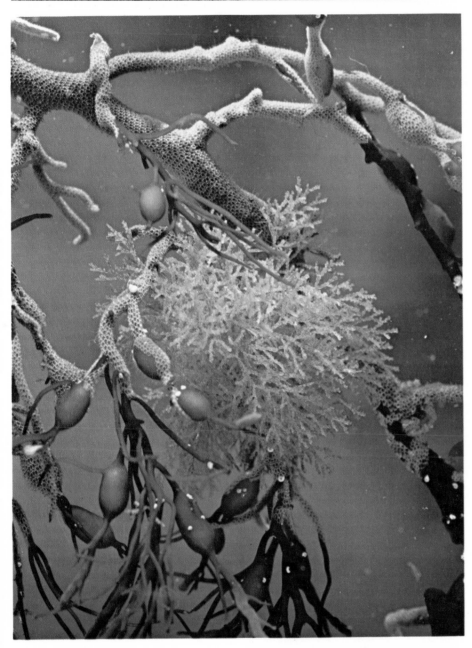

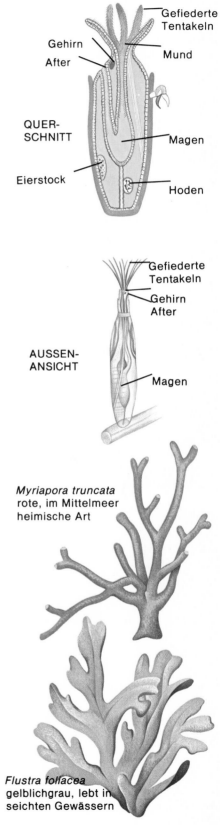

QUER-
SCHNITT

Gefiederte
Tentakeln

Gehirn
After

Mund

Magen

Eierstock

Hoden

AUSSEN-
ANSICHT

Gefiederte
Tentakeln

Gehirn
After

Magen

Myriapora truncata
rote, im Mittelmeer
heimische Art

Flustra foliacea
gelblichgrau, lebt in
seichten Gewässern

Als Beispiel für diesen Stamm sei die Klasse der Moostierchen (BRYOZOA) genannt. Ihr gehören zahlreiche Arten koloniebildender Lebewesen an, die überwiegend in den Meeren leben. Jedes Einzeltierchen ähnelt einer kleinen Seeanemone oder einer Moospflanze; bei näherem Hinsehen erweist sich jedoch, daß die Tierchen, obwohl sie Tentakeln haben und an einem Ort festsitzen, im Körperbau den Würmern ähnlicher sind

Oben: *Kolonien von Moostierchen sitzen auf einem Stück Seetang. Die Abbildung zeigt die beiden hauptsächlichen Wachstumsformen:* Scrupocellaria scruposa *bildet vielfach verzweigte Stöcke, während die weiße* Electra pilosa *den Tang wie ein Rasen überzieht.*

als den Seeanemonen. Moostierchenkolonien bilden dichte Stöcke oder Rasen, die durch den von ihnen ausgeschiedenen Kalk eine gewisse Ähnlichkeit mit einer Schicht Korallen haben.

Pfeilwürmer (STAMM CHAETOGNATHA)

KÖRPERBAU DES PFEILWURMS

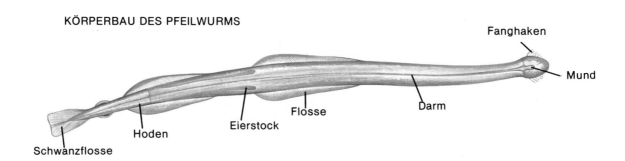

Fanghaken

Mund

Darm

Flosse

Eierstock

Hoden

Schwanzflosse

Eine weitere im Plankton der Meere schwimmende Tiergruppe bilden die Pfeilwürmer. Im Gegensatz zu den langsamen, wimperbesetzten Larven der Stachelhäuter sind sie jedoch gefräßige Jäger, die ihre Beute ganz verschlucken. Ihren deutschen Namen verdanken sie ihrer schlanken Körperform und den blitzschnellen Bewegungen, die jedoch schwer zu verfolgen sind, da sie mit allen Lebewesen des Planktons ein Merkmal gemeinsam haben: Sie sind durchsichtig und damit in ihrer Umwelt äußerst erfolgreich getarnt.

Die zwei bis zehn Zentimeter langen Tiere haben einen erschreckenden Appetit, denn sie verschlingen nicht nur die Larven von Krebstieren, sondern auch Fische, die ebenso groß sind wie sie selbst. Es gibt Berichte, denen zufolge sie fünf Zentimeter lange Heringe verschluckt und dann in aller Ruhe verdaut haben.

Ihre Bedeutung als Stamm des Tierreichs beruht auf zwei Faktoren: Zum einen spielen sie als unersättliche Räuber im Nahrungsgefüge des Planktons eine wichtige Rolle, zum anderen ist ihr Körperbau recht verwirrend. Sie haben zwar einige Merkmale mit den Stachelhäutern und primitiven Chordatieren gemeinsam, aber eine Verwandtschaft zwischen den Pfeilwürmern und diesen Stämmen ist nicht erwiesen.

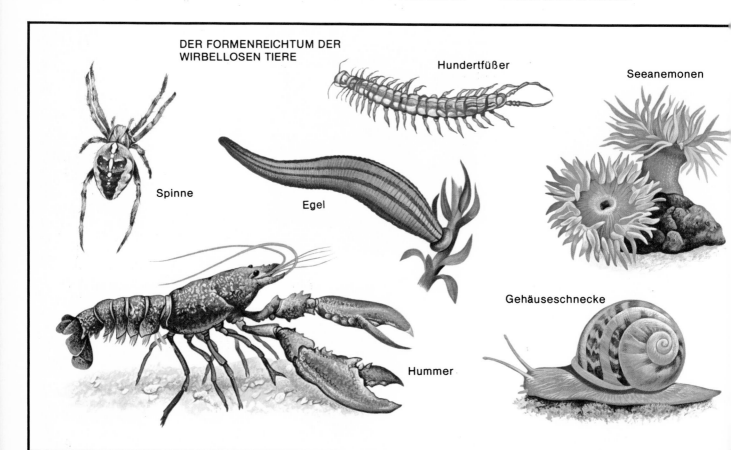

DER FORMENREICHTUM DER WIRBELLOSEN TIERE

Hundertfüßer

Seeanemonen

Spinne

Egel

Gehäuseschnecke

Hummer

Kragentiere (UNTERSTAMM BRANCHIOTREMATA)

Die Kragentiere gehören zu den Lebewesen, die wie die niederen Wirbeltiere einen Kiemendarm besitzen. Ein typisches Kragentier wie ein Eichelwurm der Gattung *Balanoglossus* sieht in jeder Hinsicht wie ein gewöhnlicher Wurm aus. Er hat einen weichen, röhrenförmigen Körper, und auch seine Lebens- und Ernährungsweise ähnelt der eines Vielborsters. Die Eichelwürmer leben im Schlamm seichter Küstengewässer und fangen ihre Nahrung, indem sie die Kopfregion herausstrecken und Schlamm und Schlick heranziehen, aus denen sie die genießbaren Partikel herausholen.

Ihren Namen verdanken diese Tiere ihrem als „Eichel" oder „Kopfschild" ausgebildeten Vorderende, das als Prosoma bezeichnet wird und in den mittleren Körperabschnitt, den in den Mund auslaufenden Kragen, eingezogen werden kann.

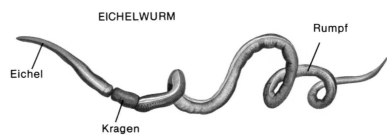

EICHELWURM

Eichel — Kragen — Rumpf

Die Bedeutung dieser Tiergruppe für die Zoologen liegt vor allem in den winzigen Larven, die in verschiedenen Weltgegenden im Plankton treiben. Diese als Tornaria bezeichneten Larven besitzen einen ganz primitiven Darm und eine um den Körper herumlaufende Wimperschnur. Damit ähneln die Tornarialarven auffällig den Larven der Stachelhäuter; zugleich weisen sie jedoch einige Ähnlichkeiten mit dem Larvenstadium der Würmer und Weichtiere auf. Ausgewachsene Kragentiere besitzen einen dorsal (im Rücken) verlaufenden Nervenstrang, der sich mit dem Rückenmark der Chordatiere vergleichen läßt; deshalb sieht man in diesen gelegentlich auch als Halbchordaten (HEMICHORDATA) bezeichneten Tieren ein evolutionäres Bindeglied zwischen den Stachelhäutern und den Chordatieren.

Unten: *Dieser Eichelwurm lebt in ganz seichten Gewässern zwischen dem Schlamm und den organischen Stoffen, von denen er sich ernährt.*

Schmetterling

Glockentierchen

Chordatiere (STAMM CHORDATA)

Dem Stamm der Chordatiere gehören als Unterstamm alle Wirbeltiere — Fische, Kriechtiere, Lurche, Vögel und Säugetiere — an, aber außerdem zwei weitere Unterstämme ohne Wirbelsäule, die im Meer lebenden Manteltiere (TUNICATA) und die Lanzettfischchen (ACRANIA). Beide Gruppen besitzen zumindest zeitweise im Laufe ihrer Entwicklung ein den Körper durchziehendes Stützorgan (Chorda) und ein Rückenmark sowie Kiemenspalten; beides sind allen Chordatieren gemeinsame Merkmale.

Manteltiere

(UNTERSTAMM TUNICATA)

Ausgewachsene Manteltiere haben mit den anderen Chordatieren nicht die geringste Ähnlichkeit. Fast alle Arten sind tonnenförmige Geschöpfe, die auf einem Stein oder einem

Oben: *Auf diesem Photo ist die Tonnenform einer Seescheide deutlich zu sehen. Die Mundöffnung mit ihrem gelappten Rand liegt direkt unter der Garnele. Das durch diese Öffnung einströmende Wasser wird gefiltert und verläßt das Tier durch die Seitenöffnung. Auf ihrer Haut sitzende Lebewesen schaden den Seescheiden nicht.*

ähnlichen Objekt festsitzend leben oder frei schwimmen. Die typischen Merkmale der Chordatiere sind nur im Larvenstadium vorhanden. Eine

Klasse, die ortsfest lebenden See-scheiden (ASCIDIA), ist über alle Weltmeere verbreitet. Auf den ersten Blick gleichen sie einem formlosen, in einen ledrigen Umhang gehüllten Klumpen irgendeiner Masse (dieser Umhüllung verdanken sie den Namen „Manteltiere"). Am Vorderende des Körpers befindet sich eine Mundöffnung, durch die Wasser eingesogen wird. An sie schließt sich der sogenannte Kiemendarm an, ein großer, tonnenförmiger Behälter, in dem das Wasser gesiebt wird, bevor es durch eine weitere, seitliche Körperöffnung wieder abfließt. Nahrungspartikel werden durch diesen Apparat herausgeseiht und in den Magen und Darm weitertransportiert. Das Nervensystem ist sehr primitiv und weist nur ein winziges Gehirn, aber keine Spur von Rückenmark auf. Auch eine Chorda ist nicht vorhanden. Allerdings dient der Kiemendarm nicht nur zum Ausfiltern der Nahrung, sondern auch zum Atmen; er ist damit ein für alle Chordatiere typisches Organ.

Bei den Larven der Seescheiden findet sich auch das zweite Merkmal der Chordatiere. Diese wie Kaulquappen geformten kleinen Lebewesen mit großem Kopf und langem, schlankem Schwanz schwimmen im Meer herum. Der Schwanz enthält ein gut entwickeltes Stützorgan mit Rückenmark. Wenn eine Larve einen geeigneten Platz gefunden hat, setzt sie sich mit dem Vorderende fest. Sie gibt das aktive Leben auf, ihr Kiemendarm weitet sich aus, und der Schwanz mit dem Rückenstrang verschwindet.

Andere Manteltiere sind die frei schwimmenden Salpen (KLASSE THALIACEA), die den Seescheiden ähnlich sehen, aber vor allem im Plankton tropischer und subtropischer Meere leben, sowie die Geschwänzten Schwimm-Manteltiere (KLASSE APPENDICULARIA), winzige, durchsichtige und frei schwimmende Tiere, die Bestandteile des Planktons aus dem Wasser herausfiltern und den Schwanz auch im Erwachsenenstadium beibehalten.

Die Zoologen sind der Ansicht, daß die Manteltiere in einem frühen

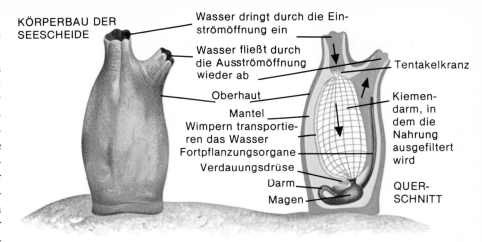

KÖRPERBAU DER SEESCHEIDE

Wasser dringt durch die Einströmöffnung ein

Wasser fließt durch die Ausströmöffnung wieder ab

Tentakelkranz

Oberhaut

Mantel

Wimpern transportieren das Wasser

Fortpflanzungsorgane

Verdauungsdrüse

Darm

Magen

Kiemendarm, in dem die Nahrung ausgefiltert wird

QUERSCHNITT

Stadium der Evolution einen von den übrigen Chordatieren getrennten Weg einschlugen. Sie weisen keinerlei Anzeichen einer Segmentierung auf, und in keinem Stadium ihres Lebens findet sich ein Coelom (die sekundäre Leibeshöhle). Die Segmentierung der höheren Chordatiere hat sich vermutlich erst wesentlich später ausgebildet.

Lanzettfischchen

(UNTERSTAMM ACRANIA)

Die rund 20 Arten von Lanzettfischchen sind kleine Tiere, die vor allem in tropischen Meeren im Sand küstennaher Gewässer leben. Im Äußeren haben sie eine gewisse Ähnlichkeit mit Fischen, sind aber viel primitiver gebaut als jede bekannte Fischart. Sie besitzen weder paarweise angeordnete Flossen noch Kiefer, Knochen oder Knorpel und auch kein eigentliches Rückgrat; eine Chorda und das Rückenmark sind jedoch vorhanden. Den größten Teil ihres Lebens verbringen sie mit dem Schwanz nach unten im Sand eingegraben, ziehen Wasser durch die Mundöffnung ein und filtern winzige Partikel mit Hilfe der Kiemenspalten heraus. Lanzettfischchen sind getrenntgeschlechtliche Tiere und pflanzen sich geschlechtlich fort.

Unten: *Dieses Lanzettfischchen wurde vor einem dunklen Hintergrund photographiert, denn nur so werden die feinen, tentakelähnlichen Zirren an der Mundöffnung (rechts) sichtbar. Sie dienen dazu, beim Einsaugen von Wasser, das über die Kiemenspalten den Körper wieder verläßt, den Sand auszufiltern.*

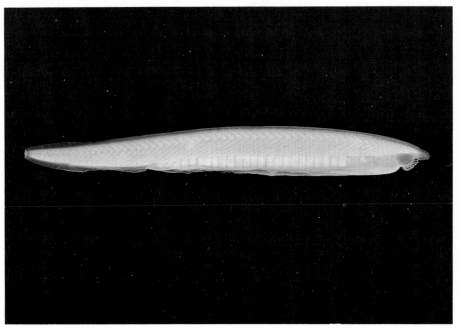

Fische (ÜBERKLASSE PISCES)

Unter den Wirbeltieren sind die Fische die älteste und die artenreichste Gruppe. Die ausschließlich auf ein Leben im Wasser eingerichteten Tiere finden sich überall dort, wo es Wasser gibt — von reißenden, sprudelnden Bergbächen bis in die lichtlose Tiefsee mit ihrem ungeheuren Wasserdruck. Obwohl die Fische Kaltblüter sind, haben sich einige Arten einem Dasein in sehr heißen und sogar gefrierenden Gewässern angepaßt. Einige Arten können in Flüssen existieren, die gelegentlich austrocknen, weil sie innere Organe entwickelt haben, mit deren Hilfe sie den Sauerstoff aus der Luft verwerten können. In der Regel ist jede Art einem bestimmten Habitat angepaßt, das sie in den seltensten Fällen mit einem anderen vertauscht. Erstaunlich ist der Formenreichtum. Es gibt Arten, die nicht nur schwimmen, sondern auch laufen, kriechen und gleiten können, und andere, die wie Algen oder Steine aussehen, einen Panzer tragen, giftig sind oder ihre Farbe der jeweiligen Umgebung entsprechend wandeln. Im Laufe ihrer Entwicklung haben sich die Fische jeder für sie erreichbaren ökologischen Nische angepaßt.

Die Evolutionsgeschichte der Fische reicht rund 450 Millionen Jahre zurück. Da wir eine ganze Reihe fossiler Überreste besitzen, können wir uns ein recht deutliches Bild von ihrer Vergangenheit machen.

Die frühesten Fische besaßen noch keine Kieferknochen; dafür trugen jedoch die meisten von ihnen einen Panzer aus Knochenplatten, der ihre Körper schützte. Das bedeutete vermutlich, daß sie nur schlecht schwimmen konnten. Besonders schwer gepanzert waren die Angehörigen der Gattung *Cephalapsis;* man nimmt an, daß sie ihre Nahrung aus schlammigen Flußbetten aufsaugten. Noch heute lebende Vertreter der Überklasse der Kieferlosen (AGNATHA) sind die Neunaugen und die Inger.

Zu den frühesten kiefertragenden Fischen gehören die Vorfahren der Haie, die vor rund 350 Millionen Jahren erschienen. Das Skelett der Haie und Rochen besteht aus Knorpel, einer Substanz, die nicht sonderlich gut versteinert. Vollständige Skelette sind deshalb selten, aber da versteinerte Zähne und Flossenstacheln relativ häufig gefunden wurden, können wir uns von den frühen Haien ein recht deutliches Bild machen. Zu ihnen gehörte als einer der frühesten *Cladoselache*, ein Meerestier, das bis zu 1,20 Meter lang wurde. Im Laufe ihrer weiteren Entwicklung bildeten die Haie Kiefer mit Zähnen aus, die entweder zum Töten und Zerreißen von Beute dienten oder auch zum Zermahlen von Schalentieren. In der Welt der Fische sind die Haie die größten Räuber.

Im mittleren Devon trat dann die erfolgreichste Gruppe von Fischen auf, die bereits relativ hoch entwickelten Knochenfische (KLASSE OSTEICHTHYES). Aus ihnen ging eine der vielgestaltigsten Gruppen unter den Wirbeltieren mit über 20 000 lebenden Arten hervor — mehr, als alle anderen Wirbeltiere gemeinsam zählen. Am weitesten verbreitet sind unter den Knochenfischen innerhalb der Unterklasse Strahlenflosser (ACTINOPTERYGII) die Echten Knochenfische (ÜBERORDNUNG TELEOSTEI); zu ihnen gehören, um nur einige wenige zu nennen, Lachse, Stichlinge, Makrelen, Heringe, Forellen und Dorsche. Heute sind die Echten Knochenfische in allen Ozeanen und Süßgewässern der Welt anzutreffen und in ihrer Entwicklung jeder ökologischen Nische angepaßt.

Besonders interessant sind die heute fast ausgestorbenen Quastenflosser (ORDNUNG CROSSOPTERYGII), denn zu ihnen gehören vermutlich die Vorfahren der Landwirbeltiere. Ein ganz typischer Quastenflosser, *Eusthenopteron,* lebte vor rund 360 Millionen Jahren. Die Ansatzstelle der paarigen Flossen war fleischig und muskulös. Von ihr gingen strahlenförmige Flossenstacheln aus, die vermutlich bewegt werden konnten. Diese Ausbildung der Flossen erlaubte es den Tieren wahrscheinlich, an Land zu „laufen". In ihrem Körperbau weisen die Quastenflosser starke Ähnlichkeiten mit den frühen Amphibien auf.

Rechts: Unter den Wirbeltieren entwickelten sich die Fische als erste, und heute beherrschen sie alle Gewässer der Welt. Die Mehrzahl von ihnen besitzt muskulöse, stromlinienförmige Körper, mit denen sie — wie dieser Schwarm von Stachelmakrelen — sehr schnell schwimmen können.

Abgeflachter, knöcherner Kopfpanzer

Cephalapsis

Mit Panzerschuppen bedeckter Körper

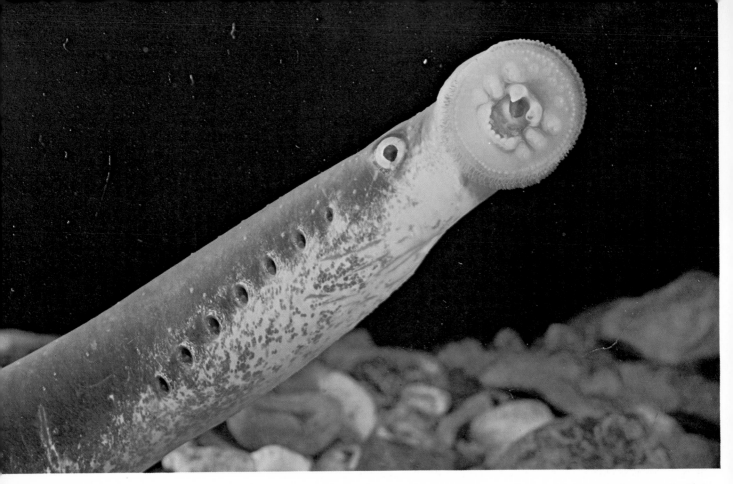

Kieferlose Fische — Aasfresser und Schmarotzer

Die einzigen heute noch lebenden Kieferlosen bilden die Klasse der Rundmäuler (CYCLOSTOMATA) mit etwa 45 Arten von Neunaugen und Ingern. Diese älteste Gruppe von Wirbeltieren besitzt weder Kiefer noch Schuppen und ernährt sich überwiegend entweder von Aas oder vom Blut lebender Tiere.

Neunaugen

(UNTERKLASSE PETROMYZONES)

Die Neunaugen sind aalförmige Tiere. Sie besitzen einen kreisförmigen Saugmund mit Hornzähnen und einer Raspelzunge. Mit diesem Mund setzen sie sich an anderen Fischen fest, raspeln das Fleisch an und saugen Blut. Die Neunaugen leben in den Meeren der gemäßigten Zone sowie in den Süßgewässern der nördlichen Hemisphäre.

Am bekanntesten dürfte das beiderseits des Atlantiks anzutreffende Meerneunauge *(Petromyzon marinus)* sein, das auch Meerlamprete genannt wird. Dieses Tier verbringt sein Erwachsenenleben im Meer, wandert aber zum Laichen in Süßwasser. Die Wanderung beginnt im Winter, und bis zum Frühjahr ist das Meerneunauge im Oberlauf eines

Oben: Inger und Neunaugen wie dieses Flußneunauge sind schuppen- und kieferlose Räuber und Aasfresser. Das Flußneunauge setzt sich mit seinem Saugmund an einem Opfer fest, raspelt sich mit dem Zungenkopf durch die Haut und saugt dem Wirt das Blut aus.

Flusses angekommen. Obwohl ihm paarige Flossen fehlen, ist es ein kraftvoller Schwimmer, der mit Hil-

LEBENSZYKLUS DES NEUNAUGES

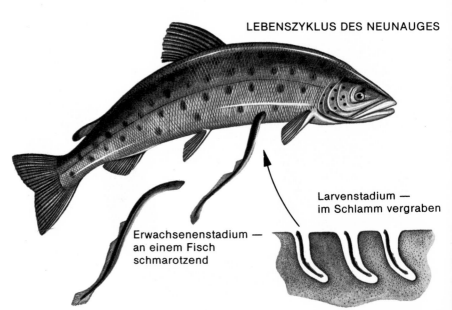

Larvenstadium —
im Schlamm vergraben

Erwachsenenstadium —
an einem Fisch
schmarotzend

98

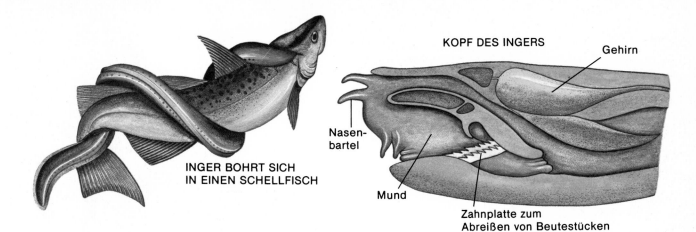

KOPF DES INGERS

Gehirn

Nasen-
bartel

Mund

Zahnplatte zum
Abreißen von Beutestücken

INGER BOHRT SICH
IN EINEN SCHELLFISCH

fe seines Saugmundes auch fast senkrechte Felsen überwinden kann. Nun beginnt das Männchen mit dem Bau eines Dammes, indem es mit dem Mund Steine heranschleppt. Auf der stromaufwärts gelegenen Seite dieser Barrikade wird eine Mulde ausgehoben, in die das Weibchen dann seine Eier ablegt. In den späteren Stadien des Nestbaus hilft auch das Weibchen; es wurde beobachtet, wie ein Paar gemeinsam größere Steine transportierte. Nach dem Ablaichen lassen sich die Neunaugen stromabwärts treiben und sterben.

Die Eier der Neunaugen haben einen Durchmesser von etwa einem Millimeter. Nach 14 Tagen schlüpfen die Larven, die „Querder" genannt werden; weil sie ihren Eltern so unähnlich sehen, hielt man sie früher für eine eigene Art und nannte sie

„Ammocoetes branchialis". Die Querder sind wurmähnliche Lebewesen; die Augen liegen rudimentär unter der nackten Haut. Der hufeisenförmige Mund besteht aus einer kleinen Unter- und einer größeren Oberlippe. Zähne sind nicht vorhanden, aber an der Mundöffnung sitzen borstenartige Fortsätze, sogenannte Zirren, die als Filterorgane dienen. Nach ungefähr einem Monat im Nest beginnen die Querder stromabwärts zu wandern, bis sie ein sandiges oder schlammiges Bett finden. Dort graben sie sich ein und verbringen drei oder vier Jahre in Röhren. Sie sind völlig blind und ernähren sich von winzigen organischen Partikeln, die sie aus ihrer Umgebung herausfiltern. Im Alter von drei bis fünf Jahren verwandeln sie sich im Laufe von drei bis vier Monaten in erwachsene

Neunaugen. Die Augen entwickeln sich, der zweilippige Mund wird kreisförmig, Zähne brechen durch, und der Zungenkopf bildet sich. Auch im Innern gehen tiefgreifende Veränderungen vor, bis die silbrigen Neunaugen entstanden sind, die nun ins Meer hinabschwimmen und andere Fische anfallen.

Inger

(UNTERKLASSE MYXINI)

Ein Inger wurde einmal als ein Fisch mit vier Herzen und einer Nase, aber ohne Kiefer und Magen beschrieben. Diese etwas gespenstische Beschreibung trifft jedoch auf diese degenerierten Abkömmlinge der frühen Kieferlosen durchaus zu. 15 Arten von Ingern leben in Tiefen von etwa 60 Metern in den gemäßigten Breiten beider Hemisphären. Die schleimigen, aalförmigen Körper werden bis zu 60 Zentimeter lang, die rückgebildeten Augen sind von Haut bedeckt; am Körper sitzen Kiemenöffnungen und zwei Reihen von Schleimdrüsen, die ein Sekret absondern, das die Tiere so schlüpfrig macht, daß man sie auch „Schleimaale" nennt.

Bei Tage leben die Inger in Sand, Kies oder Schlamm vergraben. Nachts kommen sie hervor, um sich von Aas und organischen Abfällen, aber auch lebenden Würmern und Krebstieren zu ernähren. Es ist bekannt, daß sie über die Körper von toten Fischen herfallen und Stück für Stück abreißen, bis kaum mehr übrig ist als Haut und Gräten.

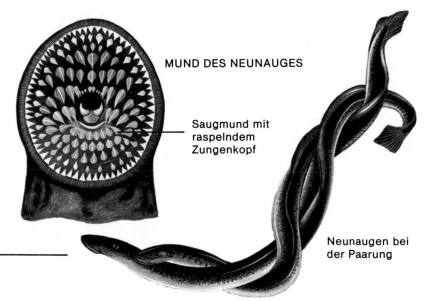

MUND DES NEUNAUGES

Saugmund mit
raspelndem
Zungenkopf

Neunaugen bei
der Paarung

Knorpelfische

(KLASSE CHONDRICHTHYES)

Das gesamte Innenskelett der Knorpelfische, zu denen Haie, Rochen und Seedrachen gehören, besteht ausschließlich aus Knorpelmasse; nur in ihrem Schuppenkleid finden sich knochige Bestandteile. Der Mund der Knorpelfische ist mit Zahnreihen in jedem Kiefer zum Beißen, Zerreißen oder Zermahlen eingerichtet. Bei den Haien wirken die paarigen Flossen als stabilisierende Elemente, bei den Rochen dagegen sind sie in erster Linie Hilfsmittel beim Schwimmen. Die Schwimmblase, die allen anderen Fischen Auftrieb verleiht, fehlt bei den Knorpelfischen; bei ihnen übernehmen der abgeflachte Kopf, die Brustflossen und der Schwanz diese Aufgabe. Vier bis sieben Kiemenspalten, die beiderseits hinter der Kopfregion liegen, sind als Körperöffnungen deutlich erkennbar.

Hoch entwickelt ist bei den Knorpelfischen der Geruchssinn, und die Seitenlinie — ein Netz von druckempfindlichen Organen am Kopf und an den beiden Körperseiten — reagiert äußerst sensibel. Diese Organe registrieren alle Vibrationen im Wasser und melden sie dem Gehirn. Unmittelbar hinter den Augen liegen die sogenannten „Spritzlöcher". Sie haben sich aus einem Paar Kiemenspalten entwickelt, dienen aber nicht mehr der Atmung. Nur manche Arten nehmen das Atemwasser durch diese Löcher auf, pumpen es in die Kiemenhöhle und lassen es durch die Kiemenspalten wieder austreten.

Bei den Knorpelfischen sind die Männchen leicht von den Weibchen zu unterscheiden. An den Bauchflossen der Männchen sitzen zwei steife, fingerähnliche Haftorgane, die zur inneren Befruchtung dienen. Viele Haie und Rochen bringen lebende Junge zur Welt, das heißt, die Jungen schlüpfen im Mutterleib aus den Eiern und entwickeln sich in ihm weiter. Andere Arten — so der Fleckenhai, die Katzenhaie und einige Rochen sowie die Seedrachen oder Chimären — legen Eier. Jedes Ei ist von einer hornigen Hülle, der sogenannten Eitasche, umgeben, an der oft gewundene Fäden sitzen, die den Eitaschen den volkstümlichen Namen „Seemäuse" eingetragen haben. Nach Stürmen sind sie häufig an den Küsten zu finden.

Unten: Mit rankenartigen Fäden hat sich die Eitasche eines Katzenhais an einer Pflanze verankert. In ihrem Innern ist der Embryo mit seinem langen Schwanz und seinen vorstehenden Augen ebenso deutlich zu erkennen wie der dunkle Dottersack, der ihn mit Nahrung versorgt.

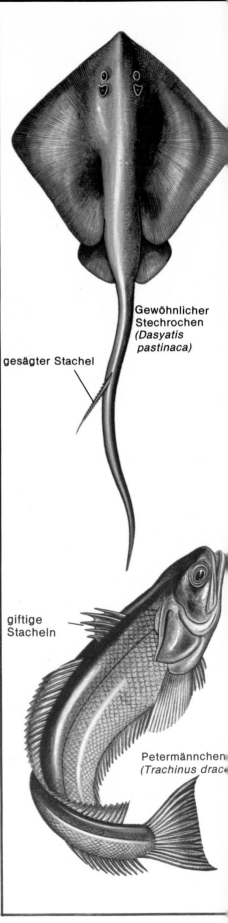

Gewöhnlicher
Stechrochen
*(Dasyatis
pastinaca)*

gesägter Stachel

giftige
Stacheln

Petermännchen
(Trachinus drac...)

Links: *Der häßliche und hochgiftige Steinfisch liegt gut getarnt in den seichten Gewässern des Indischen und des Pazifischen Ozeans. Die scharfen Stacheln auf seinem Rücken stehen mit Giftdrüsen in Verbindung.*

fleckten Körper hervorragend getarnt. Auf der Rückenflosse tragen sie eine Reihe kurzer, sehr scharfer Stacheln, die mit Giftdrüsen verbunden sind. Wird jemand von diesen Stacheln verletzt, strömt sofort Gift in die Wunde, die nicht nur äußerst schmerzhaft ist, sondern auch zum Tode führen kann.

Der giftigste Fisch der europäischen Gewässer ist das Zwerg-Petermännchen *(Trachinus vipera).* Obwohl nur ungefähr 13 Zentimeter lang, ist es höchst gefährlich, weil die Stachelstrahlen der Rückenflosse und des Kopfes mit Giftdrüsen versehen sind und sehr schmerzhafte Verletzungen verursachen.

Einzigartig unter den Wirbeltieren sind die elektrischen Eigenschaften verschiedener Fische. Es gibt rund 250 Arten, die über elektrische Organe verfügen. Zu den bekanntesten gehören die in tropischen und gemäßigten Gewässern heimischen Zitterrochen, die südamerikanischen Zitteraale (die nicht zu den Aalfischen gehören), der elektrische Wels aus Afrika und einige Himmelsgucker. Schwache Stromstöße dienen vermutlich als Signale für andere Tiere wie bei den Rochen oder als Navigationshilfe wie bei den Langnasen-Nilhechten. Einige Fische nutzen ihre elektrischen Kräfte zumNahrungsfang oder zur Abwehr von Feinden. Die Zitteraale können Stromstärken von mehr als 500 Volt erzeugen; sie reichen aus, um einen im Wasser watenden Mann, der mit einem solchen Fisch in Berührung kommt, umzuwerfen. Der Elektrische Wels erreicht Stromstärken zwischen 350 bis 450 Volt, bei den Zitterrochen dagegen sind es nur etwa 40 Volt.

Stachel, Stiche und elektrische Schläge

Die meisten Fische sind friedliche, ungefährliche Tiere, die entweder Tarnfarben tragen oder aus verschiedenen Gründen leuchtendbunt gefärbt sind. Einige Arten sind jedoch mit gefährlichen Verteidigungswaffen ausgerüstet.

Bei den Stachelrochen sitzt an der Schwanzbasis ein langer, gesägter oder mit Widerhaken versehener Stachel. Fischer hüten sich, auf eines dieser Tiere zu treten, denn wenn es gereizt wird, richtet es den Schwanz auf und bohrt den Stachel in das Bein seines Opfers. In den australischen Gewässern gibt es Stachelrochen von fast 2 Metern Durchmesser, und die Wunden ihrer Stacheln haben schon mehrfach zum Tode von Menschen geführt.

Die in den tropischen Gewässern Australiens und im Indischen und Pazifischen Ozean vorkommenden Steinfische oder Lebenden Steine (Gattung *Synanceja)* leben in seichtem Wasser und sind durch ihre warzigen, braun ge-

Großer Zitteraal
(Electrophorus electricus)

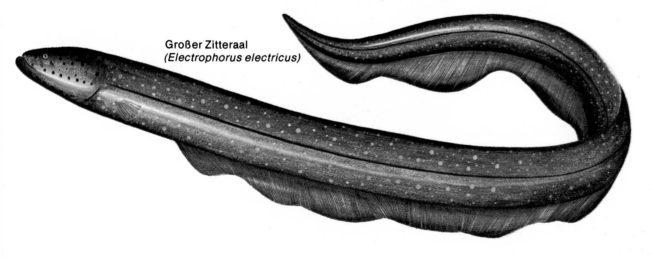

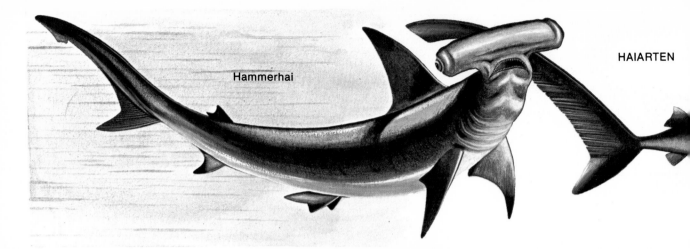

Hammerhai

Haie

(ORDNUNG SELACHI)

Die meisten Haie besitzen langge-
streckte, stromlinienförmige Körper;
Augen und Kiemenspalten liegen an
den Seiten des Kopfes. Die meisten
der etwa 250 Arten sind Jäger, die
sich von kleineren Knochenfischen
ernähren; nur ungefähr 12 Arten
werden auch dem Menschen gefährlich. Neben den Flossenpaaren an
Brust und Bauch haben die Haie ein
oder zwei Rückenflossen, eine After-
und eine Schwanzflossse. Der gesamte Körper ist mit scharfen, spitzen
Schuppen, sogenannten Hautzähn-
chen, bedeckt. Da sie nach hinten
zeigen, fühlt sich die Haut glatt an,
wenn man zum Schwanz hin über sie
hinwegstreicht, aber sehr rauh in der
Gegenrichtung.

Haie sind in fast allen Weltmeeren
anzutreffen, einige Arten auch in
Süßwasser. Die primitivsten unter ihnen sind der seltene, schlank gebaute
Kragen- oder Krausenhai (Chamy-
doselachus anguineus) in nordamerikanischen und japanischen Gewässern und die weiter verbreiteten
Grauhaie (Gattung Hexanchus). Sie
besitzen sechs oder sieben Kiemenspalten, die höher entwickelten Arten dagegen nur fünf. Zu den letzteren gehören die Sandhaie (FAMILIE
CARCHARIIDAE) und die Makrelen-
haie (FAMILIE ISURIDAE oder
LAMNIDAE), zu der einige der gefährlichsten Fische der Welt zählen. Mit
den vielen bedrohlich scharfen und
spitzen Zähnen, die aus ihrem Mund

herausragen, sind sie besonders typische Vertreter ihrer Ordnung. Der
Weiß- oder Menschenhai (Carcharo-
don carcharia), der in den Tropen
allgemein als „Menschenfresser-
hai" bezeichnet wird, gehört zu dieser Gruppe. Er ist gewöhnlich 5 bis 6
Meter lang und kann bis zu 3000 Kilogramm wiegen.

Der Fuchshai oder Drescher
(Alopias vulpinus) verdankt den Namen „Drescherhai" seinem extrem
langen, peitschenartigen Schwanz,
der fast so lang ist wie der gesamte
Körper und dazu dient, beim Umkreisen eines Fischschwarms peit-
schende Schläge auszuführen. Die
verängstigten Fische rücken immer
enger zusammen und sind dann
leicht zu fangen.

Oben: *Nur 12 der rund 250 Haiarten
werden dem Menschen gefährlich. Die
Zähne sind zum Zerreißen von Beute
vorgesehen. Abgenutzte Zähne werden
durch neue ersetzt, die in Reserverei-
hen hinter den vorderen liegen.*

Der größte aller heute lebenden Fische ist der gefleckte Walhai (Rhyn-
codon typus); er kann 15 bis 18 Meter lang werden. Über dieses Unge-
tüm ist viel geschrieben worden, aber
über sein Verhalten wissen wir erstaunlich wenig. Trotz seiner Größe
ist der Walhai ein friedliches, sanf-
mütiges Tier; das jedenfalls berichten Taucher, die um ihn herumge-
schwommen sind. Er ernährt sich
von kleineren Lebewesen — Fischen,
Kalmaren und Garnelen. Obwohl in
jedem Kiefer rund 300 Reihen Zähne
angelegt sind, von denen jeweils 10

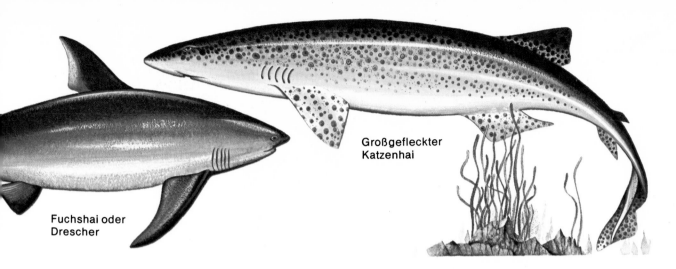

Großgefleckter
Katzenhai

Fuchshai oder
Drescher

bis 15 Reihen in Gebrauch sind, filtert der Walhai seine Nahrung mit Hilfe von Kiemenreusen, die von der Basis der Kiemenbögen aus in den Schlund hineinragen. Er kommt in allen Weltmeeren vor, scheint jedoch in den Karibischen Gewässern und im Golf von Kalifornien am häufigsten zu sein.

Der längste Hai der europäischen Meere ist mit einer Körperlänge von 14 Metern der Riesenhai *(Cetorhinus maximus)*. Im Aussehen ähnelt er den Makrelenhaien, ernährt sich aber im Gegensatz zu ihnen überwiegend von Plankton und kleineren Meerestieren, wobei er die Nahrung

ähnlich aus dem Wasser herausfiltert wie der Walhai. Einen Großteil seiner Zeit verbringt er damit, sich auf der Wasseroberfläche treiben zu lassen oder so dicht unter ihr zu schwimmen, daß nur die Rückenflosse herausragt. Neuere Forschungen lassen vermuten, daß die Kiemenreusen im Laufe des Winters abgebaut und im Frühjahr wieder neu gebildet werden.

Am leichtesten zu identifizieren sind die Hammerhaie (FAMILIE SPHYRNIDAE). Augen und Nasenöffnungen sitzen an den Seiten der hammerförmigen Verbreiterung der Schnauze und können bei einem 5

Meter langen Hammerhai bis zu einem Meter weit auseinanderliegen. Allem Anschein nach ernähren sich die Hammerhaie in erster Linie von den nahe mit ihnen verwandten Stachelrochen sowie anderen Fischen. Die Rochen können sie ganz verschlingen; gegen das Gift ihrer Stacheln sind sie offenbar immun.

Der Gefleckte Wobbegong oder Teppichhai *(Orectolobus maculatus)* hat keinen stromlinienförmigen Körper, der ihn zum schnellen Schwimmen befähigt, ist dafür aber so gut getarnt, daß er sich mühelos auf dem Grund von Korallenriffen oder auf Felsen verstecken kann. Wenn er an einem solchen Ort während der Tagesstunden ruht, gleicht er einem von Tang überwachsenen Stein. In der Nacht stürzt er sich dann auf irgendein ahnungsloses Opfer oder sucht auf dem Grund nach Nahrung.

Zu den schönsten Haien gehören die Katzenhaie (FAMILIE SCYLIOTHINIDAE); ihr Körper ist gewöhnlich auffällig gestreift oder gefleckt. Zu ihnen zählen der Großgefleckte und der Kleingefleckte Katzenhai, die beide selten länger werden als 80 Zentimeter. Insgesamt gehören zu dieser Familie etwa 50 Arten, die in Küstengewässern ebenso anzutreffen sind wie in der Tiefsee und praktisch alles fressen, was sich ihnen anbietet.

Links: *Ein Weiß- oder Menschenhai schwimmt auf der Suche nach Nahrung gemächlich über ein Korallenriff. Wenn Gerüche oder Vibrationen auf eine mögliche Beute hindeuten, umkreist sie der Hai, bis er sie erreicht hat.*

spalten auf der Unterseite wieder abgegeben. Arten, die wie die Teufels- oder Mantarochen nicht auf dem Meeresgrund leben, atmen wie die anderen Fische durch den Mund.

Die Geigenrochen (Gattung *Rhinobatos*) sind in den Gewässern der Tropen und der gemäßigten Breiten heimisch. Im Aussehen haben sie einiges mit den Haien, einiges mit den Rochen gemeinsam. Der längliche Körper ist an Kopf und Rumpf seitlich abgeplattet, die Brustflossen sind nur wenig vergrößert. Da jedoch die Kiemenspalten unter den Brustflossen liegen, gehören diese Tiere eindeutig zu den Rochen. Sie können bis zu 2 Meter lang werden und sind häufig in großen Rudeln in allen Weltmeeren anzutreffen.

Zu den merkwürdigsten Arten zählen die Sägerochen (Gattung *Pristis*). Sie sind überwiegend Bewohner tropischer Meere, dringen aber gelegentlich auch in Süßwasser vor. Im Nicaraguasee in Zentralamerika gibt es einen fest eingebürgerten Bestand, dem vermutlich der Rück-

Rochen

(ORDNUNG RAJIFORMES)

Die Rochen sind mit den Haien nahe verwandt; ihre Körper sind jedoch stark abgeflacht und die Brustflossen erheblich vergrößert und so mit dem Kopf verwachsen, daß sie eine Scheibe bilden. Augen und Spritzlöcher liegen an der Oberseite des Kopfes, Mund, Nasenöffnungen und Kiemenspalten dagegen an der Unterseite. Die Afterflosse fehlt, der Schwanz ist gewöhnlich lang ausgezogen und häufig mit einem Stachel ausgerüstet.

Das Atemwasser nehmen diese Fische nicht durch den Mund auf, weil sie als Bodenbewohner auf diese Weise zu viel Schlamm und Schlick einsaugen würden. Das Wasser wird stattdessen durch die auf der Oberseite der Tiere liegenden Spritzlöcher eingesaugt und durch die Kiemen-

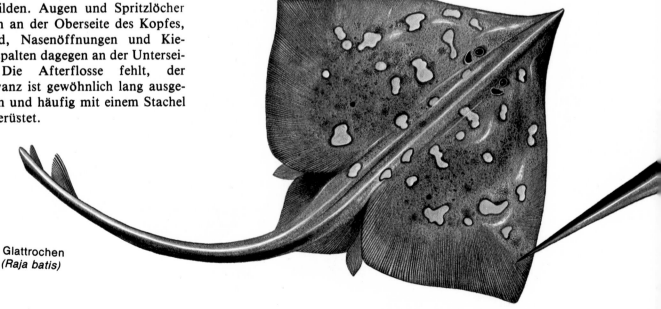

Glattrochen
(*Raja batis*)

weg ins Meer verschlossen ist. Die „Säge" ist je nach Art mit 16 bis 35 Zahnpaaren besetzt. Sie dient nicht nur dazu, im Sand nach Nahrung zu graben, sondern auch zum Verwunden und Aufspießen von Fischen. Nachdem ein Sägerochen so viel Beute wie möglich gefangen hat, kann er sie geruhsam auffressen.

Die Echten Rochen (UNTERORDNUNG RAJOIDEI) sind stark abgeflacht; die meisten der rund 100 Arten gehören zur Gattung *Raja*. An der amerikanischen Atlantikküste ist die kleine, nur ungefähr 50 Zentimeter lange Art *Raja erinacea* besonders häufig anzutreffen. Die größte Art, *R. binoculata*, lebt im Pazifik und wird bis zu 2,50 Meter lang.

Zwei Familien mit zusammen rund 100 Arten tragen giftige Stacheln. Dabei handelt es sich um die Stachel- und Stechrochen (FAMILIE DASYATIDAE) und die Adlerrochen (FAMILIE MYLIOBATIDAE). Einige von ihnen können bis zu 5 Meter lang und mehr als 250 Kilogramm schwer werden, und der Stachel an ihrem peitschenähnlichen Schwanz ist eine furchterregende Waffe.

Die Teufels- oder Mantarochen (FAMILIE MOBULIDAE) stehen in einem sehr schlechten Ruf, der jedoch weitgehend unverdient ist, obwohl sie sehr große und kräftige Tiere sind. Bei einem Riesenmanta wurde eine Breite von über 7 Metern und ein Gewicht von rund 1560 Kilogramm festgestellt. So große Tiere müssen mit Respekt betrachtet werden, aber im allgemeinen sind sie friedfertig und ernähren sich nahe der Wasseroberfläche von kleinen Meerestieren, die sie mit ihrem breiten Mund in sich hineinschaufeln.

Seedrachen oder Chimären

(UNTERKLASSE HOLOCEPHALI)
Die 25 Arten von Seedrachen weisen eine Reihe von Merkmalen auf, die sie in mancher Hinsicht zwischen die Haie und die Knochenfische stellen. Haiähnliche Merkmale sind das Knorpelskelett, das paarige Begattungsorgan der Männchen und die Eiablage in verhornten Taschen. Den Knochenfischen gleichen sie darin, daß die Kiemenspalten mit Haut überdeckt und getrennte Körperöffnungen für Verdauungs- und Fortpflanzungsorgane vorhanden sind. Außerdem besitzen die Männchen an der Vorderseite der Schnauze ein weiteres Greiforgan, das bei der Begattung benutzt wird — auf welche Weise, ist bisher ungeklärt.

Die Seekatzen (FAMILIE CHIMAERIDAE) tragen auffällige Schleimkanäle auf dem Kopf, einen Giftstachel auf dem Rücken und einen langen Schwanz, der ihnen den Namen „Seeratten" eingetragen hat. Ihre Leber enthält ein Öl, das zum Einfetten von Präzisionsinstrumenten geschätzt wird. In europäischen Gewässern am häufigsten anzutreffen ist die Seeratte oder Spröke *(Chimaera monstrosa)*, die oft 1,20 Meter lang wird.

Die Langnasenchimären (FAMILIE RHINOCHIMAERIDAE) haben dolchähnliche langgezogene Schnauzen; da sie in Tiefen zwischen 700 und 2500 Metern leben, kommen sie dem Menschen nur selten zu Gesicht.

Die Pflugnasen- oder Elefantenchimären (FAMILIE CALLORHYNCHIDAE) verdanken ihren Namen einer rüsselartigen Verlängerung der Schnauze. Sie leben ausschließlich in den gemäßigten und kühlen Meeren der südlichen Hemisphäre, in Tiefen bis zu 200 Metern.

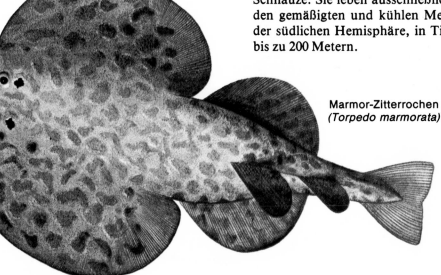

Marmor-Zitterrochen
(Torpedo marmorata)

Langnasenchimäre
(Trachyrhynchus-Art)

Knochenfische

(KLASSE OSTEICHTHYES)

Die Altfische — Überlebende aus grauer Vorzeit

Die Altfische sind eine sehr alte Gruppe mit einem Skelett, das noch überwiegend aus Knorpel besteht; nur die Flossen werden durch Knochenstrahlen gestützt.

Die Flössler (ÜBERORDNUNG POLYPTERI) sind in afrikanischen Binnengewässern heimisch; zu ihnen gehören nur zwei Gattungen mit insgesamt 10 Arten. Ihre Schuppen sind mit einer zahnschmelzähnlichen Substanz bedeckt, die als Ganoin bezeichnet wird; neben Kiemen besitzen sie zum Atmen auch ein lungenähnliches Organ. Der wissenschaftliche Name „Polypteri" bedeutet Vielflosser und bezieht sich auf die 5 bis 18 fähnchenartigen „Flösseln" auf dem Rücken, die aufgerichtet werden können. Von der Lebensweise der Flössler wissen wir nicht viel mehr, als daß sie Würmer, Insektenlarven und kleine Fische fressen.

Die Störe (ORDNUNG ACIPENSERIFORMES) sind haiähnliche Fische, die in der gemäßigten und arktischen Zone leben; durch ihren Kiemenbau und das Vorhandensein einer Schwimmblase zählen sie zu den Knochenfischen. Die Störe sind träge Geschöpfe mit einer langen Schnauze, an der Bartfäden sitzen; mit ihnen wühlen sie im Schlamm nach kleinen wirbellosen Tieren, die sie dann in den zahnlosen Mund saugen.

Unten: *Von einem Schönflössler (Polypterus ornatipinnis) steigen Luftblasen auf. Dieser in tropischen Binnengewässern Afrikas heimische Fisch kann mehrere Stunden außerhalb des Wassers verbringen, weil er ein lungenähnliches Atmungsorgan besitzt. Anstelle einer Flosse trägt er fähnchenähnliche Flösseln auf dem Rücken.*

Der Europäische Hausen *(Huso huso)* kann bis zu 8,50 Meter lang und bis zu einer Tonne schwer werden und lebt in der Adria sowie im Schwarzen und im Kaspischen Meer. Seine Eier liefern den Beluga-Kaviar, der als Delikatesse hoch geschätzt wird. Große Exemplare dieser Art sind jedoch sehr selten geworden.

Im Einzugsgebiet des Mississippi lebt der Amerikanische Löffelstör oder Schaufelrüssler *(Polyodon spathula)*. Seinen Namen verdankt er der löffelförmigen Schnauzenverlängerung; die Schnauze ist fast so lang wie der Körper. Eine verwandte Art, der Chinesische Schwertstör oder Schwertrüßler *(Psephurus gladius)* lebt im Jangtsekiang.

Kahlhechte

(ORDNUNG AMIIFORMES)

Auch die Kahlhechte waren früher in den Süßgewässern Europas und der Vereinigten Staaten weit verbreitet. Heute existiert nur noch der Amerikanische Schlammfisch oder Kahlhecht *(Amia calva)* in den Flüssen und Sumpfgebieten im Osten der USA. Er besitzt eine lange, leicht gebogene, stachellose Rückenflosse. Die Männchen bauen zwischen Was-

Alligatorfisch
(Lepisosteus tristoechus)

serpflanzen Nester und bewachen die von den Weibchen gelegten Eier, eine Zeitlang sogar die aus ihnen geschlüpften Jungfische.

Knochenhechte

(ORDNUNG LEPISOSTEIFORMES)
Die etwa zehn Arten dieser Ordnung leben ausschließlich in Nord- und Mittelamerika. Sie können bis zu 3 Meter lang werden und sind an der lang ausgezogenen Schnauze zu erkennen, mit der sie durch schnelle Seitwärtsbewegung ihre Beute schnappen. Sie wird von vielen nadelspitzen Zähnen regelrecht durchbohrt und festgehalten. Der Schlanke oder Langnasen-Knochenhecht *(Lepisosteus osseus)* ist besonders

Oben: *Der Amerikanische Löffelstör ist nur im Mississippi und seinen Nebenflüssen anzutreffen. Mit seiner langgezogenen, löffelförmigen Schnauze wühlt er im Schlamm des Flußbetts und filtert mit Hilfe von Kiemendornen kleine Tiere aus dem trüben Wasser.*

weit verbreitet und in zahlreichen Flüssen im Süden der Vereinigten Staaten anzutreffen.

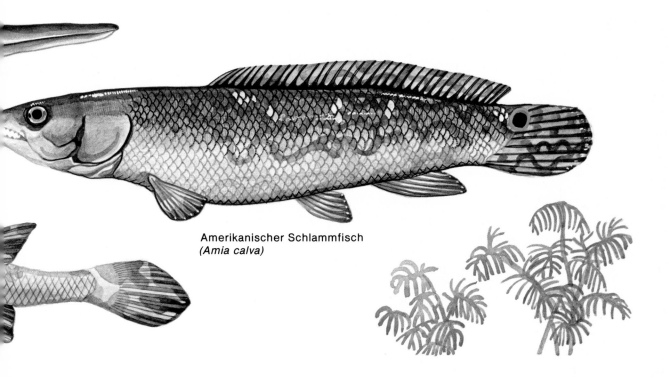

Amerikanischer Schlammfisch
(Amia calva)

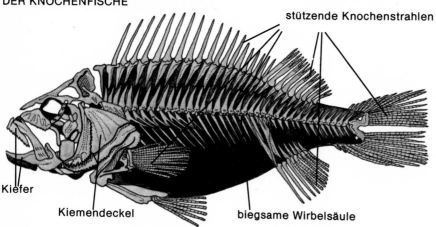

stützende Knochenstrahlen

Kiefer

Kiemendeckel

biegsame Wirbelsäule

Echte Knochenfische

(ÜBERORDNUNG TELEOSTEI)

Die Echten Knochenfische, die sich vor rund 190 Millionen Jahren entwickelten, bilden heute die zahlenmäßig stärkste Gruppe unter den Wirbeltieren. Obwohl sie sich in der Form zum Teil erheblich voneinander unterscheiden, sind der knöcherne Schädel und das Rückgrat bei allen Arten deutlich ausgeprägt. Die Haut ist zumeist beschuppt; nur bei wenigen Arten ist sie nackt.

Eine noch recht urtümlich Gruppe von etwa 12 Arten bilden die Tarpunähnlichen Fische (ORDNUNG ELOPIFORMES). Sie sind mit den Heringen verwandt, werden aber wesentlich größer. Der Tarpun (Megalops atlanticus) kann bis zu 2,50 Meter lang werden und ist ein beliebter „Sportfisch" vor den Küsten Floridas und Carolinas. Seine großen Schuppen werden zu allen möglichen Schmuckstücken verarbeitet.

Heringsfisch

(ORDNUNG CLUPEIFORMES)

Zu dieser Gruppe gehören viele wichtige Speisefische. Für die meisten der rund 350 Arten ist die typische „Fischform" ebenso kennzeichnend wie die silbrigen Schuppen, die sich leicht von der Haut ablösen. Die Heringsfische leben in großen Schwärmen nahe der Meeresoberfläche und werden in Massen gefischt. Der Atlantische Hering (Clupea harengus), dessen Schwärme oft aus Millionen Einzelwesen bestehen, unternimmt ausgedehnte Wanderungen, die von Wassertemperatur, verfügbarer Nahrung und geeigneten Laichgründen abhängig und deshalb nicht vorauszusehen sind.

Der nordamerikanische Großaugenhering (Pomolobus pseudoharengus) wird nur etwa 25 Zentimeter lang und verbringt wie die Alsen (Gattung Alosa) den größten Teil seines Lebens im Meer, wandert aber zum Laichen in die Flüsse. Die Eier der Alsen werden wie die aller Heringsfische auf dem Grund zwischen Kies und Gestein abgelegt und treiben nicht in der Nähe der Wasseroberfläche wie bei fast allen anderen Seefischen. Weitere bekannte Heringsfische sind Sardinen, Sprotten (Gattung Sprattus) und Sardellen oder Anchovis (Gattung Engraulis).

Aalfische

(ORDNUNG ANGUILLIFORMES)

Ungeachtet ihres schlangenähnlichen Aussehens sind die Aale echte Knochenfische; von den anderen Arten unterscheiden sie sich dadurch, daß sie weniger Schuppen besitzen, die zudem tief in der Haut liegen, und daß die paarigen Flossen oft sehr klein sind. Außerdem besitzen sie keine Bauchflosse; in den Kiefern sitzen kleine, sehr scharfe Zähne.

Die meisten der rund 350 Arten sind Meerestiere; nur die Echten Aale (FAMILIE ANGUILLIDAE), zu der der Europäische Flußaal (Anguilla anguilla) ebenso gehört wie der Amerikanische Aal (A. rostrata), leben in Flüssen, wandern aber zum Laichen in das Sargassomeer zwischen den

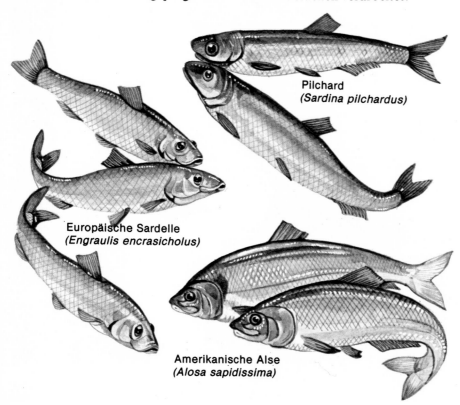

Pilchard
(Sardina pilchardus)

Europäische Sardelle
(Engraulis encrasicholus)

Amerikanische Alse
(Alosa sapidissima)

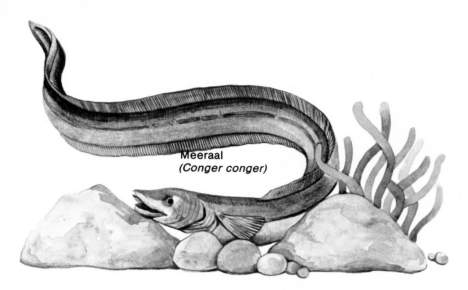

Meeraal
(*Conger conger*)

gezeichnet. Die meisten Arten werden rund einen Meter lang, es gibt aber auch Riesen mit Längen bis zu 3 Metern. Sie haben durchweg ein scharfes Gebiß, und einige Arten sind sogar giftig; nur die bunt geringelten Angehörigen der Gattung *Echidna* besitzen stumpfe Mahlzähne zum Zermalmen von Weichtieren, Sanddollars und anderen Seeigeln. Wie die meisten Muränen verbergen sie sich tagsüber in schmalen Felsspalten und gehen in der Nacht auf Beutefang.

In vielen Ländern sind Aale als Leckerbissen hoch geschätzt; sie werden frisch verkauft oder durch Räuchern und Pökeln konserviert.

Bermudas und den Westindischen Inseln, wobei sie zum Teil erstaunliche Strecken zurücklegen.

Die Meeraale (FAMILIE CONGRIDAE) sind überwiegend Bewohner seichter Gewässer; nur einige Arten, zum Beispiel *Promyllantor purpureus,* leben in der Tiefsee.

Die Muränen (FAMILIE MURAENIDAE) sind in den Gewässern der Tropen und Subtropen zuhause. Viele von ihnen sind auffällig gefärbt und

Unten: *Aus ihrem sicheren Unterschlupf in einem Korallenriff bedroht eine Muräne den Photographen. Nachts geht dieser gefährliche Räuber auf die Jagd nach kleinen Fischen, Garnelen und anderen Krebstieren.*

Knochenzüngler

(ORDNUNG OSTEOGLOSSIFORMES)

Diese Fische, die aussehen wie riesige Hechte, leben in den Flüssen der Tropen. Sie haben dicke, dekorative Schuppen und bezahnte Zungen, mit denen sie ihre Beute, kleinere Fische, zerbeißen. Der im Amazonasgebiet heimische Arapaima *(Arapaima gigas)* wird durchweg etwa 2 Meter lang; einigen Berichten zufolge soll er sogar die doppelte Länge erreichen können. Er wird häufig als der größte Süßwasserfisch bezeichnet, aber es gibt Welse, die ebenso groß oder noch größer werden. Der Arapaima brütet in seichten Gewässern mit sandigem Grund, wo er mit seinen paarigen Flossen eine Art Nest gräbt.

Der nahe mit ihm verwandte Gabelbart oder Arawana *(Osteoglossum bicirrhosum)* und andere Knochenzüngler sind Maulbrüter, das heißt, sie tragen die Eier im Mund oder Rachen, bis die Jungen geschlüpft sind.

Nilhechte

(ORDNUNG MORMYRIFORMES)

Die Nilhechte sind mit den Knochenzünglern nahe verwandt, kommen aber nur in Afrika vor. Ihr auffälligstes Merkmal ist die stark verlängerte Schnauze, die fast allen der rund 150 Arten gemeinsam ist. Die meisten von ihnen besitzen ein elektrisches System, mit dessen Hilfe sie ihren Weg finden und andere Fische, Feinde und Beutetiere wie Würmer, Insektenlarven und andere wirbellose Tiere entdecken.

Oben: *Der Arapaima, ein Süßwasserfisch Südamerikas, wird gewöhnlich rund 2 Meter lang; früher sollen sogar 4 Meter lange Exemplare mit einem Gewicht von rund 200 Kilogramm entdeckt worden sein.*

Nasennilhecht
(Gattung *Mormyrus*)

Fischwanderungen

Die meisten Fische sind ständig unterwegs; sie suchen nach Nahrung oder lassen sich einfach von den Meeresströmungen treiben. Einige unternehmen jedoch regelrechte Reisen, über die wir in den letzten Jahren viele neue Erkenntnisse gewonnen haben — zum Teil dadurch, daß die Tiere auf verschiedene Weise gekennzeichnet wurden.

Berühmt für ihren Zug sind die Lachse. Eine ganze Reihe von Lachsarten wandert, darunter der Atlantische Lachs in den europäischen Gewässern und die in den Meeren und Flüssen des pazifischen Raums lebenden Arten — Buckellachs, Blaurückenlachs, Quinnat und Keta-Lachs. Im Leben dieser Lachse gibt es zwei Lebensabschnitte — einen im Süßwasser und einen im Salzwasser. Nachdem ein Lachs einige Zeit im Meer verbracht hat, schwimmt er in eine Flußmündung und wandert stromaufwärts, um im Oberlauf des Flusses zu laichen. Um den Laichgrund zu erreichen, muß ein Lachs gegen den Strom schwimmen und gelegentlich 3 bis 5 Meter hohe Wasserfälle im Sprung überwinden. Nachdem das Weibchen einen Partner gefunden hat, hebt es eine Laichgrube aus und legt seine Eier darin ab, die dann vom Männchen besamt werden. Damit ist der Zweck der mühseligen Reise erfüllt; die gewöhnlich stark geschwächten Tiere lassen sich stromabwärts treiben, und nur wenige erreichen lebend das Meer.

Das Erstaunlichste ist jedoch, daß die Lachse imstande sind, den Strom wiederzufinden, in dem ihr Leben begann. Man nimmt an, daß sie nach Mond und Sonne navigieren und außerdem mit ihrem überragenden Geruchssinn einen Strom vom anderen unterscheiden.

Nicht weniger berühmte Wanderer sind die Echten oder Flußaale (Gattung *Anguilla*). Ausgewachsene Tiere beginnen ihre Reise ins Sargassomeer mit der Wanderung flußabwärts. Im Frühjahr laichen sie im Sargassomeer, und viele sterben danach. Aus den Eiern schlüpfen winzige Larven, die sogenannten Weidenblatt-Larven, durchsichtige, blattförmige Geschöpfe, die früher für eine selbständige Art gehalten wurden. Die heranwachsenden Larven lassen sich vom Golfstrom treiben. Die amerikanischen Arten haben nach einem Jahr die Ostküste der USA erreicht, während die Larven des Europäischen Flußaals eine drei- bis vierjährige Reise hinter sich bringen, bis sie die Küstengewässer Europas erreicht haben. Hier verwandeln sie sich in die sogenannten Glasaale und schwimmen in die Flußmündungen ein. Dann wandern sie flußaufwärts, wobei sie immer größer und dunkler werden. Nach 4 bis 12 Jahren in den Flüssen sind die Tiere ausgewachsen und treten die lange Reise zu den Laichgründen an.

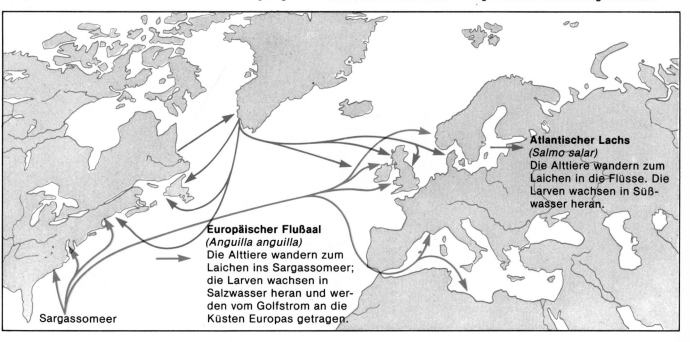

Atlantischer Lachs
(Salmo salar)
Die Alttiere wandern zum Laichen in die Flüsse. Die Larven wachsen in Süßwasser heran.

Europäischer Flußaal
(Anguilla anguilla)
Die Alttiere wandern zum Laichen ins Sargassomeer; die Larven wachsen in Salzwasser heran und werden vom Golfstrom an die Küsten Europas getragen.

Sargassomeer

Leuchtende Fische

Eine Reihe nicht miteinander verwandter Fische verfügt über die Möglichkeit, Licht zu erzeugen und auszustrahlen. Menschen, die das Glück hatten, diese Tiere zu Gesicht zu bekommen, beschreiben es als grünlich phosphoreszierendes Leuchten. Die Leuchtfische leben fast ausschließlich in der Tiefsee und haben diese Einrichtung aus verschiedenen Gründen entwickelt. Einmal dient das Licht dazu, Angehörige der eigenen Art zu erkennen, was vor allem bei der Partnersuche wichtig ist; da bei jeder Art die Leuchtorgane an einer anderen Stelle sitzen, ist das ohne weiteres möglich. Zum anderen helfen sie beim Anlocken von Beutetieren. Der Leuchtstoff kann in einem von Drüsenzellen erzeugten Schleim enthalten sein, gelegentlich wird er auch von Bakterien erzeugt.

Bei den Laternenfischen (FAMILIE MYCTOPHIDAE) finden sich perlenartig aufgereihte Leuchtorgane, die glitzernden Juwelen oder Perlmutterknöpfen ähneln. Die rund 150 Arten dieser Familie steigen allnächtlich aus der Tiefsee an die Wasseroberfläche auf, um Plankton zu fressen.

Bei den Tiefseeanglern (UNTERORDNUNG CERATIOIDEI) ist der erste Stachel der Rückenflosse auf die Schnauze gewandert und hat die Form einer Angelrute mit Köder angenommen. Der Köder ist eine Art „Glühlampe", die kleinere Fische anzieht; wenn sie nahe genug herangekommen sind, werden sie von dem großen, weit aufgerissenen Mund geschnappt.

Oben: Ein konservierter Tiefseeangler zeigt sein Angelorgan — einen leuchtenden Köder am Ende einer beweglichen, über seinem gewaltigen Mund sitzenden Angelrute. Mit dem Licht lockt er kleinere Fische in Reichweite seines Mauls.

Lachsfische, Hechte und Verwandte

(ORDNUNG SALMONIFORMES)

Lachse und Forellen gehören zu den Fischen, die sich bei Anglern an Binnengewässern der größten Beliebtheit erfreuen. Es gibt rund 25 Arten von lachsähnlichen Fischen, die sämtlich auf dem Rücken kurz vor der Schwanzflosse eine strahlenlose Fettflosse tragen. Sie sind in der gesamten nördlichen Hemisphäre anzutreffen, Forellen fast ausschließlich in Süßwasser, während die erwachsenen Lachse einen Großteil ihres Lebens in den Ozeanen verbringen. Nur zum Laichen steigen sie in die Flüsse auf; danach sterben sie gewöhnlich vor Erschöpfung und Unterernährung. Viele Arten wurden vom Menschen mit Erfolg in die südliche Hemisphäre eingeführt.

Forellen sind kleiner als Lachse, und selbst wenn sie gelegentlich ins Meer schwimmen, entfernen sie sich vermutlich selten weit von der Fluß-

mündung. In unseren Gewässern ist die Europäische Forelle *(Salmo trutta)* am häufigsten anzutreffen. Bis heute ist nicht restlos geklärt, ob einige andere Forellen — Meer-, See- und Bachforellen — als eigenständige Arten oder nur als Unterarten der Europäischen Forelle anzusehen sind. Eine wichtige Rolle spielt auch die Regenbogenforelle *(Salmo gairdneri);* ihr Körper weist entlang der Seitenlinie eine farbige Bänderung auf. Zu den Lachsartigen Fischen gehören auch die hübsch gefleckten und gepunkteten Saiblinge; zu erwähnen sind der in Europa heimische Wandersaibling *(Salvelinus alpinus)* sowie der nordamerikanische Bachsaibling *(S. fontinalis).*

Hechte sind gefräßige Raubtiere in den Binnengewässern der nördlichen Hemisphäre (FAMILIE ESOCIDAE). Der über fast ganz Europa, Sibirien und Nordamerika verbreitete Hecht *(Esox lucius)* kann in Ausnahmefällen mehr als 20 Kilogramm wiegen; das Durchschnittsgewicht liegt zwischen 1 und 5 Kilogramm. Über die Wildheit des Hechtes werden zum Teil erstaunliche Geschichten erzählt; unvorsichtige Angler können ernsthafte Bißwunden davontragen, und die Tiere scheuen auch nicht davor zurück, neben anderer Beute ihre eigenen Artgenossen zu verschlingen.

In den Großen Seen Nordamerikas lebt die Muskellunge *(Esox masquinongy);* sie kann doppelt so groß und so schwer werden wie der Hecht. Daneben gibt es in Nordamerika noch einige kleinere Arten.

Karpfenfische, Salmler und Verwandte

(ORDNUNG CYPRINIFORMES)

In dieser Ordnung findet sich eine Reihe wohlbekannter Süßwasserfische, darunter Karpfen *(Cyprinus carpio),* Barbe *(Barbus barbus),* Döbel *(Leuciscus cephalus),* Goldfisch oder Goldkarausche *(Carassius*

Links: *Eine ausgewachsene Europäische Forelle ist leicht an den rötlichen Flecken zu erkennen, die sich an der Seitenlinie entlangziehen und von helleren Flächen umgeben sind.*

auratus) und Großer Zitteraal *(Electrophorus electricus).* Allen Karpfenfischen gemeinsam ist eine Kette kleiner Knöchel, die die Schwimmblase mit den Gehörorganen verbindet. Sie wird von den Zoologen als Weberscher Apparat bezeichnet und sorgt vermutlich für ein besonders scharfes Gehör.

Der Karpfen war ursprünglich wohl in den Binnengewässern zwischen dem Schwarzen Meer und Turkestan beheimatet, wurde aber bereits im Mittelalter nach Europa gebracht und wird seither in vielen Ländern mit Erfolg gezüchtet. Der Spiegelkarpfen mit weniger, aber besonders großen Schuppen ist ebenso eine Zuchtform wie der völlig oder fast schuppenlose Lederkarpfen.

In Europa gleichfalls weit verbreitet ist die Elritze *(Phoxinus phoxinus),* ein silbriger Fisch, der nur selten länger als 10 Zentimeter wird; zur Laichzeit färbt er sich in leuchtenden Tönen. Ein beliebter Weißfisch, der als Speisefisch häufig mit Karpfen zusammen gezüchtet wird, ist die Schleie *(Tinca tinca).*

Zu den Salmlern (UNTERORDNUNG CHARACOIDEI) gehören vermutlich mehr als 1000 Arten in warmen

Himmelsgucker

Perlfisch

Shubunkin

Mohr

Gewöhnlicher Goldfisch

Binnengewässern zwischen Texas und Argentinien sowie rund 200 im tropischen Afrika. In der Form ähneln sie Karpfen oder Elritzen, besitzen aber bezahnte Kiefer und tragen auf dem Rücken zwischen Rücken- und Schwanzflosse eine zusätzliche Fettflosse. Viele der kleineren Arten sind herrlich gefärbt und als Aquarienfische sehr beliebt, vor allem die sogenannten „Tetras" (UNTERFAMILIE TETRAGON-OPTERINAE).

Die gefährlichsten und berüchtigtsten Salmler sind die Sägesalmler oder Piranhas (UNTERFAMILIE SERRASALMINAE), aber von den rund 20 Arten verdienen höchstens vier ihren schlechten Ruf. In öffentlichen Aquarien ist Natterers Sägesalmler *(Serrasalmus nattereri)* am häufigsten anzutreffen. Die Piranhas sind zwar ganz offenkundig Fleischfresser, ernähren sich aber hauptsächlich von kleineren Fischen; nur gelegentlich vergreifen sie sich an einem geschwächten oder verletzten größeren Lebewesen. Sie gehen in großen Schwärmen aus bis zu tausend Individuen auf Raub aus, und wenn ein

Pferd, eine Kuh oder ein großes Nagetier wie beispielsweise ein Capybara in einen von Piranhas wimmelnden südamerikanischen Fluß fällt, schnappen sie mit ihren dreieckigen, rasiermesserscharfen Zähnen danach. Eingeborenen fehlen oft Finger oder Zehen, weil sie von Piranhas abgebissen wurden.

Oben: *Nahaufnahme eines Piranha, des gefürchtetsten Raubfisches der südamerikanischen Flüsse. Die rasiermesserscharfen, dreieckigen Zähne werden in der Regel in kleinere Fische geschlagen; nur gelegentlich fallen riesige Schwärme auch größere Tiere an und verschlingen sie.*

Welse

(ORDNUNG SILURIFORMES)

Die meisten der rund 2000 Welsarten leben in tropischen Binnengewässern Afrikas, Asiens und Südamerikas; einige Arten kommen auch in der nördlichen Hemisphäre vor. Fast alle tragen am Kopf sogenannte Barteln, mit denen sie im schlammigen Grund nach Nahrung wühlen. Ihre Körper sind schuppenlos oder mit Knochenplatten gepanzert. Einige Arten leben in Höhlen oder Artesischen Brunnen; wie andere Höhlenbewohner sind sie meist blind und farblos.

Bei den schuppenlosen Welsen finden sich sehr unterschiedliche Gestalten und Lebensweisen. Der größte europäische Wels ist der Flußwels oder Waller *(Silurus glanis);* er kann bis zu 3 Meter lang werden. Große Exemplare ernähren sich von Wasservögeln und Kleinsäugern, vor allem Nagetieren. Unter den Lang-

Links: *An diesem afrikanischen Wels sind die langen Barteln deutlich zu erkennen. Sie dienen zur Orientierung und zum Auffinden von Nahrung in schlammigen oder dunklen Gewässern.*

stirn-Maulbrüterwelsen (Gattung *Tachysurus*), deren Körperform an ein Banjo erinnert, gibt es Arten, bei denen der hintere Teil der Bauchflossen des Weibchens so umgebildet und verbreitert ist, daß es die Eier auffangen und festhalten kann.

Eine Reihe von Welsen sind sogenannte Maulbrüter, das heißt, die Männchen tragen die Eier und auch die frisch geschlüpften Jungtiere im Maul, um sie zu schützen. Da die Eier Durchmesser bis zu 2 Zentimetern haben können, sehen die Männchen aus, als hätten sie das Maul voller Murmeln. Während des Brütens können sie nicht fressen.

Einige in Südamerika weit verbreitete Arten leben als Parasiten von anderen Fischen; sie bewohnen die Kiemenhöhlen und ernähren sich von Blut. Eine interessante afrikanische Art ist der Rückenschwimmende Kongo-Wels *(Synodontis nigriventris);* er kann nicht nur, wie sein Name besagt, auf dem Rücken schwimmen, sondern auch auf der rechten oder linken Seite und wechselt beständig seine Lage. Auch der Elektrische Wels *(Malapterurus electricus)* ist in Afrika heimisch. Große Exemplare mit einer Körperlänge von etwa 1,20 Metern können elektrische Schläge bis zu 400 Volt austeilen. Diese Art war schon den alten Ägyptern bekannt und wurde in ihren Malereien oft dargestellt.

Armflosser

(ORDNUNG LOPHIIFORMES)

Zu den Armflossern gehören Seeteufel, Fühlerfische und Tiefseeangler. Alle besitzen abgeplattete Körper und große Mäuler. Die rund 150 Arten dieser Ordnung kommen in warmen und kalten, seichten und tiefen Gewässern gleichermaßen vor. Alle tragen am Kopf eine Angel mit einem Köder, der bei den Tiefseearten mit einem Leuchtorgan ausgestattet ist (siehe Seite 112); sie werden deshalb auch Anglerfische genannt. Armflosser sind schlechte Schwimmer und verdanken ihren Namen den umgewandelten Brustflossen, mit denen sie langsam über den Meeresboden

kriechen können. Die meisten Arten sind unauffällig gefärbt und besitzen überdies Auswüchse, mit denen sie sich hervorragend tarnen.

Die größten Anglerfische sind die Seeteufel (UNTERORDNUNG LOPHIOIDEI). Sie werden bis zu 1,20 Meter lang und sind in manchen Ländern als Speisefische geschätzt.

Die Fühlerfische (UNTERORDNUNG ANTENNARIOIDEI) leben vorwiegend in tropischen Meeren. Durch Hautlappen und Faltenbildungen sind sie zumeist hervorragend getarnt; der Sargasso-Fisch *(Histrio histrio)* sieht aus wie die Algen, zwischen denen er lebt.

Bei den Tiefseeanglern (UNTERORDNUNG CERATIOIDEI) besteht ein auffälliger Unterschied zwischen Männchen und Weibchen. Die Männchen sind zwerghaft klein und mit ihren Partnerinnen fest verwachsen. Das Weibchen versorgt das Männchen über den Blutstrom mit Nährstoffen — fast wie einen Em-

Oben: *Ein Gelber Krötenfisch* (Antennarius moluccensis) *in seiner ziegelroten Phase. Im Aquarium braucht er ungefähr einen Monat, um seine Farbe zu ändern. Die stummelförmigen Brustflossen ermöglichen es dem Tier, langsam über den Meeresboden zu kriechen.*

bryo in der Gebärmutter —, nur die Atmung besorgt das Männchen allein. Sein Körper und seine inneren Organe, ausgenommen die Fortpflanzungsorgane, sind stark rückgebildet. Es ist kaum mehr als ein lebender Spermienbehälter, das dem Weibchen in der Paarungszeit zur Verfügung steht. Schon an den jungen Larven kann man die Geschlechter unterscheiden, da die Weibchen auf ihrem Kopf bereits die Anlage der Angelrute tragen. Wann und wie ein Männchen zu seinem Weibchen findet, ist nicht bekannt. Bei ausgewachsenen Tieren messen die größten Männchen etwa 15 Zentimeter, während ein Weibchen ungefähr einen Meter lang werden kann.

115

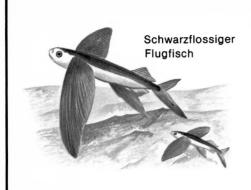

Schwarzflossiger Flugfisch

Fliegende Fische

Zwar wird eine Reihe von Fischen gemeinhin als Fliegende oder Flugfische bezeichnet; fliegen im eigentlichen Sinne können sie jedoch nicht — sie gleiten lediglich mit Hilfe ihrer tragflächenartig vergrößerten Brustflossen durch die Luft. Die Atlantischen Flugfische (Gattung *Exocoetus*) zum Beispiel schwimmen mit einer Stundengeschwindigkeit von 25 bis 32 Kilometern durch oberflächennahes Wasser, um dann plötzlich aufzutauchen und die „Flügel" auszubreiten. Das Fliegen ist in erster Linie eine Möglichkeit, Feinden zu entkommen; die Tiere fliegen aber auch auf, wenn sie — zum Beispiel durch ein Schiff — erschreckt werden. Wenn sie durch die Luft gleiten, dient die Schwanzflosse als „Antriebsmotor"; sie können die Brustflossen nicht bewegen wie Vögel und Fledermäuse ihre Flügel. Man schätzt, daß sie bei längeren Flügen Entfernungen von 200 bis 400 Metern zurücklegen. Wenn sie 5 oder 6 Meter über dem Wasserspiegel auf dem Deck eines Schiffes

Dorschfische

(ORDNUNG GADIFORMES)

Der Dorsch und die mit ihm verwandten Arten wie zum Beispiel Schellfisch und Seehecht besitzen einen langgestreckten Körper, der sich nach hinten verjüngt. Alle Dorschfische spielen in der Fischereiwirtschaft der nördlichen Hemisphäre eine wichtige Rolle, vor allem jedoch der im Atlantik heimische Kabeljau *(Gadus morhua)*. Besonders zur Laichzeit bilden sich große Schwärme. Die gleichfalls im Atlantik heimischen Seehechtarten (Gattung *Merluccius)* unterscheiden sich vom Kabeljau durch das Fehlen des Bartfadens am Unterkiefer; außerdem haben sie nur zwei Rückenflossen. Die Seehechte leben in den tieferen Wasserschichten und können bis zu einem Meter lang werden.

Weitere wichtige Dorschfische sind Wittling, Köhler, Lengfisch, Seequappe und Gabeldorsch. Die Aalquappe oder Rutte *(Lota lota)* ist der einzige Süßwasserfisch in dieser Ordnung. Sie lebt in kalten Gewässern beiderseits des Atlantik und bevorzugt kühle, klare Seen mit steinigem Grund.

Oben: *Ein Zackenbarsch (Gattung Epinephelus) verfolgt einen anderen Fisch. Die Zackenbarsche oder Grouper gehören zu den Barschfischen (UNTERORDNUNG PERCOIDEI) und können sehr groß werden. Die meisten der zahlreichen Arten dieser Gruppe sind Raubfische mit vielen scharfen Zähnen.*

Stichlingsfische

(ORDNUNG GASTEROSTEIFORMES)

Die Stichlinge kommen sowohl in Binnengewässern als auch in den Meeren der gemäßigten und kalten Zone der nördlichen Hemisphäre vor. Ihren Namen Stichlinge oder

landen, wurden sie vermutlich von einem Luftstrom emporgetragen.

Auch bei den Flughähnen (FAMILIE DACTYLOPTERIDAE) sind die Brustflossen vergrößert, ihr Flugvermögen ist jedoch geringer als das der Flugfische. Der in den Flüssen und Sümpfen Afrikas heimische Schmetterlingsfisch (Pantodon buchholzi) kann mit seinen großen Brustflossen nicht viel mehr als Sprünge in der Luft machen; diese Brustflossen sind zwar beweglich, aber ob der Schmetterlingsfisch beim Fliegen davon Gebrauch macht, ist nicht bekannt.

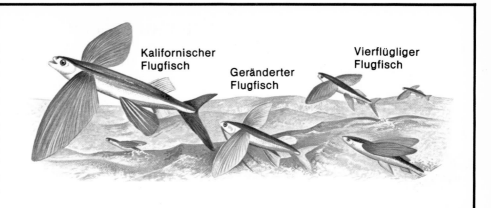

Kalifornischer Flugfisch

Geränderter Flugfisch

Vierflügliger Flugfisch

Stachelfische verdanken sie den kräftigen Stacheln, die vor der Rückenflosse stehen und frei beweglich sind; ihre Zahl ist von Art zu Art verschieden und dient als Unterscheidungsmerkmal. So gibt es drei-, vier- und neunstachlige Stichlinge. Diese Tiere waren eines der ersten Objekte, mit denen sich die moderne Verhaltensforschung beschäftigte: Der Zoologe und Verhaltensforscher Nikolaas Tinbergen beobachtete den in Meerwasser ebenso wie in Brack- und Süßwasser vorkommenden Dreistachligen Stichling (Gasterosteus aculeatus). Tinbergen stellte fest, daß diese Tiere durch Zeichen und Signale zu einer Tätigkeit veranlaßt werden. Ein Stichlingsmännchen im bunten Hochzeitskleid — Kehle und Brust sind rot, die Schuppen schimmern blaugrün, die Augen sind leuchtend blau — greift jedes andere Männchen an, das diese Farben aufweist, aber auch jede entsprechend angestrichene Attrappe. Tinbergen beschrieb auch den inzwischen berühmt gewordenen Zickzacktanz, mit dem sich das Männchen dem Weibchen nähert, wenn dessen Leib von den reifen Eiern angeschwollen ist. Danach führt das Männchen das Weibchen zu dem Nest, das er durch eine von den Nieren ausgeschiedene klebrige Absonderung sorgfältig verleimt hat. Dort legt das Weibchen seine Eier ab; anschließend werden sie sofort vom Männchen besamt. Danach jagt es das Weibchen weg und bemüht sich so lange um ein anderes, bis auch dieses in seinem Nest abgelaicht hat. Nachdem die Jungen geschlüpft sind, werden sie ein paar Tage lang vom Vater beschützt.

Zu den Stichlingsfischen gehören auch Seepferdchen und Seenadeln; sie werden nur selten länger als 30 Zentimeter und leben vorwiegend in den tropischen und subtropischen Meeren. Ihre Gestalt ist so eigentümlich, daß man kaum glaubt, daß auch sie zu den Fischen gehören. Der Mund sitzt am Ende einer röhrenförmigen Schnauze und dient zum Aufsaugen von kleinen Lebewesen. Der längliche Rumpf wird bei den Seepferdchen in der Senkrechten, bei den Seenadeln in der Waagerechten gehalten. Die Haut ist schuppenlos, bei den Seepferdchen aber von knöchernen Hautschilden bedeckt. Mit Hilfe der Rückenflosse und der paarigen Brustflossen können sie sehr schnell schwimmen.

Unten: Ihren Namen verdanken die anmutigen Seepferdchen der Form ihres Kopfes. An der Spitze der langen, röhrenförmigen Schnauze sitzt ein kleiner Mund mit so starker Saugkraft, daß er jede Beute anziehen kann, die sich ihm bis auf 3 Zentimeter genähert hat.

Panzerwangen

(ORDNUNG SCORPAENIFORMES)

Ihren Namen verdanken diese Fische einer allen Arten gemeinsamen Knochenleiste zwischen Auge und Vorkiemendeckel; außerdem ist der Kopf oft vollständig mit Knochen gepanzert. Unter den rund 700 Arten dieser Ordnung finden sich viele mit Stacheln bewehrte Tiere und überdies die giftigsten Fische der Welt.

Bei den Drachenköpfen oder Skorpionfischen (FAMILIE SCORPAENIDAE) sitzen Giftdrüsen an der Basis der Rücken-, After- und Bauchflossen. Beim Rotfeuerfisch (*Pterois volitans*) fließt ein starkes Gift durch die Umhüllung der gefurchten Stacheln. An Gefährlichkeit wird er aber von dem mit ihm verwandten Steinfisch oder Lebenden Stein (*Synanceja verrucosa*) noch übertroffen.

Die Knurrhähne (FAMILIE TRIGLIDAE) sind relativ kleine Fische; ihr Kopf ist mit Knochenplatten gepanzert. Bei den Brustflossen sind zwei oder drei Strahlen frei beweglich und fungieren als Tast- und Geruchsorgane; außerdem können die Knurrhähne mit ihnen auf dem Meeresboden laufen.

Barschartige Fische

(ORDNUNG PERCIFORMES)

Unter den Stachelflossern bilden die Barschartigen Fische mit mehr als 6000 Arten die größte und formenreichste Ordnung. Ihre Flossen sind mit Stachelstrahlen versehen; von großen Fangzähnen abgesehen, sind ihre Zähne durchweg relativ klein. Sie leben überwiegend in den Meeren und Binnengewässern der Tropen; soweit sie in der gemäßigten Zone heimisch sind, dringen sie nur selten in kältere Gewässer vor.

Der Flußbarsch (*Perca fluviatilis*) lebt in stehenden und fließenden Gewässern Europas und Nordasiens, zumeist in größeren Schwärmen, und ernährt sich von kleineren Fischen

Rechts: Ein recht gefährliches Tier ist der zu den Panzerwangen gehörende Rotfeuerfisch (Pterois volitans), denn die Stacheln auf seinem Rücken enthalten ein starkes Gift. Er lebt in den Korallenriffen des Pazifischen Ozeans; die auffälligen Streifen dienen als Tarnung.

Fortpflanzung und Brutpflege der Fische

Die Mehrzahl aller Fischarten versammelt sich in der Laichzeit zu großen Schwärmen. Männchen und Weibchen nähern sich einander und setzen ungezählte Eier und Spermien im Wasser frei; die Befruchtung bleibt mehr oder minder dem Zufall überlassen, und oft genug wachsen nur wenige oder gar keine Jungtiere heran. Die Zahl der von den Weibchen abgelaichten Eier schwankt: ein Mondfisch kann mehr als 50 Millionen Eier legen, bei den Lebendgebärenden Zahnkarpfen sind es gelegentlich nur ein oder zwei.

Manche Arten, so zum Beispiel die Stichlinge und einige Kampffische, bauen Nester für die Eier und bewachen sie dann. Andere Fische bringen lebende Junge zur Welt, die bei der Geburt bereits wie kleine Erwachsene aussehen und, da sie schon voll entwickelt sind, einen besseren Start ins Leben haben. Lebendgebärer sind unter anderen die als Aquarienfische beliebten Guppys und „Mollys" sowie verschiedene Hai-Arten.

Außerdem gibt es einige Fische, die ihre Eier in anderen Lebewesen ablegen. Mit Hilfe einer Legeröhre legen die Weibchen der Bitterlinge (Gattung *Rhodeus*) ihre Eier in die Mantelhöhle lebender Fluß- oder Teichmuscheln. Dort entwickeln sich die Eier; wenn die Larven geschlüpft sind, bleiben sie noch ungefähr einen Monat in der schützenden Hülle und ernähren sich von den Kleinlebewesen, die die Muschel in ihre Schale holt. Ein Seehase legt seine Eier gern unter der Schale einer Krabbe ab.

Eine hochentwickelte Form der Brutpflege findet sich bei den Seepferdchen und Seenadeln. Bei ihnen besitzen die Männchen Bruttaschen, in die die Weibchen die Eier legen. Bei Gefahr kehren die geschlüpften Jungen in den ersten Lebenstagen in die Tasche zurück.

Oben: Ein Bitterlings-Pärchen bereitet sich auf das Ablaichen vor. Das Weibchen links ist im Begriff, seine lange Legeröhre in eine Süßwassermuschel zu schieben; die dort abgelegten Eier werden vom Männchen besamt. Die Jungen schlüpfen in der Muschel.

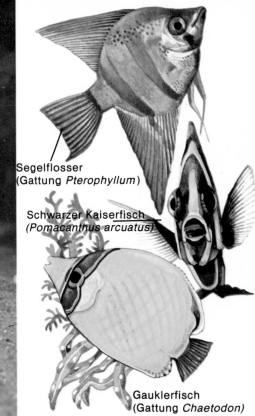

Segelflosser
(Gattung *Pterophyllum*)

Schwarzer Kaiserfisch
(*Pomacanthus arcuatus*)

Gauklerfisch
(Gattung *Chaetodon*)

wie Ukelei und Plötze. Eine sehr ähnliche Art ist der in Nordamerika lebende Gelbbarsch *(P. flavescens).*

Ein beträchtlicher Teil der herrlich gefärbten Fische der tropischen Korallenriffe gehört zu den Barschartigen, darunter Borstenzähner oder Gaukler, Segelflosser, Buntbarsche und Papageifische. Vor allem die Gauklerfische mit ihren kleinen, ovalen, stark zusammengedrückten Körpern zeichnen sich durch eine Vielfalt von Farben und Mustern aus.

Zu den merkwürdigsten Vertretern dieser Ordnung zählt der Schiffshalter *(Echeneis naucrates).* Er ist in tropischen Gewässern heimisch und trägt am Kopf eine ovale Saugscheibe, mit der er an Haien, Walen, Tümmlern und Schildkröten Halt findet. Auf diese Weise genießt er nicht nur einen gewissen Schutz, sondern kann auch bequem größere Strecken zurücklegen.

Links: Der in den Binnengewässern Europas und Asiens heimische Flußbarsch lauert zwischen Wasserpflanzen, um dann plötzlich hervorzuschießen und mit seinem großen Maul nach kleineren Fischen zu schnappen.

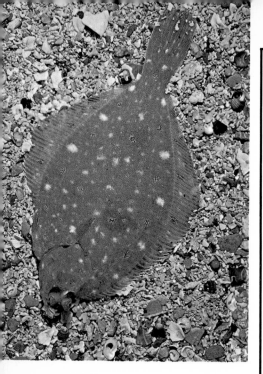

Oben: *Die Scholle, wohl der bekannteste Plattfisch, tarnt ihre Oberseite, indem sie Farbe und Zeichnung ihrem
Untergrund anpaßt.*

Plattfische

(ORDNUNG PLEURONECTIFORMES)

Die Mehrzahl der rund 500 Arten
dieser Ordnung verbringt die meiste
Zeit ihres Lebens auf dem Meeresboden, und zwar auf der Seite liegend.
Die Larven, die aus dem nahe der
Wasseroberfläche treibenden Laich
schlüpfen, gleichen denen anderer
Fische, aber wenn sie heranwachsen,
wandert ein Auge von einer Körper-
seite auf die gegenüberliegende, der
Mund verschiebt sich, und sie lassen
sich auf dem Meeresboden nieder.
Die Plattfische liegen stets auf der
blinden Seite, die ganz blaß gefärbt
ist, während sich die Färbung der
Oberseite der jeweiligen Umgebung
anpassen kann.

In der Regel sind bei allen Angehörigen einer Art Augen und Färbung
auf eine bestimmte Seite beschränkt.
Rechtsäugige Plattfische sind zum
Beispiel Heilbutt, Scholle, Kliesche
und Flunder, während Steinbutt und
Glattbutt linksäugig sind. Der größte
Plattfisch ist der Atlantische oder
Weiße Heilbutt *(Hippoglossus hippoglossus hippoglossus);* er kann bis
zu 3 Meter lang und 275 Kilogramm

Kugelfische

Die Kugelfische verdanken ihren Namen
der Eigenheit, daß sie bei Gefahr ihren
Körper mit Wasser oder Luft kugelförmig
aufblasen können, so daß alle Stacheln
starr abstehen. Da sie eine Länge von
fast einem Meter erreichen können, wirken aufgeblasene Kugelfische recht gewaltig. Die Kugelform und die abstehen-
den Stacheln bereiten jedem Angreifer
fast unüberwindliche Schwierigkeiten.

Auch Drückerfische sind faszinierende
Tiere. Sie verdanken ihren Namen einem
Mechanismus, mit dem sie den ersten

schwer werden. Einer der bekanntesten und zugleich unter allen in europäischen Gewässern gefangenen Fischen einer der wichtigsten ist die Scholle *(Pleuronectes platessa).*

Die Lungenfische — lebende Fossilien

(ORDNUNG DIPNOI)

Die Geschichte der Lungenfische läßt sich bis zur Devon-Zeit, also rund 400 Millionen Jahre, zurückverfolgen. Heute leben nur noch zwei Familien mit drei Gattungen. Der Australische Lungenfisch *(Neoceratodus forsteri)* weist noch einige sehr primitive Merkmale auf — fleischige Strahlenflossen, große Schuppen, einen schweren Körper und eine einzige Lunge zum Atmen von Luft. Stärker spezialisiert sind der Südamerikanische Lungenfisch *(Lepidosiren paradoxa)* und die Afrikanischen Lungenfische (Gattung *Protopterus).* Ihre Körper sind schmaler, die Schuppen kleiner, die Flossen strahlenlos; außerdem können sie durch eine paarige Lunge atmen. Diese Arten können auch Trockenzeiten überleben, indem sie sich im Schlamm eingraben und in einer Schleimkapsel bleiben, bis es wieder regnet. Der primitivere Australische Lungenfisch dagegen stirbt sehr rasch, wenn sein Standplatz austrocknet.

Ein Relikt aus grauer Vorzeit

Im Dezember 1938 wurde in der Nähe der südafrikanischen Stadt East London in einer Tiefe von etwa 80 Metern ein Fisch von ungefähr anderthalb Metern Länge gefangen. Professor J. L. B. Smith stellte nach einer Skizze des vorsorglich konservierten Tieres fest, daß es sich um einen nahen Verwandten der Gattung *Coelacanthus* handelte, die bereits vor rund 70 Millionen Jahren ausgestorben war. Erst im Jahre 1952 wurde ein zweites Exemplar von *Latimeria chalumnae* entdeckt, aber seither konnten die Professoren Millot und Anthony rund 70 weitere dieser Quastenflosser untersuchen und eingehend beschreiben. Es stellte sich heraus, daß er ein selbst im Vergleich zu anderen Fischen sehr primitives Herz hat. Die Flossen gleichen denen der Fossilien, können sich jedoch erstaunlicherweise um 180 Grad drehen. Außerdem wurden reife Eier mit einem Durchmesser von etwa 9 Zentimetern (bis zu 19 Stück in einem Exemplar) gefunden; bis heute ist nicht bekannt, ob das Weibchen lebende Junge gebärt oder Eier legt.

Im Jahre 1972 wurde ein Exemplar lebend gefangen und konnte ein paar Stunden lang beobachtet werden. Obwohl sich das Tier in einem kleinen Behälter befand und dem Tode nahe war, stellte sich heraus, daß es sich vorwiegend durch eine Art Wriggen der zweiten Rückenflosse, der Analflosse und der Brustflossen bewegt. Trotz aller bisherigen Untersuchungen ist unser Wissen über dieses lebende Fossil jedoch noch immer recht lückenhaft.

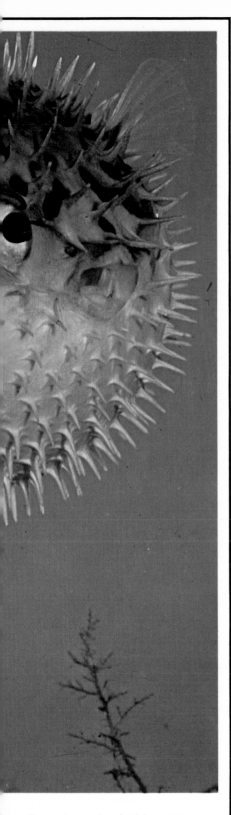

...en: *Normaler und aufgeblasener* ...*gelfisch.*

...d zweiten Strahl der Rückenflosse ...erren können. Ein Drückerfisch, der in ...nen Spalt geflüchtet ist und seine Sta-...eln aufgerichtet hat, ist in Sicherheit, ...il niemand ihn herausziehen kann.

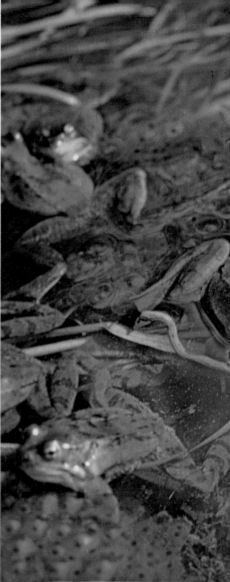

Lurche (KLASSE AMPHIBIA)

Unter den Wirbeltieren stellen die Lurche oder Amphibien die primitivste der an Land lebenden Gruppen dar; zu ihr gehören Frösche, Kröten, Molche und Salamander. Im Gegensatz zu den Fischen, aus denen sie hervorgingen, atmen ausgewachsene Lurche sauerstoffhaltige Luft. Ihr Skelett weist im Prinzip denselben Bauplan auf wie das der Kriechtiere, Vögel und Säugetiere. Wie die von ihnen abstammenden höheren Arten besitzen sie Lungen.

Von ihrem Äußeren her sind die Amphibien einem Leben auf dem trockenen Land nicht sonderlich gut angepaßt. Da ihre Haut sie nicht vor Austrocknung schützt, sind sie unbe-dingt auf feuchte Lebensräume angewiesen; andernfalls würden sie sehr rasch sterben.

Auch die Eier der Lurche können sich ohne Wasser nicht entwickeln. Sie sind nicht durch feste Hüllen vor dem Austrocknen geschützt und werden deshalb in den meisten Fällen im Wasser abgelegt. Darüber hinaus enthalten sie nicht genügend Nährstoffe, von denen der Embryo zehren könnte, bis er vollständig entwickelt ist. Aus den Eiern schlüpfen Larven, die im Wasser leben und ständig fressen, damit sie wachsen und sich innerlich und äußerlich in Ebenbilder ihrer Eltern verwandeln können.

Bis zur Devon-Zeit waren die Fi-sche die einzigen Wirbeltiere; vor ungefähr 400 Millionen Jahren entwickelten sich aus den Quastenflossern die ersten Amphibien. Allerdings hatten diese Tiere, die den Schritt vom Wasser aufs Land taten, mit den uns heute vertrauten Fröschen und Salamandern nicht die mindeste Ähnlichkeit. Sie waren nicht nur wesentlich größer, sondern sahen auch eher wie mißlungene Krokodile ohne Schuppenpanzer aus. Außerdem besaßen sie Schwänze, wie sie bei den Molchen und Salamandern noch heute vorhanden sind. Geschwänzte Amphibien sind im Wasser sehr beweglich; der Verlust des Schwanzes bei den heutigen Er-

wachsenenformen von Fröschen und Kröten hat jedoch zu größerer Beweglichkeit an Land beigetragen.

Die Wissenschaftler sind der Ansicht, daß sich die Lurche aus Fischen entwickelten, die den Schritt vom Wasser aufs Land tun konnten, als unser Planet in der Devon- und Karbon-Zeit sein Gesicht zu verändern begann. Die großen Wasserflächen, die bis dahin die Erde bedeckt hatten, verwandelten sich in Sumpflandschaften, aus denen riesige Baumfarne hervorragten. Als dann auch diese Sümpfe auszutrocknen begannen, hatten diejenigen Fische, die von einem Gewässer zum nächsten kriechen konnten, die besten Überlebenschancen. Noch stärker im Vorteil waren diejenigen Arten, die mit ihrer Schwimmblase auch Luft atmen konnten. Wenn sie dazu noch

Fleischfresser waren und genügend Nahrung finden konnten, stand ihrem Überleben nichts mehr im Wege. So entwickelten sich im Verlauf mehrerer Millionen Jahre aus den Quastenflossen allmählich Gliedmaßen mit fünf Fingern und fünf Zehen — die fleischfressenden Amphibien waren auf der Bildfläche erschienen.

Die Blütezeit der Lurche war die Karbon-Zeit. In den großen Steinkohlenwäldern lebten sie neben riesigen Libellen. Einige von ihnen, so zum Beispiel der Fischfresser *Eogyrinus,* wurden 4,50 Meter lang.

Auch im nächsten Erdzeitalter, der Perm-Zeit, gab es noch Riesenamphibien, aber inzwischen hatten sich die Kriechtiere entwickelt und begannen, den Lurchen den Platz streitig zu machen. Ein großer Lurch der Perm-Zeit war *Eryops,* ungefähr 2

Links oben: *Am Kopf eines Ochsenfrosches* (Rana catesbeiana) *ist die der Atmung dienende nackte und schuppenlose Haut deutlich zu erkennen.*
Oben: *Grasfrösche* (Rana temporaria) *beim Laichen im Frühjahr. Die meisten Amphibien müssen zur Eiablage ins Wasser zurückkehren.*

Meter lang und weit verbreitet. Einige große Amphibien konnten sich bis vor ungefähr 200 Millionen Jahren halten; zu jener Zeit, in der Trias, lebte *Mastodonsaurus,* ein wahrer Riese mit einem 1,20 Meter langen Kopf. Mit diesem Zeitalter ging aber auch die Epoche der Riesenamphibien zu Ende, und nur die kleinen Arten konnten bis heute überleben.

Die heutigen Amphibien werden in drei Ordnungen eingeteilt: Die Blindwühlen, die Froschlurche sowie die Schwanzlurche, die aussehen wie Nachfahren der frühen Riesen.

Schwanzlurche

(ORDNUNG CAUDATA)

Mit vier Gliedmaßen und einem Schwanz sind die Schwanzlurche, zu denen Molche und Salamander gehören, die am wenigsten spezialisierten Amphibien. Sie verbringen einen Teil ihres Lebens in Süßwasser, verlassen es aber außerhalb der Laichzeit und halten sich dann in feuchten Wäldern auf. Die Salamander sind einem Leben auf dem trockenen Land besser angepaßt als die Molche.

Ein typisches Beispiel für den Lebenszyklus eines Schwanzlurchs liefert der Kammolch *(Triturus cristatus).* Die Kammolche leben in Gegenden mit gemäßigtem Klima. In der kalten Jahreszeit überwintern sie unter Baumstämmen oder Steinen. Wenn es im Frühjahr wärmer wird, erwachen sie und suchen sich ein ruhiges Gewässer zum Laichen. Ihren Namen verdankt die Art den Männchen, die während der Laichzeit ei-

Lebenslang Kinder

Einige Schwanzlurche werden nie erwachsen, sondern verharren ihr gesamtes Leben im Larvenstadium und sind dennoch fortpflanzungsfähig. (Die Wissenschaftler sprechen in solchen Fällen von Neotenie.) Zu ihnen gehört der in einem See nahe der Stadt Mexiko lebende Axolotl *(Ambystoma mexicana)*. Er kann die Umwandlung in ein erwachsenes Tier nicht vollziehen, weil seine Schilddrüse nicht genügend Thyroxin produziert, ein Hormon, das bei den anderen Lurchen für die Umwandlung verantwortlich ist. So wächst der Axolotl nur zu einer großen Larve heran, die ihre äußeren Kiemen beibehält. Er legt Eier, aus denen wiederum Larven schlüpfen.

Oben: *Der Tigersalamander* (Ambystoma tigrinum), *die erwachsene Form des Axolotl.*

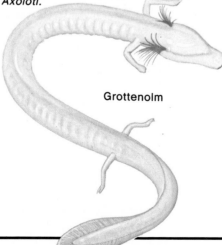

Grottenolm

Die Wissenschaftler haben entdeckt, daß Axolotl, die mit Schilddrüsenextrakt gefüttert werden, sich zu den in Nord- und Zentralamerika lebenden Tigersalamandern weiterentwickeln.

Auch bei anderen Lurchen kommt Neotenie vor. In Amerika bleiben die Furchenmolche (Gattung *Necturus*) und die Armmolche (Gattung *Siren*), in Europa der Grottenolm *(Proteus anguineus)* auch dann Dauerlarven, wenn man sie mit Schilddrüsenhormon füttert. Der Grottenolm lebt in Höhlen Südosteuropas und hält sich zeitlebens im Dunkeln auf. Die Wissenschaftler glauben, daß es sich bei ihm um ein lebendes Fossil handelt, dessen Vorfahren nie das Wasser verließen, um an Land zu leben. Überleben konnte er nur, weil er in seinem Habitat vor Feinden geschützt ist.

nen häutigen Rückenkamm tragen. Gleichzeitig färbt sich ihr Leib leuchtend orangerot oder gelb. Nachdem ein Männchen sein Hochzeitskleid angelegt hat, macht es sich auf die Suche nach einem Weibchen und umwirbt es. Wenn das Weibchen auf die Werbung reagiert, setzt das Männchen einen Samenträger auf dem Boden des Gewässers ab, eine Kapsel voller Spermien, die vom Weibchen aufgenommen werden und in ihrem Körper die Eier befruchten; danach heftet es die Eier einzeln an die Blätter von Wasserpflanzen.

Aus den Eiern schlüpfen Larven mit drei Paar straußenfederartigen äußeren Kiemen. Anfangs klammern sie sich an den Blättern fest, doch nach einiger Zeit schwimmen sie herum und werden zu Fleischfressern. Später bilden sich die Kiemen zurück, Beine und Augen werden ausgebildet, der Mund wird größer. Im Innern bilden sich Lungen, und die Larven schwimmen an die Wasseroberfläche und schnappen nach Luft. Jetzt sind sie schon kleine Erwachsene, die bis zum Herbst im Wasser bleiben. Wenn es kalt wird, klettern sie an Land und suchen sich einen geeigneten Platz, wo sie überwintern können.

Das Leben der Salamander verläuft ähnlich wie das der Molche; viele von ihnen leben in wärmeren Klimaten und brauchen deshalb nicht zu überwintern. Der europäische Feuersalamander *(Salamandra salamandra)* lebt vorwiegend unter Baumstämmen versteckt im Wald. Dieser Lebensweise hat er es vermutlich zu verdanken, daß er früher zu den Elementargeistern zählte. Wenn die Stämme, unter denen Salamander leben, in Brand geraten, flüchten die Tiere natürlich; deshalb nahm man im Mittelalter an, Salamander würden im Feuer geboren.

Rechts oben: *Kammolche im Hochzeitskleid. Das Männchen prunkt mit Rückenkamm und orangefarbenem Leib, das Weibchen ist kammlos und unauffälliger gefärbt.*
Rechts: *Die Feuer- und Alpensalamander sind Landbewohner. Sie paaren sich auch an Land; die Eier werden in seichtem Wasser abgelegt.*

Blindwühlen

(ORDNUNG GYMNOPHIONA)

Die Blindwühlen oder Schleichenlurche sind hoch spezialisierte Amphibien, die sich einem unterirdischen Leben angepaßt haben. Die rund 150 Arten dieser relativ unbekannten Tiergruppe leben im feuchten Boden tropischer und subtropischer Regionen. Es sind beinlose Tiere mit quergefurchten Körpern, die aussehen wie große Regenwürmer. Da sie in der Erde leben, brauchen sie keine Augen; sie haben sich im Laufe der Evolution rückgebildet.

An ihre Stelle sind andere, für das unterirdische Leben geeignete Sinnesorgane getreten. An jeder Kopfseite sitzen Fühler, die eine Blindwühle ausstrecken kann, um die sie umgebende Erde abzutasten; sie helfen ihr, ihre Nahrung, Schnecken, Regenwürmer und andere kleine Tiere, zu entdecken. Der Geruchssinn ist besonders gut entwickelt.

Erwachsene Tiere leben nicht im Wasser; werden sie hineingesetzt, ertrinken sie. Man sieht sie nur an der Oberfläche, wenn ihre unterirdischen

Oben: Die Blindwühlen oder Schleichenlurche sehen aus wie große Regenwürmer, sind aber in Wirklichkeit hochspezialisierte Amphibien. Im Laufe der Evolution haben sie sich einem Leben in der Erde angepaßt und Beine und Augen verloren.

Behausungen überflutet werden. Die Larven dagegen bleiben bis zu ihrer Umwandlung im Wasser. Das Weibchen legt seine Eier in einer Erdhöhle unmittelbar am Rand eines Gewässers ab; häufig ringelt es sich um das Gelege, um es zu beschützen. Da die Paarung außerhalb des Wassers stattfindet, müssen die Eier im Körper des Weibchens befruchtet werden. Bei einigen Arten schlüpfen die Larven bereits im Mutterleib aus und werden lebend geboren; wo die Eier abgelegt wurden, suchen sich die Larven ihren Weg durch die feuchte, lockere Erde zum Wasser, in das sie sich hineinfallen lassen, um dann ein typisches Larvendasein zu führen. Allerdings besitzen sie keine äußeren Kiemen, sondern nur ein offenes Kiemenloch an jeder Halsseite. Es schließt sich, wenn die Lunge ausgebildet ist; dann kriechen die Tiere an Land und graben sich ein.

Froschlurche

(ORDNUNG SALIENTIA oder ANURA)

Die Froschlurche sind die am stärksten spezialisierten Amphibien, zugleich aber auch die anpassungsfähigsten. Obwohl die meisten Arten zum Laichen ins Wasser zurückkehren, sind sie einem Leben auf dem trockenen Land besser angepaßt als die anderen heutigen Amphibien. Sie leben in den Wäldern der gemäßigten Breiten, in tropischen Wäldern, auf Grasfluren und sogar in Wüsten. Es gibt Frösche, die Bäume bewohnen, und Kröten, die in der Erde hausen. In Gegenden mit kaltem Klima kommen sie nicht vor; sie sind Kaltblüter wie die Fische und können ihre Körpertemperatur nicht regeln; bei extremer Kälte sterben sie. Auch in den Meeren finden sich keine Froschlurche; es gibt zwar eine Kröte mit dem wissenschaftlichen Namen *Bufo*

Rechts: Ein springender Frosch. Die langen Hinterbeine sind so gebaut, daß sich die Tiere damit vom Boden abstoßen können, während die kürzeren Vorderbeine so kräftig sind, daß sie den Aufprall bei der Landung abfangen.

LEBENSZYKLUS DES FROSCHES

Eier (Laich) werden im Frühjahr gelegt

Erwachsenes Tier, etwa 3 Monate alt

LEBEN IM WASSER

LEBEN IM WASSER ODER AUF DEM LANDE

Kiemen

Larven (Kaulquappen) schlüpfen nach etwa 2 Wochen

Kiemen verschwinden, der Schwanz wird rückgebildet, Lungen entwickeln sich

Hinterbeine entwickeln sich

LEBENSZYKLUS DES MOLCHES

Eier werden im Frühjahr gelegt

Äußere Kiemen

Erwachsenes Tier, Kiemen sind verschwunden

ERWACHSENE LEBEN IM WASSER ODER AUF DEM LANDE

LEBEN IM WASSER

Larven schlüpfen nach 1 bis 2 Wochen

Nach 3 Wochen erscheinen die Vorderbeine

nach 7 bis 8 Wochen erscheinen die Hinterbeine

marinus (Aga-Kröte), aber auch sie lebt in Wäldern. Die Kreuzkröte *(Bufo calamita)* schwimmt gelegentlich in Brackwasser, kann aber trotzdem nicht als Meerestier bezeichnet werden.

Das Skelett der Froschlurche weist einige Besonderheiten auf, die den Tieren das Springen ermöglichen. Frösche können besser springen als Kröten, aber alle Froschlurche haben ihren Schwanz verloren und lange Hinterbeine entwickelt, mit denen sie

sich vom Boden abstoßen können. Die Vorderbeine sind so kräftig, daß sie die Wucht des Aufpralls aushalten. Diese Besonderheiten haben sich im Laufe von rund 300 Millionen Jahren ausgebildet.

In der Regel müssen die Froschlurche zum Laichen Wasser aufsuchen. Die Eier werden äußerlich befruchtet, und die Spermien benötigen Wasser, um zu den Eiern schwimmen zu können. Der Lebenszyklus ist dem der Molche sehr ähnlich.

Kröten sind einem Leben im Trockenen besser angepaßt, weil sie eine dickere, warzige Haut haben; einige Arten leben sogar in der Wüste, wo sie sich im Boden eingraben, um ihre Körper vor zu starker Verdunstung zu schützen. Andere Kröten graben sich ein, wenn Gefahr droht. Die Nasenkröte *(Rhinophrynus dorsalis)* gräbt sich mit Hilfe einer Hornschaufel am Fuß mit dem Hinterteil vorweg ein. Fühlt sie sich auch dann noch nicht sicher, bläst sie sich

wie ein Ballon auf, um möglichst groß und beängstigend zu wirken.

Bei Kröten gibt es einige interessante Methoden der Brutpflege. Manche Arten schützen ihr Gelege durch eine Umhüllung aus Gallert. Das Männchen der Geburtshelferkröte *(Alytes obstetricans)* wickelt sich die Eischnüre um die Hinterbeine und trägt sie mit sich umher. Bei den Wabenkröten (Gattung *Pipa)* befördert das Männchen die befruchteten Eier auf den Rücken des Weibchens, wo sich in einzelnen Waben nicht nur die Eier entwickeln, sondern auch die Larven, bis schließlich winzige Erwachsene erscheinen.

Die Froschlurche sind zwar selbst nicht zu schnellen Bewegungen imstande, können aber dennoch Tiere erbeuten, die sich sehr schnell bewegen. Das geschieht mit Hilfe der Zunge, die vorn am Mundboden angewachsen ist und herausgeschleudert werden kann. Trifft sie ein vorbeifliegendes Insekt, so bleibt es an dem klebrigen Organ hängen und wird in den Mund befördert. Alle Froschlurche sind Fleischfresser und nehmen alles zu sich, was sie verschlucken können.

Frösche sind leuchtender gefärbt als Kröten und geben mehr Geräusche von sich. Als vorzügliche Springer können sie sich vor Gefahren in Sicherheit bringen. Häufig lenken die Froschlurche zur Paarungszeit durch Rufe die Aufmerksamkeit der Weibchen auf sich. Ochsenfrösche können mit ihrem Konzert Menschen erfolgreich am Schlafen hindern; die Pfeiffrösche dagegen geben Töne von sich, die eher wie Glockengeläut klingen.

Zu den schönsten und interessantesten Amphibien gehören die Baumfrösche, die zumeist im Dunkel des tropischen Regenwalds leben. Sie haben die Erde verlassen und sich auf den Bäumen angesiedelt, viele von ihnen kehren nicht einmal zum Ab-

Giftige Frösche und Kröten

Die Froschlurche besitzen weder scharfe Zähne noch kräftige Klauen, mit denen sie sich vor Feinden schützen könnten. Sie können zwar die Flucht ergreifen, indem sie sich eingraben oder davonspringen; wenn sie jedoch gefangen werden, können sich einige von ihnen auf eine zweite Verteidigungslinie zurückziehen — in ihrer Haut liegen Drüsen, die Gift ausscheiden.

Die meisten Gifte sind recht harmlos, manche aber äußerst gefährlich. Das gilt besonders für das Gift der Baumsteiger- oder Farbfrösche in Mittel- und Südamerika. Die Indianer benutzen ihr Gift, um die Spitzen ihrer Pfeile hineinzutauchen; man bezeichnet sie deshalb auch als Pfeilgiftfrösche. Die Indianer spießen die Tiere auf und halten sie über ein Feuer; dabei tritt das Gift aus ihren Hautdrüsen und wird in einem Gefäß aufgefangen.

Das stärkste aller bekannten Gifte, gefährlicher als das aller Schlangen, produziert der Kokoi-Frosch. Es trägt die Bezeichnung Batrachotoxin, und schon ein

Dreitausendstel Gramm kann einen Menschen töten.

Zwischen diesen beiden Extremen gibt es Gifte von unterschiedlicher Stärke. Mit ihrer Hilfe können sich die Froschlurche zur Wehr setzen, obwohl sie kleine Tiere ohne sichtbare Verteidigungswaffen sind.

Unten: *Ein südamerikanischer Farbfrosch warnt mögliche Feinde durch leuchtende Farben vor seinem tödlichen Gift. Die Indianer fangen die Frösche und entziehen ihnen das Gift, um ihre Pfeilspitzen hineinzutauchen.*

laichen ins Wasser zurück. Häufig sind sie auffallend gefärbt, wobei die Farbe entweder als Warnung vor ihrem Gift dient oder ihnen hilft, sich in ihrer Umgebung zu tarnen.

Bei den Baumfröschen gibt es merkwürdige Formen der Brutpflege. Einige Arten bauen sogar Nester. Der Schmied *(Hyla faber)* baut einen kreisrunden Schlammwall in seichtem Wasser. Andere Arten kleben Blätter zu einem Trichter zusammen und legen ihre Eier dann, in eine Gallertmasse eingebettet, darin ab. Diese Blattnester hängen über dem Wasser, so daß die aus den Eiern geschlüpften Kaulquappen sich einfach hinabfallen lassen können. Andere Baumfrösche verpacken ihre Eier in eine Schaummasse, in der die Jungen das Larvenstadium verbringen.

Oben: *Das Männchen der Geburtshelferkröte trägt die befruchteten Eier an den Hinterbeinen mit sich herum, bis die Larven geschlüpft sind.*
Rechts: *Ein rufender Riedfrosch. Die Schallblase an der Kehle bläht sich bei jedem Laut auf.*

Kriechtiere (KLASSE REPTILIA)

Brachiosaurus

Brontosaurus

Rhamphorhynchus

Diplodocus

Allosaurus

In der Steinkohlenzeit, vor ungefähr 300 Millionen Jahren, entwickelten sich aus den Lurchen die Reptilien, und rund 200 Millionen Jahre lang konnten sie sich als größte und wichtigste Gruppe von Wirbeltieren auf der Erde behaupten. Sie überdauerten mehrere Erdzeitalter — Perm-, Trias- und Jura-Zeit; gegen Ende der Kreidezeit starben die meisten von ihnen aus. Nur wenige Gruppen kleinerer Reptilien vermochten zu überleben, und vier von ihnen existieren noch heute.

Dem Skelett der Kriechtiere liegt der gleiche Bauplan zugrunde wie dem der Lurche; auch sie besitzen vier Beine und einen Schwanz, sind aber dem Leben auf dem trockenen Land wesentlich besser angepaßt. Ihre Zähne sind schärfer als die der Lurche und ihre Beine kräftiger und leistungsfähiger — sie sind durchweg beweglichere und gefährlichere Jäger. Der wichtigste Faktor ist jedoch ihre schuppenbedeckte Haut, durch die keine Feuchtigkeit verdunsten kann. Auch ihre Eier sind von einer festen Schale umgeben und brauchen deshalb nicht mehr im Wassr abgelegt zu werden, im Gegenteil — die Meeresschildkröten suchen zur Eiablage sogar das trockene Land auf. Die Reptilien sind also, wenn man vom Trinken absieht, vom Wasser nicht mehr abhängig und können ganz auf dem Lande leben.

Da die Eier der Kriechtiere beschalt sind, müssen sie im Innern der Weibchen befruchtet werden, bevor sich Dotter und Schale gebildet haben. Einige Zeit nach dem Ablegen der Eier schlüpfen aus ihnen die Jungen; sie sind voll entwickelte kleine Ebenbilder der Eltern. Sie durchlaufen kein Larvenstadium wie die Lurche, denn die Eier enthalten genügend Dotter; der Embryo kann sich

Oben: *Eine Szene, die sich im Zeitalter der Dinosaurier abgespielt haben könnte. Obwohl der pflanzenfressende* Brachiosaurus *soviel wog wie sieben Elefanten, war er dem gefährlichen* Allosaurus *mit seinen Raubtierzähnen und scharfen Klauen nicht gewachsen.*

entwickeln, ohne selbst für seine Nahrung sorgen zu müssen.

Im Gegensatz zu Vögeln und Säugetieren wachsen die Kriechtiere bis zu ihrem Tode immer weiter, solange sie Nahrung vorfinden. Da ihre Schuppen jedoch nicht mitwachsen, müssen sie von Zeit zu Zeit die zu eng gewordene Haut abstreifen, nachdem sich unter der alten eine neue gebildet hat. Dieser Vorgang wird als Häutung bezeichnet. Wo reichlich Nahrung vorhanden ist, wächst ein Kriechtier schnell und häutet sich entsprechend oft; ist die Nahrung dagegen knapp, ist auch das Wachstum langsamer und die Häutung seltener.

Die berühmtesten Reptilien, die Dinosaurier, sind bereits vor rund 100 Millionen Jahren ausgestorben. Zu ihnen zählten die größten Tiere, die je die Erde bewohnten, zum Beispiel *Diplodocus, Brontosaurus* und *Brachiosaurus*, riesige, vierbeinige Pflanzenfresser mit Körperlängen bis zu 25 Metern. Einige Dinosaurier waren Fleischfresser; der bekannteste dürfte *Tyrannosaurus rex* sein, mit einer Körperlänge von 11 Metern gleichfalls ein beachtlicher Riese. Auch *Allosaurus* gehörte zu diesen Raubtieren, die auf den Hinterbeinen gingen und mit ihren langen Schwänzen das Gleichgewicht hielten. Andere Dinosaurier dagegen waren kaum größer als ein Huhn und hatten auch sonst einige Ähnlichkeit mit den heutigen Vögeln, die möglicherweise von ihnen abstammen.

Neben den Dinosauriern gab es noch weitere Urreptilien, die heute allesamt ausgestorben sind. Die Flugsaurier besaßen kleine Beine und gewaltige, lederige Flughäute. Der Ozeansegler *(Pteranodon ingens)* erreichte Flügelspannweiten bis zu 9 Metern; ein riesiger Knochenkamm auf dem zahnlosen Schädel diente vermutlich als Steuerfahne. Ausgestorben sind auch die Plesiosaurier, die im Meer lebten und sich von Fischen ernährten. Die Pelycosaurier, die zum Teil große Rückensegel besaßen, waren vielleicht die Vorfahren der heutigen Säugetiere.

Die noch heute auf der Erde vorkommenden Kriechtiere werden in vier Ordnungen eingeteilt: Schildkröten (TESTUDINES); Krokodile (CROCODYLIA); Echsen und Schlangen (SQUAMATA); sowie die nur noch aus einer einzigen Art, der Brückenechse, bestehenden Schnabelköpfe (RHYNCHOCEPHALIA). Die Verwandten der Brückenechse sind bereits vor rund 100 Millionen Jahren ausgestorben. Die Brückenechse oder Tuatara *(Sphenodon punctatus)* kommt nur in Neuseeland vor, und zwar auf etwa 20 kleinen Inseln in der Cookstraße zwischen der Nord- und der Südinsel sowie in der Bay of Plenty. Hier konnten die Tuataras überleben, weil sie vor Feinden geschützt waren; heute sind sie als interessante lebende Fossilien gesetzlich geschützt. Sie graben sich Höhlen in den Boden oder benutzen die Erdröhren von Sturmvögeln; daß Brückenechsen und Sturmvögel in einer Höhle zusammenwohnen, wie gelegentlich behauptet wird, scheint jedoch nicht der Fall zu sein.

Unten: *Die neuseeländische Brückenechse. Dieses primitive Kriechtier ist als einziges seiner Ordnung erhalten geblieben; seine Verwandten, die Schnabelköpfe, kennen wir nur als Fossilien. Auf den Hauptinseln Neuseelands sind die Brückenechsen ausgestorben; sie finden sich nur noch auf einigen isolierten Inselchen.*

Krokodile

(ORDNUNG CROCODYLIA)

Seit der Trias-Zeit, also seit rund 200 Millionen Jahren, leben Krokodile auf unserem Planeten. Ihr Körperbau gleicht dem der anderen Kriechtiere; darüber hinaus sind sie einem Leben im Wasser angepaßt. Die Krokodile konnten überleben, weil sie kaum Feinde haben — in Süßgewässern sind sie die größten Fleischfresser, die ihren Sauerstoffbedarf aus der Luft decken. Ihre Lebensweise dürfte sich in der gesamten Zeit ihres Bestehens kaum geändert haben. Die ausgestorbenen Vorfahren der Krokodile besaßen wie die heutigen Arten lange Schnauzen und zahlreiche Zähne. Nur ihre tierische Nahrung hat sich geändert. *Theriosuchus* wurde nur knapp 60 Zentimeter lang und fraß vermutlich mausgroße Säugetiere; *Phobosuchus hatcheri* dagegen erreichte eine Länge von 13,50 Metern und ernährte sich wohl von größeren Dinosauriern.

Zu den heutigen Krokodilen gehören Alligatoren, Kaimane, Echte Krokodile und Gaviale. Sie leben überwiegend in Süßwasser und Sümpfen der tropischen Regionen Afrikas, Asiens, Australiens und Amerikas. Wie alle Kriechtiere können auch die Krokodile ihre Körperwärme nicht regulieren. Wenn die Sonne herniederbrennt, ist den Tieren heiß, und da sie nicht schwitzen können, legen sie sich hin und sperren den Rachen weit auf; darin besteht ihre einzige Möglichkeit, Wärme abzugeben. Bei kalter Witterung ist auch das Krokodil kalt — es kann nicht zittern, um sich zu erwärmen, und die Schuppen halten die Körperwärme nicht wie ein Haar- oder Federkleid. Aus diesem Grunde können Krokodile nur in tropischen Gegenden existieren; sogar die gemäßigten Breiten sind für sie schon zu kalt.

Die Notwendigkeit, selbst für Wärme und Kühlung zu sorgen, bestimmt den Tagesablauf der Krokodile. Frühmorgens verlassen sie das Wasser, in dem sie die Nacht verbracht haben, und kriechen aufs Ufer oder auf eine Sandbank. Dort lassen sie sich von der Sonne bescheinen und aufwärmen. Die Mittagssonne ist für sie jedoch zu heiß; sie müssen wieder ins Wasser zurückgleiten oder einen Platz im Schatten aufsuchen, um sich abzukühlen. Am Nachmittag nehmen sie wieder ein Sonnenbad, um Wärme für die Nacht zu speichern, und dann kehren sie ins Wasser zurück, das nachts langsamer abkühlt als die Luft.

Die Krokodile sind ihrer Umwelt bestens angepaßt. Gewöhnlich sieht man von einem im Wasser schwimmenden Tier nur den Rücken, der einem treibenden Baumstamm ähnelt. Erst wenn man genauer hinschaut, erkennt man, daß sich auch der Kopf mit Augen und Nasenöffnungen oberhalb der Wasseroberfläche befindet. Augen und Nasenöffnungen

Oben: *Ein Sumpfkrokodil* (Crocodylus palustris) *aus Indien. Da es nicht schwitzen kann, öffnet es den Rachen, um Wasser durch die Mundschleimhäute zu verdunsten und sich abzukühlen.*

liegt etwas erhöht und ragen auch dann aus dem Wasser heraus, wenn das Tier sonst untergetaucht ist.

Krokodile und Alligatoren sind sehr ähnlich gebaut. Beide haben breite Kiefer und tragen in Reihen angeordnete Hornschilder auf dem Rücken. Der Unterschied wird erst deutlich, wenn man die Zähne betrachtet. Wenn ein Alligator den Mund geschlossen hält, überlappen die oberen Zähne die unteren, während die Zähne eines Krokodils genau aufeinandertreffen. Auch der vierte Unterkieferzahn gibt einen deutlichen Hinweis, denn bei den Alligatoren paßt er genau in eine Grube des Oberkiefers und ist bei geschlossenem Mund nicht zu sehen. Bei den Krokodilen fügt sich dieser Zahn in eine Kerbe an der Außenseite des Oberkiefers und ist deshalb immer sichtbar. Die Kaimane besitzen besonders kräftig ausgebildete Bauchpanzer, während Sunda- und Ganges-Gavial durch stark verlängerte Schnauzen auffallen.

Die meisten Krokodile leben in Süßwasser; eine Ausnahme bildet das Leistenkrokodil (Crocodylus porosus), das im Pazifik heimisch ist

Unten: Beim Aufgraben eines Krokodilnestes kommen die großen weißen Eier zum Vorschein. Der von der Sonne erhitzte Sand sorgt für gleichbleibende, der Entwicklung der Embryonen förderliche Wärme.

und zwischen den Inseln des Malaiischen Archipels herumschwimmt.

Die Alligatoren werden in 4 Gattungen mit 7 Arten eingeteilt; die bekanntesten sind der im Jangtsekiang lebende China-Alligator (Alligator sinensis) und der im Südosten der USA heimische Mississippi-Alligator (A. mississippiensis). Kaimane leben in Mittel- und Südamerika; Echte Krokodile sind in allen tropischen Regionen der Welt anzutreffen.

Die Fortpflanzung erfolgt bei allen Krokodilen auf fast die gleiche Weise. Das Männchen umwirbt das Weibchen, indem es das Wasser aufpeitscht und brüllt; dann erfolgt die Paarung. Einige Weibchen bauen

Nester aus Schlamm, Pflanzen oder beiden Materialien, andere legen Gruben an. Die Eier werden in Schüben von etwa 15 bis 20 Stück abgelegt. Zum Ausbrüten der Jungen ist Wärme erforderlich; sie kann von der Sonne kommen oder von verrottender Vegetation. Gelegentlich geben die Jungen kurz vor dem Schlüpfen quakende Geräusche von sich; dann schiebt die Mutter Erde oder Pflanzenmaterial beiseite, um den Jungen den Weg freizumachen.

Unten: Ein junger Kaiman. Kaimane tragen nicht nur auf dem Rücken, sondern auch auf dem Bauch verknöcherte Hornplatten. Die Länge der Schnauzen ist bei den einzelnen Arten verschieden.

Die Jungtiere ernähren sich zuerst von Insekten und kleinen Krebstieren; wenn sie heranwachsen, fressen sie Fische, Frösche und andere kleine Tiere. Krokodile wachsen schnell — ungefähr 25 Zentimeter im Jahr. Das Nilkrokodil *(Crocodylus niloticus)* ist bei einer Körperlänge von rund 2 Metern fortpflanzungsfähig; diese Länge hat es nach 5 bis 10 Jahren erreicht. Ausgewachsene Tiere ernäh-

Links: *Vorder- und Seitenansicht vom Kopf eines Spitzkrokodils* (Crocodylus acutus). *Der große vierte Unterkieferzahn ist ebenso deutlich zu erkennen wie die Kerbe an der Außenseite des Oberkiefers.*

ren sich von Vögeln und größeren Säugetieren.

Die Krokodile lauern auf Tiere, die zum Wasser kommen, um zu trinken. Sie packen ihre Beute und ziehen sie ins Wasser, wo sie durch einen Schlag mit dem Schwanz oder dem Kopf betäubt und dann ertränkt wird. Da sie mit ihren Zähnen große Beutetiere nicht zerreißen können, lassen sie sie eine Weile liegen, bis die Verwesung eingesetzt hat. Dann keilen sie den Kadaver fest, packen ein Stück und reißen es mit einem Ruck heraus. Die Tiere können große Futterbrocken verschlingen und verdauen sie schnell.

Ungezählte Krokodile und Alligatoren wurden vom Menschen getötet, weil sich aus ihrer Haut ein herrliches Leder herstellen läßt. Vor allem die Alligatoren sind aus diesem Grund vom Aussterben bedroht. Obwohl der Mississippi-Alligator unter Naturschutz steht und die Jagd hart bestraft wird, sind stets skrupellose Wilderer unterwegs, weil manche Leute bereit sind, für seine Haut eine

Menge Geld zu bezahlen. Die Kaimane sind vor einer solchen Verfolgung sicher: ihre Haut eignet sich wegen der Hornplatten auf ihrem Bauch nicht zur Lederherstellung. Auch die Gaviale waren bisher nicht gefährdet, weil sie bei den Eingeborenen ihres Verbreitungsgebiets als heilige Tiere galten; neuerdings stellen die Lederjäger aber auch ihnen nach.

Der Ganges-Gavial *(Gavialis gangeticus)* ist den übrigen Krokodilen so unähnlich, daß er eine eigene Familie bildet; er lebt in den Flüssen Indiens. Der Sunda-Gavial *(Tomistoma schlegelii)*, der auf der Malaiischen Halbinsel, Sumatra und Borneo heimisch ist, ähnelt durch seine verlängerte Schnauze dem Ganges-Gavial, gehört aber zu den Echten Krokodilen. Die Gaviale sind harmlose Tiere. Ihre langen, schlanken Schnauzen und die nicht sehr kräftigen Kiefer können zwar Fische packen, für größere Beute sind sie jedoch nicht geeignet. Die Gaviale machen ein Beutetier mit den seitlich am Kopf sitzenden Augen aus und packen es dann durch rasches Schwenken der langen Schnauzen.

Auch das Gavial-Weibchen baut ein Nest, aber bei der Eiablage gibt es eine Besonderheit — es gräbt ein

Loch in den Sand und legt die Eier in zwei Etagen ab. Von einer britischen Naturforscherin des späten 19. Jahrhunderts stammen diese Aufzeichnungen: „Vierzig Eier wurden aus dem Sand ausgegraben, wo sie in zwei Etagen lagen, je 20 in der unteren und in der oberen Reihe, durch eine 30 Zentimeter dicke Sandschicht getrennt. Sobald sie geschlüpft waren, liefen die Jungen mit erstaunlicher Geschwindigkeit davon... Die frisch geschlüpften Tiere waren 37 bis 40 Zentimeter lang; davon entfielen ungefähr 22 Zentimeter auf den Schwanz." Gaviale können bis zu 6 Meter lang werden. Sie verbringen mehr Zeit im Wasser als die anderen Krokodile, aber auch sie halten Augen und Nasenöffnungen oberhalb der Wasseroberfläche. Wenn sich ein Mensch nähert, tauchen auch die Augen unter, und wenn er zu nahe herankommt, das ganze Tier.

Schildkröten

(ORDNUNG TESTUDINES)

Auch die Schildkröten sind eine sehr alte Tiergruppe. Sie existieren seit rund 250 Millionen Jahren auf der Erde, und wie die Krokodile haben sie sich im Laufe dieser langen Zeit nur wenig verändert. Mit rund 100 Arten haben sie sich jedoch relativ gut behauptet. Als Kriechtiere, die nicht imstande sind, ihre Körpertemperatur zu regulieren, leben sie durchweg in den Tropen und Subtropen. Ihr Verbreitungsgebiet ist jedoch größer als das der Krokodile.

Im allgemeinen Sprachgebrauch unterteilt man die Schildkröten in Meeres-, Wasser- und Landschildkröten. Allerdings lebt die zu den Meeresschildkröten zählende Papua-Schildkröte *(Carettochelys insculpta)* in Süßwasser, und die zu den Landschildkröten gehörende Sumpfschildkröte *(Emys orbicularis)* ist in ruhigen Seen anzutreffen.

Äußerlich sind die Schildkröten unverwechselbare Tiere. Sie leben in einem festen Panzer; den Rücken schützt ein gewölbter Schild, den Bauch ein flacher Knochenpanzer. Viele Arten können Kopf, Beine und Schwanz mehr oder weniger vollständig einziehen und sich auf diese Weise wirksam vor Feinden schützen; manche sind sogar imstande, die Öffnungen zu verschließen. Ein Nachteil dieser Panzerung besteht darin, daß sie das Atmen erschwert. Die Schildkröten können den Brustkorb nicht ausdehnen, um Luft in die Lungen zu pumpen, weil die Rippen mit dem Panzer verwachsen sind. Dafür verfügen sie über Lungenmuskeln, die die geschluckte Luft wieder herauspressen, wenn sie sich zusammenziehen.

Eine weitere Besonderheit der Schildkröten ist das Fehlen von Zähnen. Da ihre Kiefer jedoch scharfkantig und verhornt sind, können sie trotzdem kräftig zubeißen und Pflanzen und Tiere verzehren.

Die Meeresschildkröten (FAMILIE CHELONIIDAE) sind heute sehr selten geworden. Am bekanntesten sind die Suppenschildkröte *(Chelonia mydas)*, deren Knorpelsubstanz zur berühmten ,,Schildkrötensuppe`` verarbeitet wird; die Echte Karettschildkröte *(Eretmochelys imbricata)*, die das wertvolle Schildplatt liefert, die Lederschildkröte *(Dermochelys coriacea)* und die Unechte Karettschildkröte *(Caretta caretta)*, die gelegentlich auch in den gemäßig-

Unten: *Eine junge Landschildkröte betrachtet ihre Umwelt. Alle Schildkröten haben ihre Zähne verloren, besitzen dafür aber Hornschneiden, die den Schnäbeln der Vögel ähneln.*

ten Breiten anzutreffen ist. Die Lederschildkröte ist die größte der heute noch lebenden Arten; sie kann bis
zu 2 Meter lang und bis zu 600 Kilogramm schwer werden.

Zur Eiablage kommen die Meeresschildkröten an Land. Als typisches
Beispiel können die Suppenschildkröten dienen. Sie verlassen ihre
Weidegründe vor der brasilianischen
Küste, um quer durch den Ozean bis
zur Insel Ascension zu schwimmen
und dort ihre Eier abzulegen — eine
beachtliche Wanderung, die ebenso
beachtliche Navigationskünste erfor-
dert. Die Paarung erfolgt kurz vor
Erreichen des Nistplatzes im Meer.
Dann kriechen die Weibchen nachts
an Land, um ihre Eier abzulegen.
Dazu gräbt ein Weibchen oberhalb
der Hochwassermarke mit allen vier
Flossen eine Nestmulde in den Sand.
Dann läßt es sich in ihr nieder und
gräbt mit den Hinterflossen eine röhrenförmige Grube, in die es an die
100 Eier von der Größe eines Tisch-
tennisballs ablegt.

Nach der Eiablage schaufelt das
Weibchen die Grube zu. Da es den
Sand jedoch nicht festdrückt, sind
die Gelege leicht zu entdecken — ein
bedauerlicher Umstand, da Menschen und Tiere Schildkröteneier
schätzen. Die Lederschildkröte dagegen drückt den Sand fest und wühlt
den Boden in weitem Umkreis auf,
um ihr Nest zu verbergen.

Nach einer Nacht voller Schwerar-
beit kehren die erschöpften Suppenschildkröten ins Meer zurück. Leider
sind sie ebenso wie die Echten Ka-
rettschildkröten vom Aussterben bedroht. Sie haben einen Teil ihrer
Nistplätze verloren, und ihre Zahl
hat erheblich abgenommen. Inzwischen hat man jedoch viele Nistplätze unter Naturschutz gestellt, so daß
noch Hoffnung auf Rettung dieser
urtümlichen Tiere besteht.

Links oben: *Eine weibliche Karettschildkröte gräbt eine Mulde, um ihre
Eier darin abzulegen.*
Links: *Die geschlüpften Jungen suchen
instinktiv den Weg zum Meer und
schwimmen davon, aber viele fallen
Seevögeln und Fischen zum Opfer.*

Geierschildkröte
(Macroclemys temminckii)

Die im Süßwasser lebenden Arten sind über die ganze Welt verbreitet. Einige von ihnen, zum Beispiel die Zierschildkröte *(Chrysemis picta)*, besitzen herrlich gezeichnete und gefärbte Panzer, andere — zum Beispiel die in Australien heimische Glatrückige Schlangenhalsschildkröte *(Chelodina longicollis)* — sind besonders merkwürdig anzusehen. Einen bezeichnenden wissenschaftli-

Unten: *Der Kopf einer Schmuckschildkröte. Die Schmuckschildkröten leben vor allem in Süßgewässern Nord-, Mittel- und Südamerikas und unterscheiden sich durch die Musterung ihrer Panzer und farbig gezeichneten Köpfe.*

chen Namen trägt *Platysternum megacephalum;* wörtlich übersetzt heißt das „Großköpfiger Flachbrüster". Die Großkopfschildkröte hat einen so riesigen, mit großen Hornplatten gepanzerten Kopf, daß sie ihn nicht einziehen kann.

Einige Wasserschildkröten sind mit Verteidigungswaffen ausgerüstet. Die Moschusschildkröten (Gattung *Sternotherus)* können aus ihren Afterdrüsen eine unangenehm riechende Flüssigkeit absondern und ihre Feinde damit in die Flucht schlagen. Sie legen ihre Eier unter faulendem Holz ab oder vergraben sie im Schlamm; aus ihnen schlüpfen Jungtiere von etwa 2,5 cm Länge.

Nicht alle Wasserschildkröten gehen auf Jagd — manche warten darauf, daß ihnen die Beute in den Mund schwimmt. Die Geierschildkröte *(Macroclemys temminckii)* lauert mit offenem Maul auf dem Grund eines Gewässers. Auf ihrer Zunge liegt ein hellroter Fortsatz, der regelmäßig zuckt. Fische halten diesen Köder für einen Wurm, schwimmen auf ihn zu und werden von der Geierschildkröte rasch verschluckt.

Die Landschildkröten (FAMILIE TESTUDINIDAE) unterscheiden sich durch einen hochgewölbten Rückenpanzer deutlich von ihren im Wasser lebenden Verwandten. Sie sind über die Tropen und Subtropen der ganzen Welt verbreitet. Die meisten von ihnen leben an trockenen, sandigen Plätzen, einige wenige auch in Wäldern. In der Regel sind die Landschildkröten Pflanzenfresser, sie nehmen aber gelegentlich auch tierische Nahrung und Aas zu sich.

Die Maurische Landschildkröte *(Testudo graeca)* und die Griechische Landschildkröte *(T. hermanni)* sind beliebte Haustiere. In Gegenden mit gemäßigtem Klima müssen sie Winterschlaf halten. Durch Schildkröten, die als Haustiere gehalten wurden, wissen wir, wie lange sie leben können. Eine Schildkröte, die dem englischen Erzbischof Laud gehörte, lebte ab 1633 in London. Ihr Todesjahr ist genau verbürgt; sie ist 1753 gestorben, womit sie das beachtliche Alter von 120 Jahren erreicht hat.

Riesenschildkröten

Die Riesenschildkröten sind Überbleibsel aus einem früheren Erdzeitalter und finden sich nur auf isolierten Inseln im Pazifischen und Indischen Ozean. Vermutlich konnten sie nur überleben, weil sie dort vor ihren Feinden, denen ihre Artgenossen auf dem Festland zum Opfer fielen, einigermaßen sicher waren.

Die Galapagos-Riesenschildkröte *(Testudo elephantopus)* lebt, wie ihr Name besagt, auf den Galápagosinseln; sie wurde erstmals von Charles Darwin beschrieben, der auf seiner berühmten Reise dort anlegte. Noch größer ist die Seychellen-Riesenschildkröte *(Testudo gigantea)*. Sie war früher weit über die Inseln des Indischen Ozeans — die Maskarenen, die Komoren, die Seychellen und die Aldabra-Inseln verbreitet, ist heute aber vielerorts ausgestorben.

Schuld am Rückgang der Riesenschildkröten ist der Mensch, denn diese schwerfälligen Pflanzenfresser belieferten die Seeleute mit leicht zu erbeutendem Frischfleisch. Die Tiere waren so widerstandsfähig, daß sie auch an Bord am Leben blieben. Die nicht verzehrten Schildkröten wurden dann am Ende der jeweiligen Reise an Land gesetzt.

Die Riesenschildkröten können bis 1,50 Meter lang und 75 Zentimeter hoch werden. Als Pflanzenfresser ernähren sie sich von Kakteen, Blättern und Früchten. Bei Tage suchen sie Schutz vor der Hitze, nur nachts wandern sie umher und fressen.

Oben: *Eine Galapagos-Riesenschildkröte beim Fressen. Dieses erstmals von Charles Darwin beschriebene Reptil kann bis zu 200 Kilogramm schwer werden und ein Alter von über 100 Jahren erreichen. Die Männchen sind größer als die Weibchen.*

Echsen

(UNTERORDNUNG SAURIA)

Seit der Jura-Zeit, also seit rund 180 Millionen Jahren, leben die Echsen auf der Erde und sind damit älter als die nahe mit ihnen verwandten Schlangen. Seither haben sie jedoch stärkere Wandlungen durchgemacht als die noch älteren Krokodile und Schildkröten. Zwar weist ihr Körperbau mit vier Beinen und einem Schwanz das gleiche Grundschema auf, aber sie haben sich im Laufe der Zeit sehr unterschiedlichen Lebensformen angepaßt. Es gibt Echsen, die auf dem Land leben, auf Bäumen, in der Erde, im Wasser und sogar in der Luft. Die Größenskala reicht vom Komodo-Waran *(Varanus komodensis)* mit einer Länge bis zu 3 Metern bis zu den nur wenige Zentimeter langen Geckos.

In sehr kalten Gegenden können die Echsen nicht leben; dennoch sind einige Arten bis in die gemäßigten Breiten vorgedrungen. Die Mehrzahl findet sich jedoch in tropischen und subtropischen Ländern. In kälteren Gegenden müssen sie Winterschlaf halten. Einige Arten leben in Wüsten — alle Echsen sind von ihren Körperfunktionen her einem Dasein in Trockengebieten gut angepaßt.

Die Schwänze dieser Tiere sind verhältnismäßig lang. Bei einer Smaragdeidechse *(Lacerta viridis)* mit einer Gesamtlänge von 38 Zentimetern entfallen 22 Zentimeter auf den Schwanz. Die Echsen haben Augenlider, die allerdings die Form durchsichtiger, unbeweglicher Schuppen annehmen können, und deutlich erkennbare Ohren. Ihre Haut ist wie die der Schlangen mit Schuppen und der Kopf mit Hornschilden bedeckt.

Als Beispiel für den Lebenszyklus der Echsen soll hier die vor allem in

Rechts oben: *Die Komodo-Warane, die größten unter den heute lebenden Echsen, sind gefährliche Raubtiere, die auch große Säugetiere töten können.*
Rechts: *Eine Smaragdeidechse beim Sonnenbad auf einem Stein. Junge Exemplare dieser europäischen Art sind braun, ältere färben sich grün.*

Südosteuropa und Kleinasien weit verbreitete Smaragdeidechse dienen. Im Frühjahr legt das Männchen ein leuchtend grünes Hochzeitskleid an und versucht, andere Männchen in die Flucht zu schlagen; es kommt zu Kämpfen, aus denen ein Männchen als Sieger hervorgeht. Nach der Paarung legt das Weibchen seine Eier in ein Nest, das es in die Erde gegraben hat. In der Regel hält es sich in der Nähe des Geleges auf, bis die Jungen geschlüpft sind. Das ist gewöhnlich nach 2 bis 3 Monaten der Fall; je wärmer es ist, desto kürzer ist die Reifezeit. Die Jungtiere durchstoßen die pergamentartige Eihülle mit Hilfe des sogenannten „Eizahns", der kurze Zeit nach dem Schlüpfen abfällt.

Junge Eidechsen ernähren sich von Insekten, Spinnen, Asseln und anderen kleinen Lebewesen. Wenn sie heranwachsen, fressen sie Regenwürmer und kleine Säugetiere. Ausgewachsene Tiere verschmähen auch Eier und Früchte nicht.

In den Wüstengebieten Australiens ist der Wüstenteufel, Dornteufel oder Moloch (*Moloch horridus*) zuhause; er bietet, wie schon der wissenschaftliche und die deutschen Namen andeuten, einen beängstigenden Anblick. Sein Körper ist mit Stacheln bedeckt, die ihm ein gefährliches Aussehen geben; in Wirklichkeit ist er jedoch recht harmlos. Der Wüstenteufel ernährt sich von Ameisen, die er einzeln aufleckt. Im Gegensatz zur flinken Smaragdeidechse bewegt er sich sehr langsam, und wenn er erschreckt wird, rollt er sich wie ein Igel zusammen.

Der Dornteufel gehört zu den Agamen (FAMILIE AGAMIDAE), die mit rund 300 Arten über die Alte Welt und Australien verbreitet sind. Nahe mit dem Dornteufel verwandt ist die Kragenechse (*Chlamydosaurus kingii*), die bei Gefahr eine Hautfalte rings um den Kopf zu einem gewaltigen Kragen ausbreiten kann. Gleichfalls zu den Agamen gehört der Gewöhnliche Flugdrache *(Draco volans)*, der in Wirklichkeit jedoch nicht fliegt, sondern mit Hilfe von flügelartigen Hautlappen durch die Luft gleitet.

Oben: *Eine australische Kragenechse spreizt ihre leuchtend gefärbten Hautlappen und sperrt das Maul auf, um jeden Feind in die Flucht zu schlagen.*

Unten: *Ein in Südostasien heimischer Flugdrache, der auf ausgebreiteten Hautlappen wie mit einem Fallschirm durch die Luft gleitet.*

Leguane

(FAMILIE IGUANIDAE)

Mit rund 700 Arten bewohnen die Leguane in der Neuen Welt die ökologischen Nischen, die in der Alten Welt und in Australien die Agamen eingenommen haben. Zu den bekannten Arten gehören die Basilisken. Sie leben in Bäumen und Sträuchern in der Nähe von Süßgewässern im tropischen Südamerika. Wenn sie sich bedroht fühlen, flüchten sie zum Wasser, wo sie sich auf den Boden sinken lassen können; sie sind aber auch imstande, auf der Wasseroberfläche zu laufen.

Mit den Basilisken nahe verwandt ist die Meerechse *(Amblyrhynchus cristatus)*. Sie ist die einzige Art, die im und am Wasser lebt, ein merkwürdiges graues Geschöpf, das bis zu 1,25 Meter lang werden kann. Die Meerechse folgt der ablaufenden Flut am Strand und ernährt sich von Algen und Tang, die sie von Felsen abweidet, geht aber auch unter Wasser bis in Tiefen von 4,50 Metern auf Nahrungssuche. Die Meerechsen bleiben in der Regel nur 15 bis 20 Minuten unter Wasser, können es aber eine Stunde im Wasser aushalten, ohne zu ertrinken. Ihre Nester legen sie im weichen Küstensand ab; dort werden die Eier in 60 Zentimeter tiefen Legeröhren abgesetzt.

Geckos

(FAMILIE GEKKONIDAE)

Ohne Übertreibung kann man die Geckos als die Akrobaten unter den Echsen bezeichnen. Diese relativ kleinen Geschöpfe sind über alle warmen Weltgegenden verbreitet und mit ihren großen, runden Augen, ihrer hübschen Färbung und ihren erstaunlichen Kletterkünsten recht possierliche Tiere. An den vergrößerten, abgeflachten Fingern und Zehen sitzen kleine Hautlappen, so-

Unten: *Auf dem vulkanischen Gestein der Galápagosinseln sind die Meerechsen hervorragend getarnt.*

genannte Haftlamellen, die mit Hunderten von winzigen Haken besetzt sind. Sie bohren sich in jede Unebenheit der Fläche ein, die ein Gecko er-

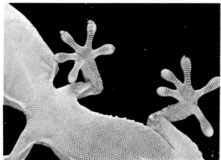

Oben: *Mit Hunderten von winzigen Haken finden die Geckos sogar an senkrechten Glaswänden Halt.*

klettert. Auf diese Weise können die Geckos sogar senkrechte Glaswände erklimmen und an einer Zimmerdecke entlanglaufen.

Die meisten Geckos leben auf Bäumen oder in Wüstengebieten; einige sind auch zu Hausgenossen des Menschen geworden, weil sie in den Wohnungen viele der Insekten vorfinden, von denen sie sich ernähren. Das gilt vor allem für den Mauergecko (*Tarentola mauritanica*) und den Tokee *(Gecko gecko)*. Mit einer Länge von rund 35 Zentimetern ist der Tokee eine der größten Arten.

Wie viele andere Echsen können auch die Geckos nach Belieben ihren Schwanz abwerfen. Fühlt sich ein Gecko bedroht, zieht sich ein Muskelring zusammen, und der Schwanz bricht ab. Das zuckende Schwanzende lenkt die Aufmerksamkeit des Feindes auf sich, während sein Besitzer schleunigst die Flucht ergreift.

Unten: *Ein gespenstisches Bild: ein Krallengecko bei der Häutung.*

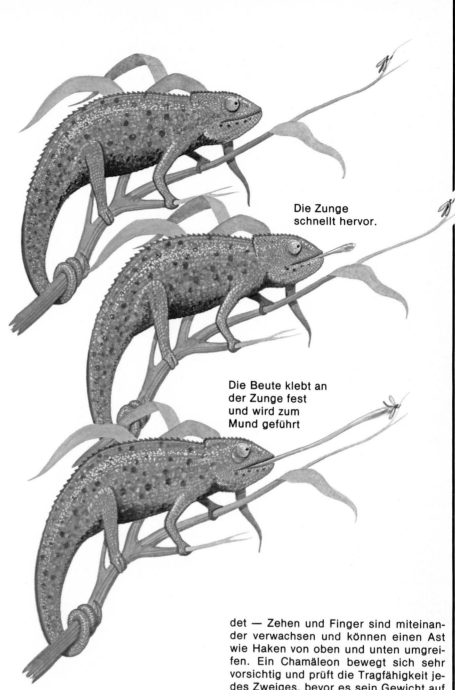

Die Zunge schnellt hervor.

Die Beute klebt an der Zunge fest und wird zum Mund geführt

Die seltsamen Chamäleons

Gegenüber den anderen Echsen zeichnen sich die Chamäleons durch viele Besonderheiten aus. Die rund 85 Arten sind sämtlich grotesk anmutende Tiere mit flinken Augen. Auffallend ist der Widerspruch zwischen ihren langsamen Bewegungen und der blitzschnellen Zunge, von ihrer Fähigkeit, die Farbe zu wechseln, ganz zu schweigen.

Die Chamäleons sind Baumbewohner. Ihre Füße sind zu Greifzangen umgebil-

det — Zehen und Finger sind miteinander verwachsen und können einen Ast wie Haken von oben und unten umgreifen. Ein Chamäleon bewegt sich sehr vorsichtig und prüft die Tragfähigkeit jedes Zweiges, bevor es sein Gewicht auf ihm ruhen läßt. Die Augen schweifen auf der Suche nach Insekten unabhängig voneinander in alle Richtungen umher. Haben sie ein Beutetier gesichtet, schnellt die Zunge vor; in den meisten Fällen trifft sie das Opfer, das an ihr festklebt und dann zum Mund geführt wird. Dieser Vorgang dauert nur den Bruchteil einer Sekunde, und große Arten können auf diese Weise sogar Vögel fangen. Ihre Farben ändern die Chamäleons, um sich ihrer Umgebung anzupassen, aber auch, um bestimmten Stimmungen Ausdruck zu geben. Außerdem reagiert ihre Haut auf die Lichtintensität — viele Tiere sind am Tage dunkel, nachts dagegen hell.

Glattechsen

(FAMILIE SCINCIDAE)

Mit rund 800 Arten bilden die Glattechsen eine relativ große Gruppe. Ihre länglichen Körper können sich in der Form denen der Schlangen annähern, und bei vielen von ihnen tragen sie auffällige Streifen. Ihre Farben sind oft so leuchtend und glänzend wie nasse Farbe. Bei einigen Skinkarten sind die Schwänze der Jungtiere leuchtend blau gefärbt. Die Skinke können wie die Geckos ihre Schwän-

Links: *Der Tannenzapfenskink täuscht seine Verfolger, indem er ihnen scheinbar zwei Köpfe darbietet; der eigentliche Kopf ist auf dem Photo rechts zu erkennen. Dieser Skink bringt 2 oder 3 lebende Junge zur Welt, die etwa halb so lang sind wie die Mutter.*

Giftige Echsen

Im Gegensatz zu den nahe mit ihnen verwandten Schlangen sind die meisten Echsen ungiftig; von rund 300 Arten produzieren nur zwei einen Giftstoff — die Gila-Krustenechse *(Heloderma suspectum)* und die Skorpion-Krustenechse *(H. horridum).* Beide tragen Giftdrüsen am Unterkiefer; die Zähne sind gefurcht, und wenn eine Krustenechse ein Beutetier beißt, fließt das Gift durch diese Furchen in die Wunde. Es wirkt jedoch bei weitem nicht so schnell wie das der Schlangen; die Echsen müssen auf ihrem Opfer kauen, bis so viel Gift ausgeflossen ist, daß es seine Wirkung tut.

Dem Menschen wird das Gift der Krustenechsen nur selten gefährlich. Von 34 Fällen, in denen eine Krustenechse einen Menschen biß, verliefen nur acht tödlich, und dabei handelte es sich vorwiegend um Betrunkene oder Kranke. Gesunde Menschen überleben einen Biß gewöhnlich, leiden aber unter Atembeschwerden und Ohnmachten; außerdem schwillt die Bißwunde an und schmerzt stark.

Die Krustenechsen setzen ihr Gift weniger zum Erlegen von Beutetieren als zur Verteidigung ein. Sie ernähren sich von Eiern, Jungvögeln und kleinen Nagetieren. Beide Arten haben Warnfarben — schwarze, rötliche oder gelbe Flecken.

Unten: *Mit rötlichen und schwarzen Schuppen warnt die Gila-Krustenechse etwaige Angreifer vor ihrem Gift, das in Unterkieferdrüsen erzeugt wird.*

ze abwerfen, und die grellen Farben lenken die Aufmerksamkeit des Feindes auf sich.

Die Größe der Glattechsen liegt zwischen einer Körperlänge von gut 60 Zentimetern beim Salomonen-Riesenskink *(Corucia zebrata)* und nur wenigen Zentimetern bei den Mabuyen (Gattung *Mabuya)*. Ungeachtet ihres Namens können auch die Glattechsen eine rauhe Haut haben. Das gilt vor allem für den Tannenzapfenskink *(Tiliqua rugosa)*. Sein abgerundeter Schwanz sieht auf den ersten Blick wie ein zweiter Kopf aus. Eine ganz glatte Haut haben dagegen die Sandskinke (Gattung *Scincus)*; sie können sich im Sand so schnell fortbewegen, daß es fast aussieht, als „schwämmen" sie hindurch.

Beinlose Echsen

Eine Reihe von Echsenarten hat ihre Beine verloren; dabei handelt es sich in erster Linie um Tiere, die unter der Erde leben, wo Gliedmaßen nur stören würden. Hierzu gehören unter den Glattechsen die Schlangenskinke (Gattung *Ophioscincus)* ebenso wie die Gattung *Scelotes,* bei der allerdings alle Abstufungen zwischen vier kräftigen Beinen und völlig beinlosen Formen vorkommen. Völlig beinlos sind die Doppel- oder Wurmschleichen (AMPHISBAENIA). Sie sehen aus wie beschuppte Würmer und leben vorwiegend in Afrika und Südamerika , und zwar ausschließlich unterirdisch. Die Weibchen legen ihre Eier in den Nestern von Ameisen und Termiten ab; sie dienen nicht nur als Brutkammern, die geschlüpften Jungen finden dort auch Nahrung.

Die Glasschleichen (Gattung *Ophiosaurus)* und die Blindschleiche *(Anguis fragilis)* der Familie Anguidae halten sich unter der Erde, oft aber auch im Freien aufhalten. Häu-

Oben: *Eine Blindschleiche mit drei Jungen. Wird eine Blindschleiche von einem Greifvogel gepackt, scheidet sie eine übelriechende Flüssigkeit aus, damit er sie wieder fallen läßt.*

fig werden sie mit Schlangen verwechselt; nur bei genauerem Hinsehen erkennt man, daß ihre Augen anders gebaut sind als die der Schlangen und ihr Schwanz zu lang ist. Bei den Schleichen macht der Schwanz ungefähr die Hälfte der Gesamtlänge aus, bei den Schlangen dagegen nur ein Drittel oder weniger.

Am bekanntesten dürfte die in fast ganz Europa heimische Blindschleiche sein. Sie verbringt einen Teil ihrer Zeit unter Steinen oder Baumstämmen verborgen, nimmt aber gern Sonnenbäder. Ihre Hauptnahrung sind Regenwürmer und Nacktschnecken; Beutetiere, die sich schnell bewegen, können die beinlosen Blindschleichen nicht erjagen.

Schlangen

(UNTERORDNUNG SERPENTES)

Die ersten Schlangen erschienen in der Kreidezeit (vor rund 135 Millionen Jahren) auf der Erde. Da sie jedoch schlecht versteinern, wissen wir relativ wenig über ihre Evolutionsgeschichte; die Wissenschaftler nehmen an, daß sie sich aus den in der Erde grabenden Echsen entwickelt haben. Ganz offensichtlich ist der Verlust der Gliedmaßen typisch für grabende Tiere, aber nur wenige der heute lebenden Schlangen sind Grabtiere.

Schlangen lösen im Menschen heftige Gefühlsreaktionen aus; sie wurden schon früh gefürchtet und angebetet. Im Christentum ist die Schlange der Versucher im Paradies; die Azteken verehrten eine gefiederte Schlange, und die alten Ägypter waren überzeugt, daß die Schlangen seit Anbeginn der Erde existierten.

Einer der Gründe für die Einstellung des Menschen gegenüber diesen Tieren ist das Fehlen von Gliedmaßen — die Schlangen scheinen sich wie durch Zauberkräfte fortzubewegen. In Wirklichkeit setzen sie ihre Haut und ihre Rippen ein, um die für sie typischen Windungen in der Horizontalen auszuführen, die wir „Schlängeln" nennen.

Schlangen können sich einem größeren Temperaturbereich anpassen als die übrigen Kriechtiere. Die meisten von ihnen leben in tropischen und subtropischen Ländern, aber die Kreuzotter ist in Nordeuropa bis zum Polarkreis vorgedrungen.

Da die Schlangen keine Glieder besitzen, mit denen sie ihre Beute greifen könnten, umschlingen sie sie entweder oder lähmen und töten sie mit ihrem Gift. Beim Aufspüren der Beute helfen ihnen Augen und Geruchssinn; hören können sie nicht, aber da sie mit ihrer ganzen Bauchfläche auf dem Boden liegen, nehmen sie jede Erschütterung wahr. Mit ihren großen Augen können sie gut sehen, aber in der Regel spürt die gespaltene Zunge die Beute auf. Im Gegensatz zu einer weit verbreiteten Annahme ist die Zunge nicht giftig. Beim Züngeln nimmt sie winzige Partikel von Duftstoffen auf und befördert sie in das Jacobsonsche Organ, das auch bei den Echsen vorhanden ist und in einer Vertiefung des Mundhöhlendaches liegt. Mit seiner Hilfe können sie die Spur einer Beute verfolgen. Die Grubenottern besitzen noch ein weiteres Organ, das auf Wärme reagiert.

Das Fehlen von Gliedmaßen wirft Probleme bei der Paarung auf, denn Schlangenmännchen können die Weibchen ja nicht festhalten. Die Schlangenmännchen haben — wie die Echsen — ein paariges Begattungsorgan ausgebildet; es ist zumeist mit Dornen und Stacheln versehen und kann sich auf diese Weise in der weiblichen Geschlechtsöffnung verankern. Manche Schlangen legen die befruchteten Eier in lockerem Erdreich oder unter verrottender Vegetation ab; bei einigen Arten entwickeln sich die Embryonen im Mutterleib, und die Jungen werden lebend geboren. In jedem Fall verläuft die Entwicklung umso schneller, je wärmer das Klima ist.

Urtümliche Schlangen

Zwar haben die Schlangen die bei den anderen Kriechtieren vorhandenen Gliedmaßen verloren, aber einige Anzeichen deuten darauf hin, daß dies nicht immer der Fall war. Bei manchen urtümlichen Schlangen sind noch Reste der Hintergliedmaßen vorhanden, und einige Blindschlangen und Riesenschlangen besitzen sogenannte Aftersporne, umgebildete Reste der ursprünglichen Oberschenkelknochen.

Selbst die urtümlichen Schlangen haben sich einer Vielzahl von Lebensräumen angepaßt. Die ungiftigen Blindschlangen (FAMILIE TYPHLOPIDAE) und die Schlankblindschlangen (FAMILIE LEPTOTYPHLOPIDAE) leben unter der Erde. Als im Boden wühlende Tiere brauchen sie keine Augen; sie sind deshalb stark rückgebildet. Beide Familien ernähren sich von Würmern und anderen Erdbewohnern.

Riesenschlangen

(FAMILIE BOIDAE)

Die Riesenschlangen sind dafür berüchtigt, daß sie ihre Beute zerquetschen. In Wirklichkeit zermalmen sie ihre Opfer nicht, sondern ersticken sie oder bringen Blutgefäße zum Platzen. Da die Riesenschlangen ungiftig sind und weder über spezialisierte Zähne noch über Gliedmaßen und Klauen verfügen, bleibt ihnen nur die Methode des Umschlingens. Wie die meisten Schlangen sind sie imstande, Beutetiere zu verschlucken, die dicker sind als ihr Körper. Die Bestandteile ihrer Köpfe und Unterkiefer sind durch Sehnen und Gelenke elastisch miteinander verbunden und lösen sich beim Verschlucken großer Brocken.

In dieser Familie finden sich einige der größten Schlangen. Die im tropischen Südamerika heimische Große Anakonda *(Eunectes murinus)* wird bis zu 9 Meter lang. Der Netzpython *(Python reticulatus)*, eine Riesenschlange der Alten Welt, kann gleichfalls Längen von 9 bis 10 Metern erreichen, während die Königs- oder Abgottschlange *(Boa constrictor)* nur 3 bis 4 Meter lang wird. Einige Riesenschlangen sind besonders schön gefärbt und gezeichnet.

Rechts: *Die Blindschlange ist ein urtümliches Kriechtier, das fast ständig in der Erde lebt.*
Unten: *Ein großer Python hat durch Umschlingen eine Thomsongazelle getötet. Da sich die Unterkieferteile voneinander lösen, kann er die Beute ganz verschlucken.*

Giftschlangen

Es gibt eine ganze Reihe von Schlangen, die zwar giftig sind, dem Menschen aber nicht gefährlich werden. Ihre Giftzähne sind entweder zu klein oder sitzen so weit hinten in der Mundhöhle, daß die Schlangen sie nur in etwas schlagen können, das sich in ihrem Mund befindet. Auf jedem Kontinent mit Ausnahme Australiens sind sie gegenüber den wirklich gefährlichen Giftschlangen in der Überzahl.

Zu dieser Gruppe gehören die europäische Gewöhnliche Ringelnatter *(Natrix natrix)*, die sich mit Absonderungen aus ihren Stinkdrüsen zur Wehr setzt, ebenso wie die amerikanische Gewöhnliche Hakennatter *(Heterodon platyrhinos)*. Wie die Ringelnatter stellt sich auch die Hakennatter tot, wenn sie bedroht wird. Sie legt sich auf den Rücken, um ihre Verfolger zu täuschen; dreht man sie auf den Bauch, nimmt sie sofort die Rückenlage wieder ein, um zu beweisen, daß sie wirklich tot ist.

Einige dieser Schlangen haben sich auf eine bestimmte Nahrung spezialisiert. Die Eierschlangen (Gattung *Dasypeltis)* besitzen verlängerte Wirbelfortsätze, die in die Speiseröhre hineinragen. Wenn die Schlangen ein Ei verschlingen, wirken sie wie eine Säge; der Inhalt des Eies fließt in den Magen, die Schale wird ausgewürgt. Die Dickkopfnattern (Gattung *Dipsas)* dagegen sind in der Lage, ihren Unterkiefer in ein Schneckenhaus zu schieben; dann schlagen sie ihre verlängerten Vorderzähne in den Körper der Schnecke, ziehen sie heraus und fressen sie.

Zahlreiche Schlangen leben auf Bäumen und ernähren sich von Vögeln und ihren Eiern, Baumfröschen, Hörnchen und allem, was sie sonst noch erbeuten können. Die Graue

Unten: Ebenso wie andere ungiftige Schlangen neigt die Ringelnatter dazu, sich totzustellen, indem sie den Mund öffnet und die Zunge heraushängen läßt. Manche Arten sorgen für ein besonders realistisches Bild, indem sie sich auf den Rücken legen.

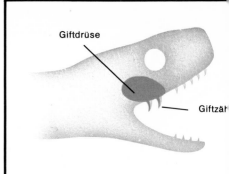

Giftdrüse

Giftzäh

Gift und Giftzähne

Schlangen bringen ihren Opfern das Gi mit Hilfe ihrer Zähne bei. Bei einer gan zen Reihe von Arten stehen die Giftzäh ne hinten in der Mundhöhle und sind m einer Furche ausgestattet. Das Gift wir in modifizierten Speicheldrüsen erzeug und läuft dann die Zahnfurche entlang Da diese Furche offen ist, geht viel Gi verloren. Über wirksamere Waffen verfü gen die Giftnattern. Ihre Fangzähne ste hen vorn im Mund und haben tiefere Fu chen; auf diese Weise gelangt eine grö ßere Menge Gift in das Opfer. Bei den V pern und Grubenottern schließlich sin an die Stelle der Furchen geschlossen Röhren getreten. Das Gift fließt aus de Drüse durch den Zahn direkt in die Wur

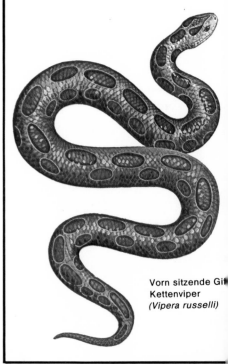

Vorn sitzende Gif
Kettenviper
(Vipera russelli)

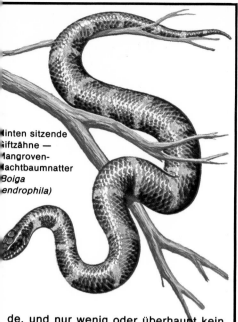

de, und nur wenig oder überhaupt kein Gift geht verloren.

Die Schlangengifte bestehen in der Hauptsache aus acht Wirkstoffen: Neurotoxinen, die auf das Nervensystem einwirken; Hämorrhaginen, die die Wände der Blutgefäße zerstören; Thrombin, das das Blut gerinnen läßt; Hämolysinen, die die roten Blutkörperchen zerstören; Zytolysinen, die andere Zellen zerstören; Antifibrinen, die der Blutgerinnung entgegenwirken; Antibakteriziden, die Antikörper zerstören; und Kinasen, die die Verdauung einleiten. In den Giften der Giftnattern sind mehr Neurotoxine, Hämolysine und Antifibrine enthalten; die Gifte der Vipern und Grubenottern haben mehr Hämorrhagine, Thrombin und Zytolysine.

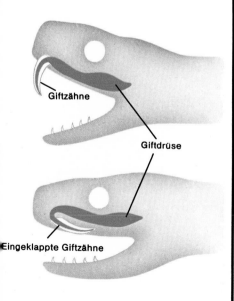

Giftzähne

Giftdrüse

Eingeklappte Giftzähne

Baumnatter *(Thelotornis kirtlandii)* kann ihren Körper so versteifen, daß mehr als ein Drittel wie ein Zweig ungestützt in der Luft hängt. In dieser Stellung wartet sie darauf, daß sich ein Vogel, nichts Böses ahnend, auf ihr niederläßt.

Andere Schlangen leben im Wasser. Zu ihnen gehören die Würfelnatter *(Natrix tesselata)* und die Vipernatter *(N. maura)*, die beide einen Großteil ihrer Zeit in Süßgewässern verbringen und sich von Fischen und Fröschen ernähren; die Eier werden jedoch auf dem Land abgelegt.

Einige Arten mit hinten sitzenden Giftzähnen können auch dem Menschen gefährlich werden, so zum Beispiel die herrlich grün gefärbte Boomslang *(Dispholidus typus).* Zu ihren Opfern gehört ein berühmter Schlangenforscher, der in einem La-

Ganz oben: *Eine Eierschlange kann große Eier ganz verschlingen, weil Kiefer und Kehlkopf dehnbar sind.*
Oben: *Die Boomslang, eine Trugnatter mit hinten sitzenden Giftzähnen, wartet darauf, daß ein Opfer — ein Vogel oder ein Chamäleon — in ihre Nähe kommt.*

boratorium in den Vereinigten Staaten von einer Boomslang gebissen wurde. Da kein Serum gegen das Gift dieser afrikanischen Art greifbar war, überlebte er den Biß nicht.

Die wirklich gefährlichen Giftschlangen lassen sich in zwei Gruppen unterteilen. Bei allen sitzen die Giftzähne ganz vorn im Mund, aber bei den Giftnattern sind sie verhältnismäßig stumpf und starr. Bei den Vipern und Grubenottern dagegen sind sie röhrenförmig und so lang, daß sie nur zum Gebrauch aus der Mundhöhle herausgeklappt werden.

Giftnattern

(FAMILIE ELAPIDAE)

Zu den rund 200 Giftnatternarten gehören die Kobras, die Bungars und die Korallenschlangen. Einige wenige Giftnattern kommen in Asien, Afrika und Nordamerika vor. Ihre größte Verbreitung haben sie in Australien und Neuguinea; dort ist die Zahl der hochgiftigen noch höher als die der harmlosen Schlangen.

Indien ist die Heimat der Kobras und Bungars. Die Schlangenbeschwörer arbeiten gewöhnlich mit der Brillenschlange *(Naja naja).* Sie ist besonders wirkungsvoll, weil sie wie alle Kobras ihren Hals mit Hilfe der Rippen zu einer flachen Scheibe auseinanderspreizen kann, wenn sie erschreckt wird. Das geschieht, wenn der Deckel ihres Korbes abgenommen wird und Licht einströmt. Die Kobra bäumt sich auf und spreizt ihren Hals. Nun beginnt der Schlangenbeschwörer mit Flöten und wiegenden Bewegungen, denen die Schlange folgt — sie „tanzt". Oft genug ist der Schlangenbeschwörer dabei nicht gefährdet, denn nicht selten wurden der Kobra die Giftzähne gezogen oder sogar der Mund zugenäht. Die größte Giftschlange ist die

Unten: Eine erschreckte indische Kobra bäumt sich auf und spreizt ihren Hals. Sie ist sehr aggressiv und schlägt ihre Zähne blitzschnell in einen Feind oder ein Opfer.

Königskobra *(Ophiophagus hannah);* sie lebt in Indien, China und Malaysia und ist mit einer Länge bis zu 5 Metern ebenso groß wie manche Pythons. Sie ernährt sich fast ausschließlich von Schlangen und kann sehr aggressiv sein.

In Amerika leben die Korallenschlangen (Gattung *Micrurus).* Sie sind durchweg mit roten, gelben oder schwarzen Ringen gezeichnet — Farben, die in der gesamten Tierwelt als Warnung vor Gift oder unangenehmem Geruch verbreitet sind.

Zu den australischen Giftnattern gehört der Taipan *(Oxyuranus scutulatus)* mit einer Körperlänge von 3 bis 4 Metern. Kaum weniger

Oben: Die leuchtenden Farben dieser Korallenschlange warnen andere Tiere vor ihrem gefährlichen Gift.

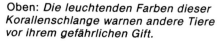

gefährlich sind die Tigerotter *(Notechis scutatus)* und die Todesotter *(Acanthopis antarcticus),* die im Aussehen einer Viper ähnelt, aber trotzdem zu den Nattern gehört.

Berühmt sind die afrikanischen Baumnattern, vor allem die Blattgrüne oder Schmalkopf-Mamba *(Dendroapsis angusticeps)* und die massigere Schwarze Mamba *(D. polylepis).*

Vipern und Grubenottern

(FAMILIEN VIPERIDAE u. CROTALIDAE)

Die Vipern unterscheiden sich von den Giftnattern äußerlich durch einen schwereren Körperbau, kürzere Schwänze und den für sie typischen dreieckigen Kopf. Sie sind deshalb eindeutig als Gruppe zu identifizieren. Die Vipern leben ausschließlich in der Alten Welt. Zu ihnen zählen die oft sehr farbig gezeichneten Puffottern, so zum Beispiel die Nashornviper *(Bitis nasicornis)* und die Gabunviper *(B. gabonica),* die in Afrika nach Beute jagen. Besonders gefährlich ist der Umgang mit den Erdottern (Gattung *Atractaspis),* weil sie ihre Giftzähne bei geschlossenem Maul aufrichten können.

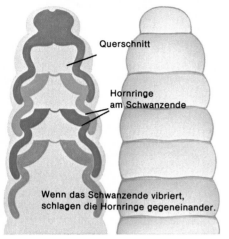

DIE RASSEL DER
KLAPPERSCHLANGE

Querschnitt

Hornringe
am Schwanzende

Wenn das Schwanzende vibriert,
schlagen die Hornringe gegeneinander.

Die meisten Grubenottern sind in der Neuen Welt heimisch. Sie besitzen ein Organ, das ihnen bei der Jagd hilft: Zu beiden Seiten des Gesichts liegt eine Grube mit einem Sinnesorgan, das auf Wärme reagiert. Mit seiner Hilfe kann eine Grubenotter die Wärmeausstrahlung eines warmblütigen Tieres registrieren und es verfolgen. Berühmte Grubenottern sind die südamerikanische Lanzenotter *(Bothrops atrox),* der nordamerikanische Kupferkopf *(Agkistrodon contortrix)* und die Klapperschlangen (Gattung *Crotalis).*

Seeschlangen

Die Seeschlangen (FAMILIE HYDROPHIIDAE) ähneln den Giftnattern, sind aber echte Meeresbewohner; die meisten Arten brauchen nicht einmal zur Fortpflanzung das trockene Land aufzusuchen. Ihre Körper sind dem Leben im Wasser angepaßt: Der Rumpf ist seitlich abgeplattet und hilft dem Tier, mit S-förmigen Bewegungen zu schwimmen; der Schwanz ist zu einem paddelähnlichen Gebilde umgeformt und dient als Rudermechanismus. Die Seeschlangen leben in den warmen Gewässern des Indischen und Pazifischen Ozeans.

Einige Arten kommen an Land, um ihre Eier abzulegen. Früher suchte der Halbgebänderte Plattschwanz *(Laticauda semifasciata)* zu Tausenden die Philippinen auf, um seine Eier im Sand abzulegen. Leider gilt geräucherte Seeschlange als Delikatesse, und japanische Fischer fingen die Tiere in solchen Mengen, daß sie selten geworden sind.

Die Mehrheit der Seeschlangen ist nicht auf eine Eiablage an Land angewiesen. Die Ruderschwanz-Seeschlangen bringen voll entwickelte Junge zur Welt. Außerdem sind die äußeren Nasenöffnungen mit einer Klappe verschließbar, so daß kein Wasser eindringen kann.

Die Plättchen-Seeschlange *(Pelamis platurus)* lebt in den Gewässern zwischen Südafrika und Mexiko. Ihre Tarnfärbung — ein heller Bauch, durch eine Wellenlinie scharf vom dunklen Rücken abgegrenzt — ist für Meeresbewohner typisch: Das Tier ist von oben wie von unten gleichermaßen schlecht zu sehen; es ist damit vor Feinden geschützt und kann sich unbemerkt seiner aus kleinen Fischen bestehenden Beute nähern.

Links: *Eine giftige Seeschlange auf dem Meeresgrund. Zum Luftholen müssen die Tiere immer wieder an die Wasseroberfläche kommen.*

Vögel (KLASSE AVES)

Von den beiden Gruppen der warmblütigen Tiere, den Vögeln und den Säugetieren, sind die Vögel rein zahlenmäßig die erfolgreichere, denn es gibt heute rund 8 600 Vogelarten gegenüber nur knapp 5 000 Arten von Säugetieren. Der Erfolg der Vögel ist ganz offensichtlich auf die verschiedenen Einrichtungen zurückzuführen, die ihnen das Fliegen ermöglichen. Die Hauptrolle spielen dabei die aus den Schuppen ihrer Kriechtier-Vorfahren entwickelten Federn. Mit Hilfe einer isolierenden Schicht

aus weichem Gefieder konnten die Vögel zu Warmblütern werden — ein entscheidender Vorteil gegenüber den kaltblütigen Reptilien und anderen Tieren auf einer niedrigeren Entwicklungsstufe. Bei manchen Arten sind die Federn leuchtend bunt gefärbt und können wichtige Signalaufgaben in der Werbung und im sozialen Leben übernehmen. Bei anderen dagegen ist das Gefieder unscheinbar und hilft ihnen, sich vor Feinden zu tarnen. Die wichtigste Funktion der Federn jedoch hängt

mit dem Fliegen zusammen. Die langen, kräftigen Flügel- und Schwanzfedern sind die eigentlichen Flugorgane, während die Körperfedern für einen stromlinienförmigen Umriß sorgen, der mit einem Mindestmaß an Widerstand durch die Luft gleitet.

Die meisten Vögel sind nach dem gleichen Plan gebaut, der sich weitgehend den Erfordernissen des Fliegens angepaßt hat; dennoch gibt es erhebliche Unterschiede in Form und Größe. Die Größenskala reicht von den nur wenige Zentimeter langen Kolibris bis zu den Straußen mit Höhen bis zu 3 Metern; die letzteren haben allerdings ihre Flugfähigkeit eingebüßt. Auch die Form ist überaus variabel — neben den langhälsigen Schwänen und Reihern stehen die Tukane und Hornvögel mit ihren gewaltigen Schnäbeln ebenso wie die Segler mit kurzem Hals, kurzen Beinen und sehr langen Flügeln.

Alle fliegenden Vögel besitzen kräftige Brustmuskeln, die am Brustbeinkamm, der Carina, verankert sind und es ihnen ermöglichen, die Flügel zu bewegen. Da ein fliegendes Tier leicht sein muß, sind die Knochen hohl; allerdings sind sie an allen entscheidenden Stellen durch Bänder und Streben versteift. Anstelle der Zähne besitzen die Vögel verhornte Schnäbel, deren Größe und Form der Nahrung entspricht, auf die sich eine Art spezialisiert hat. Vögel bringen keine lebenden Jungen zur Welt — mit dem zusätzlichen Gewicht von Embryonen, die sich in ihrem Körper entwickeln, könnten sie nicht fliegen. Deshalb haben sie von den Kriechtieren (unter denen es aber auch lebendgebärende gibt) nur die Gewohnheit des Eierlegens übernommen.

Die Vögel entwickelten sich vor rund 150 Millionen Jahren. Die ersten Arten hatten noch sehr vieles mit den Kriechtieren gemeinsam, und die Gruppe, aus der die Vögel hervorgingen, war vermutlich mit den Dinosauriern und Krokodilen nahe verwandt. Der älteste fossile Vogel, den wir kennen, ist der Urvogel *Archaeopteryx*. Er besaß massive Knochen wie die Reptilien und noch keinen Schnabel wie die höher entwickelten Vögel, sondern Kiefer mit Reihen von kleinen Zähnen. Der mit Wirbeln versehene Schwanz gleicht eher dem eines Reptils als dem eines Vogels. Da spätere Formen diesen Schwanz nicht mehr aufweisen, ist anzunehmen, daß er schon frühzeitig im Laufe der Entwicklung verlorenging. Ein weiteres Merkmal der Reptilien findet sich in den Flügeln: Sie waren noch recht klein und den Vorderbeinen eines Reptils ähnlich, das wie *Euparkeria*, einer der vermutlichen Vorfahren der Vögel, auf den Hinterbeinen lief. Da der Urvogel aber bereits ein gut entwickeltes Federkleid besaß, war er trotz dieser Ähnlichkeiten mit den Reptilien bereits ein echter Vogel.

Zwischen *Archaeopteryx* und den nächsten bisher entdeckten fossilen Vögeln liegt eine Lücke von gut 60 Millionen Jahren. Zu ihnen gehören die flugunfähigen, 2 Meter langen Zahntaucher *(Hesperornis)* sowie *Ichthyornis*, ein kleiner Seevogel, dessen Lebensweise der der heutigen Seeschwalben geähnelt haben dürfte.

Die Neuvögel — das heißt, die Vögel in ihrer uns heute vertrauten Gestalt — begannen sich vor rund 70 Millionen Jahren zu entwickeln. Vor 50 Millionen Jahren gab es bereits Reiher, Möwen und Pelikane. Von ihnen besitzen wir besonders viele Fossilien — vermutlich deshalb, weil sie nahe am Wasser lebten und auf dem Boden von Gewässern gut versteinerten. Sehr zahlreich waren damals die flugunfähigen Vögel, vor allem in Südamerika und auf verschiedenen Inseln. Madagaskar war die Heimat eines gewaltigen Straußenvogels, *Aepyornis*; er konnte über 3 Meter hoch werden und legte Eier mit einem Fassungsvermögen von rund 8 Litern. In Südamerika entwickelten sich aus mehreren flugunfähigen Vogelarten große Fleischfresser. *Phororhacos* beispielsweise lebte vor rund 15 Millionen Jahren; er war gleichfalls etwa 3 Meter hoch und streifte durch die Savanne, ausgestattet mit einem Kopf, der so groß war wie der eines Pferdes, und mit einem zum Töten und Zerreißen von Beutetieren bestens geeigneten, riesigen, gekrümmten Schnabel,.

In den letzten 50 Millionen Jahren haben sich die Vögel in die uns heute bekannten Ordnungen aufgespalten und an Formenreichtum und Verbreitung die Säugetiere übertroffen.

TYPISCHER BAUPLAN EINES VOGELS

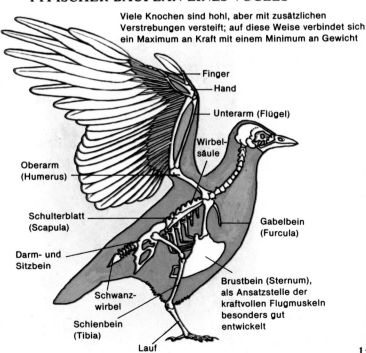

Viele Knochen sind hohl, aber mit zusätzlichen Verstrebungen versteift; auf diese Weise verbindet sich ein Maximum an Kraft mit einem Minimum an Gewicht

Finger
Hand
Unterarm (Flügel)
Wirbelsäule
Oberarm (Humerus)
Schulterblatt (Scapula)
Darm- und Sitzbein
Gabelbein (Furcula)
Schwanzwirbel
Brustbein (Sternum), als Ansatzstelle der kraftvollen Flugmuskeln besonders gut entwickelt
Schienbein (Tibia)
Lauf

153

Flugunfähige Vögel

Die flugunfähigen Vögel werden gelegentlich als „Flachbrustvögel" (RATITAE) bezeichnet, weil ihnen im Gegensatz zu den „Kielbrustvögeln" (CARINATAE) der Brustbeinkamm fehlt. Sie können sehr groß sein, wie zum Beispiel Strauße und Nandus, besitzen aber nur kleine Flügel.

Kiwis

(UNTERORDNUNG APTERYGES)

Die Kiwis bilden nur eine Gattung mit 2 Arten, die beide ausschließlich in Neuseeland vorkommen; sie sind mit den erst in neuerer Zeit ausgestorbenen Moas (FAMILIE DIORNITHIDAE) nahe verwandt. Die Moas konnten bis zu 3 Meter hoch werden, die Kiwis dagegen werden kaum größer als ein Haushuhn. Die Kiwis haben kurze, muskulöse Beine mit scharfen Krallen. Das weiche, haarähnliche Gefieder verdeckt die nur im Ansatz vorhandenen Flügel und den Schwanzstiel; Schwanzfedern fehlen völlig. Sie sind Nachttiere, die in Waldgebieten leben; da diese jedoch immer mehr geschrumpft sind, sind auch die Kiwis heute sehr selten geworden. Mit ihren langen Schnäbeln suchen sie im Waldboden nach wirbellosen Tieren. Sie entdecken ihre Nahrung mit Hilfe des Geruchssinns — eine für Vögel höchst ungewöhnliche Methode. Die Nasenlöcher sitzen an der Schnabelspitze.

Die Weibchen sind größer als die Männchen und legen — im Verhältnis zur eigenen Größe — recht beachtliche Eier. Sie sind weiß, langgestreckt und dünnschalig und wiegen etwa 450 Gramm. Allerdings werden

Unten: Der Straußenhahn hat ein schwarzweißes Gefieder. Die Strauße suchen gewöhnlich ihr Heil in der Flucht, können Angreifern mit ihren Läufen aber auch tödliche Schläge versetzen.

nur ein oder zwei Eier gelegt, und Beobachtungen haben ergeben, daß sie ausschließlich von den Männchen bebrütet werden, und zwar 75 bis 80 Tage lang.

Strauße

Der Afrikanische Strauß (*Struthio camelus*) ist die einzige Art dieser Unterordnung. Er ist der größte heute noch lebende Vogel, und es dürfte kaum einen Menschen geben, der ihn nicht auf Anhieb erkennt. Ein ausgewachsenes Männchen kann 3 Meter hoch und 150 Kilogramm schwer werden. Kennzeichnend für die Männchen sind schwarze Körperfedern und weiße Schwanzfedern; die Schwingenfedern sind zu Schmuckfedern umgewandelt. Die Weibchen sind kleiner und graubraun gefärbt. Beide Geschlechter besitzen einen langen Hals und einen kleinen Kopf, der wie der Hals nur mit kurzen, zu haarartigen Borsten verkümmerten Federn bedeckt ist. Die Läufe sind sehr lang und nackt, so daß sie beim Rennen kaum auf Luftwiderstand stoßen. Am Fuß fehlen die Erste und die Zweite Zehe; die beiden vorhandenen Zehen entsprechen der Dritten und Vierten Zehe der meisten anderen Vögel. An der größeren der beiden Zehen sitzt eine scharfe Kralle.

Früher waren die Strauße über fast ganz Afrika und Südwestasien verbreitet, aber in den letzten 200 Jahren sind sie fast überall ausgestorben und heute nur noch in Ostafrika und Südafrika anzutreffen. Sie leben in offenem Gelände, auf Halbwüsten und Grasfluren sowie in lichten Wäldern. Ihre Nahrung besteht zur Hauptsache aus pflanzlichem Material; sie verzehren aber auch kleine wirbellose Tiere. Verschluckte Kiesel helfen im Magen beim Zerkleinern der Nahrung.

Strauße leben in Einehe oder in Gruppen von 5 bis 15 Tieren. Ein Hahn wird oft von mehreren Hennen und ihren halbwüchsigen Küken begleitet. Außerhalb der Brutzeit schließen sich auch größere Gruppen von Hähnen zusammen; gelegentlich kommt es zu einer Gemeinschaft mit großen Säugetieren wie Gazellen, Zebras und Gnus. Da die Strauße Feinde schon auf große Entfernung entdecken können, spielen sie in dieser Gemeinschaft die Rolle von Wächtern. Dafür genießen sie einen gewissen Schutz, auf den sie jedoch nicht unbedingt angewiesen sind, zumal sie in der Regel schneller laufen können als zum Beispiel ein Löwe. Außerdem fressen sie die von den Weidetieren aufgescheuchten Insekten.

Strauße brüten während der Regenzeit oder unmittelbar danach. Jeder Hahn hat gewöhnlich eine Haupt- und zwei Nebenhennen, die ihre 6 bis 8 Eier in ein gemeinsames Nest, eine Bodenmulde, ablegen. Die großen, cremeweißen Eier werden überwiegend vom Männchen ausgebrütet, das zeitweise von einem Weibchen abgelöst wird. Nach 42 Tagen schlüpfen die Küken; sie können sofort laufen und ihren Eltern folgen. Nach ungefähr 18 Monaten sind sie ausgewachsen, geschlechtsreif jedoch erst im Alter von 4 bis 5 Jahren.

Unten: *Eine graubraune Straußenhenne mit ihren Küken. Die Jungen können sofort laufen und selbst für ihre Nahrung sorgen, suchen bei Gefahr aber immer Schutz bei den Eltern.*

Nandus oder Pampasstrauße

(UNTERORDNUNG RHEAE)

Es gibt zwei Gattungen von Nandus mit je einer Art; sie sind die größten Vögel der Neuen Welt. Der Nandu (*Rhea americana*) wird bis zu 1,70 Meter hoch und bis zu 25 Kilogramm schwer. Obwohl er größere Flügel besitzt als die anderen flugunfähigen Vögel, kann auch er nicht fliegen. Als Aufenthaltsort zieht er strauchbedecktes Gelände den offenen Grasfluren vor; häufig ist er in der Nähe eines Flusses oder Sumpfes anzutreffen. Das Gefieder des Nandus ist braun, das des kleineren Darwin-Nandus (*Pterocnemia pennata*) bräunlich mit weißen Flecken.

Auch bei den Nandus hat ein Hahn mehrere Hennen, die zwischen 11 und 18 Eier in ein Gemeinschaftsnest legen. Nachdem der Hahn ungefähr 40 Tage auf den Eiern gesessen hat, schlüpfen die Küken. Wie die Strauße leben auch die Nandus gelegentlich in enger Gemeinschaft mit Weidetieren, zum Beispiel mit Kamphirschen und Hausrindern.

Rechts: Porträt eines farbenprächtigen australischen Kasuars. Dieser große Vogel lebt im dichten Regenwald, und freilebende Exemplare kommen dem Menschen nur selten zu Gesicht.
Unten: Ein südamerikanischer Nandu sucht seine Umgebung nach möglichen Gefahren ab.

Kasuarvögel

(UNTERORDNUNG CASUARII)

Die zu dieser Unterordnung gehörenden Emus und Kasuare sind schwer gebaute, flugunfähige Vögel der australischen Region. Ihr ganzer Körper ist mit rauhem Gefieder bedeckt, ausgenommen der fast federlose Kopf und Hals.

Zur Gattung *Casuarius* gehören drei Arten: der Helmkasuar (*C. casuarius*), der Goldhalskasuar *(C. unappendiculatus)* und der Bennettkasuar *(C. bennetti)*. Sie leben in Australien, Neuguinea und einigen nahegelegenen Inseln. Typisch für die Kasuare ist ein helmartiger Hornaufsatz auf dem Kopf, der sich vermutlich als Hilfe beim Zerteilen von Unterholz im Urwald entwickelt hat. Die nackte Haut an Kopf und Hals ist gewöhnlich leuchtend blau, purpurn oder rot gefärbt. Die Kasuare sind scheue, überwiegend nachts aktive Tiere. Werden sie überrascht oder kommt ihnen ein Feind zu nahe, greifen sie an und schlagen mit ihren

kräftigen Läufen so gewaltsam aus, daß sie einen Menschen ohne weiteres töten können.

Der Emu (*Dromaius novaehollandiae*) wird bis zu 1,80 Meter hoch und ist damit der zweitgrößte Vogel der Welt. Er lebt auf den offenen Ebenen Australiens. Die Geschlechter sind schwer zu unterscheiden, nur in der Brutzeit wachsen an Kopf und Hals der Hennen schwarze Federn, und die nackte Haut färbt sich dunkelblau. Die Federn des Hahns dunkeln nicht nach, und seine blaue Haut ist auffälliger als die der Hennen. Die Eier werden vom Hahn ausgebrütet, die Brutzeit dauert 8 bis 10 Wochen. Die Küken sind mit gelben und braunen Streifen an der Seite und auf dem Rücken reizvoll gezeichnet.

Rechts: *Der Emu lebt auf den Grasfluren Australiens und wurde früher von den Farmern unerbittlich verfolgt.*

Pinguine

(ORDNUNG SPHENISCIFORMES)

Die Pinguine leben ausschließlich in der südlichen Hemisphäre; von allen Vögeln sind sie einem Leben im Wasser am besten angepaßt. Ihre Federn sind im Gegensatz zu denen anderer Vögel alle gleich geformt und bedecken in einer dichten Schicht den ganzen Körper. Die Flügel sind zu kleinen, schmalen Flossen umgebildet, die Beine sitzen weit hinten am Körper und sind bis zu den Knöcheln befiedert.

Pinguine bewegen sich mit Hilfe ihrer Flossen durch das Wasser und können dabei Geschwindigkeiten bis zu 36 Stundenkilometern erreichen; Schwanz und Beine dienen als Steuerruder. Dabei tauchen sie wie die Tümmler auf und nieder — gleichfalls eine Besonderheit, die sie von allen anderen Vögeln unterscheidet. Außerdem können sie mehrere Meter aus dem Wasser in die Höhe springen, zum Beispiel um einen Landeplatz auf einer Eisscholle zu erreichen. An Land gehen sie aufrecht, rutschen aber gelegentlich auch auf dem Bauch, indem sie sich mit Füßen und Flossen voranschieben.

Die größte Art ist der Kaiserpinguin *(Aptenodytes forsteri);* er wird etwa 1,15 Meter lang und 30 Kilogramm schwer und brütet in der Kälte und Dunkelheit des antarktischen Winters auf dem Festlandeis. Das Weibchen legt ein einziges Ei und schiebt es dann dem Männchen zu; dieses bringt das Ei in einer Hautfalte am Bauch oberhalb der Füße unter und hält es warm. Das Weibchen

Rechts oben: *Ein Zwergpinguin paddelt im Wasser. Die Flossen sind abgewandelte Flügel, die es den Tieren erlauben, durch das Wasser zu ,,fliegen''. Die Pinguine haben sich vor rund 55 Millionen Jahren entwickelt und sind seither fast unverändert geblieben. Rechts: Adeliepinguine veranschaulichen, wie unbeholfen Pinguine außerhalb des Wassers wirken. Sie watscheln auf ihren Schwimmfüßen oder rutschen auf dem Bauch über Schnee und Eis.*

Die Federn der Vögel

Es gibt verschiedene Federtypen, die jedoch sämtlich den gleichen Bauplan aufweisen. Die primären und sekundären Schwungfedern sind sich sehr ähnlich. Sie besitzen einen zentralen Schaft, von dem diagonal nach beiden Seiten eine Reihe von parallelen Federästen abgeht, an denen die Strahlen sitzen. Sie sind mit Häkchen und Krempen versehen, die sie mit den anderen Strahlen zu einer einheitlichen Fläche verbinden. Auf diese aus zwei Fahnen bestehende Fläche ist der Vogel angewiesen, wenn er mit den Flügeln schlägt, um den Luftwiderstand zu überwinden. Auch bei den Kon-

Feder mit Bogenstrahlen

Fahne

Dune

Schwanzfeder

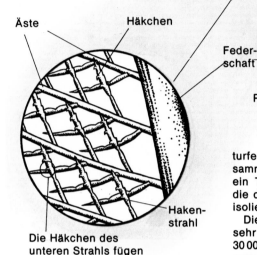

Äste

Häkchen

Federschaft

Federspule

Primäre Schwungfeder

Hakenstrahl

Die Häkchen des unteren Strahls fügen sich in die Krempen des oberen

turfedern sind die Fahnen zu Flächen zusammengehakt; zu ihnen zählt aber auch ein Teil der darunterliegenden Dunen, die den Körper gegen Kälte und Nässe isolieren. Die Dunen sind schaftlos.

Die Anzahl der Federn ist von Art zu Art sehr unterschiedlich: zwischen 1000 und 30 000. Außerdem schwankt sie von Jahreszeit zu Jahreszeit. So besitzt ein Sperling im Sommer nur 400 Federn, im Winter dagegen rund 1000.

Die Federn sind zwar recht widerstandsfähig, nutzen sich aber dennoch

ab und können gelegentlich sogar brechen. Deshalb erneuert jeder ausgewachsene Vogel sein Federkleid, indem er sich mindestens einmal jährlich mausert, das heißt, sein Gefieder fällt nach und nach aus, und ein neues wächst nach. Die Mauser findet gewöhnlich nach der Brutzeit statt; manche Arten mausern sich bereits vor der Brutzeit ein erstes Mal. Einige Vögel legen dann ein sogenanntes Brutkleid an, das besonders auffällig gefärbt ist und sie bei der Werbung unterstützt.

---

kehrt ins Meer zurück — das 80 bis 160 Kilometer entfernt sein kann —, während das Männchen das Ei allein ausbrütet. Die Brutzeit beträgt rund zwei Monate. Wenn die Jungen schlüpfen, erscheint auch das Weibchen wieder am Brutplatz und füttert sie mit Nahrung, die es aus dem Schlund herauswürgt. Inzwischen geht das Männchen, das nach fast dreimonatigem Fasten stark abgemagert ist, auf Nahrungssuche. Auch beim etwas kleineren Königspinguin (*Aptenodytes patagonica*) werden die Eier auf den Füßen ausgebrütet, aber hier besorgen beide Elternteile das Brutgeschäft. Die Königspinguine brüten auf Inseln am Rande des Südpolargebiets.

Nur noch eine weitere Art, der Adeliepinguin (*Pygoscelis adeliae*),

brütet auf der Landmasse der Antarktis, und zwar auf nackten, felsigen Küstenstreifen. Hier paaren sich die Adeliepinguine auch und führen einen interessanten Hochzeitstanz auf. Vor der Paarung reckt das Männchen Kopf und Hals in die Höhe, schlägt mit den Flossen und stößt trommelwirbelähnliche Schreie aus. Nach der Paarung baut das Männchen ein Nest aus Steinen, in das das Weibchen zwei Eier legt. Auch bei den Adeliepinguinen brüten die Männchen die Eier allein aus. Nach 33 bis 38 Tagen schlüpfen die Jungen; sie tragen ein silbrigweißes Dunenkleid, und wenn sie ungefähr 4 Wochen alt sind, können sich bis zu 200 von ihnen in einem ,,Kindergarten" sammeln. Im Alter von 9 Wochen sind sie so weit herangewach-

sen, daß sie allein ins Wasser gehen können.

Die kleinste Art ist mit einer Länge von etwa 40 Zentimetern der Zwergpinguin (*Eudyptula minor*). Er lebt vorwiegend in Neuseeland und nistet in Fels- und Erdhöhlen. Der Galápagospinguin (*Spheniscus mendiculus*) ist am weitesten nach Norden vorgedrungen, bis zu den Galápagosinseln in der Nähe des Äquators. Alle Pinguine sind im wesentlichen schwarzweiß gefärbt, aber einige Arten weisen einen dekorativen Kopfschmuck auf. Der Felsenpinguin (*Eudyptes crestatus*) trägt einen orangegelben Schopf, der an der Stirn ansetzt und sich hinter den Augen verbreitet. Der Schopf des Goldschopfpinguins (*E. chrysolobus*) ist wesentlich breiter und am hinteren Ende gewellt.

Lappentaucher

(ORDNUNG PODICIPEDIFORMES)

Die 9 Arten von Lappentauchern sind Vögel, die gut schwimmen, mittelmäßig fliegen und schlecht laufen können. Sie besitzen lange, dünne Hälse und spitze Schnäbel. Die Beine sitzen weit hinten am Körper; Flossensäume an den Zehen helfen ihnen beim Schwimmen. Die meisten Arten tragen ein seidig graues Gefieder oder sind auf dem Rücken schwarz und weiß, auf dem Bauch dagegen rötlich gefärbt oder gefleckt. Die Geschlechter gleichen sich weitgehend; viele Arten tragen auf dem Kopf eine Haube oder einen Kamm. Die Lappentaucher sind über die Binnengewässer der ganzen Welt verbreitet. Einige Arten halten sich im Winter an der Meeresküste auf, andere legen in der Zugzeit lange Strecken im Überlandflug zurück.

Im allgemeinen fliegen die Lappentaucher jedoch wenig und entziehen sich einer Gefahr durch Tauchen und Schwimmen unter Wasser, wo sie schneller vorankommen als an der Wasseroberfläche. Ihre Nahrung besteht aus wirbellosen Wassertieren, Fischen und Pflanzen.

Zu Beginn der Brutzeit vollführen die Lappentaucher ausgedehnte Paarungsspiele. Dazu gehören bei einem Paar Haubentaucher *(Podiceps cristatus)* zum Beispiel heftiges Kopfschütteln und gegenseitiges Anbieten von Nistmaterial. Auf dem Höhepunkt der Balzzeremonie richten sie sich wassertretend Brust gegen Brust voreinander auf.

Das Nest wird aus verrottendem Pflanzenmaterial gebaut und an Binsen oder ähnlichen Wasserpflanzen verankert. Wenn die Altvögel das Nest verlassen, werden die Eier zugedeckt und so vor Räubern verborgen. Die Küken tauchen und schwimmen sofort nach dem Schlüpfen gemeinsam mit den Eltern. Es ist ein hübscher Anblick, wenn sie im Rückengefieder eines Elternteils stecken und ihre bunt gestreiften Köpfchen unter den Flügeln hervorschauen.

PAARUNGSSPIELE DER LAPPENTAUCHER

1. Zusammenfinden — ein Vogel taucht und kommt neben dem anderen an die Oberfläche
2. Kopfschütteln — die Vögel nähern sich mit drohend gesenkten Köpfen; dann werden die Köpfe erhoben und mit Schnabelschwenken geschüttelt

3. Pinguinpose — die Vögel tauchen und erheben sich dann Brust an Brust mit Nistmaterial im Schnabel

4. Einladung — ausgeführt in der Nähe des erwählten Nistplatzes.

Seetaucher

(ORDNUNG GAVIIFORMES)

Die 4 Arten von Seetauchern tragen Schwimmhäute zwischen den Zehen. Sie besitzen kräftige, spitze Schnäbel, kleine Flügel und einen kurzen Schwanz. Ihr dichtes Gefieder ist schwarz und weiß gefärbt. Je nach Art tragen Kopf, Hals und Rücken ein deutlich ausgeprägtes Flecken- oder Streifenmuster.

Unten: *Ein Sterntaucher beim Brüten. Die Seetaucher können nicht gut laufen und wirken an Land recht unbeholfen.*

Die in der arktischen Tundra heimischen Vögel leben gewöhnlich einzeln oder paarweise; nur im Winter vereinigen sie sich an der Meeresküste gelegentlich zu größeren Trupps. Hier tauchen sie nach Fischen, Krebs- und Weichtieren, wobei sie mehrere Minuten unter Wasser bleiben können.

Der Sterntaucher *(Gavia stellata)* ist die kleinste Art und auf den Binnengewässern am Polarkreis weit verbreitet. Er brütet auf kleinen Seen und Teichen in der Tundra, wo ein Paar seinen Nistplatz gegen alle Konkurrenten verteidigt. Das Weibchen legt zwei olivbraune Eier in einen lockeren Haufen aus Pflanzenmaterial. Der Eistaucher *(Gavia immer)* ist die größte Art; auch er brütet nur im hohen Norden.

Röhrennasen

(ORDNUNG PROCELLARIIFORMES)

Die Angehörigen dieser Ordnung, zu der Albatrosse, Sturmvögel und Sturmschwalben gehören, sind Hochseevögel. Typisch für sie sind Nasenlöcher in hornigen Röhren auf dem Schnabel; ihnen verdanken sie den Namen „Röhrennasen". Sie verbringen ihr ganzes Leben auf dem Meer und gehen nur zum Brüten an Land. Alle Arten legen nur ein Ei, und zwar zumeist in Erdhöhlen; nur die Albatrosse bauen ihre Nester auf der Erde. Allen Arten gemeinsam ist ein durchdringender Moschusgeruch, der von dem gelben Magenöl herrührt, das die Tiere bei Gefahr auswürgen und gegen Angreifer spritzen.

Die Albatrosse (FAMILIE DIOMEDIDAE) sind große Vögel mit kräftigen Körpern und langen, schmalen Schwingen, mit deren Hilfe sie hervorragend gleiten können. Die größten aller Seevögel sind der Wanderalbatros *(Diomedea exulans)* und der Königsalbatros *(D. epomophora)*. Ihre Flügelspannweite kann bis zu 3 Meter, ihr Gewicht 7 bis 8 Kilogramm betragen. Diese prächtigen Vögel gleiten über das Meer und lassen sich zwischendurch mit eingeschlagenen Flügeln auf dem Wasser treiben. Ihre Nahrung besteht aus Tintenfischen, Krebsen, Fischen und Pflanzenteilen. Die Albatrosse brüten in Kolonien auf der südlichen Hemisphäre. Der Paarung geht eine ausgedehnte Balzzeremonie voraus. Aus dem großen Ei schlüpft nach 65 beziehungsweise 79 Tagen ein Küken, das 8 bis 9 Monate lang von den Eltern betreut wird. Dementsprechend können die Albatrosse nur jedes zweite Jahr brüten.

Sturmtaucher und Möwensturmvögel gehören zur Familie der Sturmvögel (PROCELLARIIDAE), die zum Teil lange Wanderungen unternehmen. Der in Australien heimische Millionen-Sturmtaucher *(Puffinus tenuirostris)* zieht über Neuseeland in den Nordpazifik, bevor er zum Brüten auf die Inseln der Baß-Straße

zwischen Tasmanien und dem australischen Festland zurückkehrt. Er wurde dort früher „Muttonbird" (Hammelvogel) genannt und von den Eingeborenen und frühen Siedlern verspeist. Inzwischen ist der Handel mit den „Tasmanischen Küken" von der australischen Regierung verboten worden.

Die kleinsten unter den Seevögeln mit Schwimmhäuten sind die Sturmschwalben (FAMILIE HYDROBATIDAE); ihre Körperlänge liegt zwischen 14 und 25,4 Zentimetern. Obwohl sie für ein Leben auf dem Meer beinahe zu zierlich wirken, sind sie ihm gut angepaßt. Sie werden gelegentlich auch St.-Peters-Vögel genannt, weil sie ihre Füße so ins Wasser eintauchen, daß es aussieht, als liefen sie darauf.

Oben: *Die Wanderalbatrosse sind beispielhafte Eltern. Das einzige Ei wird auf kahles oder bewachsenes Gelände gelegt; beide Elternteile brüten, auch das Küken wird von beiden betreut. Die Altvögel verbringen vermutlich ihr ganzes Leben zusammen.*

Die Tauchvögel (FAMILIE PELECANOIDIDAE) sind etwas größer als die Sturmschwalben und, wie ihr Name vermuten läßt, besonders geschickte Taucher. Sie verschwinden unter der Wasseroberfläche, um Fische oder Krebstiere zu erbeuten oder Futterräubern zu entfliehen. Mit ihren kurzen Flügeln können sie unter Wasser schwimmen und fliegend wieder auftauchen. Die Tauchsturmvögel leben ausschließlich in der südlichen Hemisphäre.

Ruderfüßer

(ORDNUNG PELECANIFORMES)

Dieser Ordnung gehören sechs Familien an: Tropikvögel, Pelikane, Kormorane, Schlangenhalsvögel, Tölpel und Fregattvögel. Ein gemeinsames Merkmal sind die Schwimmhäute, die alle vier Zehen zu einem „Ruderfuß" verbinden.

Die vorwiegend weiß gefärbten Tropikvögel (FAMILIE PHAETONTIDAE) sind, wie schon ihr Name andeutet, vor allem auf den Meeren der tropischen Breiten zu Hause. Sie sind elegante Vögel mit sehr langen mitt-

leren Schwanzfedern. Leider fallen die Jungvögel oft Alttieren der gleichen Art oder verwandter Arten zum Opfer.

Die Tölpel (FAMILIE SULIDAE) sind große, kräftige Seevögel. Die Arten der Gattung *Morus* haben ein weißes Gefieder, dunkle Schwungfedern und gelbliche Köpfe. Sie leben an den Küsten und auf Inseln der nördlichen Hemisphäre. Die der Gattung *Sula* angehörenden Arten dagegen sind in den Tropen zu Hause. Die tropischen Tölpel sind entweder braun oder braun-weiß gefärbt. Beiden Gattungen gemeinsam sind lange, zugespitzte Flügel und Schwänze sowie kurze, kräftige Beine. Sie sind vorzügliche Taucher, die sich auf der Suche nach Fischen aus großen Höhen ins Wasser stürzen.

Die Kormorane (FAMILIE PHALACROCORACIDAE) sind mit Körperlängen zwischen 50 und 100 Zentimetern recht große Tiere. Die meisten der rund 30 Arten besitzen schwarze, grünlich schimmernde Federn. Sie sind Seevögel, suchen gelegentlich aber auch Binnengewässer auf. Der Kormoran *(Phalacrocorax carbo)* ist weltweit verbreitet; in Japan wird er zum Fischfang abgerichtet.

Die Schlangenhalsvögel (FAMILIE ANHINGIDAE) ähneln den Kormoranen, besitzen aber wesentlich längere Hälse und große, gerade Schnäbel. Sie leben in den warmen Klimazonen aller Erdteile; in Europa kommen sie nicht vor. Den Namen ,,Schlangenhalsvögel" verdanken sie den Bewegungen, die sie mit ihren gebogenen Hälsen ausführen. Der dolchähnliche Schnabel dient zum Aufspießen von Fischen.

Die sieben Arten von Pelikanen (FAMILIE PELECANIDAE) sind über alle warmen Regionen der Welt verbreitet. Der große Kehlsack unter dem Schnabel kann dreimal so viel

Nahrung fassen wie der Magen. Sie besteht ausschließlich aus Fischen, die mit dem Schnabel aus dem Wasser geschöpft werden. In der Luft, wo sie lange Strecken im Gleitflug zurücklegen, wirken die Pelikane sehr anmutig; auf dem Land dagegen watscheln sie mit ihren Schwimmfüßen unbeholfen einher.

Der Rosapelikan *(Pelecanus onocrotalus)*, eine in Europa und Asien heimische Art mit weißem Gefieder, fischt zumeist in Gruppen. Mehrere Tiere bilden einen Halbkreis; sie treiben die Fische vor sich her und tauchen dann gleichzeitig die Schnäbel ins Wasser.

Besonders reizvolle Tiere sind die Fregattvögel (FAMILIE FREGATIDAE);

sie können auf ihren langen, schmalen Schwingen stundenlang durch die Luft gleiten. Sie neigen dazu, andere Seevögel so lange zu belästigen, bis sie ihre Nahrung erbrechen. Zur Zeit der Werbung und des Nestbaus entwickelt das Männchen einen orangefarbenen Kehlsack, der sich dann rot färbt und wie ein Ballon aufgeblasen werden kann. Das Weibchen hat eine weiße Kehle und legt ein einziges Ei in ein vom Männchen gebautes Nest aus Zweigen.

Unten: Rosapelikane bei der gemeinsamen Nahrungssuche. Sie umkreisen die Fische und tauchen dann die Schnäbel gleichzeitig ins Wasser.
Ganz unten: Ein Fregattvogel-Männchen mit seinem roten Kehlsack, den es stundenlang aufblähen kann.

Links oben: *Ein Rotfußtölpel (Sula sula) sitzt neben seinem flüchtig gebauten Nest. Nur die Rotfuß- und die Graufußtölpel bauen ihre Nester auf Bäumen, um die Eier vor Räubern zu schützen.*
Links: *Zwei Baßtölpel (Morus bassanus) bei der Balzzeremonie. Männchen und Weibchen sind äußerlich kaum voneinander zu unterscheiden.*

Links: *Zwischen hohem Schilf vorzüglich getarnt, schützt eine Rohrdommel ihre Jungen mit dem Gefieder und mustert argwöhnisch den Photographen.*

Asien heimische Graureiher (*Ardea cinerea*) sowie der nahe mit ihm verwandte amerikanische Graureiher (*A. herodias*). Noch größer ist der afrikanische Goliathreiher (*A. goliath*). Zu den Reihern gehören auch die Dommeln. Die in Europa und Asien heimische Rohrdommel (*Botauris stellaris*) nistet im Schilf, wo sie durch ihr gestreiftes Gefieder hervorragend getarnt ist. In Afrika und Südamerika lebt der Kuhreiher (*Ardeola ibis*). Seinen Namen verdankt er der Gewohnheit, sich zwischen weidendem Vieh aufzuhalten und die von den Weidetieren aufgeschreckten Insekten zu fressen.

Eine eigene Familie (BALAENI-CIPITIDAE) bildet der Schuhschnabel (*Balaeniceps rex*). Er ist ein merkwürdiges Geschöpf mit einem riesigen Schnabel, der so schwer ist, daß er ihn immer an die Brust gedrückt hält. Er kommt nur in den Sümpfen des tropischen Afrika vor.

Die Störche (FAMILIE CICONIIDAE) werden in 10 Gattungen mit 18 Arten eingeteilt. Sie können kaum Rufe ausstoßen, aber bei vielen Gelegenheiten, darunter bei der Werbung, klappern sie laut mit den Schnäbeln; außerdem tanzen sie flügelschlagend umeinander herum. Die Störche sind tüchtige Flieger, die zum Teil lange Züge unternehmen. Die Hauptnahrung der Störche bilden Fische, Insekten und Lurche; die Marabus fressen auch Aas.

Die bekannteste Art ist der Weiß-Storch (*Ciconia ciconia*); er gilt in vielen Ländern als Glücksbringer. Um ihn zum Nisten anzuregen, werden gelegentlich sogar Plattformen auf Schornsteinen errichtet. Die Weiß-Störche bauen aus Zweigen und anderen Materialien große Horste, in die sie alljährlich im Frühjahr von ihrem Winteraufenthalt in Afrika zurückkehren.

Mittelgroße bis große Vögel sind die 26 Arten von Ibisvögeln (FAMILIE THRESKIORNITHIDAE). Zu ihnen gehören die Ibisse oder Sichler mit

Stelz- oder Schreitvögel

(ORDNUNG GRESSORES)

Die Angehörigen dieser Ordnung, zu der unter anderem Reiher und Störche gehören, besitzen durchweg lange, nackte Läufe mit langen, zum **Waten geeigneten Zehen**, lange Schnäbel, breite, abgerundete Flügel und lange Hälse.

Die große Familie der Reiher (ARDEIDAE) ist mit 63 Arten über die gemäßigten und tropischen Regionen der ganzen Welt verbreitet. Sie nisten zumeist in Kolonien; viele Arten bauen ihre Horste in Baumkronen. Zwischen den Geschlechtern, die sich sehr ähnlich sehen, finden oft ausgedehnte Balzzeremonien statt. Ihre Nahrung suchen die Reiher gewöhnlich in seichtem Wasser, wo sie auf einem Bein („Ständer") stehen oder auf der Suche nach Fischen und anderen Wassertieren herumwaten.

Die größten Arten der nördlichen Hemisphäre sind der in Europa und

nach unten gekrümmten Schnäbeln sowie die Löffler, deren Schnäbel am Vorderende verbreitert sind und die ihre Beute durch seitliche Schnabelbewegungen aus dem Wasser schöpfen. Sein leuchtendrotes Gefieder macht den in Südamerika heimischen Roten Sichler oder Scharlachibis *(Eudocimus ruber)* zu einem der schönsten Vögel der Welt; mit zunehmenden Alter färbt sich sein Gefieder noch intensiver.

Auch die Flamingos (FAMILIE PHOENICOPTERIDAE) sind auffallend gefärbte Vögel. Sie leben in den Tropen und Subtropen Europas, Asiens, Afrikas und Amerikas. Ihre Schnäbel sind zu einem Filterapparat umgebildet. Sie stecken den Schnabel mit dem Oberschnabel nach unten ins Wasser. Die Zunge wirkt wie ein Kolben; wenn sie zurückgezogen wird, strömt Wasser in den Schnabel, dann wird es wieder herausgepreßt, wobei Nahrungsteilchen in den Lamellen hängenbleiben. Auf diese Weise fangen die Flamingos Krebstiere, Würmer und Insekten.

Die Flamingos brüten in Kolonien, die oft Hunderttausende von Individuen zählen; sie bauen ihre Nester gewöhnlich in Schlamm oder seichten Gewässern. Das Weibchen legt ein kalkigweißes Ei, das 27 bis 31 Tage von beiden Eltern bebrütet wird.

Am weitesten verbreitet ist der Flamingo *(Phoenicopterus ruber)* mit mehren Unterarten. Der Zwergflamingo *(Phoeniconaias minor)* dagegen lebt nur in Afrika. Der Andenflamingo *(Phoenicoparrus andinus)* und der James-Flamingo *(P. jamesi)* sind in Südamerika zu Hause.

Unten: Der Weiß-Storch, in Deutschland auch Adebar genannt, gilt als Glücksbringer, weil er in der Nähe der Menschen nistet und von seiner weiten Reise nach Afrika immer wieder in den gleichen Horst zurückkehrt.

DER SCHNABELAPPARAT DER FLAMINGOS

Der Schnabel wird seitwärts durchs Wasser bewegt; dabei wird Nahrung herausgefiltert

Zwerg-flamingo   Flamingo

Der Zwergflamingo holt sich seine Nahrung aus oberflächennahen Gewässern; der Flamingo und seine Unterarten reichen weiter in die Tiefe und besitzen größere Lamellenflächen

Lamellen dienen zum Filtern von Nahrungspartikeln wie zum Beispiel Algen

Gänsevögel

Dieser Ordnung gehören 147 über die ganze Welt verbreitete Arten von Gänsen, Enten und Schwänen an. Sie sind sämtlich Wasservögel mit Schwimmhäuten, dichtem Gefieder und überwiegend flachen, zum Filtern von Nahrung geeigneten Schnäbeln. Sie können durchweg gut fliegen, und viele von ihnen legen auf ihrem jährlichen Zug weite Strecken zurück. Die Männchen tragen in der Regel ein buntes Gefieder, vor allem während der Balzzeit, während die Weibchen häufig unscheinbar sind.

Bekannte Entenarten sind Stockente *(Anas platyrhynchos)*, Pfeifente *(A. penelope)*, Löffelente *(A. clypeata)*, Krickente *(A. crecca)* und Spießente *(A. acuta)*. Sie zählen sämtlich zu den sogenannten Schwimm- oder Gründelenten, weil sie ihre Nahrung kopfunter aus seichtem Wasser herausholen. Zu den Tauchenten gehören Reiherente *(Aythya fuligula)*, Tafelente *(A. ferina)*, Rotkopfente *(A. americana)* und Bergente *(A. marila)*; sie tauchen tief ins Wasser ein und holen ihre Nahrung vom Grund des Gewässers, auf dem sie leben. Ein weiteres Merkmal ist das Fehlen der für die meisten Schwimmenten typischen, metallisch glänzenden Flügelspiegel.

Oben: *Eine Stockente mit ihren Küken. Die Gründelenten tauchen die Köpfe ins Wasser, um mit den Schnäbeln kleine Tiere vom schlammigen Grund des Gewässers zu holen.*

Eine Stellung zwischen Enten und Gänsen nehmen die sogenannten Halbgänse ein; sie werden im Deutschen teils Enten, teils Gänse genannt. Zu ihnen gehören die Nilgans *(Alopochen aegyptiacus)* und die Orinokogans *(Neochen jubatus)*.

Typisch für die Glanzenten sind starke, spitze Krallen und gut entwickelte Hinterzehen; im Gegensatz zu den anderen Enten leben und nisten sie gern auf Bäumen. Zu ihnen zählen die in Ostasien heimische, besonders hübsch gefärbte Mandarinente *(Aix galericulata)*, die Brautente *(A. sponsa)* aus Nordamerika und die Moschusente *(Cairina moschata)*, die seit langem als Haustier gehalten wird. Eine weitere Gruppe bilden die Eiderenten (Gattung *Somateria*); sie sind bekannt für ihre Gewohnheit, das Nest mit weichen Dunen auszukleiden, die sich das Weibchen aus der Brust zupft.

Kräftige Schwimmer und Taucher sind Meerenten und Säger, die den größten Teil des Jahres auf dem

VERSCHIEDENE GÄNSEVÖGEL

♂ = männlich
♀ = weiblich

Stockente ♂
(Anas platyrhynchos)

Löffelente
(Anas clypeata)

Mandarinente *(Aix galericulata)*

Meer zubringen und nur zum Brüten Süßgewässer aufsuchen. Die Säger (Gattung *Mergus*) verdanken ihren Namen dem dünnen Schnabel, der sägeartig gezähnt und damit hervorragend zum Fangen von Fischen geeignet ist. Gänsesäger *(M. merganser)* und Mittelsäger *(M. serrator)* leben in Mittel- und Nordosteuropa sowie im nördlichen Amerika. Die Ruderenten sind kleine Tiere, deren Beine so weit hinten am Körper sitzen, daß sie auf dem Land nur unbeholfen watscheln können; zu ihnen gehört die Kuckucks- oder Schwarzkopfente *(Heteronetta atricapilla)*, ein Brutschmarotzer, der seine Eier in die Nester fremder Vögel legt.

Zur Gattungsgruppe der Gänse gehören als größte Entenvögel die fünf Arten von Schwänen (Gattung *Cygnus*). Alle haben sehr lange Hälse und ernähren sich von Wasserpflanzen und kleinen Wassertieren. Schwanenpaare bleiben oft ihr ganzes Leben lang zusammen; ihre großen Nester legen sie zumeist im Schilf an. Abgesehen vom australischen Trauerschwan *(C. atratus)* und dem südamerikanischen Schwarzhalsschwan *(C. melanocoryphus)* sind alle Schwäne ausschließlich weiß. Die weißen Schwäne — der Höckerschwan *(C. olor)* und die Gruppe der Singschwäne — brüten im hohen Norden Europas. Am bekanntesten

ist der auf vielen Flüssen und Teichen anzutreffende Höckerschwan.

Größenmäßig nehmen die Gänse eine Mittelstellung zwischen Schwänen und Enten ein. Sie verbringen einen Großteil ihrer Zeit an Land, wo sie — fast wie Rinder — das Gras abweiden. Beim Zug fliegen Gänse meist in V-Formation, wobei sie mit schrillen Schreien Verbindung halten. Die kleinste Art ist die Ringelgans *(Branta bernicla)*; sie brütet in der Tundra und überwintert in Mitteleuropa. Ihr Bestand ist jedoch ebenso geschmolzen wie der der Kanadagans *(B. canadensis)* und ihrer Unterarten. Die einzige in Europa brütende Art ist die Graugans *(Anser anser)*. Fast reinweiß ist das Gefieder der in der Arktis lebenden Schneegans *(Anser caerulescens)*. Die Hawaii- oder Sandwichgans *(Branta sandvicensis)* war in ihrer Heimat fast ausgestorben; nach erfolgreichen Züchtungen in England konnten aber einige Tiere inzwischen wieder auf Hawaii ausgesetzt werden.

Zu erwähnen sind noch die in Südamerika heimischen Horn- und Schopfwehrvögel. Sie sind fast so groß wie die Gänse, besitzen aber hohe und kräftige Läufe. Obwohl sie im Aussehen an Hühner erinnern, gehören sie zu den Gänsevögeln.

Links: *Der in Australien heimische Trauerschwan ist in großen Scharen in Sumpf- und Seengebieten anzutreffen.*

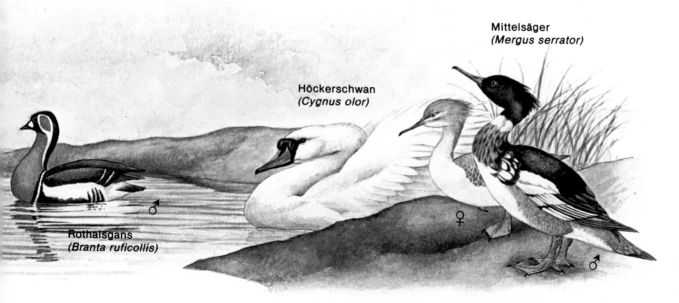

Rothalsgans
(Branta ruficollis)

Höckerschwan
(Cygnus olor)

Mittelsäger
(Mergus serrator)

Greifvögel

(ORDNUNG FALCONIFORMES)

Typische Merkmale der Greifvögel, zu denen unter anderem Bussarde, Adler und Geier gehören, sind scharf gebogene Schnäbel und kräftige Beine mit scharfen Krallen; die Außenzehe ist gelegentlich wendefähig. Die Greifvögel gehen am Tage auf Jagd; sie schlagen lebende Tiere oder ernähren sich von Aas. Die Eulen gehören nicht zu den Greifvögeln; sie bilden eine eigene Ordnung. Alle Greifvögel legen nur wenige Eier, gewöhnlich eins oder zwei; dementsprechend vermehren sich ihre Bestände nur langsam.

Die Neuweltgeier (FAMILIE CATHARTIDAE) gehören zu den besten Fliegern unter den Landvögeln; aus großen Höhen suchen sie die Landschaft nach Aas ab. Ihre Schnäbel sind nicht so scharf wie die der anderen Greifvögel, sie können Fleisch erst zerreißen, wenn es halb verrottet ist. Zu den größten flugfähigen Vögeln der Welt zählen der Andenkondor *(Vultur gryphus)* und der Kalifornische Kondor *(Gymnogyps californianus);* beide haben Flügelspannweiten von rund 3 Metern und ein Gewicht von 10 Kilogramm. Leider ist der Kalifornische Kondor inzwischen bis auf einige wenige Exemplare ausgestorben — er wurde von Jägern abgeschossen oder mit Strychnin vergiftet. Der Königsgeier *(Sarcoramphus papa)* fällt durch einen bunt gefärbten Kopf auf. Die bekanntesten und verbreitetsten Arten sind der Rabengeier *(Corygyps atratus)* und der Truthahngeier *(Cathartes aura).*

Zur Familie der Habichtartigen (ACCIPITRIDAE) gehören rund 200 Arten — vom wachtelgroßen Zwergsperber bis zur gewaltigen Harpyie, die Affen und Faultiere schlägt. Da sich neben Bussarden und Adlern auch Gleitaare, Weihen und Altweltgeier in dieser Familie finden, können die sehr verschiedenartigen Merkmale und Gewohnheiten kaum überraschen. Allen Arten gemeinsam sind große, abgerundete Schwingen, kräftige Beine von mittlerer Länge und große Hakenschnäbel. Ihr Gefieder ist gewöhnlich braun oder grau mit Bändern oder Streifen. Die Geschlechter unterscheiden sich selten voneinander, die Weibchen sind jedoch normalerweise etwas größer als die Männchen.

Ein typisches Beispiel für die kleinen bis mittelgroßen Arten ist der Habicht *(Accipiter gentilis)*; er ist in Europa und Asien weit verbreitet, in Amerika dagegen selten. Er wird ungefähr 60 Zentimeter lang und besitzt kurze Schwingen, einen langen Schnabel und relativ lange Beine. Seine Brutgebiete liegen vor allem in den Waldgebieten der nördlichen Halbkugel. Von den Weihen waren die Kornweihe *(Circus cyaneus)* und die Wiesenweihe *(C. pygargus)* früher in Deutschland weit verbreitet; heute sind sie relativ selten geworden. Im Gegensatz zu den meisten anderen Greifvögeln nisten die Weihen am Boden. Manche Arten haben sich so stark auf eine bestimmte Nahrung spezialisiert, daß sie in ihrem Namen Ausdruck fand: Die Schlan-

Unten: *Ein Andenkondor gleitet über sein gewaltiges Gebirgshabitat. Er ernährt sich von jedem erreichbaren Aas, schlägt aber auch Kälber und Lämmer. Hat er eine geeignete Beute entdeckt, stößt er aus großer Höhe auf sie herab.*

genadler (Gattung *Circaëtus*) leben überwiegend von Schlangen, während der im Süden Nordamerikas beheimatete Schneckenmilan oder Schneckenweih *(Rostrhamus sociabilis)* seinen Schnabel dazu benutzt, Süßwasserschnecken aus ihrem Gehäuse zu ziehen.

Die bekanntesten Mitglieder dieser Familie dürften die majestätischen Echten Adler (Gattung *Aquila*) sein, vor allem der Steinadler *(A. chrysaëtos)*. Er war früher in Eurasien und Amerika weit verbreitet, ist aber in vielen Gegenden völlig ausgerottet. Seine Hauptbeute sind Kaninchen, Murmeltiere und Erdhörnchen, die er mit seinen Krallen packt. Seinen Horst, den er alljährlich etwas vergrößert, baut er gewöhnlich an Felswänden oder auf hohen Bäumen. Der Wappenvogel der Vereinigten Staaten ist der Weißkopf-Seeadler *(Haliaeëtus leucocephalus)*; auch er ist sehr selten geworden und heute vor allem in Alaska anzutreffen.

Die Altweltgeier sehen den Neuweltgeiern recht ähnlich, gehören aber auf Grund ihres Körperbaus zu den Habichtartigen. Ihre Flügelspannweite beträgt je nach Art zwischen 1,30 und 2,40 Meter. Schon bald nach Sonnenaufgang steigen sie mit den warmen Luftströmungen vom Boden auf und gleiten dann fast den ganzen Tag auf Suche nach jagdbarer Beute oder Aas über das Land. Sie leben in den warmen Regionen Europas, Asiens und Afrikas. Da sich jede Art auf bestimmte Teile eines toten Tieres spezialisiert hat, kommt es dort, wo mehrere Arten leben, nur selten zur Konkurrenz um Nahrung. In Ostafrika zum Beispiel haben Mönchsgeier, Ohrengeier und Gänsegeier die erste Wahl, während Schmutzgeier und Kappengeier abwarten, bis sie an der Reihe sind. Bei einigen Arten sind Kopf und Hals nackt — eine Anpassung, die verhindert, daß diese Körperteile verschmutzen, wenn sie in den Eingeweiden toter Tiere wühlen.

Eine eigene Unterfamilie bilden die Fischadler mit nur einer Art *(Pandion haliaëtus)*, aber 6 über die ganze Erde verbreiteten Unterarten.

DIE STRENGE HIERARCHIE DER GEIER

Zwerggänsegeier *(Pseudogyps africanus)* — frißt vom Fleisch des toten Tieres

Ohrengeier - die anderen Geier machen diesem Tier Platz, das den Kadaver mit seinem Schnabel zerreißt

Der Zwerggänsegeier kehrt mit einem Wollkopfgeier zurück. Kopf und Hals sind kahl und verhindern, daß die Körperfedern mit Blut beschmutzt werden

Schmutzgeier ernähren sich von Fleischresten an den Knochen; da sie sich nicht beschmutzen können, sind Kopf und Hals befiedert

Links: *Ein afrikanischer Sekretär füttert seine Jungen. Er kann zwar fliegen, zieht es aber zumeist vor, über die Steppe zu laufen und dabei Insekten, Echsen und andere kleine Tiere zu fangen. Schlangen tötet er mit kräftigen Fußtritten; dabei breitet er die kräftigen Schwingen aus, um sie abzulenken.*

Sie finden sich an Meeresküsten und Binnengewässern. Die Fischadler streichen über ein Gewässer hinweg, und wenn sie einen Fisch entdecken, stürzen sie herab und tauchen ins Wasser, wobei die großen, krallenbewehrten Füße einen Augenblick vor der Wasserberührung nach vorn geworfen werden. Oft tauchen die Tiere ganz unter und erscheinen dann mit einem Lachs oder einer Forelle in den Krallen wieder an der Oberfläche. Die Unterseiten ihrer Zehen sind mit Stacheln besetzt, die ihnen beim Ergreifen der schlüpfrigen Fische sehr nützlich sind.

Die Familie der Falken (FALCONIDAE) umfaßt rund sechzig Arten, deren Größenskala von den flinken Zwergfalken bis zum kraftvollen Gerfalken der arktischen Landschaften reicht. Die Falken sind schnelle Jäger, die weniger Zeit im Gleitflug verbringen als die anderen Greifvögel. Die meisten von ihnen schlagen ihre Beute, nachdem sie sie in der Luft oder am Boden verfolgt haben. Nur der Turmfalk verharrt rüttelnd an einer Stelle 2 oder 3 Meter über dem Boden und stößt dann blitzschnell auf ein ahnungsloses Nagetier oder Insekt herab. Die merkwürdig-

sten Angehörigen dieser Familie sind die vorwiegend in Südamerika lebenden Geierfalken. Sie sind relativ hochbeinig und suchen sich ihre Nahrung, vor allem Aas, zu Fuß.

Die Falken bauen keine Nester. Einige Arten, wie zum Beispiel Wanderfalk und Gerfalk, legen ihre Eier auf Felssimsen ab; andere, beispielsweise die Merline, benutzen Vertiefungen im Boden zur Eiablage. Die Zahl der Eier schwankt zwischen 2 und 5; je größer der Vogel, desto weniger Eier legt er. Die Brutdauer beträgt ungefähr 4 Wochen; die Eier werden überwiegend von den Weibchen ausgebrütet. Die Jungen wer-

den von ihren Eltern in der Kunst des Jagens ausgebildet.

Ein merkwürdiger Greifvogel ist der Sekretär *(Sagittarius serpentarius),* der als einzige Art eine eigene Familie (SAGITTARIIDAE) bildet. Seinen Namen verdankt er den langen Haubenfedern, die am Hinterkopf herausragen wie früher der Federkiel hinter dem Ohr eines Schreibers. Er verfolgt seine Beute mit langen Beinen auf der Erde; häufig erlegt er Schlangen mit einem kräftigen Fußtritt. Der Sekretär ist in Zentral- und Südafrika weit verbreitet; er kann zwar gut fliegen, hält sich aber zumeist auf dem Boden auf.

GERFALK
(Falco rusticolus)

Die Haube, eine Lederkappe, wird den Vögeln aufgesetzt, damit nichts ihre Aufmerksamkeit ablenken kann

Block

Fußriemen, deren Enden an einem auf dem Block sitzenden Ring befestigt sind

Die Beizjagd

Als Beizjagd oder Falknerei bezeichnet man die Kunst, mit abgerichteten Greifvögeln Kleinwild oder andere Vögel zu jagen. Ihre Anfänge liegen im Fernen Osten; in Japan, China, Indien und Arabien ist die Beizjagd seit etwa 1200 v. Chr. üblich und wird noch heute praktiziert. In Europa hatte die Falknerei ihre Blütezeit im Mittelalter; berühmt ist das Werk über „Die Kunst, mit Vögeln zu jagen" von Kaiser Friedrich II. Mit der Einführung der Schußwaffen ging das Interesse an der Beizjagd merklich zurück.

Dennoch gibt es auch heute noch in Europa, Asien und Amerika Liebhaber dieses Sports. Adler, Gerfalken, Sperber, Wanderfalken, Lannerfalken, Habichte und Weihen werden, gewöhnlich illegal, als Küken aus dem Nest geholt oder als Jungvögel eingefangen. Das Abrichten geschieht vorwiegend, indem man die Tiere hungern läßt, denn ein hungriger Vogel fällt bereitwillig über seine Beute oder einen Köder her. Der Köder besteht aus einem Stück Fleisch, in dem ein paar Federn stecken und das an einer Schnur oder einem Riemen durch die Luft geschwungen wird. An den Füßen tragen die Tiere schmale Lederriemen, mit deren Hilfe sie von ihren Besitzern so lange an der Leine gehalten werden, bis sie völlig abgerichtet sind und kein Zweifel mehr daran besteht, daß sie nach freiem Flug wieder zurückkehren. Gelegentlich werden auch Glöckchen an den Riemen befestigt, damit der Besitzer seinen Vogel leicht wiederfinden kann, wenn er ihn aus den Augen verloren hat. Die Beizjagd wird vorwiegend in Ländern mit weiten, baumarmen Landschaften betrieben, in denen der Falkner dem Flug seines Vogels zu Pferde oder zu Fuß folgen kann.

Hühnervögel

(ORDNUNG GALLIFORMES)

Die rund 260 Arten dieser Ordnung weisen viele Gemeinsamkeiten mit unserem Haushuhn auf. Die meisten von ihnen sind Bodenbewohner mit kurzen, kräftigen, nach unten geschwungenen Schnäbeln und großen, schweren Füßen, an denen drei Zehen nach vorn gerichtet sind und eine kurze nach hinten. Hühnervögel bewegen sich am liebsten laufend; sie fliegen meist nur kurze Strecken; schwimmen können sie gar nicht. Zu den Hühnervögeln gehören Großfußhühner, Hokkos, Rauhfußhühner, Fasane, Perlhühner und Truthühner.

Eine große Familie mit gut 200 Arten bilden die Fasanenartigen (PHASIANIDAE); die Größenskala reicht von der nur 12 Zentimeter langen Zwergwachtel bis zu den Pfauen und dem 2 Meter langen Argusfasan. Die kleineren Wachteln und Rebhühner sind relativ unscheinbar, aber unter den Fasanen finden sich einige der schönsten und farbenprächtigsten Vögel der Welt. Der berühmteste Ziervogel in Parks und Gärten dürfte der aus China und Indien stammende Blaue Pfau *(Pavo cristatus)* sein. Der Pfauhahn besitzt eine prächtig gefärbte Oberschwanzdecke, die er in der Balzzeit vor der gewöhnlich uninteressierten Henne zu einem großen Rad entfaltet. Wie die meisten weiblichen Fasanenvögel ist auch die Pfauhenne unscheinbar gefärbt —

am Boden nistende Vögel sind auf gute Tarnung angewiesen. Von dem in Südostasien heimischen Bankivahuhn *(Gallus gallus)* stammen alle Rassen unseres Haushuhns ab. Der Jagd- oder Edelfasan *(Phasianus colchicus)* lebte früher nur in Asien, wurde aber mit Erfolg in Europa und Nordamerika eingeführt. Die meisten Fasanen leben in baum- oder strauchbestandenem Gelände. Die Hähne betreiben Vielweiberei und beteiligen sich nicht an der Aufzucht der Küken. In ausgedehnten Balzzeremonien stellen sie ihr buntes Gefieder zur Schau.

Die meisten Rauhfußhühner (UNTERFAMILIE TETRAONINAE) tragen ein erdfarbenes Tarngefieder, das ihnen einigen Schutz vor Greifvögeln

Oben: *Die Vorfahren unserer Haushühner, ein Bankivahahn und seine Henne. Die Bankivahühner gehören zu den Fasanen und sind in unterschiedlichen Lebensräumen vom Flachland bis in Höhen von 2000 Metern anzutreffen.*

und Raubtieren bietet. Das Gefieder der Alpenschneehühner (Gattung *Lapogus)* ist im Sommer bräunlich gesprenkelt und verschmilzt unauffällig mit den kahlen Felsen und den Flechten im Hochgebirge und in der Tundra. Im Herbst mausern sie sich und legen danach ein weißes Winterkleid an. Die Rauhfußhühner ernähren sich von Knospen, Früchten und Samen; die Küken werden mit Insekten gefüttert. Auch bei ihnen gibt es zum Teil ausgedehnte Balzzeremonien, zum Beispiel beim Auerhuhn

Silberfasan
(Gennaeus nycthemerus)

172

(Tetrao urogallus), der größten Art dieser Unterfamilie; der Hahn schreitet hin und her und gibt dabei klopfende und trillernde Geräusche von sich. Beim Haselhuhn *(Tetrastes bonasia)* sitzt der Hahn auf Büschen, Bäumen oder Felsen und schlägt mit dem gefächerten Schwanz. Birkhuhn *(Lyturus tetrix)*, Beifuß- oder Wermuthuhn *(Centrocercus urophasianus)* und Präriehuhn *(Tympanuchus cupido)* besitzen gemeinschaftliche Balzplätze, auf denen die Hähne ihre Zeremonien in Gruppen vollführen.

Die Perlhühner (UNTERFAMILIE NUMIDINAE) stammen aus Afrika. Sie wurden bereits von den Römern als Haustiere gehalten und sind heute auf vielen Hühnerhöfen zu finden.

Die Truthühner (UNTERFAMILIE MELEAGRIDINAE) zählen zu den größten Hühnervögeln. Sie stammen aus der Neuen Welt und wurden schon im 16. Jahrhundert in Europa eingeführt. Die Hähne umwerben die Hennen, indem sie das Gefieder spreizen und mit den Flügeln schlagen. Dann stolzieren sie mit aufgeblähten, bunten Auswüchsen an Kopf und Hals umher und lassen ihr lautes Kollern hören.

Das Thermometerhuhn

Das Thermometerhuhn *(Leipoa ocellata)* gehört zu den Großfußhühnern (FAMILIE MEGAPODINII) und liefert ein interessantes Beispiel dafür, wie ein Vogel die natürliche Wärme für das Ausbrüten seiner Eier nützt. Die anderen Großfußhühner sind überwiegend Waldbewohner, aber das Thermometerhuhn ist im Mallee- und Mulgabusch Süd- und Südwestaustraliens zu Hause. Der Hahn errichtet aus Pflanzenteilen und Erde einen Hügel, der bis zu 1,50 Meter hoch und 5 Meter breit sein kann. Wenn sich dann die Pflanzen unter der Erde zersetzen, wird ein beträchtliches Maß an Gärungswärme frei. Im Laufe von 5 bis 17 Tagen legen die Hennen zwischen 15 und 24 gro-

ße weiße Eier in eine Kammer in diesem Bauwerk. Die Entwicklung der Jungen in den Eiern dauert 7 bis 8 Monate, und während dieser Zeit sorgt der Hahn durch Veränderungen am Bruthaufen dafür, daß die Temperatur im Innern ständig um 33 Grad Celsius beträgt. Dabei dienen ihm Zunge und Mundschleimhaut als Thermometer. Die geschlüpften Küken bahnen sich allein ihren Weg aus dem Bruthaufen; danach werden sie von den Eltern nicht mehr beachtet. Nach 7 Tagen sind sie flügge, aber viele von ihnen fallen Raubtieren zum Opfer.

Sandschicht, die Wärmeverlust im Bruthaufen verhindert

Eikammer, 33 Grad Celsius

DAS THERMOMETERHUHN UND SEIN NEST

Sandboden

Verrottende Pflanzen, die Gärungswärme erzeugen

mehr Vögel teilnehmen und bei denen es sich nicht nur um Balzspiele handelt. Der in Afrika heimische Kronenkranich *(Balearica pavonina),* der ein Krönchen aus gelben Federn auf dem Kopf trägt, stampft mit den Füßen auf, um Insekten zum Auffliegen zu veranlassen.

Zur großen Familie der Rallen (RALLIDAE) zählen rund 130 Arten. Alle Rallen sind gute Schwimmer, und viele von ihnen verbringen einen Großteil ihres Lebens auf dem Wasser oder in Wassernähe. Eine Reihe von Arten hat ihre Flugfähigkeit eingebüßt — sie leben zumeist abgesondert auf Inseln, wo sie vor Feinden sicher sind, so auf Neuseeland, den Fidschi-Inseln, Hawaii, Jamaika und Tristan da Cunha im Südatlantik. Zu den bekanntesten Arten gehören die Teichhühner (Gattung *Gallinula),* die Bleßhühner (Gattung *Fulica)* und die Sultanshühnchen (Gattung *Por-*

Kranichvögel

(ORDNUNG GRUIFORMES)

Die aus 13 Arten bestehende Familie der Kraniche (GRUINAE) umfaßt große, langbeinige und langhalsige Vögel mit verschiedenen Schmuckelementen. Sie sind überwiegend braun, weiß oder grau gefärbt; zwischen den Geschlechtern bestehen keine äußerlichen Unterschiede. Leider sind mehrere Arten sehr selten geworden, weil während ihrer jährlichen Wanderungen ungezählte Tiere abgeschossen wurden und der Mensch viele ihrer Nist- und Futterplätze zerstört hat. Das gilt besonders für Schwarzhalskranich, Mönchskranich, Mandschurenkranich, Schreikranich und Nonnenkranich. Obwohl sie inzwischen unter Naturschutz gestellt wurden, ist ihre Zahl beängstigend geschrumpft.

Die Kraniche sind berühmt für ihre ,,Tänze'', an denen zwei oder

Braunes Tarngefieder

Balzender Trapphahn

Die Großtrappe

Die in Europa und Asien heimische Großtrappe *(Otis tarda)* zeichnet sich durch ein besonders auffälliges Balzverhalten aus. Während der ganzen Balzzeit stolziert der Hahn vor der Henne herum, schüttelt das braune Gefieder und klappt den Schwanz vornüber auf den Rücken, so daß das weiße Unterschwanzgefieder wie eine weiße Kuppel zum Vorschein kommt. Gleichzeitig wendet er die Flügel so um, daß sich die sonst verborgenen weißen Ellenbogenfedern zu einer Rosette entfalten. Diese Pose, die den Hahn als weißes Gewoge erscheinen läßt, kann mehrere Minuten lang beibehalten werden; schließlich verwandelt er sich ganz plötzlich wieder in den unscheinbaren, gut getarnten Vogel. Da sich die Hennen gewöhnlich in der Überzahl befinden, paart sich ein Hahn in der Regel mit mehreren Hennen.

phyrula). Alle Rallen bauen ein flaches oder kuppelförmiges Nest, das an Wasserpflanzen verankert auf der Wasseroberfläche schwimmt oder im Schilf versteckt liegt. Am Ausbrüten der 2 bis 16 Eier beteiligen sich beide Eltern, ebenso am Füttern der Küken.

Wie schon sein Name andeutet, nimmt der Rallenkranich *(Aramus guarauna)* zwischen Rallen und Kranichen eine Mittelstellung ein; sein Skelett gleicht dem der Kraniche, im Aussehen ähnelt er den Rallen. Der Rallenkranich ist ein Sumpfbewohner, der in Nord- und Südamerika heimisch ist und sich fast ausschließlich von Schnecken ernährt.

Zu den Kranichvögeln gehören auch die Trappen (FAMILIE OTIDIDAE), große, am Boden lebende Vögel, die auf den Grasfluren der Alten Welt heimisch sind, davon 16 Arten in Afrika. Die in Süd- und Ostafrika weit verbreitete Riesen- oder Koritrappe *(Ardeotis kori)* gehört zu den größten flugfähigen Vögeln; die Männchen können ein Gewicht bis zu 23 Kilogramm erreichen. Die Riesentrappen wandern auf ziemlich langen Beinen gemächlich einher und ernähren sich von Gräsern und Insekten, vor allem Heuschrecken.

Rechts: *Ein Amerikanisches Zwergsultanshühnchen* (Porphyrula martinica) *steht mit seinen langen Zehen sicher auf den Blättern von Seerosen.*

Wat- und Möwenvögel

(ORDNUNG CHARADRIIFORMES)

Diese sehr große Ordnung umfaßt mehr als 300 Arten zum Teil sehr verschiedenartiger Vögel. Sie werden in drei Unterordnungen mit insgesamt 17 Familien eingeteilt. Die erste Unterordnung bilden die Regenpfeiferartigen (CHARADRII) mit 12 Familien. In der zweiten Unterordnung werden die 4 Familien der Möwenartigen (LARI) mit Raubmöwen, Möwen und Seeschwalben zusammengefaßt; die Unterordnung der Alkenvögel (ALCAE) besteht aus nur einer Familie mit Alken, Lummen und Papageitauchern.

Fast allen Arten gemeinsam ist ein dichtes, wasserabstoßendes Gefie-

Unten: *Ein Kampfläufer-Männchen (Philomachus pugnax) entfaltet seine Halskrause, um an den Kampf- und Balzspielen auf dem gemeinsamen „Turnierplatz" teilzunehmen und die Aufmerksamkeit der Weibchen zu erregen.*

der. Es ist überwiegend schwarz, weiß und in verschiedenen Grautönen gefärbt, leuchtende Farben kommen seltener vor. Zwischen den Geschlechtern bestehen äußerlich keine Unterschiede, ausgenommen bei Goldschnepfen, Wassertretern und dem Kampfläufer.

Zumeist werden nur einmal jährlich 1 bis 4 Eier ausgebrütet. Nach 17 bis 28 Tagen schlüpfen die Küken; sie tragen ein weiches Dunenkleid und sind zum Teil Nestflüchter, das heißt, schon kurz nach dem Schlüpfen imstande, das Nest zu verlassen. In der Regel beteiligen sich beide Eltern am Brüten und Füttern, nur bei den Schnepfen sind es ausschließlich die Weibchen, denen das Brutgeschäft zufällt, während bei den Wassertretern Eier und Küken vom Männchen betreut werden.

Die Angehörigen dieser Ordnung sind fast über die ganze Welt einschließlich der Polarregionen verbreitet. Die meisten von ihnen bewohnen Küstengebiete, Marschlandschaften, Strände und Wiesen.

Zu den Regenpfeiferartigen gehören die Echten Regenpfeifer, die langbeinigen Stelzenläufer und Säbelschnäbler, Brachvögel und Wasserläufer, Rotschenkel, Alpenstrandläufer und Wassertreter, Schnepfen und Waldschnepfen sowie die Austernfischer. Manche Arten verlassen ihre Nistplätze nur, um an der Küste zu überwintern, andere ziehen, nachdem sie im Sommer in der arktischen Tundra gebrütet haben, zum Überwintern bis ins tropische Afrika. Viele stoßen ganz charakteristische Schreie aus, an denen sie sofort zu erkennen sind. Ziehende Brachvögel geben weithin hörbare Flötenrufe von sich. Die Kiebitze lassen ihr „Kiwitt" hören, während die Austernfischer ein schrilles „Kewick" von sich geben, das sich in ein „Pik-pik" ändert, wenn die Vögel erschreckt werden. Die meisten Männchen flöten

und trillern während der Balz; außerdem führen sie unterschiedliche Balzzeremonien aus. Rotschenkel und Brachvögel heben vor den Weibchen die Flügel, um sie dann auf halber Höhe schnell flattern zu lassen. Dann erheben sie sich in die Luft, schweben über den Weibchen und trillern dabei. Die Kiebitze vollführen ausgedehnte Flugspiele und reagieren dabei sehr aggressiv gegenüber anderen Männchen. Die männlichen Kampfläufer tragen eine auffällige Halskrause, deren Farbe von Vogel zu Vogel wechselt. Sie treffen auf einer Art „Turnierplatz", einem Stück offenem Grasland, zusammen und vollführen dort rituelle Tänze und Scheinkämpfe. Da die Weibchen in der Überzahl sind, paart sich ein Männchen in der Regel mit mehreren Weibchen, kümmert sich aber nicht um Eier und Junge. Die Nistplätze der Kampfläufer liegen im Norden Europas und Asiens.

Die Brachvögel (Gattung *Numenius),* mit Körperlängen von 53 bis 66 Zentimetern die größten unter den Regenpfeiferartigen, leben in Moor-

Die Wassertreter

Bei den Wassertretern sind die Rollen der Geschlechter vertauscht. Die Weibchen sind größer und wesentlich farbenprächtiger als die Männchen; außerdem sind sie beim Liebesspiel der werbende Teil. Das Weibchen des Thorshühnchens *(Phalaropus fulicarius)* ist normalerweise grau, nur während der Brutzeit trägt es ein leuchtend rostbraunes Hochzeitskleid. Nach der Paarung geht das Männ-

chen daran, ein Nest zu bauen, das gewöhnlich aus einer flachen Mulde in der Nähe einer Wasserfläche in der Tundra besteht. In dieses Nest legt das Weibchen 4 gesprenkelte olivbräunliche Eier, die ausschließlich vom Männchen bebrütet werden, das auch die Jungen aufzieht. Die Weibchen verlassen das Nistgebiet und sammeln sich, an den Männchen und ihrer Nachkommenschaft offensichtlich nicht mehr interessiert, in kleinen Schwärmen vor der Küste.

Weibchen

Männchen

und Sumpflandschaften und suchen in weichem Erdreich oder Sand mit ihren langen, schlanken, abwärts gekrümmten Schnäbeln nach Würmern und Insekten.

Etwas kleiner und leichter gebaut sind die Wasserläufer (Gattung *Tringa* mit 15 Arten). Der Flußuferläufer *(T. hypoleucos)* ist ein flinker, rastloser Vogel, der an den Ufern von Flüssen oder Seen ständig mit dem Kopf nickt und mit dem Schwanz wippt. Nahe, etwas größere Verwandte sind Rotschenkel *(T. totanus)* und Grünschenkel *(T. nebularia);* an ihren rot beziehungsweise grün gefärbten Läufen sind sie leicht zu erkennen.

Zur Familie der Regenpfeifer (CHARADRIIDAE) zählen 66 Arten mit kurzen, kräftigen Schnäbeln. Sie halten sich viel auf dem Boden auf und sind flinke Läufer, können aber auch sehr gut fliegen; manche Arten gehen nachts auf Jagd. Der Goldregenpfeifer *(Pluvialis apricaria)* verbringt den Sommer in der arktischen Tundra. Eine Unterart mästet sich im Sommer im Norden der USA mit Krähenbeeren und fliegt dann nonstop bis an die Nordküste Südamerikas und von dort weiter zum Winterquartier auf den argentinischen Pampas. Im Janur tritt sie den Rückweg über das amerikanische Festland an.

Der Sandregenpfeifer *(Charadrius hiaticula)* neigt wie einige andere Arten dazu, sich lahmzustellen. Wenn sich ein Feind dem Nest, den Eiern oder den Küken nähert, torkelt das Weibchen davon und läßt dabei einen scheinbar gebrochenen Flügel hängen. Der Angreifer wittert eine leichte Beute und läßt sich von den Eiern oder den Jungen fortlocken. Wenn sich das Weibchen dann weit

Rechts: *Eine Familie von Dreizehenmöwen* (Rissa tridactyla) *in ihrem Nest an einer steilen Felswand. Die Küken tragen ein auffälliges schwarzes Nackenband, das im Laufe ihres ersten Sommers veschwindet; im Alter von 2 Jahren haben sie sich ins Erwachsenengefieder gemausert.*

Links: *Ein Kiebitz (Vanellus vanellus) läßt sich auf seinem Gelege aus 4 gefleckten Eiern nieder; die Küken schlüpfen nach 24 Tagen.*

genug vom Nest entfernt hat, fliegt es davon, während der Räuber verblüfft und hungrig zurückbleibt.

Zur Familie der Säbelschnäbler (RECURVIROSTRIDAE) gehören die eigentlichen Säbelschnäbler sowie die Stelzenläufer. Ihr auffälligstes Merkmal sind die langen Läufe, mit denen sie in etwas tieferen Gewässern herumwaten können als die anderen Watvögel. Ihre langen Schnäbel benutzen sie dazu, Schnecken, Krebstiere, Insekten und gelegentlich auch Fische aus dem Wasser zu holen.

Möwenartige

(UNTERORDNUNG LARI)

Zu dieser Unterordnung gehören etwa 90 Arten, von denen die Möwen (FAMILIE LARIDAE) die bekanntesten sein dürften. Sie sind kräftige Flieger, die hervorragend gleiten können. Sie sind in der Regel Küstenvögel, leben zum Teil aber auch im In-

Oben: *Eine Fluß-Seeschwalbe (Sterna hirundo) bietet dem Partner einen Fisch an — ein wichtiger Bestandteil des Balzverhaltens. Fische werden gefangen, indem sich die Tiere senkrecht ins Wasser stürzen und dann mit ihrer Beute wieder auftauchen.*

land und brüten an Binnengewässern. Die Lachmöwe *(Larus ridibundus)* ist oft dabei zu beobachten, wie sie in großen Scharen auf Müllhalden sitzt oder auf der Suche nach Nahrung einem Traktor folgt. Die meisten Möwenartigen haben ein weißes Gefieder, nur die Raubmöwen sind braun. Allen Arten gemeinsam sind lange Flügel und Schwimmfüße. Sie brüten durchweg in Kolonien, zum Teil auf Felssimsen, zum Teil auf Sanddünen, dichtem Gras oder sogar in Sümpfen.

Die kleinste Art ist die Zwergmöwe *(L. minutus)* mit einer Körperlänge von 28 Zentimetern, während die Eismöwe *(L. hyperboreus)* mit einer Länge von 70 Zentimetern zu den größten Arten gehört. Dagegen wird die relativ groß wirkende Silbermöwe *(L. argentatus)* nur knapp 60 Zentimeter lang. Sie ist in der gesamten nördlichen Hemisphäre verbreitet und an der europäischen wie an der amerikanischen Atlantikküste die am häufigsten vorkommende Art. Möwen können sehr aggressiv sein; nicht selten überfallen sie Nistplätze der Seeschwalben und vertreiben ihre rechtmäßigen Bewohner im Laufe weniger Jahre völlig. Die Möwen legen durchweg 2 oder 3 Eier, die von beiden Eltern ausgebrütet werden. Die Seeschwalben (FAMILIE STERNIDAE) sind kleiner und zierlicher gebaut als die Möwen; Schwänze und Flügel sind im Verhältnis zur Gesamtlänge größer. Die meisten der 40 Arten holen sich ihre Nahrung tauchend aus dem Wasser; diese Methode der Nahrungsbeschaffung ist bei den Möwen sehr selten. Manche Arten bauen keine Nester, sondern legen ihre 2 oder 3 Eier einfach auf kiesigen Boden, Sand oder trockenes Gras. Die Küstenseeschwalbe *(Sterna paradisaea)* ist berühmt für ihre weiten Wanderungen. Einige Arten, zum Beispiel die Noddiseeschwalbe *(Anous stolidus)* und die Rußseeschwalbe *(Sterna fuscata)* leben ausschließlich auf tropischen oder subtropischen Inseln.

Die Raubmöwen (FAMILIE STERCO-RARIIDAE), vor allem die Große Raubmöwe oder Skua *(Stercorarius skua)*, sind die Piraten der Polarregionen. Sie besitzen kräftige, gekrümmte Krallen und scharfe, gleichfalls gekrümmte Schnäbel, mit denen sie andere Vögel angreifen, bis sie ihre Nahrung auswürgen, oder deren Küken töten.

Auffälligstes Merkmal der Scherenschnäbel (FAMILIE RYNCHOPIDAE) sind ihre schmalen, seitlich platten Schnäbel: der Oberschnabel ist kürzer und beweglicher als der Unterschnabel. Mit dieser „Schere" fangen sie Fische, indem sie dicht über dem Wasser fliegen und mit dem Unterschnabel seine Oberfläche durchpflügen.

Unten: *Die Schmarotzerraubmöwe* (Stercorarius parasiticus) *ist einer der größten Piraten unter den Vögeln am Polarkreis. Sie nimmt anderen Vögeln die Beute weg, frißt Eier und Küken und sucht die Küste nach Aas ab.*

Alkenvögel

(UNTERORDNUNG ALCAE)

Alle Alkenvögel — Alken, Lummen, Tordalk und Papageitaucher — leben in den kalten Regionen der nördlichen Hemisphäre. Allen 21 Arten gemeinsam sind schwere, gedrungene Körper mit weit hinten ansitzenden Beinen und Füße mit Schwimmhäuten. Sie ernähren sich von kleinen Fischen und Krebstieren. Einen Großteil ihres Lebens verbringen sie auf See, nur zum Brüten sammeln sie sich in Kolonien an felsigen Küsten. Die meisten Arten legen nur ein Ei.

Die größte Art dieser Unterordnung war der flugunfähige, etwa gänsegroße Riesenalk *(Pinguinus impennis)*; er wurde bereits im 19. Jahrhundert ausgerottet, nachdem ihm der Mensch vor allem wegen seiner Federn erbarmungslos nachgestellt hatte. Die größten lebenden Alkenvögel sind heute Trottellumme *(Uria aalge)*, Dickschnabellumme *(E. lomvia)* und Tordalk *(Alca torda)*. Sie nisten auf Uferfelsen. Das große Ei ist birnenförmig — eine Anpassung, die verhindert, daß es von einem schmalen Sims herunterrollt.

An ihren bunten, an die der Papageien erinnernden Schnäbeln sind die Lunde zu erkennen. Die beiden pazifischen Arten, der Schopflund *(Lunda cirrhata)* und der Nashornlund *(Cerorhinca monocerata)* tragen überdies noch einen Kopfschmuck.

Der bunte Schnabel des Papageitauchers *(Fratercula arctica)* entwickelt sich während der Brutzeit. Er ist ein Partnersignal und hilft, die in Einehe lebenden Paare zusammenzuhalten. Bei der Mauser nach der Brutzeit wird die äußere Schnabelhülle abgeworfen, und im Winter sind auch die männlichen Papageitaucher relativ unscheinbar.

Gegenüberliegende Seite. Oben links: *Ein Papageitaucher demonstriert seine bemerkenswerte Fähigkeit, mehrere Fische gleichzeitig in seinem bunten Schnabel zu halten.*
Oben rechts: *Auch der Tordalk kann mehrere Fische im Schnabel halten. Um sie zu fangen, taucht er und schwimmt sogar unter Wasser.*

Küken

In der Vogelwelt gibt es zwei Typen von Küken. Die sogenannten Nesthocker schlüpfen blind aus dem Ei und tragen nur wenige oder überhaupt keine Dunen. In ihrer Ernährung sind sie völlig von den Eltern abhängig. Dennoch verfügen sie über die für ihr Fortleben und Wohlergehen notwendigen Instinkte. Sie reißen die Schnäbel weit auf und zeigen das lebhaft gefärbte Mundinnere; diese Handlung wird als „Sperren" bezeichnet. Damit veranlassen sie die Eltern, sie

fast ununterbrochen mit Nahrung zu versorgen. Die ersten Wochen ihres Lebens verbringen sie in der Wärme und im Schutz ihres Nestes. Nesthocker sind die Küken aller Sperlingsvögel, zum Beispiel Amseln, Meisen und Drosseln, aber auch die der Spechte, Eisvögel, Kolibris und Pelikane.

Im Gegensatz zu den Nesthockern sind die Nestflüchter bereits beim Schlüpfen mit einem warmen Dunenkleid versehen und können auch schon herumlaufen. Diese „Dunenjungen" sind zumeist hübsch anzusehen. Man braucht nur an die Eintagsküken unseres Haushuhns zu denken, um sich eine Vorstellung von

diesen reizenden Tierchen machen zu können. Die meisten der am Boden nistenden Vögel haben Dunenjunge, denn hier ist es für die Küken lebensnotwendig, daß sie sich vor Feinden wie Füchsen, Schlangen und Greifvögeln in Sicherheit bringen können. Nestflüchter sind die Jungen von Fasanen, Wachteln und anderen Hühnervögeln ebenso wie die von Watvögeln wie Regenpfeifern, Brachvögeln und Kiebitzen. Sie verlassen das Nest, sobald das Gefieder getrocknet ist; viele von ihnen bleiben allerdings mehrere Tage oder Wochen in der Nähe des Nestes und der Eltern, bis sie fliegen können.

Amselküken
Nesthocker, 3 Tage alt

Amselküken
wenige Tage älter

Kiebitzküken
Nestflüchter, 3 Tage alt

Taubenvögel

(ORDNUNG COLUMBIFORMES)

Die rund 300 Arten von Taubenvögeln sind weltweit verbreitet; nur im hohen Norden und Süden sowie auf einigen Ozeaninseln kommen sie nicht vor. Ihr weiches, dichtes Gefieder ist, vor allem bei tropischen Arten, häufig lebhaft gefärbt und gemustert. Sie ernähren sich überwiegend von Knospen, Früchten und Samen und werden oft in großen Mengen abgeschossen, weil sie sich ihr Futter von den Feldern holen.

Zu den tropischen Arten gehören die Rote Fidschi-Flaumfußtaube *(Chrysoenas victor)* und verschiedene Fruchttauben (Gattung *Ducula*) in Australien und auf den Pazifischen Inseln. Die größten Tauben finden sich auf Neuguinea; es sind die Krontauben (Gattung *Goura*), prachtvolle Vögel mit aufrecht stehenden, fächerförmigen Kronen oder Hauben. Die auf den Samoa-Inseln heimische Zahntaube *(Didunculus strigirostris)* weist eine erstaunliche Ähnlichkeit mit den ausgestorbenen Dronten von der Insel Mauritius auf. Die Dronte *(Raphus cucullatus)* war ein flugunfähiger Vogel von der Größe eines Schwans. Sie wurde um die Mitte des 18. Jahrhunderts vom Menschen, der sie zu Tausenden fing und abschlachtete, völlig ausgerottet. Gleichfalls ausgestorben ist die Wandertaube *(Ectopistes migratorius)*, die früher in Mittel- und Nordamerika lebte und millionenfach von Jägern abgeschossen wurde. Bei den europäischen Bauern sehr unbeliebt ist die Ringeltaube *(Columba palumbus)*, weil sie sich gern an seinen Feldfrüchten vergreift.

Von der Felsentaube *(Columba livia)* stammen die meisten Haustauben wie zum Beispiel Pfauentauben, Tümmler und Kröpfer ab. Die Wildform nistet vorwiegend an steilen Felshängen.

Rechts: *Der berühmteste aller ausgestorbenen Vögel ist wohl die Dronte. Von diesem flugunfähigen Tier existieren heute nur noch einige Gipsmodelle und Skelettreste in Museen.*

Die meisten Tauben bauen flache, lockere Nester aus Zweigen auf einem Baum oder Felsvorsprung; einige wenige nisten auf dem Boden oder in einer Höhle. Sie legen in der Regel 1 oder 2 Eier, die von beiden Eltern ausgebrütet werden. Die nackten und blinden Jungen werden in den ersten Lebenstagen mit „Kropfmilch" gefüttert, einer nährstoffreichen Flüssigkeit, die sich im Kropf beider Elternteile bildet. Später erhalten sie feste Nahrung, die die Eltern aus ihrem Kropf auswürgen.

Rechts: *Verwilderte Haustauben auf dem Trafalgar Square in London. Ihr Gurren ist den Bewohnern vieler Städte bestens vertraut. Dort leben sie von Brot, Kuchen und Vogelfutter, das ihnen angeboten wird, aber auch von dem, was sie aus Mülltonnen und Abfallbehältern erbeuten.*

Eine Invasion
im 20. Jahrhundert

In einer Zeit, in der der Mensch zahlreiche wildlebende Tiere so erbarmungslos verfolgt, daß sie fast oder ganz ausgestorben sind, ist es um so erstaunlicher, daß manche Arten ihre Zahl und ihr Verbreitungsgebiet erheblich vergrößern konnten. Ein solcher Fall liegt bei der Türkentaube *(Streptopelia decaocto)* vor. Zu Beginn des 20. Jahrhunderts hatte sie sich aus ihrer asiatischen Heimat allmählich bis nach Bulgarien ausgebreitet, aber seither ist sie immer weiter westwärts vorgedrungen. In den dreißiger Jahren hatte sie Jugoslawien erreicht; 1943 traf sie in Deutschland ein, 1947 in den Niederlanden. Ein Jahr später hatte sie Dänemark erreicht, 1949 nistete sie bereits in Schweden. 1952 wurde sie in Belgien und Großbritannien gesichtet. 1955 nistete sie zum ersten Mal auf den Britischen Inseln. Vielleicht gelangt sie eines Tages sogar nach Nordamerika — erschöpfte Vögel wurden schon 80 Kilometer westlich von Großbritannien gefunden.

Einer der Gründe für die erfolgreiche Ausbreitung des 28 Zentimeter langen Vogels ist seine außergewöhnliche An-

passungsfähigkeit. Außerdem vermehrt sich mit bis zu fünf Bruten im Jahr der Bestand so stark, daß die Türkentaube praktisch zur Besiedlung immer neuer Gebiete gezwungen ist.

Oben: *Seit Beginn des 20. Jahrhunderts hat sich die Türkentaube vom Balkan aus immer weiter nach Westen vorgeschoben und ist jetzt über ganz Europa verbreitet.*

Die Papageien Neuseelands

Neuseeland ist die Heimat von drei seltsamen Papageien — dem Kea *(Nestor notabilis)* und dem Kaka *(N. meridionalis)*, relativ großen Arten mit grünlichem Gefieder, sowie dem kleineren und seltenen Kakapo oder Eulenpapagei *(Strigops habroptilus)*.

Der Kea steht im Verruf, ein gefährlicher Schafsmörder zu sein, und wurde dementsprechend in seiner Heimat, der Gebirgslandschaft der Südinsel, erbarmungslos verfolgt. Zwar frißt der Kea Aas und greift gelegentlich auch kranke oder verletzte Tiere an, aber daß er gesunde, ausgewachsene Tiere tötet, ist höchst unwahrscheinlich. Der nahe mit ihm verwandte Kaka fällt durch sein rotes Bauchgefieder auf und ist im Gegensatz zum Kea ein Waldbewohner.

Vom Aussterben bedroht ist der Eulenpapagei. Der ohnehin schon recht kleine Bestand mußte nicht nur mit den eingeführten Hirschen um Nahrung und Lebensraum konkurrieren, sondern wurde auch häufig das Opfer der von den Menschen ins Land gebrachten Hunde, Katzen, Wiesel und Ratten. Außerdem wurde er durch das Abholzen der Wälder seines Habitats beraubt. Der Eulenpapagei ist fast flugunfähig, turnt aber sehr behende auf den Bäumen herum und kann auch springen und gleiten. Heutzutage ist dieser pflanzenfressende Nachtvogel nur noch in einem Gebirgstal des Fjordland-Nationalparks auf der Südinsel anzutreffen.

Unten: *Ein Kea*

Papageien

(ORDNUNG PSITTACIFORMES)

Die 326 Arten dieser Ordnung sind fast jedermann bekannte, auf den ersten Blick zu identifizierende Vögel. Allen ist ein kurzer, kräftiger, stark gekrümmter Schnabel ebenso gemeinsam wie die als Greifzangen ausgebildeten Füße mit je zwei nach vorn und nach hinten zeigenden Zehen. Die Papageien sind langlebig, oft leuchtend bunt gefärbt und überwiegend in tropischen und subtropischen Gegenden beheimatet. Zu dieser Ordnung gehören die Echten Papageien sowie Aras, Unzertrennliche, Kakadus und Wellensittiche.

Bei den Papageien gibt es beachtliche Größenunterschiede; mit einer Gesamtlänge von 80 Zentimetern ist der in Australien heimische Arakakadu *(Probosciger aterrimus)* eine der größten Arten. Die unbefiederte Wangenhaut dieses Vogels färbt sich je nach Stimmungslage weiß bis dunkelrot. Er lebt meist allein oder paarweise, während Gelbhaubenkakadu *(Kakatoe galerita)* und Rosakakadu *(K. roseicapilla)* sich zu großen Schwärmen zusammentun. Auch der als Stubenvogel weit verbreitete Wellensittich *(Melopsittacus undulatus)* stammt aus Australien.

ZUCHTFORMEN DES WELLENSITTICHS

Grüne Wildform

Blaue Zuchtform

Unter den Echten Papageien dürfte der in Afrika heimische Graupapagei *(Psittacus erithacus)* mit grauem Gefieder und rotem Schwanz der bekannteste sein. Auch die Unzertrennlichen (Gattung *Agapornis*) kommen aus Afrika. Es sind lebhafte kleine Vögel, bei denen die Paare besonders stark zusammenhalten. Der größte Artenreichtum findet sich im tropischen Amerika. Dort leben die langschwänzigen Aras. Zu den größten Arten zählen der Hellrote Ara oder Arakanga *(Ara macao)* und der Hyazinthara *(Anodorhynchus hyacinthinus)*. Mit ihren massigen Schnäbeln können sie harte Schalen, zum Beispiel die der Paranüsse, mühelos zerbrechen. Alle Aras sind laute, nicht zu übersehende Vögel. Die Amazonenpapageien (Gattung *Amazona)* bewohnen die gleichen Lebensräume wie die Aras. Ihr Gefieder ist überwiegend grün mit leuchtend roten, gelben oder blauen Abzeichen.

Rechts oben: *Ein Gelbhaubenkakadu* (Kakatoe galerita). *Die in Australien heimischen Vögel finden sich zu großen Schwärmen zusammen, die auf Nahrungssuche häufig in Mais- und Erdnußfelder einfallen.*
Rechts unten: *Der Hyazinthara* (Anodorhynchus hyacinthinus) *ist nur im tropischen Regenwald Brasiliens anzutreffen. Er besitzt einen besonders kräftigen, stark gekrümmten Schnabel.*

Weiße Zuchtform

Kuckucksvögel

(ORDNUNG CUCULIFORMES)

Wenn vom Kuckuck die Rede ist, denkt man zuerst an seinen unverwechselbaren Ruf, der in Europa den Frühling verkündet, und an die Gewohnheit des Weibchens, seine Eier in fremde Nester zu legen und alle Elternpflichten anderer Vögeln zuzuschieben. Beides stimmt, gilt aber bei weitem nicht für alle der rund 150 Arten von Kuckucksvögeln. Unser einheimischer Kuckuck *(Cuculus canorus)* ist allerdings ein Brutschmarotzer. Er ist mit seinem blaugrauen Gefieder ziemlich unscheinbar und etwa 35 Zentimeter lang. Zu sehen ist er selten; meist verrät nur das „Kuckuck" seine Anwesenheit.

Größer und oft leuchtend bunt gefärbt sind die zahlreichen tropischen Angehörigen dieser Ordnung. Zu ihnen zählen die in den Wäldern und auf den Savannen des tropischen Afrika heimischen Turakos (FAMILIE MUSOPHAGIDAE). Sie können bis zu 70 Zentimeter lang werden, sind zumeist leuchtend grün und blau gefärbt und tragen zum Teil dekorative Federhauben. Auffälligstes Merkmal der 10 Arten sind die leuchtend roten Schwungfedern, die im Flug und bei der Balz besonders deutlich hervortreten.

Von den 128 Kuckucksarten sind 50 Brutschmarotzer. Nach der Paarung sucht sich das Weibchen das Nest eines anderen Vogels aus — zum Beispiel eines Wiesenpiepers, eines Teich- oder Schilfrohrsängers, einer Heckenbraunelle oder einer Stelze. Dann wartet es, bis sich der Wirtsvogel von seinem Nest entfernt, und kurz bevor der Wirt mit dem Bebrüten seiner eigenen Eier beginnt, legt es rasch ein Ei in dessen Nest. Ein Kuckucksweibchen ist imstande, 12 bis 24 Eier in die Nester verschiedener Wirte zu legen, wählt aber zumeist Nester von Angehörigen nur ei-

Links: *Ein Schilfrohrsänger mit seinem gewaltigen „Stiefkind", einem jungen Kuckuck. Nachdem er alle anderen Eier oder Küken aus dem Nest geräumt hat, ist ihm die ungeteilte Aufmerksamkeit der Wirtsvögel sicher.*

Ein junger Kuckuck entfernt Eier aus dem Nest eines Schilfrohrsängers

ner Art aus. In der Regel merkt der Wirt nicht, daß ihm ein fremdes Ei untergeschoben wurde, zumal der Kuckuck häufig auch ein Ei aus dem Nest holt, fortträgt oder frißt.

Der junge Kuckuck schlüpft um die gleiche Zeit wie die Küken des Wirtes und entledigt sich binnen weniger Stunden der anderen Küken oder der Eier. Obwohl er nackt, blind und hilflos zur Welt kommt, sind ihm die zum Überleben notwendigen Instinkte angeboren. Mühsam lädt er alles, was sich im Nest befindet, auf seinen breiten Rücken und befördert es über den Nestrand hinaus. Danach ist ihm die ungeteilte Aufmerksamkeit der Wirtsvögel sicher, die in ihm auch jetzt noch nicht den Eindringling erkennen. Sie tun alles, was in ihren Kräften steht, um den immer hungrigen Kuckuck zu füttern, der rasch heranwächst und bald das Nest so weit ausfüllt, daß der Wirtsvogel auf seinem Kopf oder Rücken stehen muß, um Futter in den ständig aufgerissenen Schnabel zu stopfen. Nach ungefähr 4 Wochen ist der junge Kuckuck flugfähig, läßt sich aber noch weitere 2 Wochen füttern, bevor er schließlich seine schwer arbeitenden ,,Stiefeltern'' verläßt. Kurz darauf vollbringt er eine erstaunliche Leistung: er begibt sich auf den Zug ins tropische Afrika, und zwar auf der Route, die die erwachsenen Tiere schon vorher eingeschlagen haben. Offensichtlich folgt er auch hierbei ausschließlich seinem Instinkt.

Die in Amerika heimischen Regenkuckucke (Gattung *Coccyzus*) sind gewöhnlich keine Brutschmarotzer. Sie bauen ihre eigenen Nester ähnlich wie die Krähen in den Baumkronen; am Bebrüten der Eier beteiligen sich beide Eltern.

In den Halbwüsten im Südwesten der USA leben der Erdkuckuck (*Geococcyx californianus*) und der Rennkuckuck (*G. velox*). Sie haben lange, kräftige Beine und jagen hinter Schlangen und Echsen her, die sie mit einem Schlag ihres kräftigen Schnabels töten, um sie dann ganz zu verschlucken. Ihr Flugvermögen ist relativ gering; bei Gefahr schwingen sie sich daher nur selten in die Luft und ziehen es gewöhnlich vor, davonzulaufen, wobei sie Geschwindigkeiten bis zu 25 Stundenkilometern erreichen.

Unten: *Ein Rennkuckuck aus dem Südwesten der USA. Die Langbeinkuckucke können zwar fliegen, ziehen es aber vor, auf der Suche nach kleinen Echsen, Insekten und sogar Schlangen auf der Erde zu laufen.*

Eulen

(ORDNUNG STRIGIFORMES)

Im Gegensatz zu den Greifvögeln, die am Tage auf Jagd gehen, sind die Eulen überwiegend Nachtjäger. Sie sind Vögel mit weichem Gefieder, kurzem Schwanz und großem Kopf. Die zumeist sehr großen Augen sind unbeweglich und von einem sogenannten „Gesichtsschleier" umgeben. Der Schnabel ist nach unten gekrümmt und wirkt, etwa verglichen mit dem eines Adlers, recht schwach, zumal er häufig von den Federn des Gesichtsschleiers teilweise verdeckt wird. Die scharfen, gekrümmten Krallen sind zum Erjagen von Beute hervorragend geeignet.

Die Größenskala reicht von kaum sperlingsgroßen Arten wie zum Beispiel dem Elfenkauz *(Micrathene whitneyi)* und dem Zwerg-Sperlingskauz *(Glaucidium minutissimum)* bis zum adlergroßen Uhu *(Bubo bubo)*.

Die Schleiereule *(Tyto alba)* ist mit 36 Unterarten über die ganze Welt mit Ausnahme der Polarregionen verbreitet. Ihr Gefieder ist gelblichbräunlich, der Gesichtsschleier weiß. Häufig geht sie in Nächten auf Jagd, in denen es selbst für ihre empfindlichen Augen zu dunkel ist. Dann verläßt sie sich auf ihr scharfes Gehör, um ihre Beute — Spitz- und Wühlmäuse, Ratten, Insekten und kleine Vögel — auszumachen. Wenn sie sich auf ein Beutetier herabstürzt, stößt sie einen dumpfen Schrei aus.

Die Schleiereule baut kein Nest, sondern legt ihre 4 bis 6 Eier gewöhnlich auf Häufchen von Gewölle, das heißt, ausgewürgte, unverdauliche Bestandteile ihrer Nahrung. Die Eier werden ausschließlich vom Weibchen bebrütet; nach rund 30 Tagen schlüpfen die Jungen, die nach 9 bis 12 Wochen flügge sind und von beiden Elternteilen gefüttert werden.

In vielen Gegenden hat der Bestand an Schleiereulen abgenommen, vor allem deshalb, weil sich der Mensch immer weiter ausgebreitet und viele Nistplätze wie zum Beispiel leerstehende Gebäude und hohle Bäume beseitigt hat.

Die anderen Eulen — es gibt gut 140 Arten — haben sich verschiedenen Lebensräumen angepaßt. So nistet der über Europa und Asien verbreitete Steinkauz *(Athene noctua)* gewöhnlich in Baumhöhlen, ist aber auch mit einem verlassenen Kaninchenbau zufrieden. Die in Süd- und Teilen Nordamerikas heimische Kanincheneule *(Speotyto cunicularia)* bevorzugt Erdhöhlen als Nistplätze, wobei sie gewöhnlich von den verlassenen Bauten von Präriehunden, Dachsen, Stinktieren oder Erdhörnchen Gebrauch macht. Falls erforderlich, vergrößert sie die Höhle, indem sie mit ihren kräftigen Füßen die Erde wegscharrt und vor dem Bau anhäuft. In Gegenden mit Sandboden, zum Beispiel in Florida, gräbt sie ihre Bruthöhlen auch selbst.

Eine Waldohreule mit einem Beutetier

Links: *Wie ein lautloser Geist in der Nacht verläßt eine Schleiereule ihr Baumloch, um auf Jagd zu gehen. Beim Aufspüren von Beutetieren wie zum Beispiel Mäusen verläßt sie sich auf ihr hochempfindliches Gehör, obwohl sie auch im Dunkeln gut sehen kann.*

Links: *Eine Schnee-Eule hockt sich schützend auf ihre Küken. Ihre Hauptnahrung besteht aus Lemmingen; sie ist jedoch auch sehr geschickt im Erbeuten von Fischen, die sie mit ihren Krallen packt.*

schwankt die Zahl der Eier von 3 in mageren bis zu 12 in fetten Jahren. Wie die Weibchen der Taggreifvögel sind auch die der Eulen durchweg erheblich größer als die Männchen, und in der Regel werden die Eier nur von den Weibchen bebrütet. Wenn ihrem Nest Gefahr droht, sind alle Eulen sehr mutig; selbst kleine Arten greifen den Menschen an, wenn er ihnen zu nahe kommt. Das Weibchen beginnt mit dem Brüten, sobald es das erste Ei gelegt hat; die Küken schlüpfen dann im Abstand von einigen Tagen. Dieses „gestaffelte Schlüpfen" dürfte mit dem Vorhandensein von Nahrung im Zusammenhang stehen. Können die Eltern reichlich Futter herbeischaffen, genügt es für alle Küken, bei Nahrungsknappheit dagegen entwickelt sich das erste Küken zum kräftigsten und hat bessere Überlebenschancen als die später geschlüpften Jungen. Die Jungen tragen ein flaumiges weißes Dunenkleid.

Die hübsche Schnee-Eule *(Nyctea scandiaca)* lebt im hohen Norden, wo es keine Bäume gibt. Sie legt ihr Nest auf einer Bodenerhebung in der Tundra an, die es ihr ermöglicht, die Landschaft zu überblicken. Ihr Brutverhalten richtet sich weitgehend nach dem Vorhandensein von Beutetieren, vor allem Lemmingen. Wenn bei den Lemmingen eine Bevölkerungsexplosion stattfindet, was in der Regel alle 4 Jahre der Fall ist, brüten die Eulen mehr Junge aus. Sind dagegen die Lemminge und damit die Hauptnahrung knapp, sind die Schnee-Eulen gezwungen, südwärts in Gegenden mit gemäßigtem Klima auszuweichen, und in der folgenden Brutperiode legen sie nur 3 oder 4 Eier. Auf diese Weise

Was Eulen fressen

In einer Nacht kann eine Eule drei oder vier kleine Tiere, zum Beispiel Nager und Vögel, fressen. Sie verschlingt sie ganz, und so sammeln sich in ihrem Magen stets größere Mengen unverdaulicher Knochen, Haare und Federn an. Diese unverdaulichen Nahrungsbestandteile würgt sie in Form von Klumpen wieder aus, die als „Gewölle" bezeichnet werden. In der Regel fressen die Eulen an ihrem Rastplatz; wenn man also auf dem Boden Gewölle findet, so läßt sich daraus gewöhnlich schließen, daß im nächsten Baum oder Gebäude eine Eule lebt.

Bei genauerer Untersuchung des Gewölles kann man feststellen, was eine Eule gefressen hat. Mit Hilfe von Nadeln, einer Pinzette und sehr viel Geduld und Sorgfalt lassen sich die einzelnen Bestandteile — Chitinpanzer, Rippen, Zähne, Rückenwirbel, Kiefer, Arm-, Bein- und Beckenknochen und dergleichen mehr — voneinander lösen. Wenn das Gewölle sehr trocken ist, muß man es unter Umständen mehrere Stunden in einem Gefäß mit Wasser einweichen. Nachdem man alle Knöchelchen herausgelöst hat, kann man sie bleichen, indem man sie ein paar Minuten in Wasserstoffsuperoxyd legt. (Da es ätzend wirkt, sollte man dabei die nötige Vorsicht walten lassen.) Anschließend werden die Knochen in klarem Wasser nachgespült.

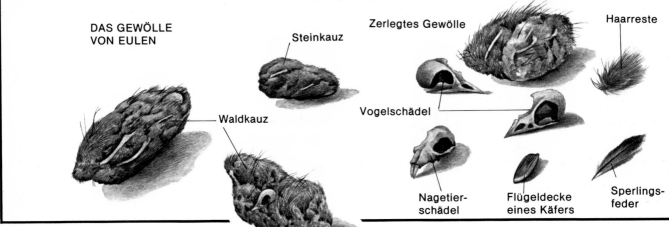

DAS GEWÖLLE VON EULEN

Steinkauz

Zerlegtes Gewölle

Haarreste

Waldkauz

Vogelschädel

Nagetierschädel

Flügeldecke eines Käfers

Sperlingsfeder

Jäger in der Stadt

Vier Greif- und Eulenvögel haben sich — mehr oder minder erfolgreich — einem Leben in der Stadt angepaßt: der Turmfalk, der Waldkauz, der Amerikanische Uhu und der Schwarzmilan. Dabei mußte der Waldkauz *(Strix aluco)* seine Nahrungsgewohnheiten erheblich ändern, um in der Stadt überleben zu können. Wenn er auf dem Lande lebt, besteht seine Nahrung zu 90 Prozent aus Kleinsäugern, die restlichen 10 Prozent aus Vögeln. In der Stadt dagegen fehlt das lange Gras, in dem die Nagetiere leben, und das Verhältnis kehrt sich um. Ein in der Stadt lebender Waldkauz ernährt sich zu 90 Prozent von Sperlingen und Staren und nur in ganz geringem Maß von Nagern. Zum Nisten sucht er sich hohle Bäume in Parks und Gärten.

Im Gegensatz zu dem nahe mit ihm verwandten eurasischen Uhu flieht der Amerikanische Uhu *(Bubo virginianus)* den Menschen nicht und nistet gelegentlich in städtischen Parks. Selbst in New York kann man, nur wenige Kilometer vom Stadtzentrum entfernt, seinen typischen Ruf hören. Der Turmfalk *(Falco tinnunculus)* nistet hin und wieder auf den Fenstersimsen von Hochhäusern mitten in der Stadt. Seine Hauptnahrung besteht aus kleinen Nagern, Haussperlingen und Staren, die er erjagt, indem er rüttelnd an einer Stelle verharrt und dann blitzschnell herabstößt.

Der Schwarzmilan *(Milvus migrans)* sorgt für Reinlichkeit auf den Straßen. In Südostasien ist eine Unterart, der Sibirische Schwarzmilan, ständiger Gast auf Müllkippen, in Schlachthäusern und auf Fleisch- und Fischmärkten, holt sich seine Beute aber auch gern von Geflügelfarmen. Im Flug wirkt er mit seinem gegabelten Schwanz sehr reizvoll. In ganz Südostasien sieht man ihn häufig in den Häfen und Städten, wo er auf Dächern und Telegraphenstangen sitzt und nach Beute Ausschau hält. Da er ein ausgezeichneter Flieger ist, fällt es ihm nicht schwer, Kabelleitungen und dem dichten Straßenverkehr auszuweichen.

Rechts oben: *Ein Turmfalk verharrt über einer Straßenlaterne auf der Suche nach kleinen Nagetieren oder Haussperlingen. Gelegentlich nistet er auf den Fenstersimsen von Hochhäusern.*
Rechts: *Ein Schwarzmilan hockt auf einem Fabrikrohr. Mit seinen Unterarten ist er über ganz Südostasien sowie Teile Europas, Afrikas und Australiens verbreitet; er ernährt sich von Abfällen. Gelegentlich sammeln sich die Schwarzmilane in großen Schwärmen auf Müllkippen und Fleischmärkten sowie in der Nähe von Schlachthäusern; außerdem folgen sie den Traktoren auf den Feldern, um die aufgescheuchten Insekten zu erjagen.*

Nachtschwalben

(ORDNUNG CAPRIMULGIFORMES)

Die 96 Arten dieser Ordnung sind Dämmerungs- und Nachtvögel mit langen, zugespitzten Flügeln, kleinen Füßen und breiten Schnäbeln, die sich sehr weit öffnen lassen. Zu ihnen gehören neben den Tagschläfern und den Schwalmen die Ziegenmelker, die ihren Namen dem früher weit verbreiteten Irrglauben verdanken, sie saugten in der Nacht den Ziegen die Milch aus. In Wirklichkeit fliegen sie nachts umher und fangen mit ihrem weit geöffneten Schnabel Insekten im Flug. Die Schwalme und Froschmäuler sind keine Luftjäger, sondern nehmen ihre Nahrung überwiegend vom Boden auf. Tagsüber verbergen sich die Nachtschwalben, wobei ihnen ihr durchweg graues oder braunes Gefieder hilft, sich auf dem Waldboden zu tarnen.

Wohl die merkwürdigste Art dieser Ordnung ist der Fettschwalm *(Steatornis caripensis)* im Norden von Südamerika. Wegen seines durchdringenden Geschreis wird er in seiner Heimat ,,Guacharo'' (der Schreiende) genannt. Im Gegensatz

Oben: *Aufgeschreckte Fettschwalme. Ihr Schnabel ähnelt dem der Taggreifvögel, in anderer Beziehung weisen sie Ähnlichkeiten mit den Eulen auf.*

zu allen anderen Nachtschwalben ist er ein Pflanzenfresser. Die Fettschwalme leben in Höhlen, die sie in

Ein Ziegenmelker-Männchen auf der Jagd nach Insekten

Rechts: *Durch ihr geflecktes Gefieder hervorragend getarnt, liegt eine Gabun-Nachtschwalbe* (Caprimulgus fossii) *auf dem Waldboden.*

der Nacht verlassen, um die Früchte von Palmen und anderen Pflanzen zu fressen. Obwohl sie dabei Entfernungen bis zu 50 Kilometern zurücklegen, kehren sie kurz vor Tagesanbruch immer in ihre Höhlen zurück.

In Südamerika und auf den Westindischen Inseln leben die Tagschläfer (FAMILIE NYCTIBIIDAE). Solange es hell ist, sitzen sie senkrecht und völlig unbeweglich auf einem Baum oder Strauch, so daß sie aus der Ferne nicht zu erkennen sind und wie die Verlängerung eines kahlen Astes oder Stumpfes wirken. Zu den Schwalmen (FAMILIE PODARGIIDAE) gehören die in Südostasien heimischen Froschmäuler (Gattung *Batrachostomus*). Sie holen sich ihre Nahrung vom Boden und fressen Käfer, Hundertfüßer, Skorpione und Raupen. Der australische Eulenschwalm *(Podargus strigoides)* frißt auch Beutelmäuse.

Die meisten Nachtschwalben gehören zur Familie der Ziegenmelker (CAPRIMULGIDAE), die über die gemäßigten und tropischen Zonen der ganzen Welt verbreitet ist. Einige Nachtschwalben der Neuen Welt sind berühmt für ihre lauten Rufe, denen sie zum Teil auch ihre Namen verdanken, so zum Beispiel der Whip-Poor-Will *(Caprimulgus vociferus)* und der Poor-Will *(Phalaenoptilus nuttallii)*. Die Ziegenmelker bauen keine Nester; die Weibchen legen 2 Eier auf den kahlen Boden und verlassen sich beim Brüten darauf, daß sie mit ihrem bräunlich gefleckten Gefieder hinreichend getarnt sind. Das Männchen hilft beim Brüten und bei der Aufzucht der Jungen. Die Falken-Nachtschwalbe *(Chordeiles minor)* nistet in Nordamerika gelegentlich auf Flachdächern von Stadthäusern.

Rechts: *Eine schlafende Karolina-Nachtschwalbe* (Caprimulgus carolinensis). *Auch diese Art fällt durch laute, typische Rufe auf. Sie lebt im Westen der Vereinigten Staaten in sumpfigen Wäldern und auf kahlen Felsen und überwintert auf den Westindischen Inseln.*

Die Kolibris — fliegende Juwelen

Die Mehrzahl der rund 320 Arten umfassenden Ordnung der Kolibris (TROCHILIFORMES) ist im tropischen Amerika beheimatet. Im 19. Jahrhundert wurden die Kolibris wegen ihres bunt schillernden Gefieders millionenfach getötet und ihre Bälge zu Schmucknadeln, Broschen und Hutschmuck verarbeitet. Erfreulicherweise hat sich der Geschmack inzwischen so weit gewandelt, daß die Gefahr, ausgerottet zu werden, für die meisten Arten nicht mehr besteht.

Durch ihre geringe Größe und ihre Flugkünste sind die Kolibris einem Leben in der Welt der Blüten bestens angepaßt. Der im Blütennektar enthaltene Zucker liefert ihnen ebenso wie das Eiweiß der Insekten, die sie auf den Blüten vorfinden, die für ihr rastloses Leben erforderliche Energie. Mit langen, dünnen Schnäbeln und flinken Zungen holen sie Nektar und Insekten aus den Blüten heraus. Bei manchen Arten ist die Zunge röhrenförmig ausgebildet und zum Aufsaugen von Nektar geeignet, bei anderen ist die Zungenspitze mit Borsten besetzt, mit denen sie Nektar, Pollen und Insekten „aufwischen" können.

Die Kolibris sind ständig in Bewegung. Sie können blitzschnell die Flugrichtung ändern — nach oben, nach unten, zur Seite und sogar rückwärts, wobei ihre Flügel keine Sekunde stillzustehen scheinen und vom menschlichen Auge nur noch als buntes Flimmern wahrgenommen werden. Die Kolibris haben nicht nur ein buntes Gefieder in schillernden Rot-, Grün-, Gelb-, Purpur- und Blautönen aufzuweisen, sondern besitzen darüber hinaus noch Schmuckelemente wie Schöpfe, Kronen oder besonders auffällige Schwänze, die sie bei der Balz einsetzen. Vor der Paarung, die häufig im Flug erfolgt, geben die Männchen glänzende Vorstellungen ihrer Flugkünste. Nach der Paarung wird das Weibchen vom Männchen ignoriert. Es baut ein kleines, becherförmiges Nest aus Pflanzenfasern und Spinnweben, legt reinweiße Eier und füttert die Jungen mit Nahrungsbrei, den es aus dem Magen hervorwürgt.

Zu den Kolibris zählt der kleinste der heute lebenden Vögel, der Zwergkolibri *(Mellisuga minima);* er ist kaum größer als eine Hummel und baut ein Nest von nur 2 Zentimeter Durchmesser. Die größ-

Oben: *Ein Kolibri „in Aktion". Der Körper verharrt völlig still in der Luft, während die schwirrenden Flügel bis zu 100 Schläge in der Sekunde ausführen.*

te Art ist mit einer Körperlänge von rund 20 Zentimetern der Riesengnom *(Patagona gigas)* in den Anden. Der Rubinkehlkolibri *(Archilochus colubris)* brütet im Osten der Vereinigten Staaten; um im Süden zu überwintern, überquert er sogar den Golf von Mexiko.

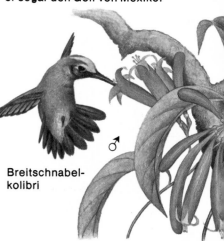

Breitschnabelkolibri

Seglervögel

(ORDNUNG APODIFORMES)

Ganz ohne Zweifel sind die Segler und die nahe mit ihnen verwandten Kolibris die besten Flieger unter den Vögeln. Sie besitzen besonders kräftige Flugmuskeln und lange Flügel. Der wissenschaftliche Name „Apodiformes" bedeutet fußlos; die Füße fehlen zwar nicht völlig, sind aber ebenso wie die Beine sehr klein.

Die Segler können außerordentlich schnell fliegen. Einige Stachelschwanzsegler in Asien und Südamerika erreichen Geschwindigkeiten von 100 Stundenkilometern und mehr. Sie ernähren sich von den Insekten, die sie im Flug erjagen; an warmen Sommerabenden kann man beobachten, wie sie zwischen Fliegen- und Mückenschwärmen herumschießen. Mit ihren winzigen Krallen finden sie an senkrechten Flächen wie zum Beispiel Höhlenwänden, hohlen Bäumen, Mauerwerk und Schornsteinen Halt; an solchen Orten nisten und ruhen sie. Auf dem Boden sind sie hilflos, denn ihre Füße sind so kurz und ihre Flügel so lang, daß sie sich nicht in die Luft schwingen können. Auch Baden und Trinken besorgen sie im Flug, indem sie in Wasser eintauchen. Die Segler, darunter der auch bei uns heimische Mauersegler *(Apus apus)*, schlafen nachts sogar im Flug, ohne in ihr Nest zurückzukehren.

In ihren Speicheldrüsen erzeugen manche Segler einen Schleim, mit dem sie Stroh, Federn und Gräser zu einem Nest verkleben können. Die Salanganen (Gattung *Collocalia*) in Südasien bauen zum Beispiel ihre Nester ausschließlich aus diesem Schleim; anderes Nistmaterial verwenden sie nur wenig oder gar nicht. Mit langen Bambusleitern und Stöcken werden diese Nester „geerntet" und vor allem in China zu der als Delikatesse geschätzten „Schwalbennestersuppe" verarbeitet.

Unten: *Ein Mauersegler* (Apus apus) *beim Fliegenfang. Die Flügel sind so lang und die Beine so kurz, daß er am Boden völlig hilflos wäre.*

Rackenvögel

(ORDNUNG CORACIIFORMES)

Mit 84 Arten bilden die Eisvögel (FAMILIE ALCEDINIDAE) eine große Gruppe innerhalb der insgesamt 190 Arten umfassenden Ordnung der Rackenvögel. Die Eisvögel sind über die ganze Welt verbreitet und überwiegend Fischfresser mit langen, schlanken Schnäbeln. Ein typischer Vertreter dieser Familie ist unser heimischer Eisvogel *(Alcedo atthis)* mit seinem leuchtend blauen Gefieder. Er sucht sich einen erhöhten Platz, von dem aus er das Wasser beobachten kann; hat er etwas entdeckt, stürzt er sich hinein und taucht gewöhnlich mit einem kleinen Fisch wieder auf. Dann kehrt er auf seinen

Ansitz zurück, schlägt den Fisch auf einem Ast tot und verschluckt ihn mit dem Kopf vorweg, damit ihm nichts im Hals steckenbleibt.

Im Frühjahr gräbt ein Eisvogelpaar eine tiefe Höhle in eine steile Uferwand; auch die durchweg 6 bis 8 Jungen werden von beiden Eltern gemeinsam aufgezogen. Die Nisthöhle ist ein überaus übelriechender Ort voller Gräten, Schuppen und Kot. Das Gefieder der Jungen ist durch einen wächsernen Überzug geschützt, den sie später verlieren.

Zu den Rackenvögeln gehört auch der Kookaburra oder Lachende Hans *(Dacelo gigas)*, einer der berühmtesten Vögel Australiens. Seine Stimme ähnelt lautem Gelächter, das meist früh am Morgen oder kurz nach Sonnenuntergang zu hören ist.

Oben: *Ein Eisvogel verläßt die Nisthöhle, die er ins Erdreich einer Uferböschung gegraben hat. Die Höhle kann bis zu einem Meter lang sein.*

Er ernährt sich von Echsen und Schlangen, großen Insekten sowie Beutelratten und -mäusen.

Die 55 Arten umfassende Familie der Nashornvögel (BUCEROTIDAE) lebt in den tropischen Wäldern Afrikas und Asiens sowie auf einigen Inseln im Südpazifik. Typisch für sie ist ein massiger, nach unten gekrümmter Schnabel, der häufig einen helm- oder hornförmigen Aufsatz trägt. Die meisten Arten ernähren sich von Früchten und Insekten.

Während der Brutzeit sitzt das Weibchen in einer Baumhöhle, deren Eingang vom Männchen bis auf eine kleine Öffnung mit Kot, Futterresten

und Erde zugemauert ist. Das Weibchen legt 1 bis 6 Eier, die es 30 bis 50
Tage bebrütet; dabei wird es, ebenso
wie später die geschlüpften Jungen,
vom Männchen mit Futter versorgt.
Dann verläßt die Mutter die Höhle;
der Zugang wird wieder vermauert,
und beide Eltern füttern gemeinsam
die Jungen, bis sie fliegen können.

Zu den Rackenvögeln gehören
auch Wiedehopf, Blauracken, Bie-
nenfresser und Sägeracken.

Oben: *Bei diesem indischen Nashornvo-
gel ist der Schnabel mit seinem großen
Aufsatz deutlich zu erkennen. Er lebt im
tropischen Regenwald und ernährt sich
von reifen Früchten und Insekten.*
Rechts: *Ein Kookaburra hält eine Echse
in seinem kräftigen Schnabel. Obwohl
er keine Fische fängt, gehört er zur Familie der Eisvögel.*

Spechtvögel

(ORDNUNG PICIFORMES)

Den Spechten und den nahe mit ihnen verwandten Tukanen, Bartvögeln, Honiganzeigern, Glanzvögeln und Faulvögeln ist der Bau der Füße gemeinsam. Bei allen Arten zeigen zwei Zehen nach vorn und zwei nach hinten. Solche ,,Kletterfüße" besitzen auch Papageien, Kuckucksvögel und Trogons.

Zu den Spechten (FAMILIE PICIDAE) gehören mehr als 200 über die ganze Welt verbreitete Arten; nur in den Polarregionen, in Australien, auf Madagaskar und auf einigen ozeanischen Inseln kommen sie nicht vor. Sie sind Baumbewohner und bekannt für ihre Gewohnheit, mit dem Schnabel Löcher in Bäume zu schlagen, um Nisthöhlen anzulegen oder Insekten und Insektenlarven herauszuholen. Dabei finden sie mit ihren Kletterfüßen sicheren Halt; der steife Schwanz dient als Stütze, der kräftige, lange und gerade Schnabel als Axt, Meißel oder Bohrer. Überdies besitzen die Spechte eine wurmförmige Zunge, die sie weit aus dem Schnabel herausstrecken können. Auf der Zungenspitze sitzen Borsten, die es ihnen ermöglichen, Insekten und Larven selbst im winzigsten Loch aufzuspießen. Die Spechte zimmern ihre Nisthöhlen in Bäumen; dann werden 2 bis 8 Eier direkt auf das geglättete Holz gelegt.

Die 40 Arten von Tukanen oder ,,Pfefferfressern" (FAMILIE RAMPHASTIDAE) leben ausschließlich in den tropischen Regionen der Neuen Welt. Ihre Schnäbel ähneln denen der Nashornvögel, sind aber — zum Beispiel beim Riesentukan (Ramphastus toco) und beim Regenbogen- oder Fischertukan (R. sulfratus) — intensiver gefärbt. Trotz ihrer Größe sind die Schnäbel ganz gezielt zu verwenden. Mit diesen Schnäbeln und

Links: *Ein Großer Buntspecht* (Dendrocopos major) *vor seiner Nisthöhle. Wie alle Spechtvögel hat er Kletterfüße mit je zwei nach vorn und nach hinten gerichteten Zehen. An Bäumen dient ihm der Schwanz als Stütze.*

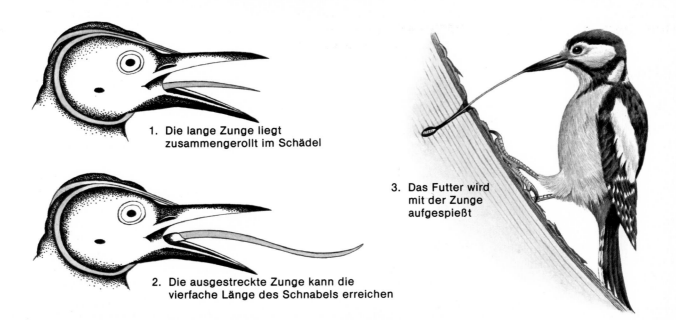

1. Die lange Zunge liegt zusammengerollt im Schädel

2. Die ausgestreckte Zunge kann die vierfache Länge des Schnabels erreichen

3. Das Futter wird mit der Zunge aufgespießt

den langen, gezähnten Zungen können die Tukane Früchte und Insekten fressen; die größeren Arten wie Riesentukan und Cuviers Tukan *(R. cuvieri)* holen sich gelegentlich auch Vogeleier und Küken.

Als Arassaris bezeichnet man eine Reihe kleinerer Tukane. Die Schwarzarassaris (Gattung *Pteroglossus*) leben im tropischen Regenwald des Amazonasgebietes. Sie sind ebenso bunt gefärbt wie die Blautukane (Gattung *Andigena*), die an den Flanken der Anden leben und sich je nach Reifezeit der Früchte in unterschiedlichen Höhenlagen aufhalten.

Die Tukane nisten in Baumhöhlen; häufig vergrößern sie ein Loch, das andere Spechtvögel geschlagen haben. Das Weibchen legt 2 bis 4 weiße Eier; Männchen und Weibchen teilen sich das Brutgeschäft und Aufziehen der Jungen. In der Bruthöhle sammeln sich ausgewürgte Essensreste an, die von den Altvögeln gelegentlich fortgetragen werden.

Links: *Regenbogentukane* (Ramphastus sulfratus) *leben in den warmen Tieflandwäldern des tropischen Amerika. Ihre gewaltigen, bunt gefärbten Schnäbel sind sehr leicht gebaut. Weshalb die Schnäbel der Tukane so unterschiedlich geformt und gefärbt sind, konnte bisher nicht geklärt werden*

Sperlingsvögel

(ORDNUNG PASSERIFORMES)

Mit rund 5 000 Arten bilden die Sperlingsvögel die größte, vielfältigste und am höchsten entwickelte Ordnung der gesamten Vogelwelt; ihr gehören rund fünf Achtel aller heute lebenden Vögel an. Allen Arten gemeinsam ist die Fußform: drei ähnliche, nicht durch Schwimmhäute verbundene Vorderzehen und eine nicht nach vorn drehbare Hinterzehe. Die größten Arten sind der Kolkrabe *(Corvus corax)* mit einer Körperlänge bis zu 67 Zentimetern und der Leierschwanz *(Menura novaehollandiae),* der mit Schwanz bis zu einem Meter lang wird.

Bei der Klassifizierung der Sperlingsvögel bestehen gewisse Meinungsverschiedenheiten. Im allgemeinen geht man von vier Unterordnungen mit etwa 55 Familien und zahlreichen Unterfamilien aus. Alle Sperlingsvögel sind Landbewohner; die Meere überfliegen sie nur bei ihren Zügen. Sie haben sich einer Vielzahl von Lebensräumen angepaßt und sind in Wüsten und Bergregionen ebenso anzutreffen wie in einer vom Menschen geprägten Umwelt in den Städten und auf dem Lande. Fast immer werden Nester gebaut, die einfache Becherform haben können wie bei den Amseln und Drosseln; manche Arten, wie die Webervögel und der Schneidervogel, fertigen kunstvolle Gebilde an. Die Jun-

gen sind stets Nesthocker; sie schlüpfen nackt, blind und hilflos aus dem Ei. In der Regel beteiligen sich beide Eltern an der Aufzucht der Jungen; einige wenige Arten, zum Beispiel die Witwen, sind Brutschmarotzer, wobei jedoch die Küken, anders als bei den Kuckucksvögeln, zusammen mit denen des Wirtes aufwachsen.

Töpfervögel

(FAMILIE FURNARIIDAE)

Die 219 Arten von Töpfervögeln leben im tropischen Amerika. Sie sind kleine, durchweg unauffällig gefärbte Tiere mit sehr unterschiedlichen Gewohnheiten. Die interessantesten von ihnen sind die Arten der Gattung *Furnarius,* denn sie bauen ihre großen Nester aus Lehmbrocken, die dann von der Sonne hartgebrannt werden. Der in Südbrasilien und Nordargentinien weit verbreitete Töpfervogel *(Furnarius rufus)* errichtet sein Nest auf Zaunpfosten oder unter Dachtraufen, wenn keine geeigneten Äste oder Baumstümpfe vorhanden sind. Der ,,Topf" wird bis auf eine Öffnung verschlossen, durch die der Vogel einfliegt; durch einen spiraligen Gang gelangt er dann in die eigentliche Nistkammer.

Mit den Töpfervögeln nahe verwandt sind die Ameisenvögel (FAMILIE FORMICARIIDAE). Mit 226 Arten sind sie gleichfalls im tropischen und subtropischen Amerika heimisch. Ihre Nester sind nicht ganz so kunstvoll gebaut wie die der Töpfervögel; zudem besitzen sie durchweg stark gekrümmte Schnäbel.

Ein Töpfervogel und sein Nest

Schmuckvögel

(FAMILIE COTINGIDAE)

Zu dieser rund 95 Arten umfassenden Familie gehören einige überaus dekorative Vögel. Sie sind mit den Schnurrvögeln (FAMILIE PIPRIDAE) und den Tyrannen (FAMILIE TYRANNIDAE) nahe verwandt und in Mittel- und Südamerika heimisch. Der reinweiße Zapfenglöckner *(Procnias alba)* verdankt wie die anderen Glockenvögel seinen Namen dem klangvollen, weittragenden Ruf. Am intensivsten gefärbt sind die Klippenvögel oder Felsenhähne (Gattung *Rupicola*). Eine in Guayana und Nordbrasilien heimische Art trägt ein leuchtend orangerotes Gefieder, der Anden-Klippenvogel ein rotes Gefieder mit schwarzen Flügeln und schwarzem Schwanz.

Der merkwürdigste Schmuckvogel ist der Schirmvogel *(Cephalopterus ornatus)*, ein schwarzer, krähengroßer Vogel, der auf dem Kopf einen großen, baldachinartigen Federbusch trägt und von dessen Brust ein großes Anhängsel herabbaumelt.

Unten: *Nur die Männchen des Roten Felsenhahns oder Anden-Klippenvogels* (Rupicola peruviana) *sind leuchtend gefärbt; das Gefieder der Weibchen ist dunkelbraun. Auf einem Kopf sitzt eine helmartige, aufstellbare Federkrone.*

Tyrannen

(FAMILIE TYRANNIDAE)

Mit 365 Arten bilden die Tyrannen eine große Familie von Insektenfressern, die auf offenen Landstrichen leben und ihre Beute im Flug fangen. Sie sind über ganz Nord- und Südamerika verbreitet und in den Gebir-

Prachtleierschwanz-Männchen

Die australischen Leierschwänze

Da die Leierschwänze auf Karten, Briefmarken und Siegeln ihrer australischen Heimat oft abgebildet sind, wissen viele Leute, wie diese Vögel aussehen, aber nur wenige haben sie schon in der freien Natur beobachten können, weil sie in der Regel sehr scheu sind und zurückgezogen in dicht bewachsenen Schluchten der Regen- und Eukalyptuswälder Australiens leben.

Beide Arten, der Prachtleierschwanz *(Menura novaehollandiae)* und der etwas kleinere Schwarzleierschwanz *(M. alberti),* sind im Osten Australiens beheimatet, der letztere etwas weiter nördlich. Ihren Namen verdankt die Gattung den Männchen. Sie besitzen einen langen Schwanz, der normalerweise hinter ihnen herschleppt. Aber in der Balz richtet das Männchen die Schwanzfedern hoch auf. Die beiden Außenfedern bilden eine Leier und rahmen die zerschlissenen, silbrigen Mittelfedern. Seinen Tanz vollführt es auf einem Hügel, den es aus Erde und Blättern errichtet. In der Regel hat ein Männchen mehrere solche Orte,

die es abwechselnd aufsucht. Wenn sich ein Weibchen interessiert zeigt, zieht es mit Schwanzspreizen und Gesang eine große Schau ab, bis es schließlich zur Paarung kommt, bei der es das Weibchen mit seiner Leier bedeckt.

Wahrscheinlich paart sich ein Männchen mit mehreren Weibchen. Anschließend baut das Weibchen aus Moos und Zweigen ein kuppelförmiges Nest, das es mit Rücken- und Beinfedern auspolstert. Es legt nur ein Ei, das ungefähr 6 Wochen bebrütet wird. Solange das Küken im Nest lebt, trägt das Weibchen von Zeit zu Zeit den Kot fort und wirft ihn in das nächste Gewässer.

gen sogar oberhalb der Baumgrenze anzutreffen. Ihr Gefieder ist zumeist unauffällig gefärbt, nur bei einigen Arten tragen die Männchen eine aufstellbare, bunte Federkrone. Eine sehr reizvolle Art sind die Rubinköpfchen *(Pyrocephalus rubinus)*, deren Männchen mit zinnoberrotem und schwarzem Gefieder prunken.

Lerchen

(FAMILIE ALAUDIDAE)

Die Lerchen gehören zu den ersten Vögeln, die im Frühjahr und Sommer morgens zu singen beginnen. Unter den rund 70 Arten dürfte die Feldlerche *(Alauda arvensis)* die bekannteste sein. Die meisten Lerchen sind unauffällig gefärbt, aber viele tragen einen Schopf oder eine Haube auf dem Kopf. Typische Merkmale sind lange, zugespitzte Flügel, abgerundete, mit Hornschilden bedeckte Läufe und lange, gerade Hinterzehen. Die Lerchen sind fast über die ganze Welt verbreitet; viele von ihnen leben in offenem Gelände und nisten am Boden. Ihre Nahrung besteht zu ungefähr gleichen Teilen aus Insekten, Samen und anderen Pflanzenteilen.

Schwalben

(FAMILIE HIRUNDINIDAE)

Die Schwalben werden oft mit den Seglern verwechselt; sie lassen sich aber trotz äußerer Ähnlichkeiten leicht voneinander unterscheiden. Die Segler haben längere Flügel und fliegen meist höher als die Schwalben. Obwohl auch die Schwalben gute Flieger sind, ist ihr Flug nicht so geradlinig wie der der Segler, und sie sitzen — im Gegensatz zu den Seglern — tagsüber oft auf Zweigen, Ästen, Drähten und Dächern, obwohl auch sie viel Zeit damit verbringen, auf der Jagd nach Insekten herumzufliegen.

Die bekannteste Art ist die mit 9 Unterarten in den nördlichen Regionen der Alten und Neuen Welt verbreitete Rauchschwalbe *(Hirundo rustica)*. Sie ist ein Zugvogel, und ihr Eintreffen im Frühjahr kündigt das Ende des Winters an. Die Bewohner Nordamerikas überwintern in Südamerika; die europäischen Rauchschwalben fliegen im Herbst nach Afrika, die asiatischen auf die Philippinen und den Malaiischen Archipel. Wie die mit ihr verwandten Arten bleibt auch die Rauchschwalbe ihrem gewählten Nistplatz treu und kehrt oft Jahr um Jahr in das von ihr gebaute Nest zurück. Die Nester werden von einem Altvogelpaar gemeinsam gebaut, und zwar aus Schlamm oder Lehm, Stroh oder Gras. Die Weibchen legen gewöhnlich 4 oder 5 Eier und brüten sie allein aus. In dieser Zeit haben sie einen sogenannten „Brutfleck", eine federlose Stelle auf der Brust, die besonders kräftig durchblutet ist und die Eier warmhält. Die Jungen schlüpfen nach 11 bis 18 Tagen und sind nach 2 bis 3 Wochen flügge. Auch die in Europa und Asien heimische Mehlschwalbe *(Delichon urbica)* baut ein festes Nest, aber viele Arten, zum Beispiel die nordamerikanische Baumschwalbe *(Tachycineta bicolor),* brüten in Höhlen, während die Purpurschwalbe *(Progne subis)*, die gleichfalls in Nordamerika lebt, ihre Eier gern in Nistkästen, zum Beispiel ausgehöhlte Kürbisse, legt.

Unten: Eine Mehlschwalbe füttert ihre hungrigen Küken, die in einem Mörtelnest unter der Dachtraufe eines Hauses sicher untergebracht sind. Das Nest ist mit Gras und Wurzeln versteift. Beide Eltern füttern die Küken, bis sie nach 20 Tagen flügge sind.

Rabenvögel

(FAMILIE CORVIDAE)

Die Rabenvögel, eine Familie mit rund 100 Arten, zu denen Häher, Krähen, Raben und Elstern gehören, sind durchweg laute, aggressive und kühne Tiere. Sie sind fast weltweit verbreitet, in der nördlichen Hemisphäre aber am häufigsten anzutreffen. Die meisten Rabenvögel sind dunkel gefärbt, nur bei den relativ kleinen Hähern kommen auch leuchtendbunte Farben vor.

Die Raben sind die größten Sperlingsvögel. Der Kolkrabe *(Corvus corax)* ist nicht nur die größte Art, sondern auch die am weitesten verbreitete — er ist in der gesamten gemäßigten und arktischen Zone der nördlichen Halbkugel anzutreffen.

Die kleineren Häher sind das ganze Jahr hindurch recht laut, nur während der Brutzeit verhalten sie sich erstaunlich still, vermutlich, um die Aufmerksamkeit nicht auf ihre gut verborgenen Nester zu lenken. Wie andere Rabenvögel neigen sie dazu, glitzernde Gegenstände — von Fla-schenkappen bis zu Schmuckstücken — fortzuschleppen. Der Eichelhäher *(Garrulus glandarius)* ist mit zahlreichen Unterarten über ganz Europa und Teile Asiens verbreitet. Sein Gefieder ist hellbraun mit blauschwarzen Federchen in den Flügeln. Der im Osten Nordamerikas lebende Blauhäher *(Cyanocitta cristata)* ist ein häufiger Gast in städtischen Parks und Gärten.

Die Elster *(Pica pica)* ist eine der wenigen Arten der Familie, die sowohl in Europa als auch in Nordamerika vorkommen. Elstern leben das ganze Jahr paarweise zusammen. Sie sind zudringliche Vögel, die in Vorstadtgärten häufig andere Vögel, Eichhörnchen und sogar Katzen verscheuchen, wenn sie es wagen, in ihr Revier einzudringen.

Unten: *Der Eichelhäher fällt nicht nur durch sein buntes Gefieder auf, sondern auch durch die Schreie, die er ausstößt, wenn er von Baum zu Baum fliegt. Schweigsam ist er nur während der Brutzeit. Im Herbst vergräbt er Eicheln und Bucheckern im Boden und trägt damit ungewollt zur Verbreitung der Laubbäume bei.*

Paradiesvögel

(UNTERFAMILIE PARADISAEINAE)

Die Paradiesvögel gehören zu den schönsten und am auffälligsten geschmückten Angehörigen der Vogelwelt. Die Männchen versuchen, mit prachtvollem Gefieder, langen Schwänzen, Hauben und Kronen die Aufmerksamkeit der Weibchen auf sich zu lenken. Ihren Namen erhielten sie von den Spaniern, nachdem der Weltumsegler Magellan 1522 einige dieser Tiere mitgebracht hatte. So prächtige Vögel konnten nur aus dem Paradies stammen. In Wirklichkeit leben die meisten der rund 40 Arten auf Neuguinea und benachbarten Inseln, einige sind auch in Nordaustralien beheimatet.

Während der Balz stellen die Männchen ihr Federkleid in ausgedehnten Tänzen so vorteilhaft wie möglich zur Schau. Der Blaue Paradiesvogel *(Paradisaea rudolphi)* ist ein Trapezkünstler: er hängt bei der Balz mit dem Kopf nach unten an einem Ast und läßt dabei sein blauschillerndes Prachtgefieder wie einen Fächer herabhängen. Der Königsparadiesvogel *(Cicinnurus regius)* dagegen setzt sich auf einen Ast und spreizt das grüne Gefieder beiderseits seiner weißen Brust und der scharlachroten Rückenfedern.

Wie bei den verwandten Laubenvögeln zieht sich bei den Paradiesvögeln das Weibchen nach der Paarung zurück, um das Nest zu bauen und die Jungen großzuziehen.

Blauer Paradiesvogel
(Paradisaea rudolphi)

önigsparadiesvogel
Cicinnurus regius)

Roter
Paradiesvogel
*(Paradisaea
rubra)*

Laubenvögel

Die Laubenvögel (UNTERFAMILIE PTI-LONORHYNCHINAE) leben wie die Paradiesvögel in Neuguinea und Australien. Die mit leuchtenden Farben prunkenden Männchen umwerben die unauffälligen Weibchen mit besonderer Sorgfalt: Sie errichten Baulichkeiten aus Zweigen und Gräsern, die sie dann auf verschiedene Weise ausschmücken; bei manchen Arten erinnern diese Baulichkeiten an Gartenlauben. Zu Beginn der Brutzeit bauen die Männchen entweder neue Lauben oder bessern die alten aus; dann verbringen sie unter Umständen mehrere Wochen darin, um die Aufmerksamkeit möglichst vieler Weibchen zu erregen.

Die 18 Arten von Laubenvögeln werden je nach der bei ihnen vorherrschenden Bauweise in Gruppen unterteilt: die Tennenbauer, die Maibaumbauer, die Gärtner und die Alleebauer. Die Tennen bestehen nur aus gereinigten, mit Blättern ausgelegten und von einem Wall umgebenen Plätzen. Die Maibaumbauer errichten zeltförmige Gebilde um einen senkrechten Baumsproß herum, während die Gärtner ihren Hof mit Moos pfla-

Oben: Ein Seidenlaubenvogel beim Schmücken der Laube, in der er balzt und sich mit dem Weibchen paart, das dann an anderer Stelle sein Nest baut.

stern. Der Hüttengärtner *(Amblyornis inornatus)* baut in Westneuguinea kegelförmige, bis zu 2 Meter hohe Hütten — eine beachtliche Leistung für einen nicht einmal 30 Zentimeter langen Vogel. Die Alleebauer legen erst eine dichte Matte aus Zweigen und Fasern, auf der sie dann zwei niedrige, parallele Mauern aus dem gleichen Material errichten.

Der Seidenlaubenvogel *(Ptilonorhynchus violaceus)* und der Samtgoldvogel *(Sericulus chrysocephalus)* bemalen ihre Lauben sogar. Sie zerkauen Holzkohle, Gräser und Früchte, die mit ihrem Speichel vermischt eine blaue oder grünliche Farbe ergeben. Dann nehmen sie Blätter oder Borkenstückchen als Pinsel in den Schnabel und tragen damit die Farbe auf ihre Lauben auf.

Nach der Paarung verlassen die Weibchen die Lauben, um Nester zu bauen und die Jungen aufzuziehen. Ihre unauffällige Färbung hilft ihnen, sich und ihre Jungen im Unterholz zu verstecken.

Die Laube eines Hüttengärtners

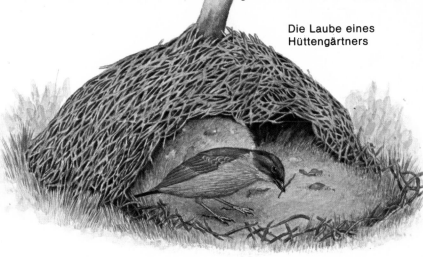

Meisen

(FAMILIE PARIDAE)

Die Meisen, eine Familie mit 45 Arten, legen bemerkenswerte „Lernfähigkeit" an den Tag. In England haben die Kohlmeise *(Parus major)* und die Blaumeise *(P. caeruleus)* gelernt, daß sie Sahne schlecken können, wenn sie ein Loch in den Folienverschluß von Milchflaschen schlagen. In Japan spielt die Buntmeise *(P. varius)* die Rolle eines Wahrsagers, indem sie bei religiösen Festlichkeiten und auf Jahrmärkten Zettel mit Vorhersagen zieht und dann für den Betreffenden den Umschlag öffnet. Die meisten Meisen haben ein graues oder schwarzes, weiches und dichtes Gefieder, in das andere Farben wie Blau oder Gelb eingemischt sind. Sie sind mit Ausnahme von Südamerika, Australien und Madagaskar auf allen Kontinenten verbreitet; am häufigsten sind sie in Gegenden mit gemäßigtem Klima, wo sie in Bäumen und Sträuchern ständig auf der Suche nach Insekten sind.

Ein wasserliebender Sperlingsvogel

Wasser ist ein Lebensbereich, an dem die meisten Sperlingsvögel nicht interessiert sind. Eine Ausnahme bildet die Wasseramsel *(Cinclus cinclus).* Sie lebt in Europa, Nordafrika und Asien und liebt kühle Bergbäche, in denen sie nach kleinen wirbellosen Tieren sucht. Sie kann unter Wasser schwimmen, indem sie mit ihren kurzen Flügeln rudert, und sogar das Bachbett nach Nahrung absuchen, muß aber nach spätestens 30 Sekunden wieder auftauchen.

Dieser Vogel liebt das Wasser so sehr, daß er sein Nest auf einem Sims oder in einer Felsspalte hinter einem Wasserfall anlegt oder an einem anderen geeigneten Ort in unmittelbarer Nähe des Wassers. In ein kuppelförmiges Moosnest legt das Weibchen 4 bis 6 Eier, die es allein ausbrütet; die Küken werden dann von beiden Eltern gefüttert. Wenn sie flügge sind, fühlen sie sich im Wasser ebenso in ihrem Element wie die Eltern.

Die meisten Arten nisten in kleine Baumhöhlen, etliche nehmen auc vom Menschen bereitgestellte Nis kästen an. Das Nest wird mit Ha ren, Federn oder Moos ausgepo stert. Die 4 bis 12 Eier werden vo Weibchen allein ausgebrütet, ab sobald die Jungen geschlüpft sin müssen beide Eltern schwer arbeite um genügend Futter für die imm hungrige Brut heranzuschaffen.

Die zu einer anderen Fami (AEGITHALIDAE) gehörende Schwan

...ben: *Eine Blaumeise beim Sahne-*
...hlecken. Dieser Vogel, ein häufiger
...ast in europäischen Gärten, ist
...rstaunlich gelehrig: Er weiß, daß er an
...utter kommt, wenn er den Folienver-
...chluß einer Milchflasche öffnet.

...eise (Aegithalos caudatus) webt
...us Moosen, Flechten und Spinnwe-
...en einen kunstvollen Nestbeutel,
...er bis auf ein seitliches Flugloch ge-
...chlossen wird. Auch die Beutelmeise
...*Remiz pendulinus,* FAMILIE REMIZI-
AE) baut ein lang herabhängendes,
...eutelförmiges Nest.

Die Zaunkönige — kleine, ruhelose Vögel

Zur Familie der Zaunkönige (TROGLO-
DYTIDAE) gehören 62 Arten mit Stimmen, die im Verhältnis zu ihrer Körper-
größe erstaunlich kräftig sind. Die meisten Arten leben in Südamerika; die einzige europäische Art ist der Zaunkönig
(Troglodytes troglodytes). Wie die anderen Arten besitzt auch er einen kurzen,
gedrungenen Körper, einen kurzen
Schwanz und einen zugespitzten Schnabel. Die meisten Zaunkönige leben in Bo-
dennähe und suchen dort unermüdlich
nach Insekten.

Fliegenschnäpper-artige

(FAMILIE MUSCICAPIDAE)

Diese große Familie, zu der neben den eigentlichen Fliegenschnäppern auch Timalien, Drosseln und Grasmücken gehören, umfaßt rund 1 200 Arten, von denen viele nur in der Neuen Welt vorkommen. Das Gefieder ist überwiegend in unauffälligen Braun- und Grautönen gefärbt, nur einige Fliegenschnäpper tragen ein leuchtendes Federkleid und haben lange Schwänze und Federkronen auf dem Kopf. Sie ernähren sich überwiegend von Insekten, verschmähen aber auch Spinnen, Schnecken und Pflanzenteile nicht. Die europäische Singdrossel (Turdus philomelos) hat eine ganz eigentümliche Methode des Nahrungserwerbs entwickelt: sie benutzt einen Stein, die sogenannte „Drosselschmiede", als Amboß, um darauf die Schalen von Schnecken zu zertrümmern.

Zu den Drosseln (UNTERFAMILIE TURDINAE) gehören etliche der bekanntesten und beliebtesten Vögel, darunter das Rotkehlchen (Erithacus rubecula). (In Amerika wird die etwa doppelt so große Wanderdrossel, Turdus migratorius, „Rotkehlchen" genannt.) Auch die Amsel (Turdus merula), die Nachtigall (Luscinia megarhynchos) und die Hüttensänger (Gattung Sialia) sind Mitglieder dieser großen Gruppe.

Vorzügliche Sänger sind die Grasmücken (UNTERFAMILIE SYLVINAE), zum Beispiel die Mönchsgrasmücke (Sylvia atricapilla) und die Gartengrasmücke (S. borin). Der in Asien beheimatete Schneidervogel (Orthotomus sutorius) ist berühmt für sein becherförmiges Nest: er biegt Blätter zu einer Tüte und vernäht sie mit Pflanzenfasern und Spinnweben.

Wegen ihrer lauten Stimmen werden die Timalien (UNTERFAMILIE TIMALIINAE) auch „Lärmdrosseln" genannt. Sie leben in Afrika, Asien und Australien, zumeist in Schwärmen in den Wäldern. In der Neuen Welt lebt nur eine Art, die Chaparral-Timalie (Chamae fasciata). Die merkwürdigsten Angehörigen dieser Gruppe dürften die im tropischen Westafrika lebenden Felshüpfer oder Stelzenkrähen sein. Im Gegensatz zu den anderen Arten sind sie kahlköpfig und mit einer Körperlänge von etwa 36 Zentimetern auch die größten Timalien. Der Kamerun-Felshüpfer (Picathartes oreas) hat einen roten Hinter- und einen blauen Vorderkopf; der Gelbkopf-Felshüpfer (P. gymnocephalus) lebt in Sierra Leone, Ghana und Togo.

Oben links: *Das Nest des in Asien beheimateten Schneidervogels besteht aus Blättern, die er zusammengenäht hat; die so entstandene Tüte polstert er innen mit weichem Material aus.*
Links: *Ein Schneidervogel vorm Nest.*

Stare

(STURNIDAE)

Der Gemeine Star (*Sturnus vulgaris*) ist die bekannteste unter den rund 100 Arten dieser Gruppe. Die kecken Stare haben zumeist ein dunkles, metallisch glänzendes Gefieder, aber einige Arten weisen auch leuchtende Farben auf, zum Beispiel der Königsglanzstar *(Carmopsarus regius)* und der Dreifarbglanzstar *(Spreo superbus)*, die in Ostafrika leben.

Die in Asien heimischen Mainas lernen in Gefangenschaft durchweg besser sprechen als Papageien. Als Käfigvogel wird vor allem der Hirtenmaina *(Acridotheres tristis)* gehalten.

Partnerschaften zwischen Vögeln und anderen Tieren

Verschiedene Vogelarten leben mit anderen Tieren in einer engen Gemeinschaft, aus der beide Partner ihren Nut-zen ziehen. Zwei Arten von Staren, der Gelbschnabel-Madenhacker *(Buphagus africanus)* und der Rotschnabel-Maden-hacker *(B. erythrorhynchus)* verbringen den größten Teil des Tages auf großen Säugetieren wie Antilopen, Rindern, Giraffen, Nashörnern und Flußpferden. Ihre scharf gekrümmten Krallen geben ihnen sicheren Halt, während sie Zecken, Fliegenlarven und andere Parasiten von der Haut der Säugetiere abpicken. Damit befreien sie die großen Tiere von Quälgeistern und Krankheitsüberträgern, während sie selbst an einer unversiegbaren Nahrungsquelle sitzen.

Einige afrikanische Vögel picken Blutegel und Speisereste vom Zahnfleisch badender Krokodile und wagen sich sogar in ihren Rachen. Das gilt vor allem für den Krokodilwächter *(Pluvianus aegyp-ticus)*, aber auch andere Regenpfeifer wie der Wassertriel *(Burhinus vermi-culatus)* und der Uferläufer *(Tringa spec.)* betätigen sich auf diese Weise. Sie verschaffen sich Nahrung und nutzen den Kriechtieren, indem sie sie vor drohender Gefahr warnen.

Der gleichfalls in Afrika beheimatete Karminspint *(Merops nubicoides)* sitzt häufig auf dem Rücken von Riesentrappen oder Weidetieren. Zwischendurch fliegt er immer wieder herunter, um die von seinem Gastgeber aufgescheuchten Insekten, vor allem Heuschrecken, zu fressen. Auch der Kuhreiher *(Ardeola ibis)* ernährt sich von den von weidenden Tieren aufgeschreckten Insekten; er hält sich zumeist zu ihren Füßen auf, fliegt aber gelegentlich auf den Rücken von Rindern und sogar Elefanten, um einen besseren Überblick zu gewinnen.

Links: *Rotschnabel-Madenhacker auf einem Hausrind. Mit ihren scharfen Krallen sitzen die Vögel wie festgeleimt auf dem Fell des Tieres und holen Zecken und andere Hautparasiten heraus.*

Honigvögel

Drei nahe miteinander verwandte Familien — die Mistelfresser oder Blütenpicker (DICAEIDAE), die Honigsauger oder Nektarvögel (NECTARINIIDAE) und die Honigfresser (MELIPHAGIDAE) — werden als Honigvögel bezeichnet, weil sie als Nahrung den Honig von Blüten bevorzugen. Sie sind durchweg kleine bis mittelgroße Tiere, die überwiegend in den tropischen Wäldern Asiens und Australiens leben; die leuchtend bunt gefärbten Nektarvögel sind auch in Afrika und auf Madagaskar weit verbreitet.

Ein typischer Vertreter der fast ausschließlich in Australien beheimateten Honigfresser ist der olivgrüne Helm-Honigfresser (*Meliphaga cassidix*). Viele Arten schwirren in kleinen Schwärmen zwischen Eukalyptusblüten herum, um sich mit ihrer Lieblingsnahrung zu versorgen. In der Brutzeit landet der Weißohr-Honigfresser (*M. leucotis*) gelegentlich auf dem Kopf eines Menschen, um

ihm ein paar Haare zum Polstern seines Nestes auszureißen.

Die bunten Nektarvögel werden wegen ihrer Schönheit häufig mit den Kolibris verglichen; sie sind jedoch nicht mit ihnen verwandt und können auch bei weitem nicht so gut fliegen. In Afrika sind ihre beutelförmig von einem Ast herabhängenden Nester ein vertrauter Anblick.

Die Mistelfresser sind die kleinsten Vögel der orientalischen und australischen Region. Die gedrungenen, sehr lebhaften Tiere picken ständig Nektar und Insekten aus den Blüten. Die eigentlichen Mistelfresser (Gattung *Dicaeum*) ernähren sich ausschließlich von den Früchten tropischer Mistelarten.

Ammern, Finken und ihre Verwandten — kleine Körnerfresser

Eine ganze Reihe von Vögeln, die verschiedenen Familien angehören, ernährt sich überwiegend von Kör-

Oben: *Im australischen Regenwald sitzt ein Honigfresser auf den reifen Früchten eines Regenschirmbaums.*

nern und Samen. Viele Arten sind Zugvögel, die den Winter in Gegenden mit warmem Klima verbringen. Allen Arten ist ein kurzer, kegelförmig zugespitzter Schnabel gemeinsam — eine Anpassung an die von ihnen bevorzugte Nahrung. In der Neuen Welt leben mehr als 300 Arten von Körnerfressern, darunter die bunten Kardinäle (UNTERFAMILIE CARDINALINAE) und die Ammern (UNTERFAMILIE EMBERIZINAE). Von besonderem Interesse sind die zu den Ammern gehörenden Darwin-Finken (Gattungsgruppe *Geospizini*) auf den Galápagosinseln. Aus einem Vorfahren, der die Inseln erreichte, haben sich 14 verschiedene Arten entwickelt, von denen jede auf eine bestimmte Nahrung spezialisiert ist.

Die Körnerfresser der Alten Welt umfassen rund 375 Arten, darunter die Stieglitze und Zeisige (Gattung *Carduelis*) sowie die Prachtfinken (FAMILIE ESTRILIDAE) und die Weber-

Oben: *Eine Nistkolonie von Webervögeln. Die kunstvoll aus Pflanzenfasern gewebten Nester hängen von
den Ästen eines Baumes herab.*
Links: *Ein Webervogel vor seinem
Nest. Hier ist er vor Räubern wie zum
Beispiel Baumschlangen relativ sicher.*

vögel (FAMILIE PLOCEIDAE). Viele
tropische Arten besitzen ein leuchtend buntes Gefieder und sind leider
als Käfigvögel sehr beliebt. Das gilt
unter anderem für die zu den Prachtfinken gehörende Gouldamadine
(Chloebia gouldiae), die in Nordaustralien beheimatet ist.

Zu den Webervögeln gehört auch
der bekannte Haussperling *(Passer
domesticus).* Bemerkenswert ist bei
vielen Angehörigen dieser überwiegend in Afrika beheimateten Familie
der Nestbau. Mit Hilfe von Schnabel
und Füßen verflechten sie Pflanzenfasern zu lang herabhängenden Beu-
teln. Die Siedelweber *(Philetairus so-
cius)* gehen noch einen Schritt weiter:
Sie bauen große Gemeinschaftsne-
ster, in denen Hunderte von Paaren
ihre Nestkammern anlegen.

211

Säugetiere (KLASSE MAMMALIA)

Die Säugetiere haben eine Reihe von Merkmalen aufzuweisen, die sie von den anderen Wirbeltieren unterscheiden. Alle Säugetiere haben Haare, wenn auch gelegentlich — wie bei den Nashörnern und Walen — nur in Form einiger Borsten oder Büschel. Alle Säugetiere ernähren ihre Jungen mit Milch, die in speziellen Drüsen erzeugt wird. Alle Arten bringen lebende Junge zur Welt, ausgenommen die Kloakentiere, die von ihren

Auf der Suche nach frischem Gras und Wasser durchwandert eine Herde von Weißschwanzgnus gemächlich die Serengeti-Ebene in Ostafrika. Sie richten ihre Wanderungen so ein, daß sie eine Gegend immer dann erreichen, wenn sie ihnen das beste Futter bietet.

Vorfahren, den Kriechtieren, das Eierlegen übernommen haben. Weiterhin ist das Herz der Säugetiere in vier Kammern unterteilt; das ermöglicht einen raschen Stoffwechsel und aktives Leben. Außerdem können die Säugetiere eine konstante Körpertemperatur halten. Zusammen mit den Vögeln bilden sie die Gruppe der warmblütigen Tiere.

Obwohl es nur knapp 5 000 Arten von Säugetieren gibt, haben sie doch im Laufe der Zeit eine Vielzahl von ökologischen Nischen besetzt. In der Luft bewegen sich außer rund 900 Fledermausarten die Gleithörnchen und die Kletterbeutler. Auf dem Boden bewohnen Rinder, ·Antilopen und Pferde die offenen Grasfluren, während in den Wäldern Hirsche äsen. Abgefallenes Laub ist der Jagdgrund von Insektenfressern wie den Spitzmäusen und vielen pflanzenfressenden Nagetieren. In der Erde leben die Maulwürfe sowie einige Nagetiere, zum Beispiel Backenhörnchen und Präriehunde; andere, darunter Dachse und Gürteltiere, ziehen sich zum Schlafen in die Erde zurück. Den meisten der bisher erwähnten Landsäugetiere stellen Raubtiere nach, zum Beispiel Katzen, Hunde, Bären, Wiesel und Marder. Auch ins Meer sind die Säugetiere zurückgekehrt. Wale, Delphine, Tümmler und Seekühe gebären sogar

ihre Jungen im Wasser; dagegen müssen die zu den Wasserraubtieren gehörenden Robben zur Paarung und zum Gebären das Land aufsuchen. Darüber hinaus haben sich die Säugetiere extremen Klimabedingungen angepaßt: der Eisbär der Arktis, Schafe und Ziegen dem Hochgebirge, Rennmaus und Wüstenfuchs den Trockengebieten. Obwohl die Säugetiere im Verhältnis zur gesamten Tierwelt zahlenmäßig keine große Rolle spielen, konnten sie sich in ihren Lebensräumen äußerst erfolgreich behaupten. Über ihr Verhalten und ihre Gewohnheiten wissen wir sehr viel. Einer der Gründe dafür dürfte sein, daß auch der Mensch zu den Säugetieren gehört und deshalb immer bemüht war, über die anderen Arten so viel wie möglich herauszufinden.

Die Säugetiere haben sich vor rund 200 Millionen Jahren aus den Reptilien entwickelt; Fossilien lassen erkennen, daß die ersten Säugetiere einige Ähnlichkeit mit den heutigen Spitzmäusen hatten. Damals beherrschten die Dinosaurier und andere Reptilien das Land. Während des ungefähr 100 Millionen Jahre dauernden Zeitalters der Dinosaurier blieben die Säugetiere klein und gingen, vermutlich nachts, auf Jagd nach Insekten. Wahrscheinlich mußten sie mit kleinen Echsen um ihre Nahrung konkurrieren. In der Jura-Zeit existierten bereits fünf deutlich voneinander unterschiedene Säugetierordnungen; drei davon starben aus, aber die beiden überlebenden Ordnungen waren wahrscheinlich die Vorfahren aller Säugetiere. Aus den Docodonten gingen möglicherweise die Kloakentiere oder Monotremen hervor, eierlegende Säugetiere, von denen heute noch das Schnabeltier und die Ameisenigel vorhanden sind. Die Pantotherien dürften die Vorfahren der Beuteltiere und der plazentalen Säugetiere gewesen sein. Weitaus die meisten Säugetiere gehören zum plazentalen Typ, bei dem der Embryo im Mutterleib durch die Plazenta mit Nährstoffen versorgt wird, bis er sich so weit entwickelt hat, daß er als selbständiges Individuum existieren kann.

Als vor rund 70 Millionen Jahren die Dinosaurier ausstarben, überlebten die Säugetiere; sie waren imstande, neue Arten zu entwickeln und sich rasch zu neuen Herren des Landes aufzuschwingen. Eine Gruppe von Carnivoren (Fleischfressern) enthielt Arten, die den heutigen Hunden und Katzen ähnelten. Daneben gab es Herbivoren (Pflanzenfresser), darunter *Uintatherium* in Nordamerika, ein Geschöpf von rund 4 Metern Länge, dessen Körperbau dem eines heutigen Nashorns ähnelte; es besaß säbelförmige Eckzähne und auf dem Schädel drei Paar Knochenzapfen.

In einer Epoche, die 20 bis 35 Millionen Jahre zurückliegt, hatten sich die Vorfahren der meisten heutigen Säugetiere bereits entwickelt. Riesen-

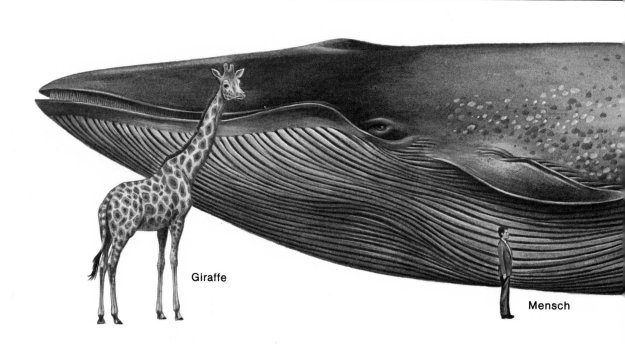

Giraffe

Mensch

Zahlen aus der Welt der Säugetiere

Eine ganz beachtliche Breite weist die Größenskala der Säugetiere auf. Die kleinste Art ist die Etruskerspitzmaus, die nur 1,5 bis 2 Gramm wiegt, während der Blauwal am anderen Ende der Skala ein Gewicht von etwa 130 000 Kilogramm auf die Waage bringt. Auf seinem Rücken fänden 10 Afrikanische Elefanten, Kopf an Schwanz hintereinander aufgereiht, bequem Platz. Mit einem Gewicht bis zu 7 500 Kilogramm ist der Afrikanische Elefant das schwerste Landsäugetier.

Auch das höchste Tier gehört zu den Säugern: die Giraffe. Ein Giraffenbulle kann eine Scheitelhöhe von 5,80 Metern erreichen und ist damit rund anderthalb Meter höher als ein Doppeldeckerbus. Das schnellste Landtier ist der Gepard, der auf kurzen Strecken Höchstgeschwindigkeiten von 100 bis 110 Stundenkilometern erreicht.

nashörner wie *Paraceratherium* mit einer Länge von 8 Metern durchstreiften die amerikanische Landschaft; sie waren so hoch wie die heutigen Giraffen und weideten die Blätter hoher Bäume ab. Auch die frühen Katzen und Pferde entwickelten sich in Nordamerika. Aus 50 Millionen Jahre altem Gestein stammten Fossilien des Urpferdchens *Hyracotherium* oder *Eohyppus,* das ungefähr die Größe eines Foxterriers hatte. Es lebte in dichten, tropischen Wäldern, aber spätere Formen paßten sich einem Leben auf den offenen Ebenen Nordamerikas an, und aus ihnen gingen die Arten hervor, die sich später auf andere Kontinente ausbreiteten, während die Pferde in Amerika ausstarben. In Afrika lebten vor 30 Millionen Jahren auf dem Lande die Nashörner und die Vorfahren der Elefanten und Klippschliefer, im Wasser Wale und Seekühe.

Im Tertiär brach die Verbindung zwischen Nord- und Südamerika ab;

danach konnten sich in Südamerika mehrere Gruppen von Säugetieren entwickeln, ohne mit Fleischfressern konkurrieren zu müssen. Beutelratten und Neuweltaffen spalteten sich in viele verschiedene Arten auf. In der Ordnung der Zahnlosen (EDENTATA), zu der die Gürteltiere, Faultiere und Ameisenbären gehören, kam es zur Entwicklung von Riesenformen. *Megatherium,* ein Riesenfaultier, war über sechs Meter lang und wog mehrere Tonnen. Einige dieser Riesen starben erst vor 10 000 bis 12 000 Jahren aus; sie kamen also noch dem Menschen zu Gesicht, als er diesen Kontinent besiedelte. Um die gleiche Zeit lebte *Glyptodon,* ein Verwandter der Gürteltiere mit einem Knochenpanzer, der im Gegensatz zu dem der heutigen Arten völlig starr war.

Vor rund 10 Millionen Jahren erstreckten sich Ebenen und Grasfluren von Europa bis nach China, auf denen Gazellen, Antilopen, Nashör-

ner und Giraffen grasten, verfolgt von Großkatzen und Hyänen. Dann begann vor rund einer Million Jahren die erste Eiszeit. Sie hatte ebenso drastische Auswirkungen auf die Säugetiere wie der Mensch, der um diese Zeit zum Jäger wurde. Warum es zu den Kaltzeiten kam, ist bis heute ungeklärt; fest steht jedoch, daß sich im Verlauf der letzten Million Jahre das arktische Eis zumindest dreimal nach Süden vorschob. In Kälteperioden durchstreiften Mammute, Eisbären, Rentiere, Wölfe und Wollnashörner den Süden Europas. In Warmzeiten drangen Säbelzahntiger, Riesenhirsche, Elefanten, Höhlenlöwen und Pferde in die vom Eis befreiten Gebiete vor. Viele von ihnen starben dann in späteren Kälteperioden aus — aus welchem Grund, ist uns bis heute nicht bekannt. Ausgestorben sind vor allem die größeren Formen; diejenigen Säugetierarten, die überlebten, finden wir noch heute auf unserer Erde vor.

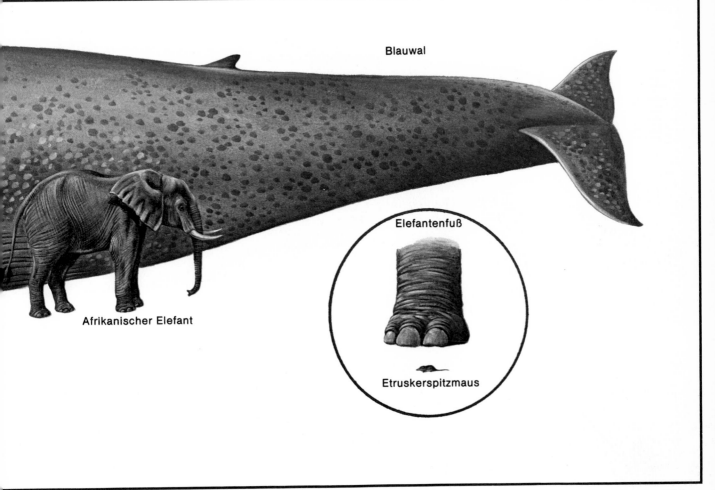

Blauwal

Afrikanischer Elefant

Elefantenfuß

Etruskerspitzmaus

Kloakentiere

(ORDNUNG MONOTREMATA)

Als eierlegende Säugetiere bilden die Kloakentiere die primitivste Ordnung dieser Klasse. Über ihre Entwicklungsgeschichte ist kaum etwas bekannt. Die einzigen Fossilien wurden in Australien gefunden; die noch heute lebenden Arten kommen nur in Australien und Neuguinea sowie auf Tasmanien vor. Insgesamt existieren 3 Gattungen mit 6 Arten: das Schnabeltier *(Ornithorhynchus anatinus)* sowie 2 Gattungen von Schnabel- oder Ameisenigeln *(Tachyglossus* und *Zaglossus).*

Das Schnabeltier, das in eine eigene Familie (ORNITHORHYNCHIDAE) gestellt wird, lebt in den Flüssen und Seen Ostaustraliens und Tasmaniens. Die Männchen sind etwas größer als die Weibchen; sie werden rund 45 Zentimeter lang und bis zu 2 Kilogramm schwer. Ihr Körper ist mit einem dichten, weichen Haarpelz bekleidet. Schnabeltiere sind geschickte Schwimmer; der leicht abgeflachte Schwanz dient als Steuerruder, Schwimmhäute zwischen den Fingern und Zehen sorgen für die Fortbewegung. Sie gehen meist morgens und abends auf die Suche nach Nahrung, die vor allem aus Krebsen, den Larven von Wasserinsekten, Schnecken, Kaulquappen, Würmern und kleinen Fischen besteht. Von Schnabeltieren, die in Gefangenschaft gehalten wurden, weiß man, daß sie täglich ungefähr die Hälfte ihres Eigengewichts an Nahrung zu sich nehmen.

Die Schnabeltiere paaren sich zwischen August und Oktober im Wasser, nachdem sich Männchen und Weibchen eine Zeitlang in einer Art kompliziertem „Hochzeitstanz" umschwommen haben. Das Weibchen trägt Bündel von nassen Blättern in eine tiefe Nesthöhle und legt darauf 1 bis 3 Eier; die nassen Blätter verhin-

Unten: *Das Schnabeltier lebt in langsam fließenden Gewässern Australiens. Mit seinem merkwürdigen Entenschnabel holt es sich allerlei kleines Getier aus dem Wasser.*

Rechts: *Ein Ameisenigel. An seinem langen Schnabel ist zu erkennen, daß diese Art nicht in Australien beheimatet ist, sondern auf Neuguinea.*

dern, daß die kleinen, weichschaligen Eier austrocknen. Danach stopft das Weibchen den Zugang der Höhle zu und rollt sich um die Eier herum. Alle paar Tage verläßt es den Bau, um sich den Pelz naßzumachen und Kot abzusetzen.

Wenn nach 7 bis 10 Tagen die Jungen aus den Eiern schlüpfen, sind sie blind und nackt und nur ungefähr 2,5 Zentimeter lang. Sie ernähren sich von der Milch, die aus Drüsen am Bauch der Mutter herausfließt und die sie instinktiv auflecken. Die Jungen verlassen die Höhle erst, wenn sie ungefähr 4 Monate alt, voll bepelzt und ungefähr 35 Zentimeter lang sind. Die Männchen verbringen die Zeit in einer nahegelegenen Höhle — nach der Paarung sind die Weibchen nicht mehr an ihnen interessiert.

Ganz anders sehen die Ameisenigel aus. Sie sind gleichfalls behaart, tragen aber außerdem auf der Körperoberseite modifizierte Haare in Form scharfer Stacheln. Sie sind gedrungene Geschöpfe mit kurzen Beinen und breiten Füßen mit kräftigen Grabklauen. Die Kiefer sind lang und schmal und enden bei den beiden Arten der Gattung *Tachyglossus* in einem kurzen, bei den 3 *Zaglossus*-Arten in einem sehr langen Schnabel. Eine lange, klebrige Zunge dient zum Auflecken von Ameisen, anderen Insekten und Würmern.

In der Brutzeit entwickelt sich bei den Weibchen auf dem Bauch eine Tasche; es legt 1 oder 2 Eier, die es sofort in die Bruttasche befördert. Wie das vor sich geht, ist noch nicht bekannt, aber nach 7 bis 10 Tagen schlüpft aus jedem Ei ein nacktes, blindes, nur gut einen Zentimeter langes Junges. Es leckt die gelbliche Milch auf, die von den Haaren über den Milchdrüsen herabtropft. In der Tasche bleibt es, bis sich nach 6 bis 8 Wochen die Stacheln zu entwickeln beginnen. Danach wird es von der Mutter an einem geschützten Ort abgesetzt; ob es danach weiter von ihr versorgt wird, ist bisher noch nicht bekannt.

Unten: *Das Schnabeltier verbringt den größten Teil des Tages in einem vielfach verzweigten Bau, der von einem Gewässer abgeht. Das Weibchen legt seine Eier in eine mit nassen Blättern ausgelegte Brutkammer.*

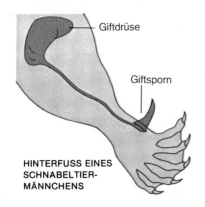

Giftdrüse

Giftsporn

HINTERFUSS EINES SCHNABELTIER-MÄNNCHENS

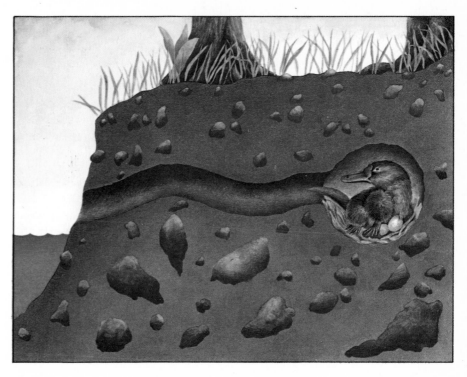

Beuteltiere

(ORDNUNG MARSUPIALIA)

Wie die Kloakentiere bilden auch die Beuteltiere innerhalb der Klasse der Säugetiere eine relativ primitive Gruppe. Dieser Ordnung gehören 9 Familien mit sehr unterschiedlichen Arten an, deren Größe von mausgroßen Geschöpfen bis zu den rund 2 Meter hohen Riesen-Känguruhs reicht. Ihren Namen verdanken sie einem Beutel auf dem Bauch der Weibchen, in dem die Zitzen liegen. Die Weibchen legen keine Eier, sondern bringen lebende Junge in einem sehr frühen Entwicklungsstadium

zur Welt. Obwohl sie im Grunde noch Embryonen sind, besitzen die nackten und blinden Geschöpfe bereits genügend Kraft, um aus dem Geburtskanal in den schützenden Beutel zu kriechen. Dort bleiben sie, an einer Zitze hängend, mehrere Wochen; die Entwicklungszeit schwankt von Art zu Art. Eines Tages werfen sie dann den ersten Blick auf die Außenwelt und erkunden den Bauch der Mutter außerhalb des Beutels, flüchten aber bei Gefahr immer wieder in ihn zurück.

Aufs Ganze gesehen sind die Beuteltiere mit einem relativ kleinen Gehirn nicht sonderlich intelligente Geschöpfe; im Laufe der Entwicklungs-

Oben: Ein Virginisches oder Nordopossum mit seinen halbwüchsigen Jungen. Bei der Geburt waren sie winzige Geschöpfe, die sich ihren Weg in den Beutel suchen mußten. Jetzt sind sie entwöhnt und lassen sich, im Fell festgeklammert, von der Mutter tragen.

geschichte erwiesen sie sich den in vieler Hinsicht leistungsfähigeren plazentalen Säugetieren als eindeutig unterlegen. Heute sind sie nur noch in Südamerika und Australien anzutreffen; dort konnten sie überleben, weil diese beiden Kontinente von den anderen Erdteilen, auf denen sich die übrigen Säugetiere sehr rasch entwickelten, isoliert waren.

218

Beutelratten

(FAMILIE DIDELPHIDAE)

Mit 76 Arten und zahlreichen Unterarten sind die Beutelratten die einzigen Marsupialier in Amerika. Die bekannteste und erfolgreichste Art ist das Virginische oder Nordopossum *(Didelphis marsupialis),* das einst auf Südamerika beschränkt war, sich aber bis nach Nordamerika ausgebreitet hat. Seinen Erfolg verdankt es seiner Anpassungsfähigkeit, seinem breitgefächerten Speisezettel und seiner hohen Fortpflanzungsrate. Das Virginische Opossum sieht aus wie eine langhaarige Ratte mit einem nackten Greifschwanz, hat aber ungefähr die Größe einer Hauskatze. Nach nur 13tägiger Tragzeit werden winzige, nur 0,2 Gramm schwere Junge geboren. Obwohl gelegentlich 20 Junge zur Welt kommen, können nicht alle überleben, da sich im Beutel nur 13 Zitzen befinden. Die Jungen bleiben ungefähr 10 Wochen im Beutel; danach halten sie sich gern auf dem Rücken der Mutter auf, bis sie auch dafür zu groß sind.

Von den übrigen Beutelratten ähneln einige im Aussehen dem Opossum und sind auch ungefähr ebenso groß; andere Arten haben nur Maus- oder Rattengröße.

Die meisten Beutelratten sind Nachttiere, die nach Einbruch der Dunkelheit auf die Suche nach Nahrung gehen, wobei sie kleine Tiere, Insekten und Aas ebensowenig verschmähen wie Obst und Körner. Die meisten Arten bewohnen Bäume und Büsche, nur der Schwimmbeutler oder Yapok *(Chironectes minimus)* führt ein ähnliches Leben wie der Fischotter. Schwimmhäute an den Zehen der Hinterfüße helfen ihm bei der Bewegung im Wasser; die Tage und die Brutzeit verbringt er in einer Höhle am Ufer, nachts geht er auf Jagd nach Muscheln, Krebsen und Laich.

„Opossum spielen"

Für „Sich totstellen" gibt es im Englischen den Ausdruck „Playing possum" (Opossum spielen). Diese Tiere haben die Gewohnheit, sich bei drohender Gefahr mit heraushängender Zunge und geschlossenen Augen völlig schlaff auf die Seite zu legen. In diesem Zustand läßt sich ein Opossum so lange grob behandeln und herumwerfen, bis der Angreifer die Geduld verliert und enttäuscht von ihm abläßt. Auch andere Tiere stellen sich tot, um Angreifer zu täuschen, darunter Echsen und Schlangen sowie einige Nagetiere.

Die Beuteltiere Australiens

Die zahlreichen Beuteltiere, die sich in der australischen Region entwickelten, haben sich einer Vielzahl von Lebensräumen angepaßt und viele ökologische Nischen besetzt. Unter ihnen finden sich Arten, die in Aussehen und Lebensgewohnheiten große Ähnlichkeiten mit plazentalen Säugetieren aufweisen — Katzen, Mäusen, Ratten, Wölfen und Maulwürfen.

Raubbeutler, Ameisenbeutler und Beutelmaulwürfe

(FAMILIE DASYURIDAE)

Zu den 46 Arten dieser Familie gehören der etwa katzengroße Tüpfelbeutelmarder *(Dasyurus quoll)* und als größte Art dieser Gattung der Fleckschwanz- oder Riesenbeutelmarder *(D. maculatus),* der bis zu 75 Zentimeter lang werden kann. Ungefähr ebenso groß ist der Beutelteufel oder Tasmanische Teufel *(Sarcophilus harrisi).* Als Hühnerdieb ist der Tasmanische Teufel von den Siedlern heftig verfolgt worden; auf dem au-

stralischen Festland ist er verschwunden, aber auf Tasmanien besteht vorerst nicht die Gefahr, daß er ausstirbt, da er sich in schwer zugängliche Bezirke dieser Insel zurückgezogen hat. Wahrscheinlich sieht er wesentlich gefährlicher aus, als er in Wirklichkeit ist. Er besitzt große Kiefer, die er weit aufreißt, wenn er erschreckt wird; außerdem läßt er dann ein wütendes Knurren hören. Der schwere Körper ruht auf verhältnismäßig kurzen Beinen. Seinen unersättlichen Appetit stillt der Beutelteufel mit einer Vielzahl von Tieren,

Oben: *Der Zwerg-Fleckenbeutelmarder (Dasyurus hallucatus) geht in Eukalyptuswäldern und baumbestandener Savanne auf die Jagd nach kleinen Säugetieren, Vögeln, Echsen, Fischen und Insekten.*

darunter Rattenkänguruhs, Wallabys, Echsen und Vögeln.

Ein naher Verwandter des Tasmanischen Teufels ist der Beutelwolf *(Thylacinus cycnocephalus).* Das gut einen Meter lange, graubraune Tier ähnelt einem Hund; auf dem Rücken trägt es 17 Querstreifen und wird deshalb auch „Tasmanischer Tiger" genannt. Aller Wahrscheinlichkeit nach ist der Beutelwolf jedoch ausgestorben: auf dem australischen Festland fiel er den Dingos zum Opfer, auf der Insel Tasmanien stellten ihm die weißen Siedler nach. Seit vielen Jahren ist niemandem mehr ein freilebendes Exemplar begegnet.

Eine eigene Unterfamilie (PHASCOGALINAE) bilden die Beutelmäuse, die in Aussehen und Größe unserer Hausmaus ähneln, aber wesentlich spitzere Schnauzen und dickere Schwänze haben. Im Gegensatz zu den pflanzenfressenden Nagetieren sind sie jedoch überwiegend Fleischfresser. Nicht alle Arten haben richtige Beutel — bei manchen sind die

Links: *Der Tasmanische Teufel hat eine gewisse Ähnlichkeit mit einem Malaienbären. Er ernährt sich von einer Vielzahl von Tieren, darunter der giftigen schwarzen Tigerotter, Schafen und Hühnern, frißt aber auch Aas.*

Zitzen nur von einem flachen Hautwall oder Wulst umgeben. Die Beutelmäuse ziehen bis zu 10 Junge in einem Wurf auf. Die Doppelkamm-Beutelmaus *(Dasyiroides byrnei)* trägt Haarbürsten auf dem Schwanz und ist etwa rattengroß; andere Arten erinnern im Aussehen eher an Springmäuse.

Nasenbeutler

(FAMILIE PERAMELIDAE)

Die Nasenbeutler oder Bandikuts sehen aus wie große Spitzmäuse. Der Name „Bandikut" (englisch Bandicoot) ist vermutlich von einem indischen Wort abgeleitet und bedeutet „Schweinsratte"; er wurde um 1799 von dem britischen Entdecker George Bass erstmals erwähnt. Die 19 Arten dieser Familie bewohnen die offenen Ebenen, das dichte Gras am Rand von Sümpfen und Flüssen, Gestrüpp und Wälder. Die Langnasenbeutler (Gattung *Perameles)* dringen bis in die Städte vor und erbosen häufig die Gärtner, weil sie auf der Suche nach Insekten Löcher in Beete und Rasenflächen graben.

Bandikut-Weibchen haben gewöhnlich 8 Zitzen, gelegentlich auch 6 oder 10, in jedem Fall genug, um die jeweils 2 bis 6 Jungen eines Wurfs aufzuziehen. Die Beutelöffnung zeigt nach unten und hinten, und die Neugeborenen besitzen winzige Krallen, die sie verlieren, nachdem sie in den Beutel gekrochen sind.

Obwohl die Nasenbeutler in Australien unter Naturschutz stehen, sind mehrere Arten vom Aussterben bedroht.

Kletterbeutler

(FAMILIE PHALANGERIDAE)

Neben dem berühmten Koala oder Beutelbären *(Phascolarctos cinereus)* finden sich unter den 21 Arten dieser Familie auch mäuse-, hörnchen- und lemurenähnliche Tiere sowie die Ringelschwanz-Kletterbeutler (Gattung *Pseudocheirus),* die im Jahre 1770 von Kapitän Cook wegen ihrer oberflächlichen Ähnlichkeit mit den amerikanischen Beutelratten „Opossums" genannt wurden; noch heute heißen sie in Australien „Ringelschwanz-Opossums".

Die größten Angehörigen dieser Familie sind die eigentlichen Kletterbeutler oder Phalanger; der Tüpfelkuskus *(Phalanger maculatus)* erreicht ungefähr die Größe einer langgestreckten Hauskatze. Die Geschlechter sind bei dieser Art deutlich voneinander unterschieden: die Weibchen sind meist grau gefärbt, während die Männchen große, unre-

Unten: *Ein Großer Kaninchen-Nasenbeutler* (Macrotis lagotis) *stellt seine Grabkünste unter Beweis. Er wühlt mit der Schnauze im Sandboden nach Insekten und hinterläßt deutliche Spuren seiner Arbeit in Form von Erdkegeln.*

Fliegende Beuteltiere

Unter den Kletterbeutlern gibt es 6 Arten, die „fliegen" können — das heißt, mit Hilfe von Flughäuten große Sprünge von Baum zu Baum machen. Die Flughaut der Gleitbeutler sitzt zwischen den Vorder- und Hinterbeinen. Wenn sie sich in der Luft befinden, benutzen sie den bauschigen Schwanz als Steuerruder und können zum Teil Entfernungen bis zu 100 Metern zurücklegen. Die größte Art ist der Riesengleitbeutler *(Schoinobates volans),* ein hübsches Tier mit weichem, seidigem Fell. Die Tage verbringen die Riesengleitbeutler einzeln oder paarweise in hohlen Bäumen verborgen. Auf den Boden kommen sie selten, nur hin und wieder wandern sie über offenes Gelände zu einem andern Baum. Während der Brutzeit zerreißen ihre lauten, gurgelnden Schreie die Luft.

Kurzkopf-Gleitbeutler
(Petaurus breviceps)

Unten: *Porträt eines Tüpfelkuskus* (Phalanger maculatus). *Dieser schwere, gedrungene Kletterbeutler ist ein Baumbewohner mit kräftigem Greifschwanz. Das Photo zeigt ihn bei Tage ruhend und in einer Astgabel zusammengekauert. Seine Bewegungen sind langsam und träge. Nachts sucht er nach Insekten, Vogeleiern und Vögeln.*

gelmäßig angeordnete Flecke in sehr unterschiedlichen Farben tragen. Die Kuskuse sind Baumbewohner, die sich in der Nacht auffällig langsam bewegen und schlafende Vögel und Echsen überraschen und verzehren. Ihre Hauptnahrung besteht jedoch aus Blättern und Früchten.

Der Fuchskusu *(Trichosurus vulpecula)* ist eines der häufigsten und am weitesten verbreiteten australischen Beuteltiere, obwohl er bis vor kurzem von Pelzjägern verfolgt wurde. Er gehört zu den wenigen Kletterbeutlern, die einen langen, buschigen Greifschwanz besitzen.

Plumpbeutler

(FAMILIE VOMBATIDAE)

Zur Familie der Plumpbeutler oder Wombats gehören nur zwei Gattungen mit je einer Art. Der Nacktnasenwombat *(Vombatus ursinus)* ähnelt dem Koala, ist aber kein Baumbewohner, sondern gräbt in der Erde. Er wird durchweg knapp einen Meter lang und lebt in den küstennahen Gebirgslandschaften Südostaustraliens und Tasmaniens, wo er langsam watschelnd umherwandert. Der Nacktnasenwombat ist ein tüchtiger Baumeister — seine ausgedehnten und verzweigten Baue können bis zu 30 Meter lang sein. Die meißelähnlichen Schneidezähne wachsen wie die der Nagetiere ständig nach; sie werden durch das Zerkauen von Rinde, Wurzeln und Blättern stark beansprucht. Wombats leben allein und finden nur zur Paarungszeit zusammen; wie beim Koala bringt auch hier das Weibchen nur ein Junges zur Welt. Die zweite Art, die überleben konnte, ist der Haarnasenwombat *(Lasiorhinus latifrons)*. Fossilien lassen darauf schließen, daß es einst auch eine Art von der Größe eines Flußpferdes gegeben hat.

Unten: *Ein Wombat außerhalb seines Baues, den er mit den kräftigen Klauen an seinen Vorderbeinen blitzschnell zu graben versteht.*

Der Koala

Von allen Kletterbeutlern, vielleicht sogar von allen Beuteltieren, erfreut sich der Koala *(Phascolarctos cinereus)* bei weitem der größten Beliebtheit, denn mit seinem großen Kopf, den behaarten Ohren und der großen Nase bietet er einen zugleich rührenden und komischen Anblick. Der dichte, wollige Pelz ist auf dem Rücken grau, auf dem Bauch dagegen weißlich gefärbt; vom Schwanz sind nur noch spärliche Reste vorhanden. Die Koalas ernähren sich ausschließlich von den Blättern einiger in Ostaustralien wachsender Eukalyptusarten. Backentaschen und ein langer Blinddarm helfen bei der Verdauung dieser speziellen Nahrung, von der ein Koala täglich mehr als ein Kilogramm zu sich nimmt.

Das Weibchen bringt jeweils nur ein Junges zur Welt, das 6 Monate in dem nach hinten geöffneten Beutel bleibt und anschließend von ihm auf dem Rücken getragen wird. In der ersten Hälfte unseres Jahrhunderts wurden Millionen von Koalas wegen ihres weichen, dauerhaften Fells getötet, andere fielen Seuchen zum Opfer oder verloren ihre Lebensräume. Ihre Zahl ist auf Tausende zurückgegangen, doch hat man sie inzwischen unter Naturschutz gestellt; heute sind sie nicht mehr vom Aussterben bedroht.

Känguruhs

(FAMILIE MACROPODIDAE)

Zur Familie der Känguruhs gehören 51 Arten und zahlreiche Unterarten; ihre Größe schwankt zwischen dem etwa 30 Zentimeter langen, in den Regenwäldern von Queensland heimischen Moschusratten-Känguruh *(Hypsiprymnodon moschatus)* und den Riesenkänguruhs (Gattung *Macropus)*, die aufgerichtet Höhen bis zu 2 Meter erreichen. Alle Kängu-

ruhs können vorzüglich springen; sie stoßen sich mit ihren großen, kräftigen Hinterläufen vom Boden ab; der Schwanz dient als Stütze oder zum Balancieren und Steuern im Sprung. Die meisten Arten sind Nachttiere, die den Tag in „Grasnestern" ruhend verbringen. Richtig aktiv werden sie erst nach Einbruch der Dämmerung, um dann bis Tagesanbruch auf Nahrungssuche zu gehen. Die meisten Känguruhs sind reine Pflanzenfresser; nur das Moschusratten-

Känguruh frißt außer Früchten und Blättern auch Insekten.

Zu den Riesenkänguruhs gehören drei Arten: das Rote *(Macropus rufus)* und das Graue Riesenkänguruh *(M. giganteus)* sowie das Bergkängeruh *(M. robustus)*. Die bis zu 2 Meter hohen Männchen können, wenn sie sich langsam bewegen, 1,20 bis 1,90 weite Sprünge machen; auf kurzen Strecken erreichen sie Geschwindigkeiten bis zu 90 Stundenkilometern und überspringen Entfernungen bis zu 9 Metern. Ungeachtet der Bezeichnungen „Rot" und „Grau" herrschen in ihrem Fell alle möglichen Schattierungen von Rot, Braun, Grau oder Schwarz vor. Die Männchen des Roten Riesenkänguruhs sind gewöhnlich rötlich gefärbt, die Weibchen dagegen bläulich-grau. Von fern sind die 3 Arten kaum zu unterscheiden, aber sie bewohnen verschiedene Lebensräume: Das Rote Riesenkänguruh ist auf den offenen Ebenen zu Hause, das Graue zieht lichte Wälder vor, während das Bergkänguruh in hügeligem oder felsigem Gelände lebt.

Eine Reihe von Arten, die nur etwa halb so groß werden wie die Riesenkänguruhs, werden im allgemeinen Sprachgebrauch „Wallabys" genannt, obwohl nur 11 Arten zur Gat-

Die Geburt eines Känguruhs

Im Leben der Känguruhs gibt es keine feste Brunstzeit, aber die meisten Jungen werden im Winter geboren. Nach einer Trächtigkeit von 30 bis 40 Tagen gebiert das Weibchen ein Junges, das bei einem Riesenkänguruh nur knapp 1 Gramm wiegt und nicht einmal 2 Zentimeter lang ist. Obwohl nackt und blind, besitzt dieses winzige Geschöpf bereits gut entwickelte Vordergliedmaßen, mit deren Hilfe es über den Bauch der Mutter in den Beutel kriecht. Dort bleibt es während der folgenden 33 Wochen an einer Zitze hängen, bis es voll entwickelt ist. Dann hat es ein Gewicht von etwa 3,5 Kilogramm erreicht und unternimmt seine

Neugeborenes Känguruh an einer Zitze im mütterlichen Beutel.

Ein Känguruhjunges schaut aus seinem Beutel heraus

ersten Ausflüge in die Welt außerhalb des Beutels. Wenn es sich bedroht fühlt, flüchtet es kopfüber wieder in den Beutel zurück und steckt dann neugierig den Kopf heraus. Wenn die Mutter es nicht mehr herumtragen mag, befördert sie es mit dem Schwanz aus dem Beutel.

tung *Wallabia* gehören. Die Hasen-
känguruhs (Gattung *Lagorchestes*)
haben eine auffallende Ähnlichkeit
mit den europäischen Hasen, sind
aber etwas größer. Sie leben gewöhnlich allein und verbringen ihre Tage
in einer „Sasse", die sie sich im
Schatten eines Busches oder hoher
Grasbüschel gescharrt haben; nachts
weiden sie die Vegetation ab. In
manchen Gegenden Zentralaustra-
liens sind die Felsenkänguruhs (Gattung *Petrogale)* in felsigen Landstrichen häufig anzutreffen. Sie sind erstaunlich agile Tiere, die Sprünge
über 4 Meter breite Felsspalten tun
können. Die Filander oder Pademe-
lons (Gattung *Thylogale)* leben in
Sumpflandschaften mit dichtem Bewuchs aus Sträuchern, Gräsern und
Farnen, aber auch im Unterholz der
Wälder. Da ihnen wegen ihres Fells
und ihres Fleisches nachgestellt wurde, ist ihr Bestand stark gesunken.

In Neuguinea gibt es 5 und in
Nordqueensland 2 Arten von Känguruhs, die die meiste Zeit auf Bäumen
verbringen. Diese Baumkänguruhs
(Gattung *Dendrolagus)* können sich
gleichfalls sehr schnell bewegen; sie
überwinden Entfernungen bis zu 9
Metern, indem sie von einem Baum
auf den niedrigeren Ast eines anderen springen. Im Gegensatz zu ihren
ausschließlich auf dem Boden lebenden Verwandten sind bei ihnen Vor-
der- und Hinterbeine ungefähr gleich
lang. Ihre Füße haben rauhe, rutsch-
sichere Sohlen, an den Vorderpfoten
sitzen Klauen, mit denen sie Halt finden. Der lange, behaarte Schwanz ist
auf ganzer Länge gleich dick; er
dient nicht zum Greifen, sondern
hilft ihnen, das Gleichgewicht zu halten. Zwar sind die Baumkänguruhs
nicht selten, aber da sie zumeist
schwer zugängliche Gebiete bewohnen, wissen wir relativ wenig über ihre Lebensgewohnheiten.

Rechts oben: *Ringschwanz- oder
Gelbfuß-Felskänguruhs* (Petrogale
xanthopus) *verlassen in der Abenddämmerung ihr Ruhelager.*
Rechts: *Baumkänguruhs leben im
tropischen Regenwald Neuguineas und
Nordqueenslands. Ihre Füße sind mit
kräftigen Klauen versehen, die ihnen
beim Klettern festen Halt geben.*

Insektenfresser

(ORDNUNG INSECTIVORA)

Die Ordnung der Insektenfresser umfaßt etwa 370 Arten, von denen rund zwei Drittel zur Familie der Spitzmäuse (SORICIDAE) gehören. Als Gruppe sind die Insektenfresser schwer zu beschreiben, weil sie keine leicht erkennbaren gemeinsamen Merkmale aufweisen. Auf alle Fälle sind sie noch relativ primitive, durchweg recht kleine Geschöpfe, die sich in erster Linie von wirbellosen Tieren wie Würmern, Schnecken und Insekten ernähren. Neben den Spitzmäusen gehören Igel, Schlitzrüssler, Goldmulle, Rüsselspringer und Maulwürfe zu dieser Ordnung.

Bei den meisten Arten ist das Sehvermögen gering und das Gehirn klein; die scharfen und spitzen Zähne sind nicht auf eine bestimmte Nahrung spezialisiert. Finger und Zehen tragen immer Klauen, die aber in einer Ebene angeordnet sind, so daß die Tiere nicht greifen können. Die Insektenfresser sind überlebende Verwandte jener Formen, aus denen sich die höheren Säugetiere entwickelten. Sie leben heute in ganz Europa, Asien, Afrika, Mittel- und Nordamerika, auf Madagaskar und den Westindischen Inseln sowie im nördlichen Südamerika.

Die Schlitzrüssler (FAMILIE SOLENONTIDAE) sind auf den Westindischen Inseln beheimatet. Die etwa rattengroßen Tiere haben lange, nackte Schwänze und rüsselartig verlängerte Schnauzen, an deren Spitzen die Nasenlöcher sitzen. Die Augen sind klein; bei der Nahrungsaufnahme und Orientierung spielt der Geruchssinn die wichtigste Rolle. In der Achsel- und Leistengegend sitzen Drüsen, die moschusartige Duftstoffe absondern; vermutlich sind deshalb die Zitzen des Weibchens in die Leistengegend gerückt. Die Schlitzrüssler sind sehr selten geworden, da viele den auf die Inseln eingeführten Hunden und Mangusten zum Opfer fielen; außerdem bringen die Weibchen zweimal jährlich nur 1 bis 3 Junge zur Welt.

Die mit den Schlitzrüsslern nahe verwandten Tanreks (FAMILIE TEN-

Unten: *Ein Igel-Weibchen mit seinen Jungen. Die Stacheln bieten diesen Insektenfressern sicheren Schutz vor Feinden wie Fuchs und Dachs, vor allem, wenn sie sich so zusammenrollen, daß der ungeschützte Bauch nicht erreichbar ist.*

RECIDAE) sind gleichfalls Inselbewohner — sie sind nur auf Madagaskar anzutreffen. Die Familie besteht aus 30 Arten, die sich verschiedenen Lebensformen angepaßt haben. Einige sind gute Schwimmer, andere mit langen Schwänzen zum Klettern ausgerüstet, und wieder andere leben wie Maulwürfe in unterirdischen Gängen. Bei manchen Arten, zum Beispiel beim Großen Igeltanrek (Setifer setosus) ist der Rücken dicht mit scharfen Stacheln bedeckt. Die Tanreks vermehren sich relativ stark; der Große Tanrek (Tenrec ecaudatus) soll in einem Wurf schon 21 Junge geboren haben.

Nicht nur bei den Tanreks, sondern auch bei den Igeln (FAMILIE ERINACEIDAE) gibt es gestachelte und stachellose Arten. Alle Echten oder Stacheligel verfügen über diesen wirksamen Schutz vor Feinden. Erstaunlich ist der Lärm, den ein Igel macht, wenn er nachts auf Nahrungssuche unterwegs ist. Da er vor Feinden keine Angst zu haben braucht, kann er laut schnüffeln und schnaufen, und wenn er sich bedroht fühlt, keckert und schreit er sogar. Die in Europa und Asien beheimateten Arten halten Winterschlaf; dabei zehren sie von dem Fett, das sie in den nahrungsreichen Sommermonaten gespeichert haben. Der Braunbrust- oder Westigel (Erinaceus europaeus) ist bei den Bauern und Gärtnern beliebt, weil er zahlreiche Schädlinge vertilgt, darunter Insekten, Nackt- und Gehäuseschnecken, außerdem Würmer und andere kleine Tiere; gelegentlich nimmt er auch etwas pflanzliche Kost zu sich.

Die stachellosen Haar- oder Rattenigel bilden 4 Gattungen mit je einer Art und leben sämtlich in Südostasien. Mit einer Körperlänge von rund 40 Zentimetern und einem rund 20 Zentimeter langen Schwanz ist der Große Haar- oder Rattenigel (Echinosorex gymnurus) einer der größten Insektenfresser.

Die meisten Spitzmäuse (FAMILIE SORICIDAE) sind kleine, mausähnliche Geschöpfe mit rüsselartig spitzen Schnauzen und kurzen Beinen. Sie müssen im Laufe von 24 Stunden mindestens so viel Nahrung zu sich nehmen, wie ihr eigener Körper wiegt, weil sie sehr aktiv sind und viel Energie verbrauchen. Außerdem sind sie „nervös“: die Pulsfrequenz einer Spitzmaus kann bei 20 Schlägen pro Sekunde liegen. Plötzliche, starke Geräusche, zum Beispiel ein Donnerschlag, können ihnen einen solchen Schrecken einjagen, daß sie sterben. Spitzmäuse leben einzeln, aber wenn ein Artgenosse in ihr Revier eindringt, kommt es zu heftigen Kämpfen, bei denen sie, einander umschlungen haltend oder auf den Hinterbeinen stehend, zubeißen und

Oben: *Ein südostasiatischer Rattenigel knurrt, weil er sich gestört fühlt. Diese stachellosen Nachttiere haben am After zwei Drüsen, die ein Sekret absondern, das wie verfaulte Zwiebeln oder Schweißfüße riechen soll.*

laut quieken. Weniger tapfer sind sie, wenn sich ein Feind, zum Beispiel ein Greifvogel, ihrem Revier nähert — dann suchen sie rasch im nächsten Bau Zuflucht. Bei einigen Arten enthält der Speichel eine giftige Substanz, die Beutetiere wie Würmer oder Schnecken lähmt. Bisse dieser Spitzmäuse sind auch für Menschen sehr schmerzhaft.

Kämpfende Spitzmäuse

Das kleinste Säugetier der Welt

Das kleinste aller Säugetiere ist ein Insektenfresser: es ist die Etruskerspitzmaus *(Suncus etruscus)*, die voll ausgewachsen nur eine Körperlänge von 3,5 bis 5 Zentimetern besitzt; der Schwanz mißt 2,5 bis 3 Zentimeter. Sie ist so winzig, daß ihr von Regenwürmern gegrabe-ne Gänge gute Passage- und Fluchtmöglichkeiten bieten.

Eine weitere Eigentümlichkeit der Spitzmäuse, unter anderem der Feldspitzmaus *(Crocydura leucodon)*, ist zu erwähnen: die sogenannten Spitzmauskarawanen, bei denen sich die Jungen auf frühen Erkundungszügen mit der Mutter an der Spitze zu einem Zug zusammenschließen. Dabei beißt sich jedes Tier in der Schwanzwurzel des vorhergehenden fest.

Ein Spitzmausweibchen kann schon im Alter von 3 Monaten die ersten Jungen zur Welt bringen; in einem Nest aus trockenem Gras und Blättern gebiert es 2 bis 10 nackte und blinde Junge. Sie sind nach ungefähr einem Monat völlig selbstständig. Spitzmäuse werden gewöhnlich 12 bis 18 Monate alt.

Die 19 Arten von Maulwürfen (FAMILIE TALPIDAE) sind berühmt für ihre unterirdische Bautätigkeit. Die sogenannten Altweltmaulwürfe (Gattung *Talpa*) sind mit 4 Arten über fast ganz Europa und Asien ver-breitet; nur in den Polargebieten und auf den zentralasiatischen Hochebenen können sie nicht leben, weil gefrorener Boden selbst für sie zu hart ist. Auch in Amerika leben etliche Maulwurfsarten, unter denen der Sternmull oder Sternnasen-Maulwurf *(Condylura cristata)*wohl der seltsamste sein dürfte. Er trägt auf der Nasenspitze einen Kranz von 22 nackten, fingerförmigen Fortsätzen. Diese „Tentakel" sind vermutlich eine Anpassung an das Leben unter der Erde und helfen bei der Nahrungssuche.

Die meisten Maulwürfe haben ein dunkles, dichtes, seidiges Fell ohne ausgeprägten „Strich"; auf diese Weise können sie sich in ihren engen Gängen vorwärts und rückwärts gleichermaßen flink und reibungslos bewegen. Außerhalb ihrer Baue können die Maulwürfe auf ihren kräftigen, mit Grabschaufeln versehenen Beinen nur schlecht laufen und „ru-

Unten: *Ein Maulwurf, der Baumeister unter den Insektenfressern. Beim Graben helfen ihm die muskulösen Vorderbeine mit den zu Grabschaufeln umgebildeten Händen.*

Eine Karawane von Feldspitzmäusen

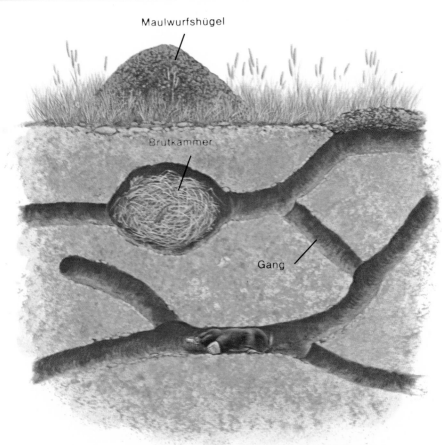

Maulwurfshügel

Brutkammer

Gang

dern'' unbeholfen voran. In der Erde dagegen lockern die starken Vorderpfoten die Erde und schieben sie den Hinterpfoten zu, die sie nach draußen befördern. Da die Maulwürfe ständig im Dunkeln leben, sind ihre Augen mit einem Durchmesser von weniger als 0,1 Zentimeter winzig. Auch Ohrmuscheln würden stören und fehlen deshalb. Dennoch können sie mit ihren Ohrenöffnungen am Hinterkopf recht gut hören.

Maulwürfe leben gewöhnlich allein, nur gelegentlich benutzen mehrere Tiere dieselben Gänge. Sie sind Tag und Nacht auf der Jagd nach Würmern, Insektenlarven und anderen kleinen wirbellosen Tieren. Die bekannten Maulwurfshügel entstehen, wenn ein Tier Erde aus tieferen Gängen nach oben befördert, oberflächennahe Gänge sind als flache Rippen zu erkennen. Tiefere Tunnelbereiche dienen als Zuflucht und zum Aufziehen der Jungen. In einer speziellen Brutkammer bringt das Weibchen nach ungefähr einmonatiger Trächtigkeit gewöhnlich 4 oder 5 Junge zur Welt.

Vertreiben von Maulwürfen

Obwohl die Grabtätigkeit der Maulwürfe manchen Gärtner erbost, spielen die Tiere doch als Schädlingsbekämpfer eine wichtige Rolle, und man kann sie leicht von einer bestimmten Stelle vertreiben, ohne zu Fallen oder zu Gift greifen zu müssen. Wenn man leere Glasflaschen schräg zur Erdoberfläche so in den Boden steckt, daß sich der Flaschenboden im Gang befindet und der Hals herausragt, dann erzeugt der Wind, der sich in ihnen fängt, ein pfeifendes Geräusch, das dem Maulwurf diese Stelle verleidet.

Fledertiere

(ORDNUNG CHIROPTERA)

Unter den Säugetieren sind die Fledertiere die einzigen, die regelrecht fliegen können; überdies gehören sie zu den erfolgreichsten, denn mit rund 800 Arten bilden sie nach den Nagetieren die zweitgrößte Säugetier-Ordnung. Fledertiere sind fast über die ganze Welt verbreitet, ausgenommen die Polarregionen. Sie finden sich auf ozeanischen Inseln, und zwei Arten sind sogar in Neuseeland heimisch.

In ihrem Körperbau haben die Fledertiere viele Gemeinsamkeiten mit den Insektenfressern aufzuweisen, und man nimmt an, daß beide Ordnungen von einem gemeinsamen Vorfahren abstammen. Vermutlich durchliefen die Fledertiere im Verlauf ihrer Evolution ein Gleitstadium und entwickelten sich erst später zu regelrechten Flugtieren, die den Vögeln an Geschicklichkeit nicht nachstehen. Wir unterscheiden heute zwei Unterordnungen: die Flug- oder Flederhunde ernähren sich überwiegend von Früchten, während die Fledermäuse in erster Linie Insektenfresser sind. Davon abgesehen haben sie jedoch wichtige Merkmale gemeinsam. Die Vordergliedmaßen sind stark verlängert, vor allem die vier Finger, die als Stütze für die Flughaut dienen. Nur der Daumen steht frei; mit seiner Hilfe können sich die Fledertiere kopfunter aufhängen und in Bäumen herumklettern. Von den Fingern aus erstreckt sich die Flughaut an den Körperseiten entlang bis zu den Hinterfüßen und zum Schwanz.

Links: *Das Bild der Großohr-Fledermaus (Gattung* Plecotus) *zeigt, daß die Vordergliedmaßen und Finger als Ansatzstelle für die Flughaut dienen, die sich bis zu den Hintergliedmaßen und zum Schwanz erstreckt.*

Oben: *Ein Flugfuchs hängt an den Füßen und hat die Flughäute um die Brust gefaltet. Die meisten Flughunde leben vom Saft tropischer Früchte und sind deshalb bei Plantagenbesitzern sehr unbeliebt.*

230

Flederhunde

(UNTERORDNUNG MEGACHIROPTERA)
Ein Merkmal, das die Flederhunde von den Fledermäusen unterscheidet, ist der Umstand, daß sie nur in geringem Maße über Einrichtungen verfügen, die ihnen das Fliegen bei Nacht erlauben. Nur relativ wenige Arten sind imstande, sich mit Hilfe von Ultraschall oder Echolotung im Raum zu orientieren; alle anderen sind auf ihre großen Augen angewiesen und völlig hilflos, wenn sie nichts sehen können. Flederhunde gibt es ausschließlich in der Alten Welt. Zu ihnen gehören die Eigentlichen Flughunde oder Flugfüchse (Gattung *Pteropus*); sie sind mit zahlreichen Arten im Malaiisch-Pazifischen Raum verbreitet. Eine der größten Arten ist der Indische Flughund *(Pteropus giganteus)* mit einer Flügelspannweite von rund 1,20 Meter bei einem Gewicht von nur etwa einem Kilogramm. Obwohl keinerlei Verwandschaftsbeziehungen bestehen, sehen die Köpfe der Flugfüchse denen der eigentlichen Füchse sehr ähnlich. Der merkwürdigste Angehörige dieser Unterordnung dürfte der in Afrika heimische Hammerkopf *(Hypsignanthus monstrosus)* sein, dessen gewaltiger Kopf entfernt an den eines Pferdes erinnert.

Die meisten Flughunde ernähren sich von Früchten wie Datteln, Feigen, Bananen, Mangos und Guajaven. Sie ergreifen die Früchte mit den Eckzähnen und durchbeißen mit ihnen und den Schneidezähnen die Schale, um dann mit den Backenzähnen das Fruchtfleisch zu zerquetschen, bis nur noch trockene Fasern übrig sind. Bei dieser Ernährungsweise ist es nicht verwunderlich, daß die Flederhunde bei den Besitzern von Obstplantagen sehr unbeliebt sind, zumal sie gelegentlich in großen Scharen einfallen, um die reifenden Früchte zu verzehren.

Fledermäuse

(UNTERORDNUNG MICROCHIROPTERA)
Die zweite große Gruppe der Fledertiere bilden die Fledermäuse, die sich hauptsächlich von Insekten ernähren und durchweg kleiner sind als die Flederhunde. Ihr Sehvermögen ist schlecht entwickelt; dafür sind sie jedoch mit hervorragenden Ortungssystemen ausgerüstet, die ihnen die Nahrungssuche selbst in pechschwarzer Nacht erlauben. Europäern und Amerikanern am vertrautesten sind die Glattnasen (FAMILIE VESPERTILIONIDAE); zu ihnen gehören die Mausohr-Fledermäuse (Gattung *Myotis*) ebenso wie die Zwergfledermäuse (Gattung *Pipistrellus*), die Abendsegler (Gattung *Nyctalus*) und die Breitflügel-Fledermäuse (Gattung *Eptesicus*). Die meisten Weibchen bringen nur ein Junges zur Welt, aber bei den Glattnasen kommen auch Zwillingsgeburten vor, und die in Amerika heimische Rote Fledermaus *(Lasiurus borealis)* kann sogar Drillinge und Vierlinge in einem Wurf gebären.

Mehrere Familien wurden nach dem Bau ihrer Nasen benannt, denn viele Arten tragen Nasenaufsätze von einfachen Spornen bis zu den unglaublichsten Formen. Der Formenreichtum der Fledermausgesichter ist so groß, daß hier nur ein paar Beispiele einen Eindruck vermitteln sol-

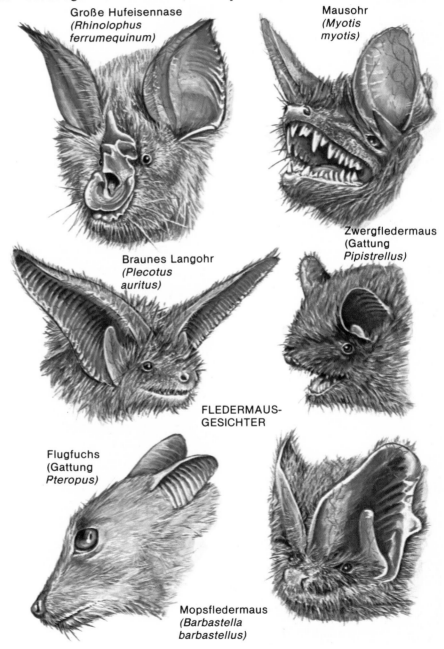

Große Hufeisennase
(Rhinolophus ferrumequinum)

Mausohr
(Myotis myotis)

Braunes Langohr
(Plecotus auritus)

Zwergfledermaus
(Gattung *Pipistrellus*)

FLEDERMAUS-GESICHTER

Flugfuchs
(Gattung *Pteropus*)

Mopsfledermaus
(Barbastella barbastellus)

len: Bulldog-Fledermäuse, Röhrennasen, Lanzennasen, Blattnasen, Blumennasen, Schlitznasen und Hufeisennasen. Die meisten von ihnen leben von Insekten, die sie im Flug mit dem Mund fangen.

Einige Fledermäuse habe sich auf eine ganz bestimmte Nahrung spezialisiert. Zu ihnen gehört der ausschließlich in Mittel- und Südamerika vorkommende Gemeine Vampir *(Desmodus rotundus).* Er ernährt sich von Blut, das er sich, wie bei einem Vampir nicht anders zu erwarten, beschafft, indem er große Säugetiere oder Vögel beißt, und zwar in unbehaarte Körperteile wie zum Beispiel am Hals oder hinter den Ohren. Dabei gehen die Vampire so behutsam vor, daß ein schlafendes Opfer nicht aufwacht. Das Blut wird nicht aufgesaugt, sondern mit einer langen, schmalen Zunge aufgeleckt. Ihr Speichel enthält eine Substanz, die die Blutgerinnung verhindert. Der Biß an sich ist ungefährlich und der Blutverlust gering, aber es ist erwiesen, daß die Vampire gefährliche Krankheiten wie Pferdeseuchen und Tollwut übertragen.

Es gibt noch einige weitere Arten, die sich auf eine bestimmte Nahrung spezialisiert haben. Das Große Hasenmaul *(Noctilio leporinus),* gleichfalls in Mittel- und Südamerika heimisch, holt sich mit Hilfe seiner großen Hinterfüße Fische aus dem Wasser. Gelegentlich taucht es dabei ganz ein, was ihm jedoch nicht schadet, weil der kurze Pelz das Wasser abweist und rasch wieder trocknet. Die Große Spießblattnase, auch Falsche Vampir-Fledermaus genannt *(Vampyrum spectrum),* ist kein Blutsauger, sondern erbeutet kleine Wirbeltiere wie andere Fledermäuse, Nagetiere und Vögel, die sie mit den Krallen packt und dann an ihrem Ruheplatz, der sich gewöhnlich in einem hohlen Baum befindet, gemächlich verzehrt.

Oben: *Bei diesem Vampir* (Desmodus rotundus) *fallen die überaus scharfen Schneidezähne auf, mit denen er seinen Opfern kleine Hautwunden beibringt. Das ausfließende Blut leckt er mit seiner langen, schmalen Zunge auf.*

Wie Fledermäuse sich orientieren

Um sich auch in stockdunkler Nacht oder in Höhlen orientieren zu können, haben die Fledermäuse große Ohren und zum Teil merkwürdige Nasenaufsätze entwickelt. Im Flug stoßen sie Laute aus, die im Ultraschallbereich liegen und deshalb für menschliche Ohren nicht vernehmbar sind. Die als Schalltrichter wirkenden Ohren oder die Lappen um die Nasenöffnungen fangen jedes Echo auf, das von einem in ihrer Bahn befindlichen Gegenstand — dünnen Zweigen, Telegraphendrähten oder fliegenden Insekten — reflektiert wird. Mit Hilfe dieser Echopeilung, die in etwa dem vom Menschen entwickelten Sonar entspricht, können sich Fledermäuse im Dunkeln orientieren wie andere Tiere am Tag.

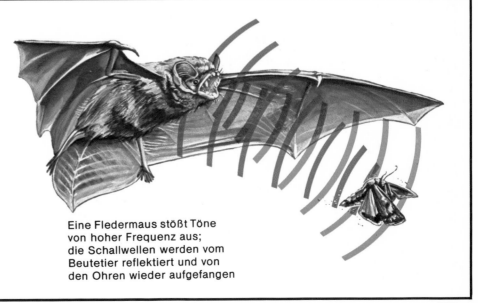

Eine Fledermaus stößt Töne von hoher Frequenz aus; die Schallwellen werden vom Beutetier reflektiert und von den Ohren wieder aufgefangen

Herrentiere

(ORDNUNG PRIMATES)

Vom Standpunkt des Menschen aus sind die Herrentiere oder Primaten in vieler Hinsicht eine der interessantesten Gruppen im Tierreich, denn dieser Ordnung gehört er selber an. Die rund 200 Arten leben überwiegend in den wärmeren Regionen, nur der Mensch *(Homo sapiens)* ist fast über die ganze Welt verbreitet.

Die heutigen Primaten gingen aus frühen, primitiven Insektenfressern hervor; damit sind die heutigen Insektenfresser die nächsten Verwandten der Herrentiere. Die Entwicklung verlief in Richtung auf ein aktiveres Leben bei Tage, das sich vorwiegend auf den Bäumen abspielt, wobei das Sehvermögen gegenüber dem Geruchssinn eine immer stärkere Bedeutung gewinnt. Hände und Füße können greifen und sind damit einem Baumleben angepaßt; bei vielen Arten sind die Klauen zu flachen Nägeln umgebildet. Das wichtigste Merkmal der Primaten ist jedoch die Weiterentwicklung und Vergrößerung des Gehirns, vor allem des Großhirns, das für die Intelligenz

maßgeblich ist; diese Entwicklung hat beim Menschen ihren Höhepunkt erreicht. Demzufolge sind die höheren Primaten wie Schimpansen, Gorillas und die anderen Menschenaffen mit beachtlichen geistigen Fähigkeiten ausgestattet. Zu den primitiveren Herrentieren gehören die Lemuren auf Madagaskar, die Galagos oder Buschbabies in Afrika, die südasiatischen Loris und Koboldmakis sowie die Spitzhörnchen.

Spitzhörnchen

(FAMILIE TUPAIIDAE)

Die Spitzhörnchen gehören zur Unterordnung der Halbaffen (PROSIMIAE) und sind mit ungefähr 50 Arten über Südasien sowie Sumatra, Java, Borneo und die Philippinen verbreitet. Sie sind geschickte, einem Baumleben angepaßte Tiere. Mit den anderen Halbaffen haben sie äußerlich nicht viel Ähnlichkeit, sondern erinnern eher an Spitzmäuse. Die dichten, buschigen Schwänze gleichen dem des Eichhörnchens, und beim Fressen sitzen sie, gleichfalls wie das Eichhörnchen, auf den Hinterpfoten und halten die Nahrung mit den Händen. Die Spitzhörnchen

Oben: *Die Spitzhörnchen stehen im Stammbaum der Tiere zwischen Insektenfressern und Halbaffen und gelten allgemein als primitive Primaten.*

verzehren nicht nur Samen, Blätter und reife Früchte, sondern auch Würmer und Insekten. Ein Weibchen bringt in der Regel zwei Junge zur Welt, kommt aber erstaunlicherweise nur alle 48 Stunden zum Stillen ins Nest. Die Kleinen trinken sich satt, bis ihre Bäuche kugelig aufgewölbt sind und halten es dann friedlich schlafend aus, bis die Mutter wieder erscheint.

Die Halbaffen Madagaskars

Die 16 Arten von Lemuren oder Makis (FAMILIE LEMURIDAE) sind ausschließlich auf Madagaskar und den benachbarten Komoren anzutreffen, wo sie vorwiegend in den Wäldern leben. Leider wurde in der jüngsten Vergangenheit ein so großer Teil des

Rechts: *Ein Katta (Lemur catta) ruht auf einem Baum seiner Heimatinsel Madagaskar. Sein auffällig geringelter Schwanz dient als Signal für die Artgenossen; beim Schlafen legt er ihn wie einen Schal über die Schulter.*

Waldbestandes vernichtet, daß die meisten Arten vom Aussterben bedroht sind. Es gibt Lemuren, die nur etwa mausgroß sind, andere sind so groß wie ein kleiner Hund. Sie besitzen fuchsähnliche Schnauzen, große, runde Augen, lange, buschige Schwänze und schlanke Körper und Gliedmaßen. Das gewöhnlich dichte, weiche und wollige Fell kann je nach Art einfarbig oder gezeichnet sein.

Der Katta *(Lemur catta)* besitzt einen auffällig schwarz-weiß geringelten Schwanz, der für seine Artgenosen eine deutliche Signalfunktion hat. Er gehört zu den in Zoologischen Gärten am häufigsten anzutreffenden Halbaffen und pflanzt sich auch in Gefangenschaft bereitwillig fort. Auf seiner Heimatinsel leben Gruppen von 12 oder mehr Tieren in lichten Wäldern mit felsigem Grund. Im Gegensatz zu den anderen Lemuren, die überwiegend Baumbewohner sind, halten sich die Kattas viel auf dem Boden auf.

Eine besonders hübsche Art ist der Vari *(Lemur variegatus)* mit gescheckten Fell und einer weißen Halskrause. Andere Arten sind unscheinbarer als Katta und Vari. Der Braune oder Schwarzkopfmaki *(L. fulvus)* hat ein braunes Fell und ein schwarzes Gesicht; das Fell des Rotbauchmakis *(L. rubriventer)* ist braun mit helleren Flecken. Die kleinste Art — nicht nur unter den Lemuren, sondern unter allen Prima-

ten — ist der Mausmaki *(Microcebus murinus)*. Mausmakis sind normalerweise nachts sehr aktiv, aber in der Trockenzeit rollen sie sich zusammen und liegen erstarrt in ihren Nestern, bis die Regenzeit begonnen hat und sie wieder genügend Nahrung finden.

Große, langhaarige Halbaffen sind der Indri *(Indri indri)*, der Wollmaki oder Avahi *(Avahi laniger)* und

Die Riesengleitflieger

Seltsame Tiere, die eine Stellung zwischen Fledermäusen, Insektenfressern und Halbaffen einnehmen, sind die Riesengleitflieger (ORDNUNG DERMOPTERA). Es gibt nur 2 Arten, den Temminck-Gleitflieger *(Cynocephalus temminckii)* und den Philippinen-Gleitflieger *(C. volans)*, die in Südasien, auf Sumatra, Borneo und den Philippinen beheimatet sind. Sie können nicht fliegen, sondern gleiten mit Hilfe einer Fallschirmhaut, die fast den ganzen Körper umgibt. Auch laufen können die Gleitflieger nicht; wenn sie auf dem Boden landen, müssen sie, ähnlich wie die Fledermäuse, auf allen Vieren zum nächsten Baum kriechen.

Die Tage verbringen die Riesengleiter schlafend in Bäumen hängend; erst in der Dämmerung machen sie sich auf die

Suche nach Blättern, Knospen und Früchten. Beim Fressen hängen sie kopfunter an einem Ast und führen die Nahrung mit den Vordergliedmaßen zum Mund. Für das einzige Junge, das ein Weibchen zur Welt bringt, bildet die Flughaut der Mutter eine sichere, bequeme Hängematte.

die Sifakas (Gattung *Propithecus*). Sie gehören zur Familie der Indriartigen (INDRIIDAE) und sie leben gleichfalls nur auf Madagaskar, wo sie aufrecht an den Ästen sitzen und von einem Baum zum nächsten springen; mit ihren zu Greifklammern ausgebildeten Füßen finden sie sicheren Halt. Da der kurze Daumen den verlängerten Fingern gegenübersteht, sind auch die Hände zum Greifen geeignet. Der Indri, die größte Art unter den heutigen Halbaffen, gilt bei den Eingeborenen als heiliges Tier und wird nie von ihnen getötet; dennoch ist er ebenso wie alle anderen Primaten auf Madagaskar vom Aussterben bedroht.

Die Halbaffen Afrikas und Asiens

Der Potto *(Perodictius potto)* und der Bärenmaki *(Arctocebus calabarensis)*, zwei afrikanische Angehörige der Familie LORISIDAE, sind ebenso wie die südostasiatischen Loris von allen Primaten die langsamsten und schwerfälligsten. Alle Arten sind schwanzlos, können aber gut greifen und hervorragend klettern. Sie bewegen sich in den Bäumen, indem sie Hand über Hand klettern, häufig mit dem Kopf nach unten. Der Bärenmaki oder Agwantibo ist die lebhafteste Art der Familie. Indem er die Arme zwischen den Beinen hindurchsteckt, kann er im Hangeln sogar Purzelbäume schießen.

Regelrechte Akrobaten sind die langbeinigen Galagos oder Buschbabies (FAMILIE GALAGIDAE). Sie können sich mit erstaunlicher Geschwindigkeit bewegen und beim Sprung von Baum zu Baum mühelos Weiten von 5 Metern erreichen. Die Galagos sind Nachtjäger mit leuchtenden, runden Augen und einem weichen, dichten Fell. Der Senegalgalago oder Mholi *(Galago senegalensis)*, eine häufig in Zoologischen Gärten gehaltene Art, lebt gesellig in Gruppen

von mehreren Tieren. Die kleinste Art, der Zwerg- oder Demidoffgalago *(G. demidovii)*, hat in einer hohlen Männerhand Platz.

Die Galagos ernähren sich überwiegend von Insekten, Schnecken und Baumfröschen. Ein Weibchen bringt ein oder zwei Junge zur Welt.

Koboldmakis

(FAMILIE TARSIDAE)

Eine eigene Familie bilden die Koboldmakis mit nur einer Gattung *(Tarsus)*. Die 3 Arten leben auf den Philippinen, Borneo, Sumatra und Celebes. Da sie sowohl Merkmale der Halbaffen wie solche der echten Affen aufweisen, hat man sie sogar in eine eigene Teilordnung (TARSIIFORMES) gestellt. Die abgeflachten Gesichter, die runden Schädel und die Form der Augenhöhlen rücken sie in die Nähe der Affen.

Unten: *Die in Südostasien beheimateten Koboldmakis (Gattung* Tarsius) *sind Baumbewohner. Ihre verlängerten Finger und Zehen enden in scheibenförmig verbreiterten Beeren, mit deren Hilfe sie an jeder Oberfläche Halt finden.*

Neuweltaffen

(TEILORDNUNG PLATYRRHINA)
Die Affen (UNTERORDNUNG SIMIAE) werden in zwei Teilordnungen aufgegliedert: die Neuweltaffen oder Breitnasen leben in Mittel- und Südamerika, die Altweltaffen oder Schmalnasen sind in den wärmeren Regionen Afrikas und Asiens heimisch. Typisch für die Neuweltaffen ist eine breite Nasenscheidewand und entsprechend weit zur Seite verschobene Nasenlöcher; im Gegensatz dazu besitzen die Altweltaffen eine schmale Nasenscheidewand mit nach vorn gerichteten Nasenlöchern. Zu den Neuweltaffen gehören die Kapuzinerartigen, die Springtamarins und die Krallenaffen.

In der Familie der Kapuzinerartigen (CEBIDAE) finden sich die Springaffen oder Titis (Gattung *Callicebus*) und der Nachtaffe oder Mirikina (*Aotes trivirgatus*). Die Titis gehen bei Tage auf Jagd nach Insekten und kleinen Tieren, während der Nachtaffe, wie schon sein Name andeutet, nachts aktiv wird. Er besitzt große und runde gelbe Augen, mit deren Hilfe er Insekten und andere kleine Lebewesen sowie Früchte findet. Bei Tage rollt er sich zum Schlafen in einem Baum oder zwischen dichtem Laubwerk zusammen.

Ein typisches Merkmal der Kurzschwanzaffen oder Uakaris (Gattung *Cacajao*) ist der stark verkürzte Schwanz; bei allen anderen Neuweltaffen ist er dagegen recht lang. Au-ßerdem färbt sich bei den beiden rotgesichtigen Arten, dem Scharlachgesicht oder Kahlkopf-Uakari (*C. calvus*) und dem Roten oder Golduakari (*C. rubicundus*) das Gesicht noch intensiver, wenn die Tiere erregt sind. Die beiden anderen Arten, der Schwarzkopfuakari (*C. melanocephalus*) und der Schwarze Uakari (*C. roosevelti*) haben schwarze Gesichter. Alle Arten leben in kleinen Gruppen in den Baumkronen und ernähren sich von Früchten, Nüssen und Blättern; sie kommen nur selten auf den Boden herab.

Die Brüllaffen (Gattung *Alouatta*) leben fast in ganz Südamerika mit Ausnahme des Westens und des äußersten Südens sowie in Mittelamerika. Sie gehören zu den größten Neuweltaffen und besitzen lange Schwänze; die Unterseite der Schwanzspitze ist unbehaart und damit hervorragend zum Greifen geeignet. Ihr Kehlkopf ist so vergrößert, daß er als Resonanzkörper wirkt, und ihre lauten Stimmen, die oft im Chor erschallen, sind kilometerweit zu hören. Jeder Brüllaffentrupp hat sein eigenes Territorium, in dem sich die Tiere immer auf den gleichen Bahnen bewegen.

Besonders reizvolle Bewohner der tropischen Wälder Südamerikas sind die Totenkopfäffchen (*Saimiri sciureus*). Sie leben gesellig, zum Teil in kleinen Familieneinheiten, zum Teil aber auch in Trupps aus mehreren hundert Tieren, wandern durch die Bäume und suchen sich dabei ihre Nahrung aus Blüten und Früchten sowie Insekten und Fröschen; auch Vögel verschmähen sie nicht.

Die Klammeraffen (Gattung *Ateles*) besitzen schlanke Körper und lange Gliedmaßen, auf denen sie wie Spinnen auf Ästen oder dem Boden entlangwandern. Der sehr lange Greifschwanz hat die Funktion einer fünften Hand (Fünfhandaffen); gelegentlich hängt ein Klammeraffe nur am Schwanz und benutzt Hände und Füße zum Festhalten von Früchten,

Oben: Ein Klammeraffe demonstriert, wie geschickt er seinen Greifschwanz einsetzen kann.
Rechts: Das Lisztäffchen sträubt seine weiße Mähne, wenn es aufgeregt ist oder Artgenossen imponieren will.

Nüssen und Blättern. Nahe Verwandte sind die Wollaffen (Gattung *Lagothrix*); sie unterscheiden sich von den Klammeraffen durch ein dichteres, kürzeres Fell.

Der Spring- oder Goelditamarin *(Callimico goeldii)* ist der einzige Angehörige seiner Familie, die eine Mittelstellung zwischen den Kapuzinerartigen und den Krallenaffen einnimmt. Zu den Krallenaffen (FAMILIE CALLITHRICIDAE) gehören gut 30 Arten von kleinen Tieren mit schrillen Stimmen und schnellem, trippelndem Gang. Ihre langen, schlanken Hände und Füße tragen krallenartig verlängerte Nägel. Die an Eichhörnchen erinnernden Tiere liegen oft bäuchlings auf einem Ast und lassen Arme und Beine zu beiden Seiten herabhängen. Alle Arten besitzen lange, behaarte, zum Greifen ungeeignete Schwänze, und viele von ihnen tragen auffällige Schmuckelemente. Das Weißbüscheläffchen *(Callithrix jacchus)* besitzt weiße Ohrbüschel, das Schwarzpinseläffchen *(C. penicillata)* schwarze Ohrpinsel, während das Liszäffchen *(Oedipomidas oedipus)* mit einer mächtigen weißen Kopfmähne prunkt. Schmuckelemente dieser Art nehmen im sozialen Leben der Tiere wichtige Signalaufgaben wahr.

Ein Säugetier von leuchtender Farbe

Das zu den Neuweltaffen gehörende Goldgelbe Löwenäffchen *(Leontideus rosalia)* dürfte von allen Säugetieren die leuchtendste Fellfarbe aufzuweisen haben. Angeblich soll Madame de Pompadour die Besitzerin des ersten lebenden Exemplars in Europa gewesen sein. Warum es ein derartig auffällig gefärbtes Fell besitzt, ist nicht bekannt, aber da es immer bewundert und dementsprechend viele Tiere gefangen wurden, ist der Bestand inzwischen auf weniger als 500 Exemplare gesunken. Zur Gefährdung dieser Tiere hat natürlich auch beigetragen, daß ihre Habitate in den küstennahen Wäldern Südostbrasiliens in Plantagen- und Bauland umgewandelt wurden.

Wie die meisten Krallenaffen bringt auch das Goldgelbe Löwenäffchen nach einer langen Trächtigkeit von fast 5 Monaten gewöhnlich Zwillinge zur Welt; sie werden vom Vater getragen und gepflegt und nur zum Stillen von der Mutter übernommen. Neugeborene trägt der Vater wie einen Schal um den Hals, größere Jungtiere sitzen auf seinem Rücken.

Altweltaffen

(TEILORDNUNG CATARRHINA)

Zu den Altweltaffen gehören rund 60 Arten. Fast alle haben Schwänze, mit denen sie jedoch nicht greifen können. Entwicklungsmäßig stehen sie offenbar auf einer etwas höheren Stufe als die Neuweltaffen und sind vermutlich bis zu einem gewissen Grade zum Farbensehen imstande. Die meisten Arten sind Baumbewohner, nur die Paviane und die Makaken ziehen es vor, grasbewachsene oder felsige Lebensräume zu durchstreifen. Wie der Mensch besitzen sie 32 Zähne. Bei einigen Arten ist der Daumen sehr klein oder fehlt völlig; wo er jedoch vorhanden ist, steht er den Fingern gegenüber. Die zahlreichen Arten werden in zwei Überfamilien eingeteilt, die Hundsaffen (CERCOPITHECOIDEA) und die Menschenaffen (HOMINOIDEA). Zu den Hundsaffen gehören zwei Familien: die Meerkatzenartigen und die Schlankaffen.

Meerkatzenartige

(FAMILIE CERCOPITHECIDAE)

In dieser Familie finden sich unter anderem Makaken, Mangaben, Paviane und Meerkatzen. Allen gemeinsam sind längliche Schnauzen und relativ simpel gebaute Mägen. Die Makaken (Gattung *Macaca)* sind katzengroße Tiere mit stämmigen Körpern, kurzen Beinen und Backentaschen, in denen sie zeitweilig Nahrung speichern können. Besonders bekannt ist der Rhesusaffe *(Macaca mulatta),* der als Laboratoriumstier

eine wichtige Rolle spielt. Die relativ großen Tiere haben kurze Schwänze und ein gelblichbraunes Fell. Sie leben durchweg gesellig und ziehen in großen, lärmenden Trupps durch ihre Wohngebiete in Indien und Südostasien. Der einzige in Europa wild lebende Affe ist der Magot oder Berberaffe *(Macaca sylvana);* er ist in den Gebirgen von Marokko und Algerien beheimatet und auf dem Felsen von Gibraltar, wo er von Touristen bewundert und gefüttert wird.

Die Mangaben (Gattung *Cercocebus*) leben in den tropischen Wäldern Afrikas. Sie haben ein dunkles Fell, lange Schnauzen und große Backentaschen; ihre Körper sind schmal, die Schwänze relativ lang. Alle 4 Arten verständigen sich durch ihr Mienenspiel und durch Bewegen der weißen Augenlider. Die bekannteste Art ist die Halsbandmangabe *(Cercocebus torquatus)* mit einer Unterart, die nach der Scheitelplatte „Rotkopfmangabe" genannt wird.

Rhesusaffen spielen nicht nur in der Medizin, sondern auch in der Verhaltensforschung eine wichtige Rolle. An diesem Affenkind wurde untersucht, wie sich das Fehlen der Mutter auswirkt, indem man ihm zwei Formen von Mutterersatz anbot: die eine war warm, weich und damit tröstlich, die andere ein kaltes Drahtgestell, das jedoch Nahrung bot. Dabei stellte sich heraus, daß das Affenkind zuerst bei der fellbezogenen Attrappe Trost suchte; erst später, als es sich sicher fühlte, holte es sich von der nackten Attrappe seine Milch.

Die Paviane (Gattung *Papio*) sind große, hundeähnliche Tiere, die sich einem Leben auf dem Boden angepaßt haben. Allen 5 Arten gemeinsam sind vergrößerte und verlängerte Schnauzen mit massigen Zähnen. Die 4 Arten von Babuinen oder Steppenpavianen sehen einander sehr ähnlich und unterscheiden sich nur in bezug auf Größe und Fellfarbe. Beim Mantelpavian *(Papio hamadryas)* tragen ausgewachsene Männchen eine große silbergraue Mähne. Den Pavianen ähnelt der Dschelada *(Theropithecus gelada)*; er hat jedoch auch einige Merkmale mit Makaken und Meerkatzen gemeinsam.

Nahe Verwandte der Paviane sind die Backenfurchen- oder Stummelschwanzpaviane (Gattung *Mandrillus*). Der Mandrill *(M. sphinx)* und der Drill *(M. leucophaeus)* haben wie die eigentlichen Paviane lange Schnauzen mit großen Zähnen. Von allen Primaten ist der Mandrill wohl der auffälligste. Seine unbehaarten Körperteile sind greller gefärbt als die jedes anderen Säugetiers. Die lange Nase ist leuchtend rot, die stark gefurchten Backen dagegen intensiv blau. Das Fell an Kopf und Körper ist überwiegend braun, nur bei älteren Männchen sind Bart und Bauchfell gelblichweiß gefärbt. Das unbehaarte Gesäß ist gleichfalls auffallend rot und blau gezeichnet; stellenweise verschmelzen beide Farben zu einem zarten Blauviolett. Der Drill sieht dem Mandrill recht ähnlich, ist aber kleiner und weniger bunt gefärbt — bei ihm sind Gesicht und Gesäß schwarz. Beide Arten leben in den Wäldern im Westen Zentralafrikas und verbringen wie die Paviane sehr viel Zeit auf dem Boden. Sie ziehen in Gruppen umher und suchen nach eßbaren Pflanzen und Kleintieren.

Zu den Meerkatzen (Gattung *Cercopithecus*) zählen 15 Arten mit zahlreichen Unterarten, die sämtlich in Afrika leben. Ein typischer Vertreter dieser Gattung ist die Grüne Meerkatze *(C. aethiops)*. Sie ist ein anmutiges, etwa katzengroßes Tier mit einem schlanken Körper, langen Gliedmaßen und langem Schwanz und von allen Primaten in Afrika am häufigsten anzutreffen. Sie ist ein Bewohner der Savanne, und wer das Glück hat, an einer Safari teilzunehmen, kann kleinere oder größere Horden umherwandern sehen. Die kleinste Meerkatze und zudem der kleinste Altweltaffe ist die Zwergmeerkatze *(C. talapoin)*; mit einer Körperlänge von rund 35 Zentimetern ist sie nur etwa halb so groß wie die anderen Arten. Wie die Grüne Meerkatze ist sie grünlich gefärbt; Augenringe und Brust sind weiß.

Unten: Mit roter Nase und leuchtend blauen, gefurchten Wangen lenkt das prachtvolle Mandrill-Männchen die Aufmerksamkeit der Weibchen auf sich.

Schlank- und Stummelaffen

(FAMILIE COLOBIDAE)

Die zweite Familie der Hundsaffen bilden die 5 Gattungen von Schlankaffen in Südasien sowie eine Gattung von Stummelaffen in Afrika. Die Schlankaffen sind Bewohner tropischer Wälder. Ihr Fell ist in der Regel einfarbig, nur auf dem Scheitel sitzen oft andersfarbige Schmuckelemente. Der Kleideraffe *(Pygathrix nemaeus)* ist ein besonders auffälliges Tier — er hat einen braunen Kopf mit einem rotbraunen Streifen unterhalb der Ohren, ein gelbes Gesicht und einen weißen Bart.

Beim Brillenlangur *(Presbytis obscurus)* tragen die Jungen ein leuchtend orangegelbes Fell. Primatenforscher sind der Ansicht, daß diese

Rechts: *Ein südostasiatischer Brillenlangur hält Ausschau. Die Jungen dieser Art tragen ein leuchtend orangegelbes Fell; es dient vermutlich dazu, die Eltern ständig über den jeweiligen Aufenthaltsort ihres Kindes zu informieren.*
Unten: *Eine Gruppe von Stummelaffen in ihrem Revier im afrikanischen Regenwald.*

Fellfarbe den Eltern und den anderen Angehörigen einer Gruppe hilft, das Junge nicht aus den Augen zu verlieren. Mit zunehmendem Alter nimmt das Fell dann die für die Erwachsenen typische grauschwarze Farbe an.

Ein ganz merkwürdiges Geschöpf ist der Nasenaffe (Nasalis narvatus). Ausgewachsene Männchen besitzen eine gewaltige, bis zu 10 Zentimeter lang herabhängende Nase. Bei den Weibchen ist die Nase erheblich kleiner, und junge Tiere haben sogar recht hübsche Stupsnasen. Diese etwas gespenstisch wirkenden Affen leben in größeren Trupps in den Mangrovesümpfen Borneos und ernähren sich, wie alle Schlankaffen, überwiegend von Blättern.

Die afrikanischen Stummelaffen (Gattung Colobus) sind gleichfalls Waldbewohner. Die langhaarigen Tiere haben etwas gedrungenere Körper als die nahe mit ihnen verwandten Schlankaffen und ernähren sich gleichfalls von Blättern. Die Zoologen unterscheiden drei Formen: Grüne, Rote und Schwarzweiße Stummelaffen. Die Guezeras, wie die Schwarzweißen Stummelaffen auch genannt werden, besitzen ein besonders schön gezeichnetes, langes und seidiges Fell. Sie wurden deshalb, vor allem gegen Ende des 19. Jahrhunderts, zu Tausenden abgeschossen — damals war Affenfell der letzte Modeschrei. Da es seither jedoch weniger gefragt ist, konnten sich die Guezeras wieder vermehren.

Menschenartige

(ÜBERFAMILIE HOMINOIDEA)
Zu dieser Überfamilie gehören zwei Familien: die Gibbons oder Langarmaffen mit 7 Arten sowie die Menschenaffen mit 4 Arten; sie leben in den tropischen Wäldern Afrikas und Südostasiens und sind die nächsten Verwandten des Menschen. Alle Menschenartigen besitzen keinen Schwanz, dafür aber sehr lange Arme. Ihr Gehirn ist hochentwickelt — sie sind intelligenter als alle Lebewesen mit Ausnahme des Menschen.

Die Gibbons leben im Regenwald Sumatras und Südasiens. Die eigentlichen Gibbons (Gattung Hylobates) ähneln sich in Gestalt und Größe. Ihre Körper sind schlank, die Gliedmaßen sehr lang. Mit den Armen, die länger sind als die Beine, schwingen sich die Gibbons in den Bäumen geschickt von Ast zu Ast. Da ihre Daumen kaum zum Greifen geeignet sind, benutzen sie die schlanken Hände als Haken. Mit einem einzigen Schwung können sie Entfernungen bis zu 3 Metern zurücklegen und werden deshalb als Schwingkletterer (Brachiatoren) bezeichnet. Gelegentlich laufen sie auch auf den Beinen auf einem Ast oder dem Boden entlang und strecken dabei die überlangen Arme wie Balancierstangen zur Seite.

Gibbons leben in Familienverbänden, die aus einem Paar und seinen Nachkommen bestehen. Sie verteidigen ihr Revier gegenüber Artgenossen und anderen Eindringlingen mit lautem, von Art zu Art verschiedenem Gesang und Geheul. Tagsüber geht die Gruppe auf die Suche nach Früchten, Blättern und Knospen, Insekten und kleinen Wirbeltieren, Vögeln und Vogeleiern. Nachts schlafen die Tiere eng aneinandergedrängt im Sitzen auf einem Baum.

Der Siamang (Symphalangus syndactylus) ist der größte Gibbon und durch seinen nackten, rötlichbraunen Kehlsack zugleich der stimmgewaltigste. Wenn er ihn morgens und abends aufbläht, übertönt sein Gesang jedes andere Geräusch.

Rechts: *Ein Silbergibbon* (Hylobates moloch) *zeigt die Hände und Füße, die es diesem kleinen Affen erlauben, sich mit kaum vorstellbarer Geschwindigkeit von Ast zu Ast zu schwingen. Die verlängerten Finger und Zehen benutzt er als Haken.*

Der Orang-Utan *(Pongo pygmaeus)* lebt in den Tieflandwäldern Borneos und Sumatras. Da diese Wälder immer mehr schrumpfen, ist er vom Aussterben bedroht, zumal immer noch sehr viele Jungtiere von Wilderern eingefangen werden, die ihre Mütter trotz der von der indonesischen Regierung erlassenen Schutzgesetze erschießen.

Orang-Utans sind an ihrem langen, zottigen rötlichen Fell leicht zu erkennen. Bei den Männchen entwickeln sich in dem fast nackten Gesicht Backenwülste und ein mächtiger Kehlsack. Da ein Männchen bis zu 1,50 Meter hoch wird und bis zu 100 Kilogramm wiegen kann, nimmt es nicht wunder, daß es bei den Eingeborenen „Der Alte aus den Wäldern" heißt. Die Weibchen sind kleiner und wiegen selten mehr als 50 Kilogramm. Mit den Armen, die länger sind als die Beine, hangeln sich die Tiere langsam durch die Bäume, wobei ihnen die verlängerten Finger und Zehen sicheren Halt geben.

Gelegentlich sind in Zoologischen Gärten Orangbabies zu sehen, die in Gefangenschaft geboren wurden. Hin und wieder werden auch verwaiste Kinder aufgenommen, die bei Wilderern oder illegalen Händlern beschlagnahmt werden konnten.

Orangbabies werden nach einer Schwangerschaft von achteinhalb Monaten geboren und 18 Monate von der Mutter gestillt. Im Alter von 4 Jahren macht sich ein junger Orang-Utan selbständig und ist mit etwa 10 Jahren geschlechtsreif.

Von allen Menschenaffen ist der Schimpanse wohl der beliebteste, weil er am menschenähnlichsten ist und die Jungen so übermütige, verspielte Geschöpfe sind. Der Schimpanse *(Pan troglodytes)* lebt in den Wäldern im Westen Zentralafrikas. Eine kleinere Art, der Bonobo oder Zwergschimpanse *(Pan paniscus)* ist südlich des Kongo beheimatet.

Der Schimpanse

Der Schimpanse ist leichter als der Orang-Utan. Sein Kopf ist kleiner, Arme und Beine kürzer; das nackte Gesicht hat bei Jungtieren die gleiche Farbe wie das des Menschen, dunkelt aber mit zunehmendem Alter nach. Das Fell, aus dem die fleischfarbenen Ohren herausragen, ist dunkelbraun bis schwarz. Zwar klettern Schimpansen gern auf Bäumen herum und schlafen gewöhnlich auch in einem Nest aus ineinander verflochtenen Ästen und Blättern, aber sie verbringen auch viel Zeit auf dem Boden. Kleine Familientrupps durchstreifen auf der Suche nach Nahrung die Wälder. Dabei laufen sie auf allen Vieren, wobei die Fußsohlen und die Fingerknöchel den Boden berühren. Gelegentlich richten sie sich auch auf oder laufen nur auf den Beinen; dann hängen die Arme seitlich herab oder werden sogar des besseren Gleichgewichts wegen über den Kopf erhoben.

Das Gemeinschaftsleben der Schimpansen ist relativ hoch entwickelt. Sie verständigen sich durch Gesten und Grimassen und geben ihren Gefühlen durch eine breite Skala von Lauten Ausdruck. Daß sie äußerst intelligente Tiere sind, steht außer Frage. Forschungen an freilebenden und in Gefangenschaft gehaltenen Tieren haben bewiesen, daß sie ein ausgezeichnetes Lernvermögen besitzen.

Der große, aber sanftmütige Gorilla

Der Gorilla *(Gorilla gorilla)* ist der größte Menschenaffe. Er war früher von einer Vielzahl abenteuerlicher Legenden umgeben. Die ersten Erforscher seiner Heimat in den Wäldern im Westen von Zentralafrika berichteten von riesigen, behaarten „Menschen". Erst um die Mitte des 19. Jahrhunderts erfuhr man nähere Einzelheiten über dieses Tier, doch seit Forscher das Verhalten freilebender Gorillas in ihren schwer zugänglichen Lebensräumen studiert haben, wissen wir eine ganze Menge über ihr Verhalten.

Allen Berichten über seine Wildheit zum Trotz ist der Gorilla ein relativ scheues, sanftmütiges und friedliches Tier. Er wird nur aggressiv, wenn er sich belästigt fühlt; dann trommelt er sich allerdings auf echte „King-Kong-Manier" gegen die Brust, um den Feind auf den bevorstehenden Angriff hinzuweisen.

Ein durchschnittlicher Gorillamann wird knapp 2 Meter hoch und erreicht ein Gewicht bis zu 275 Kilogramm. Auf seinem Schädel sitzt ein großer Knochenkamm. Die Brust ist sehr breit, und da der Hals nur kurz ist, scheint der Kopf direkt auf dem Brustkorb zu sitzen. Bei älteren Männern färbt sich das Fell auf Schultern und Rücken gewöhnlich silbergrau; sie werden deshalb auch „Silberrücken" genannt. Die Frauen sind kleiner und leichter als die Männer. Eine Familiengruppe verbringt ihre Tage, indem sie durch das dichte Unterholz zieht und nach saftigen Blättern und reifen Früchten sucht. Obwohl sie große Eckzähne besitzen, ernähren sich die Gorillas ausschließlich von pflanzlicher Kost. Bei Einbruch der Nacht klettern sie auf die Bäume und bauen sich Nester aus Zweigen und Blättern. Die jüngsten Tiere schlafen am weitesten oben, nicht nur, weil sie am leichtesten sind, sondern auch, weil sie auf diese Weise besser vor Leoparden, den einzigen Feinden der Gorillas, geschützt sind. Auf dem Boden schläft nur der dominierende Mann, der zum Klettern zu schwer ist.

Nach einer Schwangerschaft von 8 bis 9 Monaten wird ein Junges geboren, das die Mutter ähnlich wie der Mensch zum Stillen in den Arm nimmt. Es kann nach ungefähr 10 Monaten laufen. Die Frauen sind gewöhnlich im Alter von 7 bis 8 Jahren geschlechtsreif, bei den Männern dauert es ein Jahr länger. In Gefangenschaft lebende Gorillas haben bisher ein Höchstalter von 34 Jahren erreicht; man nimmt an, daß freilebende Exemplare bis zu 50 Jahre alt werden können.

Rechts: *Ein Silberrücken-Mann vergewissert sich, daß Mutter und Kind ungefährdet weiterziehen können.*

Oben: *Ein „Silberrücken" ist ein ausgewachsener Mann, der gewöhnlich* eine dominierende Rolle spielt und seine Familie beschützt.

Oben: *Während sie sich an zarten Blättern und Sprossen gütlich tun, sind alle Angehörigen einer Gorillafamilie vor* Feinden auf der Hut. Trotz ihrer großen Eckzähne sind sie ausschließlich Pflanzenfresser.

Waltiere

(ORDNUNG CETACEA)

Die Waltiere, zu denen neben den Walen auch Delphine und Tümmler gehören, bilden eine Ordnung, die bereits vor einigen Zehnmillionen Jahren das Leben auf dem Land gegen eines im Wasser eingetauscht hat. Obwohl sie äußerlich den Fischen ähnlicher sehen als den anderen Säugern, sind sie wie diese Warmblüter, die lebende Junge gebären und mit Muttermilch aufziehen. Den dichten Pelz, mit dessen Hilfe die meisten Säugetiere ihre Körperwärme halten, haben die Wale eingebüßt; nur junge Tiere besitzen ein paar um den Mund herum angeordnete Borsten. Dennoch ist dafür gesorgt, daß die gut 90 Walarten ihre Körperwärme halten können, weil sie sich anstelle des Pelzes eine dicke, wärmedämmende Speckschicht unter der Haut zugelegt haben; diese Speckschicht verleiht ihnen überdies die Stromlinienform,

die sie mit dem geringsten Widerstand durchs Wasser gleiten läßt.

Da Wale, Delphine und Tümmler ausschließlich im Wasser leben, sind sie einer solchen Daseinsform besser angepaßt als die Robben. Ihre Vordergliedmaßen sind verkürzt und zu breiten Flossen umgebildet, die Hintergliedmaßen bis auf einen Beckenrest vollständig verschwunden. Das auffälligste Merkmal, das die Wale äußerlich von den Fischen unterscheidet, ist die große Schwanzflosse, die bei den Walen waagerecht, bei den Fischen dagegen aufrecht steht. Beim Schwimmen wird der Schwanz der Wale dementsprechend auf und ab bewegt, nicht seitwärts wie bei den Fischen. Wie alle Säugetiere atmen auch die Wale mit Lungen, und obwohl sie imstande sind, geraume Zeit unter Wasser zuzubringen, müssen sie immer wieder an die Oberfläche kommen, um frische Luft ein- und verbrauchte auszuatmen. Dieses Ausstoßen von Luft, das durch die auf dem Kopf liegenden Nasenlöcher erfolgt, wird als „Blasen" bezeich-

Oben: *Ein Schwertwal taucht auf, um zu atmen. Seine Nahrung besteht aus Robben, Pinguinen und Delphinen, die er mit seinen scharfen Zähnen zerreißt.*

net. Durch die plötzliche Ausdehnung kühlt die feuchte Luft so stark ab, daß der in ihr enthaltene Wasserdampf kondensiert und als eine Art Nebel sichtbar wird. Diese Blaswolke hat bei jeder Art eine andere Form, so daß man schon von fern erkennen kann, um welche es sich handelt.

Zahnwale

(UNTERORDNUNG ODONTOCETI)

Bei den in allen Weltmeeren anzutreffenden Walen unterscheidet man zwei Gruppen, die Zahn- und die Bartenwale. Wie ihr Name andeutet, besitzen die ersteren Zähne, und zwar in sehr unterschiedlichen Mengen; sie sind durchweg recht einfach gebaut. Zu den Zahnwalen gehören Pottwal, Narwal und Schwertwal sowie Delphine und Tümmler.

Beim Pottwal *(Physeter catodon)* kann ein Bulle bis zu 20 Meter lang werden. Wenn er angegriffen wird, kann er sehr gefährlich werden; in früheren Zeiten, als er von kleinen Booten aus mit der Harpune gejagt wurde, landeten die Walfänger oft im Wasser, wenn er das Boot mit peitschenden Schwanzschlägen zertrümmerte oder zum Kentern brachte. Moby Dick, der weiße Wal in Melvilles berühmtem Roman, war ein Pottwal.

Der schwarzweiße Schwertwal (*Orcinus orca*) ist ein berüchtigter Jäger, dem Robben, Delphine, Pinguine und andere Seevögel ebenso zur Nahrung dienen wie zahllose Fische. Wie groß sein Appetit ist, stellte sich an einem im Beringmeer gefangenen Exemplar heraus, das nicht weniger als 32 ausgewachsene Robben im Magen hatte. Die Schwertwale jagen oft in Herden von 30 bis 40 Tieren und fallen sogar über den riesigen Blauwal her; sie reißen Stücke aus ihm heraus, bis er an Blutverlust stirbt und sie ihn in aller Ruhe verschlingen können.

Eine Reihe von kleineren Zahnwalen, vor allem Arten mit schnabelartigen Schnauzen, werden als Tümmler oder Delphine bezeichnet. Man sieht sie oft, wenn sie in Trupps, sogenannten „Schulen", ein Schiff kilometerweit begleiten und ihre Kunststücke vollführen. Vor allem der Große Tümmler (*Tursiops truncatus*) ist in der letzten Zeit immer häufiger in Delphinarien anzutreffen. Alle Delphine sind bemerkenswert intelligente, ständig zu spielerischer Bewegung aufgelegte Tiere.

Bartenwale

(UNTERORDNUNG MYSTACOCETI)
Anstelle von Zähnen besitzen die Bartenwale beiderseits der Zunge vom Gaumen herabhängende Hornplatten, sogenannte „Barten". Diese Wale, zu denen auch der Blauwal, das größte der heute lebenden Säugetiere gehört, finden ihre Nahrung, indem sie eine große Menge Wasser mit allen darin schwimmenden Tierchen in den Mund nehmen und das Wasser dann so wieder herausdrücken, daß die Barten als Sieb wirken. Die Nahrung bleibt in den Barten hängen und wird dann verschluckt. Die frühen Walfänger stellten fest, daß diese Wale besonders leicht zu fangen waren, weil sie sich nur langsam bewegen und oft an der Wasseroberfläche treiben, wenn sie tot sind. Außerdem brachten die Barten, das „Fischbein", sehr viel Geld ein.

Der Blauwal (*Balaenopterus musculus*) gehört zur Gattung der Finnwale; er kann bis zu 30 Meter lang und 130 000 Kilogramm schwer werden. Zur gleichen Gattung gehört der Seiwal (*B. borealis*); der Buckelwal (*Megaptera novaeangliae*) ist ein naher Verwandter.

Unten: *In vielen Delphinarien gibt der Große Tümmler von allen Zuschauern bewunderte Vorstellungen.*
Ganz unten: *Verspielt und ohne Scheu umspringen Tümmler das Boot des Photographen. Sie erzeugen Ultraschallgeräusche und orientieren sich an ihrem Echo.*

Oben: *Ein Großer Ameisenbär durchstreift die südamerikanische Pampas
auf der Suche nach einem Termiten-
hügel, den er dann mit den scharfen,
beim Gehen eingeschlagenen Pfoten
aufreißt. Mit Hilfe der klebrigen Zunge,
die er aus seiner langen Schnauze herausstreckt, fängt er zahllose Insekten.
Links: Die umgekehrte Welt eines
Zweifinger-Faultiers. Die Faultiere hängen mit dem Bauch nach oben an den
Ästen. Ihr Haarstrich, der von Armen
und Bauch zum Rücken läuft und auf
diese Weise das Regenwasser ungehin-
dert abfließen läßt, hat sich dieser Lebensweise angepaßt.*

Nebengelenktiere

(ORDNUNG XENARTHRA)

Früher wurden die zu dieser Ordnung gehörenden Gürteltiere, Faultiere und Ameisenbären auch Zahn-
lose (EDENTATA) genannt. Dieser Name ist irreführend, denn nur die
Ameisenbären sind völlig zahnlos,
während das Riesengürteltier von allen Säugetieren, die Wale ausgenommen, sogar die meisten Zähne besitzt. Auf den ersten Blick scheinen
diese Tiere kaum etwas miteinander

gemein zu haben. Fossilfunde lassen jedoch deutlich erkennen, daß sie die letzten Überlebenden der großen Gruppe der Nebengelenktiere sind. Diese entwickelten sich in Südamerika, und dort sind auch alle überlebenden Angehörigen dieser Gruppe beheimatet.

Ameisenbären

(FAMILIE MYRMECOPHAGIDAE)
Von allen Säugetieren sind die Ameisenbären am stärksten auf eine bestimmte Nahrung spezialisiert. Die 3 Arten leben in Mittelamerika und im nördlichen Teil von Südamerika. Der vordere Teil ihres Schädels ist zu einer langen Röhre mit einer Mundöffnung an der Spitze ausgezogen, die so winzig ist, daß die Tiere gerade ihre rund 50 Zentimeter lange, klebrige und wurmförmige Zunge herausstrecken können. Mit dieser Zunge holen sie wie mit einer Leimrute Ameisen und Termiten aus ihrem Bau. An den Vorderbeinen sitzen scharfe Krallen, die gelegentlich zur Verteidigung eingesetzt werden, zumeist aber zum Aufreißen von Termitenbauten Verwendung finden.

Der Große Ameisenbär *(Myrmecophaga tridactyla)* hält sich am liebsten in lichten Wäldern und auf der Savanne auf. Mit einer Länge von fast 2 Metern — gemessen von der Spitze der langausgezogenen Schnauze bis zum Ende des langen, buschigen Schwanzes — ist er ein unübersehbares Tier. Eine keilförmige schwarzweiße Zeichnung auf Hals und Schultern löst den Umriß des im übrigen graubraun gefärbten Körpers auf und hilft den Tieren, mit ihrer Umgebung zu verschmelzen.

Der Tamandua *(Tamandua tetradactyla)* ist nur etwa halb so groß wie der Große Ameisenbär; er bevorzugt dichtere Wälder und hält sich auch häufig auf Bäumen auf, wobei ihm sein Greifschwanz zugute kommt. In der Nacht geht er auf die Suche nach Ameisen und Termiten und reißt ihre Baumnester auf. Der Zwergameisenbär *(Cyclopes didactylus),* ein reiner Baumbewohner, ist kaum größer als ein Eichhörnchen.

Faultiere

(FAMILIE BRADYPODIDAE)
Die 5 Arten von Faultieren sind Baumbewohner, die sich langsam mit dem Bauch nach oben durch die tropischen Wälder hangeln, wobei ihnen die sichelförmigen Krallen an den Zehen festen Halt geben. Es gibt 2 Gattungen, die sich hinsichtlich der Anzahl ihrer Finger unterscheiden. Darüber hinaus sehen sich die Zweifinger-Faultiere (Gattung *Choloepus)* und die Dreifinger-Faultiere (Gattung *Bradypus)* sehr ähnlich.

Die Dreifinger-Faultiere sind in ihrer Ernährung sehr heikel: sie haben sich auf die Blätter und Knospen der zu den Maulbeerbaumgewächsen gehörenden Ameisenbäume (Gattung *Cecropia)* spezialisiert. Die Zweifinger-Faultiere sind weniger einseitig und nehmen sehr verschiedenartige pflanzliche Nahrung zu sich. Das einzige Junge sitzt im Brustfell der Mutter und wird lange Zeit von ihr herumgetragen.

Gürteltiere

(FAMILIE DASYPODIDAE)
Das größte der knapp 20 Arten von Gürteltieren ist das Riesengürteltier *(Priodontes giganteus).* Es wird rund einen Meter lang und bis zu 50 Kilogramm schwer. Die kleinste Art, der Gürtelmull, auch Gürtelmaus oder Schildwurf genannt *(Chlamyphorus truncatus)* ist nur 12 bis 15 Zentimeter lang und verbringt die meiste Zeit unter der Erde; Augen und Ohren ähneln denen des Maulwurfs.

Mit Ausnahme der höheren Lagen der Anden und des unwirtlichen, kalten Südens sind die Gürteltiere über ganz Südamerika verbreitet. Obwohl ihr Körper mit einem Hautknochenpanzer bedeckt ist, sind sie recht beweglich, da der Panzer durch mehrere Hautfalten gürtelartig unterbrochen ist. Alle Arten besitzen kräftige Krallen, mit denen sie Insekten und andere kleine Tiere aus der Erde holen, einen Bau anlegen und sich blitzschnell eingraben können. Auch ihr Panzer bietet ihnen gegenüber Feinden einen guten Schutz, und die Kugelgürteltiere (Gattung *Tolypeutes)* können ihre Weichteile schützen, indem sie sich zu einer festen Kugel zusammenrollen.

Unten: Beim Neunbinden-Gürteltier (Dasypus novemcinctus) ist wie bei den anderen Arten der Knochenpanzer durch Hautfalten unterbrochen. Wenn Gefahr droht, gräbt es sich blitzschnell ein. Die Kugelgürteltiere können sich überdies in einen fast unangreifbaren gepanzerten Ball verwandeln.

Raubtiere

(ORDNUNG CARNIVORA)

Im Grunde sind alle Säugetiere, die sich — wie zum Beispiel die Insektenfresser und die Fledermäuse — von anderen lebenden Tieren ernähren, sogenannte Carnivoren (Fleischfresser) oder Raubtiere. Dennoch meinen die Zoologen, wenn sie von Raubtieren sprechen, nur die Angehörigen der Ordnung Carnivora. Sie werden in zwei Unterordnungen aufgegliedert:

Zu den Landraubtieren (FISSIPEDIA) gehören die Überfamilien der Marder- und Bärenartigen (ARCTOIDEA) mit Mardern, Kleinbären, Pandas und Großbären; Schleichkatzen- und Hyänenartige (HERPESTOIDEA) mit Schleichkatzen, Erdwölfen und Hyänen; und Hunde- und Katzenartige (CYNOFELOIDEA) mit Hunden und Katzen. Die zweite Unterordnung bilden die Wasserraubtiere oder Robben (PINNIPEDIA) mit zwei Überfamilien, den Ohrenrobbenartigen (OTARIOIDEA) mit den Familien der Ohrenrobben und Walrosse sowie den Hundsrobbenartigen (PHOCOIDEA) mit der Familie der Hundsrobben.

Katzen

(FAMILIE FELIDAE)

Kennzeichnend für die Katzen sind in der Regel schlanke Körper, ein langer Schwanz und spitze, gekrümmte Krallen, die in schützenden Krallenscheiden ruhen und beim Laufen nicht mit dem Boden in Berührung kommen. Damit ist dafür gesorgt, daß sie sich nicht abnützen und immer als scharfe Angriffs- und Verteidigungswaffen sowie als Werkzeug beim Erklettern von Bäumen verfügbar sind. Außerdem werden sie durch Abschaben der äußeren Hornschicht an der Rinde von Bäumen ständig frisch geschärft. Die Schädel

Links oben: *Porträt eines Löwen.*
Links: *Eine Löwenmutter läßt ihre Jungen an einem frisch geschlagenen Zebra fressen. Die Jungen tragen noch das gefleckte Fell, mit dem sie beim Ruhen in hohem Gras oder Unterholz hervorragend getarnt sind.*

der Katzen sind kurz und rundlich; Auge und Gehör sind besonders gut ausgebildet — ein wichtiger Faktor beim Aufspüren und Fangen von Beutetieren. Zur Familie der Katzen gehören rund 120 Arten, die mit Ausnahme von Australien und der Antarktis über die ganze Welt verbreitet sind.

Löwe, Tiger, Jaguar, Leopard und Schneeleopard werden gewöhnlich in der Gattungsgruppe ,,Großkatzen'' zusammengefaßt. Der Löwe *(Panthera leo)* war früher fast über die gesamte Alte Welt verbreitet; heute leben nur noch kleine Bestände in Afrika südlich der Sahara sowie ein paar Tiere im Girforst in Nordwestindien. Unter den Katzen sind die Löwen die einzigen wirklich gesellig lebenden Tiere; sie leben gewöhnlich in Rudeln, die aus einem oder mehreren ausgewachsenen Männchen, zahlreichen Weibchen und ihren Nachkommen bestehen. Auffallend ist die große Mähne der Männchen, die Kopf, Hals und Schultern bedeckt und sich gelegentlich bis in die Bauchregion erstreckt. Ein ausgewachsener Löwe kann, von der Nasenspitze bis zum Ende des Schwanzes gemessen, eine Länge von fast 3 Metern erreichen. Die Weibchen sind mähnenlos und kleiner als die Männchen. Das Fell der Jungen ist gewöhnlich gefleckt und damit in den ersten Lebensmonaten besonders gut getarnt; bei weiblichen Tieren bleiben die Flecken an den Beinen und am Bauch oft erhalten.

Die Hauptbeute der Löwen besteht aus Antilopen und Zebras, aber gelegentlich greifen sie auch junge und schwache Giraffen und Büffel an, nie jedoch Elefanten, Flußpferde oder Nashörner. Die Löwen töten schnell und lautlos; häufig wird die Beute von den Weibchen geschlagen. Die Tiere liegen auf der Lauer, oft an einer Wasserstelle, und wenn sich eine Herde nähert, um zu trinken, greifen sie ohne Vorwarnung mit einem kurzen Spurt und einem gewaltigen Sprung an.

Der Tiger *(Panthera tigris)* bewohnt mit mehreren Unterarten die Wälder Asiens, Sumatras und Javas, aber seine Bestände verringern sich rasch, und es steht zu befürchten, daß es noch in unserem Jahrhundert keine wildlebenden Tiger mehr geben wird. Ihr Körperbau ist dem der Löwen ähnlich; Unterarten wie der Sibirische Tiger *(P. tigris altaica)* sind jedoch noch größer. Das Fell ist rötlichgelb bis rostbraun mit schwärzlichen Querstreifen, nur Bauch und Kinn sind weiß.

In der Regel leben und jagen Tiger allein; nach der Paarung gehen Männchen und Weibchen wieder ihre eigenen Wege. Tiger schleichen sich lautlos an ihre Beute — eine Antilope, ein Schwein oder einen Hirsch — an und bewältigen dann die letzten paar Meter im Sprung. Nach einer Tragzeit von 95 bis 112 Tagen werden 2 bis 4 Junge geboren. Sie werden ausschließlich von der Mutter aufgezogen, die sie auch in der Kunst des Jagens unterrichtet.

Jaguar und Leopard sehen sich ziemlich ähnlich. Der Jaguar *(Panthera onca)* lebt in den Wäldern im Süden der USA sowie in Mittel- und Südamerika, während der Leopard *(P. pardus)* über weite Teile Asiens und Afrikas verbreitet ist. Der Jaguar ist etwas größer als der Leopard, beide sind jedoch kleiner als Löwen und Tiger. Das Fell beider Arten ist gefleckt; bei näherem Hinsehen erkennt man jedoch, daß die Flecken unterschiedlich angeordnet sind. Beim Jaguar liegt innerhalb einer Rosette aus dunklen Tupfen in der Regel ein weiterer Fleck, beim Leoparden dagegen nicht.

Unten: *Ein fauchender Tiger zeigt seine großen, scharfen Eckzähne, die er in den Nacken oder die Kehle eines Hirsches oder einer Antilope schlägt.*

Leoparden ernähren sich in erster Linie von kleineren Antilopen, Schakalen, Affen und Vögeln, von denen sie gewöhnlich zuerst die Gliedmaßen und die inneren Organe fressen. Häufig schleppen sie ihre Beute auf einen Baum, wo sie vor Hyänen und Schakalen sicher ist und sie in Ruhe fressen können. Die Hauptbeute des Jaguars sind Nagetiere, Pekaris, Hirsche und häufig auch Haustiere.

Der Schneeleopard oder Irbis *(Uncia uncia)* lebt in den hohen Gebirgslagen des Altai und des Himalaja. Er steht als bedrohte Art unter Naturschutz; dennoch wird das sehr selten gewordene Tier auch heute noch wegen seines weichen, dichten Fells verfolgt.

Kleinkatzen

Die größte Art innerhalb der Gattungsgruppe der Kleinkatzen ist der Puma *(Puma concolor).* Er ist etwas kleiner als der Leopard und bewohnte früher die Berge, Ebenen, Wälder und Wüsten Amerikas von Kanada bis Patagonien. Auch seine Bestände sind beängstigend geschrumpft, weil er von den Menschen unbarmherzig verfolgt wurde. In den meisten Gegenden hat er sich in dünn besiedelte, schwer zugängliche Regionen zurückgezogen.

Weitere Kleinkatzen sind der in Europa und Asien heimische Nordluchs *(Lynx lynx),* der amerikanische Rotluchs *(L. rufus),* der Ozelot *(Leopardus pardalus),* der in den Wäldern Mittel- und Südamerikas lebt, und der afrikanische Serval *(Leptailurus serval).* Typisch für die Luchse sind kurze Schwänze, lange Beine und lange Ohrpinsel.

Eine Reihe von Arten besitzt ein einfarbiges Fell, aber eine auffallende Gesichtszeichnung. Dazu gehören die Asiatische Goldkatze *(Profelis temmincki)* und die Afrikanische Goldkatze *(P. aurata).* Ihre Beute besteht aus Kleinsäugern wie zum Beispiel Nagetieren sowie Vögeln.

Das schnellste Landsäugetier

Von allen vierfüßigen, auf dem Land lebenden Säugetieren ist der Gepard *(Acinonyx jubatus)* das schnellste. Er nimmt innerhalb der Katzen eine Sonderstellung ein und bildet deshalb eine eigene Unterfamilie (ACINONYCHINAE). Der Gepard hat sehr lange Laufbeine mit nicht einziehbaren Krallen. Er schleicht sich an seine Beute an und jagt dann in einem Spurt, bei dem er eine Geschwindigkeit bis zu 100 Stundenkilometern erreichen kann, auf sie zu. Wenn das verfolgte Tier jedoch imstande ist, ihm auf einer Strecke von etwa 500 Metern zu entkommen, muß der Gepard erschöpft aufgeben — seine Spurtgeschwindigkeit hält er nur ganze kurze Zeit durch.

Junge Geparden tragen bis zum Alter von etwa 10 Wochen eine silbrige Rückenmähne; ein Wurf besteht gewöhnlich aus 2 bis 5 Jungen.

Oben: *Eine Europäische Wildkatze faucht aus ihrem verschneiten Versteck heraus. Die Tiere leben auch bei uns noch in manchen Gebirgsgegenden und ernähren sich von Vögeln und Kleinsäugern.*

Die Wildkatze *(Felis silvestris)* ist mit mehreren Unterarten über Afrika und Teile Europas und Asiens verbreitet. Die Mitteleuropäische Wildkatze *(F. silvestris silvestris)* ähnelt einer getigerten Hauskatze, besitzt aber einen sehr dicken, behaarten Schwanz mit stumpfem Ende und lange weiße Schnurrhaare. Unsere Hauskatze stammt vermutlich von der ägyptischen Falbkatze *(F. silvestris lybica)* ab, die bereits von den alten Ägyptern verehrt wurde. Durch Mutationen und Züchtung sind seither zahlreiche Rassen entstanden.

Hyänen

(FAMILIE HYAENIDAE)

Bei den Hyänen sind die Vorderbeine länger als die Hinterbeine, sodaß der Rücken zum Schwanz hin abfällt, was ihnen einen eigentümlich schleichenden Gang verleiht. Die 3 Arten — Tüpfelhyäne *(Crocuta crocuta)*, Streifenhyäne *(Hyaena hyaena)* und Schabrackenhyäne *(H. brunnea)* —

Rechts: *Ein Rudel Hyänen — die sich am Tage von Aas ernähren, nachts aber selbst auf Jagd gehen — wird von einem Geier und einem Marabu belauert, die hoffen, daß von dem jungen Gnu noch etwas für sie übrigbleibt.*

leben in den offenen Landschaften Afrikas sowie West- und Südasiens.

Früher war man der Ansicht, die Hyänen ernährten sich ausschließlich von Aas. Inzwischen hat sich jedoch herausgestellt, daß sie selbst tüchtige Jäger sind, die nachts in großen Rudeln Beutetieren wie Antilopen und Zebras nachstellen und sie reißen.

Eine eigene Familie (PROTELIDAE) bildet der mit den Hyänen und den Schleichkatzen nahe Verwandte Erdwolf *(Proteles cristatus)*. Er ernährt sich hauptsächlich von Termiten und anderen Insekten. Im Aussehen erinnert er an eine kleine Streifenhyäne; er besitzt eine Rückenmähne und einen buschigen Schwanz.

Unten: *Ein amerikanischer Rotluchs holt sich einen Lachs aus einem seichten Gewässer. Er ist ein Einzelgänger, der nur zur Paarungszeit kurz mit einem Weibchen zusammenlebt. Im Schwimmen und Klettern ist er gleichermaßen geschickt und beim Kampf weiß er Zähne und Krallen zu gebrauchen.*

Schleichkatzen

(FAMILIE VIVERRIDAE)

Mit rund 80 Arten bilden die Schleichkatzen eine relativ große Familie, der unter anderem Zibetkatzen, Ginsterkatzen und Mangusten angehören. Die meisten von ihnen haben kleine Köpfe mit spitzen Schnauzen, schlanke Körper und lange Schwänze. Nahe dem After gelegene Duftdrüsen spielen eine wich-

tige Rolle; sie dienen zum Abgrenzen der Reviere und zur Kommunikation mit Artgenossen, aber auch zum Anlocken eines Partners.

Von den Ginsterkatzen leben 8 Arten in Afrika; nur eine Art, die Kleinfleck-Ginsterkatze *(Genetta genetta),* ist auch in Palästina und Südeuropa anzutreffen. Der längliche Kopf ähnelt dem eines Fuchses, der Körper dem eines Wiesels, während Beine, Füße, Krallen und Schwanz eher an eine Katze erinnern. Die Ginsterkatzen gehen nachts auf die Jagd nach kleinen Nagetieren und Vögeln, die wie zum Beispiel die Perlhühner am Boden nisten. Obwohl sie durch ihr geflecktes Fell gut getarnt sind, verbringen sie den größten Teil des Tages schlafend an einem geschützten Ort.

Die Zibetkatzen sehen den Ginsterkatzen sehr ähnlich, haben aber längere Beine und verbringen mehr

Zeit auf dem Boden. Die Afrika-Zibetkatze oder Zivette *(Viverra civetta)* ist mit einer Körperlänge von etwa 70 Zentimetern ein relativ großes Tier. Mit ihrer spitzen Schnauze erinnert sie an eine übergroße getigerte Hauskatze. Bei Gefahr sträubt sie ihre schwarze Rückenmähne. Auch sie geht nachts auf Jagd; die Tage verschläft sie in einer Höhle. Die überwiegend in Afrika beheimateten Palmenroller, Musangs oder Rollmarder (Gattung *Paradoxurus)*

sind etwas kleiner als die Zibetkatzen und Allesfresser.

Ein naher Verwandter ist der Binturong *(Arctitis binturong).* Er ist ein Baumbewohner, dessen Körperform der der Zibetkatzen ähnelt; sein Fell ist jedoch sehr lang und zottig mit Haarpinseln hinter den Ohren. Unter den Schleichkatzen ist er die größte und merkwürdigste Art; er ernährt sich fast nur von Pflanzen.

Eine Unterfamilie mit etwa 30 Arten bilden die Mangusten, Mungos

oder Ichneumons. Die wieselähnlichen Tiere leben in den warmen Regionen der Alten Welt und ernähren sich von Kleinsäugern, Insekten, Fischen und Küken. Viele von ihnen fressen besonders gern Vogeleier; sie nehmen sie zwischen die Vorderpfoten und zerschlagen die Schale auf dem Boden. Alle Mangusten sind sehr behende. Die berühmteste Art ist der Indische Mungo *(Herpestes edwardsi),* der sogar eine Kobra töten und fressen kann.

Die gefleckten Katzen und der Pelzhandel

Die beliebten und bekannten gefleckten und gestreiften Großkatzen sind fast ausnahmslos vom Aussterben bedroht — einzig und allein aus dem Grund, weil sich viele Leute reicher und schöner vorkommen, wenn sie vor anderen mit der Haut toter Katzen prunken können. Die in den meisten Großstädten erhältlichen teuren Pelzmäntel haben Tausenden von Katzen das Leben gekostet — Tigern, Ja-

guaren, Ozelots, Geparden, Leoparden, Schneeleoparden und Nebelpardern. Zwar haben viele Länder strenge Gesetze gegen den Handel mit den Fellen der gefleckten Katzen erlassen, die zu einigen Hoffnungen für diese herrlichen Tiere berechtigen; aber solange eine Nachfrage nach ihrem Fell besteht, sind Wilderer und illegale Händler am Werk. So hat in Südamerika beispielsweise die brasilianische Regierung den Jaguar unter Naturschutz gestellt und den Handel mit seinen Fellen verboten. Dennoch kann man in verschiedenen am Amazonas gelegenen Ortschaften nach wie vor

Jaguarfelle von Wilderern kaufen.

Es steht zu befürchten, daß es gegen Ende unseres Jahrhunderts in Afrika keine Geparden mehr geben wird. Sie benötigen einen relativ großen Lebensraum in der Savanne, und das Anlegen weiträumiger Reservate kostet sehr viel Geld. Selbst in den bereits bestehenden Naturparks muß der Gepard nicht nur Wilderern entfliehen, sondern auch mit anderen Raubtieren konkurrieren. So leben zum Beispiel in der Serengeti ungefähr 150 Geparden, die ihren Lebensraum mit 600 Leoparden, 2000 Löwen und 3000 Hyänen teilen müssen.

Marder

(FAMILIE MUSTELIDAE)

Mit etwa 70 Arten bilden die über die Alte und die Neue Welt verbreiteten Marder eine große Familie von Tieren, die ihren ausgestorbenen Vorfahren in mancher Hinsicht noch recht ähnlich sind. Wiesel, Dachse, Skunks und Otter sind durchweg relativ kleine Geschöpfe mit langen Schwänzen und kurzen Beinen. Die Länge ihrer nur wenig über dem Boden liegenden Körper schwankt zwischen 13 bis 19 Zentimeter beim Zwergwiesel und 1,00 bis 1,50 Meter beim Riesenotter. Die Familie wird in 5 Unterfamilien aufgeteilt: Wieselartige (MUSTELINAE), Honigdachse (MELLIVORINAE), Dachse (MELINAE), Skunks (MEPHITINAE) und Otter (LUTRINAE).

Wieselartige

(UNTERFAMILIE MUSTELINAE)

Diese aus rund 35 Arten bestehende Unterfamilie umfaßt neben den eigentlichen Wieseln auch die Marder, Nerze und Iltisse. Alle sind geschickte Jäger und leben ausschließlich vom Fleisch der erjagten Tiere; ein oder zwei Arten fressen auch Aas. Die eigentlichen Wiesel sehen einander sehr ähnlich, ausgenommen der Hermelin oder Großwiesel *(Mustela erminea)*, der zu Beginn der kalten Jahreszeit sein Sommerfell verliert und ein Winterfell anlegt, das bis auf das schwarze Schwanzende reinweiß ist; im Frühjahr spielt sich der umgekehrte Vorgang ab. Trotz ihrer Kleinheit sind die Wiesel äußerst kräftige und flinke Geschöpfe, die auch Tiere töten können, die erheblich größer sind als sie. Eine Art wird von den Eingeborenen Nordbirmas dazu abgerichtet, große Wildgänse und sogar kleine Ziegen zu töten. Alle Wiesel erlegen ihre Beute, indem sie ihrem Opfer die Zähne in den Nacken schlagen. Es kommt auch vor, daß ein Wiesel alle Hühner in einem Stall tötet, wenn ihm nicht rechtzeitig Einhalt geboten wird.

Die Iltisse (Untergattung *Putorius*) sehen den Wieseln ähnlich, sind aber etwas größer, gedrungener und nicht so beweglich. Sie leben in lichten Wäldern Europas, Asiens, Nordafrikas und Nordamerikas.

Vom Europäischen Iltis oder Waldiltis *(Mustela putorius)* stammt möglicherweise das Frettchen ab, ein

Unten: *Der Iltis ist ein etwas größerer, schwererer und weniger flinker Verwandter des Wiesels. Die Fähe bringt gewöhnlich im Mai oder Juni 3 bis 7 Junge zur Welt, die sie gut einen Monat säugt. Das Frettchen ist die Albinoform einer Iltisart.*

Unten: *Ein amerikanischer Nerz schaut aus seinem Lager in einem hohlen Baumstamm heraus. Er ist einem Leben im Wasser gut angepaßt, denn sein Fell ist fettig und wasserabweisend, und zwischen den Zehen sitzen kurze Schwimmhäute.*

Albino, das bei der Kaninchenjagd und beim Bekämpfen von Ratten und Mäusen eingesetzt wird. Wie andere Angehörige dieser Unterfamilie haben auch die Iltisse große Analdrüsen, mit denen sie ihr Revier markieren. Da sie diese Drüsen bei Angriffen entleeren und auch ihr Bau stark nach dem Sekret riecht, nennt man sie zuweilen „Stänker".

Die Nerze (Untergattung *Lutreola*) sind etwas kurzbeiniger und gedrungener als die Wiesel und berühmt für ihr dichtes, glänzendes Fell. Vor allem der Amerikanische Nerz oder Mink *(Mustela vison)* wird in Farmen gezüchtet; entwichene Tiere haben sich in vielen Ländern eingebürgert, während der Europäische Nerz *(Mustela lutreola)* zumindest in Deutschland ausgestorben zu sein scheint. Wildlebende Tiere halten sich gewöhnlich in Wassernähe auf; zwischen den Zehen tragen sie kurze Schwimmhäute. Sie ernähren sich in erster Linie von Fröschen, Fi-

schen und Krebsen, auf die sie zumeist in der Dämmerung oder nachts Jagd machen. Die Weibchen, Fähen genannt, bringen einmal jährlich 2 bis 6 Junge zur Welt, die mehrere Wochen lang gesäugt werden.

Die Marder sind besonders gute Kletterer und in der Regel Baumbewohner; die berühmteste Art, der im nördlichen Asien heimische Zobel *(Martes zibellina)*, verbringt jedoch sehr viel Zeit auf dem Boden. Mit ihren geschmeidigen Körpern und den buschigen Schwänzen, die sie als Gleichgewichtsorgane einsetzen, können die Marder Tiere erjagen, die wie die Eichhörnchen auf Bäumen leben, aber auch Bodenbewohner wie Kaninchen, Rebhühner und Ziesel.

Die größte Art dieser Unterfamilie ist der Järv, Bärenmarder oder Vielfraß *(Gulo gulo)*. Obwohl der deutsche Name „Vielfraß" vielleicht von einem ähnlich klingenden skandinavischen Wort abgeleitet ist, das „Felsenkatze" bedeutet, macht er

ihm doch vor allem im Winter alle Ehre, wenn er unter anderem Elche und Rentiere jagt. Auch der wissenschaftliche Name entspricht seinem Verhalten, denn *gula* heißt Kehle oder Schlund und *gulosus* gefräßig oder gierig. Mit einer Körperlänge von 65 bis 87 Zentimetern und einem Gewicht von 20 bis 35 Kilogramm ist der Vielfraß fast mit einem Bären zu vergleichen. Früher war er über den ganzen Norden Europas, Asiens und Nordamerikas verbreitet, hat sich jetzt aber in allen drei Kontinenten auf den Polarkreis zurückgezogen. Er ist ein Einzelgänger, der sich tagsüber in seinem Bau verkriecht und nachts auf Jagd geht.

Unten: *Der Bärenmarder oder Vielfraß ist ein Einzelgänger. Er lebt in der Nähe des Polarkreises und ist ein furchtloser Jäger, der sogar Bären und Wölfen ihre Beute abnimmt, um sie selbst zu fressen. Vor allem im Winter macht er dem Namen Vielfraß alle Ehre.*

Honiganzeiger

Honigdachs

Dachse

(UNTERFAMILIE MELINAE)

Dieser Unterfamilie gehören 8 über die ganze Welt verbreitete Arten an, von denen der Europäische Dachs *(Meles meles)* und der Amerikanische oder Silberdachs *(Taxidea taxus)* die bekanntesten sind. Der Europäische Dachs erreicht eine Gesamtlänge von knapp einem Meter und wird 15 bis 20 Kilogramm schwer. Dieses relativ große Raubtier konnte sich sogar in den dicht besiedelten Gegenden Westeuropas behaupten — vor allem wohl deshalb, weil es nur in der Dämmerung oder nachts auf Jagd geht und sich zudem nicht nur von Fleisch, sondern auch von pflanzlicher Kost ernährt.

Die Tage verbringen die Dachse schlafend in ihrem Bau, entweder allein oder in kleinen Familiengruppen. Dabei können sie so laut schnarchen, daß man es am Eingang zum Bau hören kann. In der Nacht gehen sie auf die Suche nach Insektenlarven und Würmern, aber auch Fröschen, Kleinsäugern und Früchten. Ihr Geruchssinn ist hoch entwickelt. Im Gegensatz zu einer weit verbreiteten Ansicht halten sie keinen echten Winterschlaf mit herabgesetzten Körperfunktionen, sondern ruhen nur und kommen in milden Nächten sogar aus ihrem Bau. In dieser Zeit zehren sie von dem im Herbst angesammelten Körperfett.

Nach einer langen Trächtigkeit von rund 7 Monaten werden im Februar oder März 2 bis 5 Junge geboren, die in den ersten 4 Wochen blind sind und den Bau im Alter von 6 bis 8 Wochen erstmals verlassen. Gelegentlich verbringen die jungen Dachse den folgenden Winter noch bei den Eltern; danach müssen sie sich nach einer eigenen Bleibe umsehen.

Der Amerikanische Dachs ist etwas kleiner als der Europäische. Er bevorzugt offenes Gelände und wird deshalb auch „Präriedachs" genannt. Wie sein europäischer Verwandter trägt er einen weißen Streifen im dunkelbraunen Gesicht, der sich bei ihm jedoch, anders als bei der europäischen Art, über den ganzen Rücken fortsetzt.

Jagdpartner: Honiganzeiger und Honigdachs

Der Honigdachs oder Ratel *(Mellivora capensis)* lebt in den tropischen Regionen Afrikas und Asiens; er ist der einzige Angehörige der Unterfamilie Honigdachse (MELLIVORINAE).

Das Fell auf Rücken und Schädel ist blaß silbergrau gefärbt, das Bauchfell ist schwarz. Der Honigdachs lebt in dicht bewachsenem Gelände, gewöhnlich allein oder paarweise. Beim Auffinden von Honig, seiner Lieblingsspeise, ist ihm in

Teilen Afrikas ein kleiner Vogel, der Schwarzkehl-Honiganzeiger *(Indicator indicator)*, behilflich. Wenn dieser Vogel einem Honigdachs begegnet, stößt er laute Rufe aus, auf die der Dachs mit Zischen und Knurren reagiert. Ständig rufend fliegt der Honiganzeiger weiter bis zu einem Bienen- oder Wespennest. Der Ratel bricht das Nest auf und läßt sich den Honig schmecken; seine Haut ist so dick, daß ihm Bienenstacheln und sogar Schlangenzähne nichts anhaben können. Auch der Honiganzeiger kommt auf seine Kosten: Er pickt Larven und Puppen auf, an die er ohne den Dachs nicht herangekommen wäre.

Darüber hinaus ernährt sich der Honigdachs von kleinen Wirbeltieren, Ameisen, Käfern und Schlangen, darunter der giftigen Mamba.

Skunks

(UNTERFAMILIE MEPHITINAE)

Die Skunks oder Stinktiere sind berüchtigt für ihre Fähigkeit, einem Feind aus mehreren Metern Entfernung eine übelriechende Flüssigkeit ins Gesicht zu spritzen und sich dann schleunigst aus dem Staube zu machen. Die Skunks leben in Amerika; in Nordamerika ist der Streifenskunk *(Mephitis mephitis)* die häufigste Art, in Mittelamerika der Langschwanz- oder Haubenskunk *(M. macroura).* Der in Mittel- und Südamerika heimische Ferkelskunk *(Conepatus leuconotus)* hat eine nackte rosa Schnauze, die der eines Schweins ähnelt. Die Skunks gehen überwiegend in der Nacht auf Jagd.

Rechts: *Ein junger Dachs kommt in der Abenddämmerung aus seinem Bau, um auf Nahrungssuche zu gehen.*
Unten: *Der Streifenskunk* (Mephitis mephitis) *ist über ganz Nordamerika verbreitet und ungefähr so groß wie eine Hauskatze.*

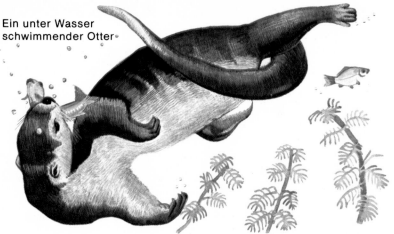

Ein unter Wasser
schwimmender Otter

Oben: *Ein Otterpärchen verfolgt einen
Fisch oder einen Frosch, den es zu fangen beabsichtigt. Fischotter sind sehr
verspielte Tiere und machen ihrem Be-
wegungsdrang durch Herumtollen, Bal-
gen und Rodeln Luft.*

Otter

(UNTERFAMILIE LUTRINAE)
Innerhalb der Familie der Marder
sind die Otter oder Wassermarder einem Leben im Wasser am besten angepaßt; der Seeotter, Meerotter oder
Kalan *(Enhydra lutris)* ist sogar ein
Meeresbewohner. Die 18 Arten die-

ser Unterfamilie sind — mit Ausnahme Australiens — über die ganze Welt verbreitet und sehen sich relativ ähnlich. Alle haben geschmeidige, stromlinienförmige Körper mit kräftigen Schwänzen, kurzen Gliedmaßen und Schwimmhäuten zwischen den fünf Zehen; das Fell ist dicht und wasserabweisend.

Der in Europa und Asien heimische Fischotter *(Lutra lutra)* ist ein typischer Vertreter seiner Gattung.

Er ernährt sich überwiegend von Fischen und anderen Wassertieren. Seinen Bau legt er am Ufer von Flüssen oder Teichen an, wobei sich die Ausgänge oft unter den Wurzeln am Wasser wachsender Bäume befinden. Wie fast alle Arten geht auch der Fischotter nachts auf Nahrungssuche, nur die Jungen kann man auch am Tage beim Spielen beobachten.

Der Nordamerikanische Fischotter *(L. canadensis)* ist der eurasischen

Art sehr ähnlich; er wird wie diese knapp einen Meter lang, wovon allerdings zwei Drittel auf den Schwanz entfallen. Der größte Vertreter der Unterfamilie ist der Riesenotter *(Pteronura brasiliensis)*. Er kann eine Länge von 2 Metern erreichen und ist ein friedliches Tier, dessen Junge oft von den Eingeborenen am Rio Xingu in Brasilien gezähmt werden. Einige Arten sind ihrer Felle wegen vom Aussterben bedroht.

Der Seeotter — ein Werkzeugbenutzer

Als einziger Marder ist der Seeotter *(Enhydra lutris)* ein Meeresbewohner. Auch er war vom Aussterben bedroht, konnte aber neuerdings durch einen internationalen Vertrag so wirksam geschützt werden, daß sich die Bestände wieder vermehrt haben. Seit er nicht mehr wegen seines Fells gejagt wird, ist der Schwertwal sein einziger Feind.

Trotz einiger gegenteiliger Behauptungen sind die Zoologen heute durchweg

der Ansicht, daß die Fähen ihre Kinder an Land zur Welt bringen, und zwar überwiegend in den Sommermonaten. Das Junge (Zwillinge sind selten) ist bei der Geburt schon relativ weit entwickelt. Die Mutter nimmt es schon bald mit ins Wasser, wo es sich in ihr Bauchfell schmiegt oder von ihr auf dem Rücken getragen wird. Wenn die Mutter auf der Suche nach Weichtieren, Krebsen, Fischen und Tang auf den Meeresboden hinabtaucht, treibt das Kleine hilflos auf der Wasseroberfläche, bis die Mutter wieder erscheint. Nach 2 bis 3 Monaten kann es selbst schwimmen und tauchen; dennoch hält es sich während der ersten ein

Oben: *Ein Seeotter läßt sich auf dem Rücken treiben und zerschlägt eine Muschel an dem Stein auf seiner Brust.*

oder zwei Lebensjahre immer in der Nähe der Mutter auf.

Bemerkenswert ist die Fähigkeit der Seeotter, sich eines Werkzeugs zu bedienen. Auf dem Rücken treibend, legen sie sich einen flachen Stein, den sie vom Meeresboden geholt haben, auf die Brust und zertrümmern auf ihm die Schalen von Muscheln, Seeigeln und Schnecken, um dann ihren weichen Inhalt zu verzehren.

Allesfresser, und ihre rüsselartigen
Nasen spielen beim Auffinden von
Nahrung eine wichtige Rolle. Nahe
Verwandte sind die Makibären,
Schlankbären oder Olingos (Gattung
Bassaricyon); sie sind etwas leichter
gebaut als die Waschbären, besitzen
aber gleichfalls lange, geringelte
Schwänze und ein weiches, gelblich-
graues Fell. Da sie relativ scheue
Nachtjäger sind, bekommt man sie
nur selten zu Gesicht.
Der Wickelbär oder Kinkaju *(Potos
flavus)* unterscheidet sich in bezug
auf Aussehen und Lebensgewohnheiten erheblich von den bisher erwähnten Kleinbären. Er besitzt einen run-

Kleinbären

(FAMILIE PROCYONIDAE)

Diese Familie, zu der Waschbären,
Nasenbären und Wickelbären gehö-
ren, nimmt in der Neuen Welt den
Platz ein, den in der Alten Welt die
Schleichkatzen besetzt halten; nur
die nahe mit den Kleinbären ver-
wandten Pandas sind Bewohner der
Alten Welt.

Mit 25 Unterarten ist der Nordamerikanische Waschbär *(Procyon
lotor)* über die gesamten Vereinigten
Staaten und Mittelamerika verbreitet. Er hat sich auch durch starke Besiedlung nicht verdrängen lassen,
sondern durchwühlt in den Vorstäd-
ten die Mülltonnen nach Freßbarem.
Mit seinem buschigen, schwarz-weiß
geringelten Schwanz und seiner
schwarzen, weiß umrandeten Ge-
sichtsmaske ist der Nordamerikanische Waschbär ein unverwechselba-
res Tier. Sein Körper ist mit langem,
schwärzlichbraunem Fell bedeckt. Er
lebt zumeist in Wassernähe, wo er
nach Fröschen, Wasserschnecken,
Krebsen, Muscheln und kleinen Fischen jagt. Auf dem trockenen Land
verspeist er neben pflanzlicher Kost
Schnecken, Regenwürmer, Insekten
und kleine Nagetiere sowie Vögel

und ihre Eier. Der Krabbenwaschbär
(P. cancrivorus) lebt in Südamerika.

Die Nasenbären oder Coatis (Gattung *Nasua*) besitzen lange Nasen,
die sie wie einen Rüssel im Winkel
von 45 Grad hochrecken können.
Die 4 Arten der Gattung durchstreifen die Wälder Mittel- und Südamerikas in kleinen Gruppen. Sie sind

Oben: *Die in Mittel- und Südamerika
heimischen Nasenbären suchen auf
Bäumen und auf dem Boden nach Nahrung. Der lange Schwanz dient als
Gleichgewichtsorgan.*

den Kopf mit kleinen, runden Ohren
und großen Knopfaugen, mit denen
er nachts, wenn er besonders aktiv
ist, hervorragend sehen kann. Die

Beine sind kurz und dick, und an dem schlanken Körper sitzt ein langer Wickelschwanz, den er beim Klettern als fünftes Glied einsetzen kann. Abgesehen von einer in Südostasien heimischen Schleichkatze, dem Binturong *(Arctitis binturong)*, ist er das einzige Raubtier mit einem Wickelschwanz. Der Wickelbär ernährt sich in erster Linie von weichen Früchten, frißt aber auch Insekten, Pilze, Blätter und Nüsse und hat wie viele Bären eine Vorliebe für Honig.

Pandas

(FAMILIE AILURIDAE)

Die früher mit den Kleinbären vereinigten Katzenbären oder Pandas werden heute in eine eigene Familie gestellt. Obwohl sehr selten, ist der Große Panda oder Bambusbär *(Ailuropoda melanoleuca)* ein beliebtes und fast jedermann bekanntes Tier, weil sein gelegentliches Erscheinen in europäischen Zoologischen Gärten stets Aufsehen erregt. Ausgewachsene Tiere werden bis zu 1,50 Meter lang und 125 Kilogramm

schwer. Obwohl die auffallend gezeichneten Tiere zu den Raubtieren gehören, ernähren sie sich nur von Bambusschößlingen.

Der Katzenbär oder Kleine Panda *(Ailurus fulgens)* lebt in hochgelegenen Bergwäldern des Himalaja von Nepal bis China. Er besitzt ein sehr hübsches rötliches Fell, sein Gesicht ähnelt dem einer Katze. Er ist ein naher Verwandter des Großen Panda, wird aber nur etwa 1,10 Meter lang. Die Katzenbären leben gewöhnlich allein, seltener in Paaren, und verbringen viel Zeit auf Bäumen.

Oben: *Der Katzenbär, ein naher Verwandter des Großen Panda, lebt in den Bambuswäldern an den Flanken des Himalaja. Er ist ein Nachttier und verbringt die Tage auf Bäumen schlafend.*

Der Große Panda

Entdeckt wurde der Große Panda im Jahre 1869 durch den französischen Jesuitenpater Armand David, der einige der auffällig schwarzweiß gezeichneten Felle zu Gesicht bekam und vermutete, daß es sich bei diesem Tier um einen Bären handelte. Erst auf einer Expedition in den Jahren 1913—1915 bekam ein Europäer, der deutsche Zoologe Hugo Weigold, einen lebenden Panda zu Gesicht, und neuere Untersuchungen haben ergeben, daß er weder zu den Großbären noch zu den Kleinbären gehört, sondern ein naher Verwandter des Kleinen Pandas oder Katzenbären ist.

Sein Lebensraum, die nebelfeuchten Bambuswälder an den steilen Gebirgshängen im Westen der zentralchinesischen Provinz Szetschuan, ist sehr schwer zugänglich. Hier lebt er in Höhenlagen zwischen 1500 und 3000 Metern gerade unterhalb der Baumgrenze. Die meisten in Gefangenschaft lebenden Großen Pandas befinden sich in chinesischen Zoos; in Peking haben sie auch schon Junge zur Welt gebracht. Seit zwischen China und den Ländern des Westens bessere Beziehungen bestehen, sind auch einige Exemplare als Geschenke in europäische Zoos gelangt.

Chinesische Zoologen haben den Großen Panda in der freien Natur beobachtet und dabei einiges über sein Verhalten erfahren. Er ist ein Einzelgänger, nur das Weibchen wird gewöhnlich von seinem Jungen begleitet. Obwohl er sehr viel Zeit auf dem Boden verbringt, ist er ein gewandter Kletterer. Nachts geht er auf Nahrungssuche und verzehrt große Mengen Bambusschößlinge.

Großbären

(FAMILIE URSIDAE)

Die Bären sind die größten Landraubtiere. Sie können bis zu 3 Meter lang und bis zu 800 Kilogramm schwer werden. Ihre Hinterbeine sind durchweg kürzer als die Vorderbeine, so daß der Rücken von den breiten Schultern zum Steiß hin abfällt. An allen vier Pfoten sitzen 5 Zehen mit kräftigen, gebogenen Krallen. Die Bären sind sogenannte Sohlengänger; bei allen Arten mit Ausnahme des Eisbären sind die Sohlen unbehaart. Bären gibt es in Europa, Asien und Amerika; in Afrika kommen sie nur im Norden, in Australien überhaupt nicht vor.

Der Braunbär *(Ursus arctos)* ist die bekannteste Art; er war früher mit seinen Unterarten über fast ganz Europa, Nord- und Mittelasien sowie Nordamerika verbreitet; obwohl seine Bestände stark geschrumpft sind, ist er auch in Europa nicht vom Aussterben bedroht und vor allem in Nord- und Osteuropa nach relativ häufig anzutreffen. Auch in Nord- und Mittelasien und in Nordamerika gibt es noch zahlreiche Braunbären. Allerdings ist der Name „Braunbär" etwas irreführend, denn die Farbskala des dichten Fells reicht von Blaßgelb über verschiedene Brauntöne bis Schwarz. Außerdem gibt es beträchtliche Größenunterschiede; zu den kleinsten Unterarten gehört der Syrische Braunbär *(U. arctos syriacus),* zu den größten der nordamerikanische Grizzlybär *(U. arctos horribilis)* und der Kodiakbär *(U. arctos middendorfi).*

Die Braunbären sind Allesfresser; sie ernähren sich von Pflanzen und ihren Früchten, Honig aus den Stöcken wilder Bienen, Fischen und Aas. Sie jagen auch lebenden Tieren nach, aber da sie recht schwerfällig sind und einen eigentümlichen Paßgang haben, ist frisches Fleisch für sie oft schwer erreichbar. Sie erdrücken ihre Beute nicht mit den Armen, wie früher immer behauptet wurde, sondern töten sie mit einem kräftigen Schlag der Vordertatzen und mit den Zähne. Braunbären können dem Menschen gefährlich werden. In amerikanischen Nationalparks kommt es immer wieder vor, daß Leute aus ihren Wagen aussteigen und auf einen scheinbar zahmen und harmlosen Bären zugehen; dabei sind schon mehrere Menschen getötet worden.

Der Nordamerikanische Schwarzbär oder Baribal *(Euarctos americanus)* ist gleichfalls ein Allesfresser, und auch seine Existenz ist heute nicht mehr gefährdet. Allerdings ist es nicht immer einfach, einen Schwarzbären zu erkennen, da es

Unten: *Ein Grizzlybär nutzt die Zeit, in der die Lachse zum Laichen in die Flüsse aufsteigen, um frische Fische zu fangen. Zu anderen Zeiten ernährt sich dieser Allesfresser von Früchten, geschlagenen Beutetieren und Aas.*

von ihm eine Unterart mit rötlich-braunem Fell gibt. Den Winter verbringt der Schwarzbär schlafend in einem warmen, trockenen Lager. Dort bringt die Bärin gegen Ende des Winters auch ihre Jungen, in der Regel Zwillinge, zur Welt.

Der Kragenbär (Ursus thibetanus) lebt in Süd- und Südostamerika und verdankt seinen Namen der stark verlängerten Behaarung auf Schul-

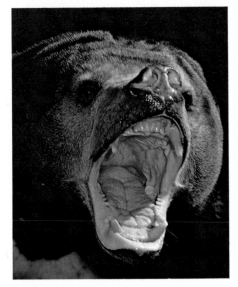

Oben: *Der Malaienbär* (Helarctos malayanus) *ist einer der kleinsten Angehörigen seiner Familie. Er lebt in Südostasien und frißt Früchte, kleine Wirbeltiere und Insekten.*

tern, Hals und Nacken. Außerdem trägt er auf der Brust eine weiße, Y-förmige Zeichnung im schwarzen Fell. Eine der kleineren Arten ist der Malaienbär (Helarctos malayanus) im tropischen Regenwald Südostasiens, Sumatras und Borneos. Die gelbliche, hufeisenförmige Zeichnung auf seiner Brust gilt bei den Eingeborenen als Symbol der aufgehenden Sonne. Dieses relativ leichte, krummbeinige Tier ist ein geschickter Kletterer, der auf den Bäumen nach Echsen, Vögeln, Früchten und Honig sucht. Auch der in den Wäldern Vorderindiens und Ceylons heimische Lippenbär (Melursus ursinus) trägt eine hufeisenförmige Zeichnung auf der Brust. Er besitzt einen langen und groben Pelz; seinen Namen verdankt er der rüsselartig verlängerten Schnauze mit einer langen Unterlippe.

Das einzige echte Raubtier der Familie ist der Eisbär (Ursus maritimus). Da er an den unwirtlichen Küsten des Nördlichen Eismeeres lebt, ist er auf tierische Kost angewiesen, denn Pflanzen gibt es dort kaum, nur im Sommer kann er sich reife Früchte von der Tundra holen. Seine Hauptnahrung bilden Robben, dazu Fische sowie Seevögel und ihre Eier. Wenn er nicht genügend zu fressen

Oben: *Da die Eisbären in ihrer Heimat am Nördlichen Eismeer kaum pflanzliche Kost vorfinden, sind sie überwiegend Fleischfresser.*

findet, durchstreift der Eisbär weite Gebiete und fällt dann auch über die von Jägern zurückgelassenen Überreste von Walrossen oder einen verendeten Wal her.

Mit seinem weißen Pelz ist der Eisbär gut getarnt, wenn er Robben auf dem Eis verfolgt oder neben einem ihrer Atemlöcher auf der Lauer liegt. Sobald eine Robbe den Kopf aus dem Wasser herausstreckt, zieht er sie mit seinen kräftigen Klauen heraus und tötet sie dann mit einem gezielten Prankenhieb.

Eisbären sind Einzelgänger, die sich nur zur Paarung zusammenfinden. Während des strengen Polarwinters ziehen die Eisbären oft in etwas südlichere Gefilde, während sich die schwangere Bärin ein Lager unter dem Schnee gräbt und dort Ende November oder im Dezember gewöhnlich zwei Junge zur Welt bringt, die wie alle Bärenkinder anfangs nackt und blind und sehr klein sind. Die Mutter säugt und pflegt sie mit großer Hingabe, bis sie im Frühjahr mit ihr das Lager verlassen; danach bleiben sie noch ein volles Jahr bei der Mutter, die sie im Jagen unterweist.

Hundeartige

(FAMILIE CANIDAE)

Neben den Wild- und Haushunden gehören zu dieser Familie auch Wölfe, Füchse, Schakale und Kojoten. Allen Arten gemeinsam sind lange Beine mit kleinen Pfoten, an denen hinten nur 4 Zehen sitzen; wie die Katzen, die mit ihren zusammen eine Überfamilie bilden, sind sie Zehengänger. Ihr Schädel ist gestreckt und weist bei allen Arten eine lange, schlanke Schnauze auf. Der Schwanz ist in der Regel kürzer als bei den Katzen und dient dazu, Stimmungen und Rang zu signalisieren. Auf Bäume klettern können Hunde nicht; dafür sind sie jedoch ausdauernde Läufer. Die meisten Hunde sind Fleischfresser; mit ihren scharfen Reißzähnen, den sogenannten Fängen, können sie ihre Beute töten und in Stücke reißen. Bei der Jagd verlassen sie sich in erster Linie auf ihren hervorragenden Geruchssinn; an zweiter Stelle steht das Gehör, und erst wenn sie der Beute sehr nahe gekommen sind, treten auch die Augen in Funktion.

Wölfe und Schakale

Wölfe und Schakale gehören einer aus 6 Arten bestehenden Gattung (Canis) an. Der Wolf (C. lupus) ist einer der Stammväter unseres Haushundes und war früher in den Waldgebieten Europas, Asiens und Nordamerikas überall anzutreffen. Heute ist er in Gegenden mit gemäßigtem Klima fast vollständig ausgerottet und kommt nur noch im hohen Norden vor. Sein Fell ist in der Regel grau, kann aber auch überwiegend schwarz oder weißlich sein; in bezug auf Körperbau und Größe ähnelt der Wolf dem Deutschen Schäferhund. In den südlicheren Breiten Nordamerikas tritt der Kojote oder Präriewolf (C. latrans) an seine Stelle, eine kleinere Art, die sich von Kleinsäugern und Vögeln sowie von Aas ernährt.

Neben dem Abessinischen Fuchs oder Wolf (C. simensis), der viele Ähnlichkeiten mit einem Schakal aufweist, stehen die 3 Arten der eigentlichen Schakale: Goldschakal (C. aureus), Schabrackenschakal (C. mesomelas) und Streifenschakal (C. adustus), die sämtlich in Afrika und Asien beheimatet sind. Sie gehen

überwiegend in der Nacht auf Jagd, immer auf der Hut vor ihrem Hauptfeind, dem Leoparden. In der Regel fallen ihnen Ratten, Mäuse, Kriechtiere und sogar kleine Antilopen zum Opfer. Sie jagen einzeln oder in kleinen Gruppen und nehmen auch gern die Überreste einer Löwenbeute.

Rothunde

Der Rothund oder Asiatische Wildhund (Cuon alpinus) ist mit mehreren Unterarten in Asien weit verbreitet, aber relativ selten. Sein Fell ist rötlichbraun. Rothunde jagen in Rudeln und können ihre Beutetiere, zum Beispiel Wildschweine, Rehe und Hirsche, stundenlang verfolgen; sie sollen sogar Bären angefallen und getötet haben.

Füchse

Die Füchse gehen in der Nacht auf Jagd; die Tage verbringen sie schlafend oder ruhend in einem unterirdischen Bau. Der in Nordamerika, Europa, Asien und Nordafrika heimische Rotfuchs *(Vulpes vulpes)* ist ein geschickter Jäger von geradezu sprichwörtlicher Schlauheit. Er ist ein Einzelgänger, nur gelegentlich tun sich ein Rüde und eine Fähe zusammen. Die vom Menschen in der Landschaft Europas, Asiens und Nordamerikas bewirkten Veränderungen hat der Fuchs besser überstanden als viele seiner Verwandten; oft hält er sich sogar in der Nähe von Ortschaften auf und holt sich seine Nahrung aus Mülltonnen und Abfallbehältern. In der Regel ernährt er sich von jeder erreichbaren Beute von Insekten über Mäuse bis zu Kaninchen und Hausgeflügel.

Der Fennek oder Wüstenfuchs *(Fennecus zerda)* ist in den Wüstengebieten Nordafrikas und Arabiens heimisch und mit seinem weichwolligen Fell und seinen großen Ohren ein reizvolles Geschöpf. Sein ausgezeichnetes Gehör nimmt auch den leise-

Oben: *Der Rotfuchs gilt seit langem als besonders schlaues und verschlagenes Tier. Dank seiner Schläue und seines ausgezeichneten Riech-, Hör- und Sehvermögens konnte er bisher allen Nachstellungen zum Trotz überleben.*

sten Laut wahr und hilft ihm, nachts seine Beute aufzuspüren. Auch der in der Arktis heimische Eisfuchs *(Alopex lagopus)* ist ein hübsches Tier. Im Sommer trägt er ein kurzhaariges, braungraues Fell, das er in den kalten Wintermonaten mit einem langen und dichten Pelz vertauscht, der beim Weißfuchs einfarbig weiß ist, beim Blaufuchs dagegen verschiedene Töne von Hellgrau über Kastanienbraun bis beinahe ganz Schwarz haben kann. Seine Nahrung besteht überwiegend aus Seevögeln, Schneehühnern, Fischen, Schneehasen und Robbenjungen. Im Sommer stellen die Lemminge seine Hauptnahrung dar, und wenn sie sich alle 3 bis 5 Jahre rapide vermehren, bringen auch die Eisfüchse mehr Junge zur Welt. Wenn im Winter die Nahrung knapp ist, folgen sie oft der Fährte jagender Eisbären auf der Suche nach Resten ihrer Beute.

Oben: *Der hübsche Wüstenfuchs bewohnt die Trockengebiete Nordafrikas und Arabiens, wo er sich tagsüber in seinem Bau verkriecht. Die großen Ohren helfen ihm, überschüssige Körperwärme abzugeben.*

267

Robben

(UNTERORDNUNG PINNIPEDIA)

Zur Ordnung Carnivora gehören neben den Landraubtieren als zweite Unterordnung die Wasserraubtiere oder Robben mit rund 45 weltweit verbreiteten Arten; an allen Meeresküsten einschließlich denen der Arktis und Antarktis ist zumindest eine von ihnen heimisch. Der wissenschaftliche Name „Pinnipedia" bedeutet wörtlich „mit geflügelten Füßen"; er bezieht sich auf die Tatsache, daß sich die Gliedmaßen einem Dasein im Wasser angepaßt und zu flossenähnlichen Gebilden umgewandelt haben. Alle Robben besitzen einen spindel- oder stromlinienförmigen Körper, der es ihnen ermöglicht, sehr schnell durchs Wasser zu

Unten: *Kegelrobben mit ihren halbwüchsigen Jungen, die ihr weißwolliges Kinderfell bereits verloren haben. Bald werden sie mit ihren Müttern die Küste verlassen, im folgenden Jahr jedoch zurückkehren, um sich fortzupflanzen.*

gleiten. Im Gegensatz zu den Walen haben sie ihre Hintergliedmaßen nicht eingebüßt; obwohl gleichfalls zu Flossen umgebildet, sind sie den Tieren von Nutzen, wenn sie zur Fortpflanzung das trockene Land aufsuchen. Seebären und Seelöwen können die hinteren Flossenfüße sogar nach vorn umwenden und sich auf diese Weise an Land besser bewegen. Die meisten Robben fressen Fische, aber auch andere Meeresbewohner wie Weichtiere und Krebse; einige Arten bevorzugen Seevögel wie zum Beispiel Pinguine.

Beim Tauchen sind Nasen- und Ohrlöcher verschlossen, aber wie alle Säugetiere müsen auch die Robben immer wieder zum Luftholen an die Wasseroberfläche kommen. Die größte Tauchtiefe erreicht die Weddellrobbe *(Leptonychotes weddelli);* sie wurde schon in einer Tiefe von 600 Metern geortet. Wenn eine Robbe im Wasser schläft, steigt sie langsam zur Oberfläche empor, holt Luft und sinkt ebenso langsam wieder hinunter, ohne dabei aufzuwachen. Dieser Vorgang läßt sich an Tieren, die in einem Zoo leben, deutlich beobachten. Die Unterordnung der Robben besteht aus 3 Familien: den Ohrenrobben (OTARIIDAE), den Walrossen (ODOBENIDAE) und den Hundsrobben (PHOCIDAE).

Hundsrobben

(FAMILIE PHOCIDAE)

Unter den 25 Arten dieser Familie finden sich neben Ringelrobben, Kegelrobben, Sattelrobben und Mönchsrobben auch der Seehund, der gefürchtete Seeleopard und die großen See-Elefanten. Allen Arten gemeinsam ist ein kurzer Hals; äußere Ohren fehlen, und die seitlich am Kopf liegenden Ohröffnungen schließen sich, wenn die Tiere tauchen. Beim Schwimmen halten die Hundsrobben die Hinterfüße dicht nebeneinander und bewegen sie von einer Seite zur anderen, so daß sie wie die Schwanzflosse eines Fisches wirken. Die Vordergliedmaßen dienen als Steuerruder und helfen den Tieren auch bei der Fortbewegung an Land.

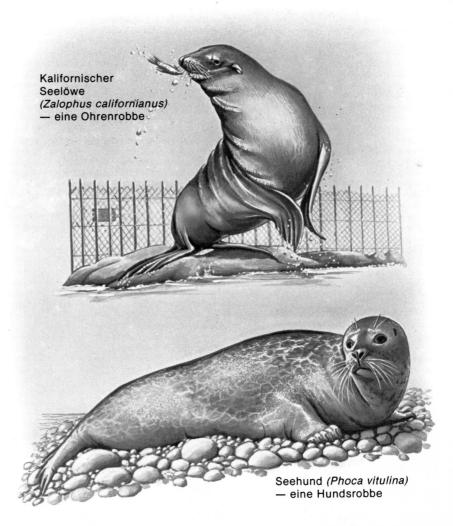

Kalifornischer Seelöwe *(Zalophus californianus)* — eine Ohrenrobbe

Seehund *(Phoca vitulina)* — eine Hundsrobbe

Wenn sich Hundsrobben auf dem Land aufhalten, wirken sie äußerst unbeholfen, denn ihre Hinterfüße sind zum Laufen nicht geeignet und können nicht unter dem Bauch nach vorn gewendet werden, und die Vorderfüße sind sehr kurz. Wenn sie zur Fortpflanzung an Land kommen, müssen sie rutschen oder „robben" indem sie den Rücken krümmen, Kopf und vordere Körperhälfte nach vorn werfen und die hintere dann nachziehen.

Eine der bekanntesten Arten ist die Kegelrobbe *(Halihoerus grypus).* Sie lebt an den Küsten Nordeuropas, Islands und Grönlands, und ein großer Teil von ihnen (mehr als die Hälfte der gesamten Population) versammelt sich zur Fortpflanzungszeit an den felsigen Küsten der Britischen Inseln. Kurz nach der Geburt der

Jungen paaren sich die Alttiere, bevor sie wieder ins Meer zurückkehren. Der Seehund *(Phoca vitulina)* bewohnt die Küsten beiderseits des Atlantiks; die Jungen kommen gewöhnlich im Mai und Juni zur Welt. Die Eismeer-Ringelrobbe *(Pusa hispida)* ist die kleinste Art; die Erwachsenen tragen auf dem Rücken zumeist weiße Ringe mit dunklem Mittelpunkt. Ihr Hauptverbreitungsgebiet liegt im Polarmeer, sie ist aber südlich bis zur Ostsee vorgedrungen. Ein naher Verwandter ist die Baikal-Ringelrobbe *(P. sibirica).* Sie ist die einzige nur in Süßwasser vorkommende Art und über einen Eisstausee zwischen Nördlichem Eismeer und Baikalsee vor Jahrtausenden in den Baikalsee eingewandert.

Das gefährlichste Raubtier unter den Robben ist der Seeleopard

(Hydrurga leptonyx). Er lebt in der Antarktis, kann bis zu 4 Meter lang werden und besitzt lange, scharfe Zähne, die hervorragend zum Töten und Zerreißen von Beutetieren geeignet sind. Seine Hauptnahrung besteht aus Pinguinen, denen er oft im Wasser neben den Eisschollen oder dicht vor ihren Brutplätzen an den Küsten auflauert. Außerdem ernährt er sich von jungen Robben, Tintenfischen, Fischen und Seevögeln und frißt auch das Aas, das von den Walfängern über Bord geworfen wird.

Die größten Mitglieder der Familie sind die Elefantenrobben; ein ausgewachsener Bulle kann bis zu 6,50 Meter lang und bis zu 3600 Kilogramm schwer werden. Den Namen See-Elefant verdanken sie nicht nur diesen Ausmaßen, die nur um ein weniges unter denen der eigentlichen Elefanten liegen, sondern auch den rüsselartig verlängerten Nasen der Bullen. Wenn sie vor der Paarung die Aufmerksamkeit der Kühe erregen wollen, können sie den Rüssel mäch-

Rechts: Ein See-Elefant brüllt und warnt durch seinen aufgeblasenen Rüssel seine Rivalen. Die Bullen können bis zu 6,50 Meter lang werden.

tig aufblasen. Es gibt 2 Arten, den Nördlichen See-Elefanten *(Mirounga leonina)* und den südlichen See-Elefanten *(M. angustirostris),* der vom Aussterben bedroht ist.

Walrosse

(FAMILIE ODOBENIDAE)

Die einzige Art dieser Familie ist das Walroß *(Odobenus rosmarus),* mit 3 vom Aussterben bedrohten Unterarten lebt es in den seichten Gewässern am Rande des Polareises im Atlantik und im Pazifik. Wie die Ohrenrobben kann das Walroß seine Hinterfüße nach vorn wenden; die äußeren Ohren sind wie bei den Hundsrobben völlig verschwunden. Die Bullen können bis zu 3,75 Meter lang werden; bei Bullen und Kühen sind die oberen Eckzähne zu gewaltigen Hau-

ern umgebildet, die den Tieren zur Verteidigung und zum Ausgraben von Muscheln, Seesternen und Krebstieren dienen.

Unten: Eine Walroßkolonie. Die langen Eckzähne helfen den Tieren, sich aus dem Wasser an Land zu schleppen.

Das Abschlachten von Robbenkindern

Das Abschlachten junger Robben hat in der Öffentlichkeit größte Empörung ausgelöst, weil die hilflosen Tiere kurz nach der Geburt mit Knüppeln erschlagen und abgehäutet werden. Vielen Berichten zufolge sind sie oft noch am Leben, wenn ihnen die Schlächter das Fell abziehen. Vor allem die im Nordwestatlantik lebende Sattelrobbe *(Pagophilus groenlandicus)* wird noch immer erbarmungslos verfolgt. Zwar wurden inzwischen bestimmte Quoten festgesetzt, aber sie sind zum Teil so hoch wie die gesamte Geburtenrate eines Jahres. Solange Regierungen und internationale Organisationen nicht strenge Schutzgesetze erlassen und durchsetzen, sind viele Robbenarten vom Aussterben bedroht.

Ohrenrobben

(FAMILIE OTARIIDAE)

Die Angehörigen dieser Familie besitzen noch Ohrmuscheln, die allerdings sehr klein sind. Ihr Hals ist länger als der der anderen Robben. Der Kalifornische Seelöwe *(Zalophus californianus)* ist in fast jedem Zoo und Zirkus vertreten. Freilebende Exemplare ernähren sich überwiegend von Tintenfischen. Neben den Seelöwen bilden die Seebären eine zweite Gruppe von Ohrenrobben. Die Seebären tragen unter ihrem zottigen Oberhaar ein dichtes Haarkleid; sie wurden deshalb als Pelztiere verfolgt und sind vom Aussterben bedroht.

Unten: *Kalifornische Seelöwen beim munteren Spiel unter Wasser.*

Rüsseltiere

(ORDNUNG PROBOSCIDEA)

Mit Ausnahme der Elefanten sind sämtliche Rüsseltiere heute ausgestorben. Die Elefanten sind die größten Landsäugetiere. Es gibt zwei Gattungen mit je einer Art: den Asiatischen Elefanten *(Elephas maximus)* mit mehreren Unterarten sowie den Afrikanischen Elefanten *(Loxodonta africana);* auch von ihm sind mehrere Unterarten bekannt, darunter der kleinere Waldelefant *(L. africana cyclotus),* der auf die dichten Regenwälder Westafrikas beschränkt ist, und der über fast das gesamte tropische Afrika verbreitete, gewaltige Steppenelefant *(L. africana oxyotis).* Der Asiatische Elefant und seine Unterarten leben in Bengalen, Malaysia, Sumatra und Ceylon.

Durch Fossilienfunde wissen wir, daß es einst viele Arten von Rüsseltieren gab, die mit Ausnahme von Australien und der Antarktis über die ganze Erde verbreitet waren. Einige von ihnen, die Mammute, konnten lange genug überleben, um noch zu Zeitgenossen des Frühmenschen zu werden. Im ständig gefrorenen Boden am Polarkreis wurden fast vollständig erhaltene Mammutkadaver gefunden.

Der Asiatische und der Afrikanische Elefant sind sich in bezug auf Aussehen und Körperbau recht ähnlich. Beide besitzen massige Körper, große Köpfe, kurze Hälse und stämmige, säulenförmige Beine. An den kurzen Füßen sitzen fünf Zehen, die in hufartigen Nägeln enden; hinter ihnen liegen die weich gepolsterten Fußsohlen. Das auffälligste Merkmal der Elefanten ist ihr Rüssel, der aus Oberlippe und Nase entstanden ist; die Nasenlöcher sitzen an seiner Spitze. Dieses sehr bewegliche Instrument dient zum Atmen und Riechen; außerdem können die Tiere mit

Links: *Eine Herde von Afrikanischen Elefanten an einer Wasserstelle. Das Wasser wird mit dem langen, beweglichen Rüssel aufgesaugt und dann entweder in den Mund gespritzt oder als kühle Dusche über den Leib.*

ihm die Nahrung zum Mund führen und Wasser aufsaugen, um es sich in den Mund oder über den Leib zu spritzen. Staub und feine Erde zum Einpudern der Haut können sie mit ihm aufnehmen, aber auch sehr unterschiedliche Gegenstände greifen, ziehen und heben. An der Rüsselspitze sitzen fingerähnliche Fortsätze, mit denen sie auch kleine Gegenstände fassen können; der Afrikanische Elefant besitzt zwei, der Asiatische nur einen dieser ,,Finger".

Oben: *Ein Asiatischer Elefant mit seinem Treiber. Da diese Tiere, wenn sie gut behandelt werden, sehr sanftmütig und willig sind, werden sie in Asien schon seit Jahrhunderten für verschiedene Arbeiten eingesetzt.*

Die Stoßzähne zu beiden Seiten des Oberkiefers sind umgewandelte Schneidezähne, die ständig nachwachsen und vor allem bei alten Afrikanischen Bullen erstaunliche Längen erreichen können. Die großen Backenzähne erscheinen paar-

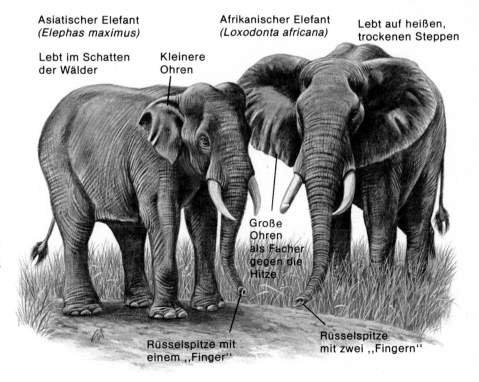

Asiatischer Elefant *(Elephas maximus)*

Afrikanischer Elefant *(Loxodonta africana)*

Lebt auf heißen, trockenen Steppen

Lebt im Schatten der Wälder

Kleinere Ohren

Große Ohren als Fächer gegen die Hitze

Rüsselspitze mit einem ,,Finger"

Rüsselspitze mit zwei ,,Fingern"

Die Schliefer — kleine, entfernte Verwandte der Elefanten

Die Schliefer (ORDNUNG HYRACOIDEA), von den Buren in Südafrika „Klippdachse" genannt, bilden eine Gruppe von 3 Gattungen mit insgesamt 8 Arten, die sämtlich in Afrika leben. Ihre Namen verweisen auf die von ihnen bevorzugten Lebensräume, denn es gibt Baumschliefer (Gattung *Dendrohyrax*), Buschschliefer (Gattung *Heterohyrax*) und Klippschliefer (Gattung *Procavia*). Gewisse Merkmale schaffen eine Beziehung zwischen den kleinen, rund 3 Kilogramm schweren Schliefern und den massigen, 6 Tonnen schweren Elefanten; zusammen mit ihnen und den Seekühen bilden die Schliefer die Überordnung der Fast-Huftiere (PAENUNGULATA). Unter den ausgestorbenen Arten gab es vermutlich auch einige, die größer waren als die heutigen Elefanten.

Wenn Schliefer auf Felsen herumturnen oder auf Bäume klettern, sind sie sehr behende. Elastische Hautkissen auf den Fußsohlen geben ihnen auf glatten, schlüpfrigen und sogar steilen Flächen festen Halt geben. Wenn ein Klippschliefer seine Morgentoilette beendet hat, knabbert er die Vegetation ab oder nimmt ein Sonnenbad. Dabei ist er ständig auf der Hut vor Feinden — Schlangen, Leoparden und Schakalen.

Rechts: *Ein Klippschliefer beim Sonnenbad. Seine Sohlen sind mit rutschfesten Kissen versehen, die ihm auf den Felsen den nötigen Halt geben.*

weise, jeweils ~~einer in~~ jeder Kieferhälfte. Wenn ein Zahn durch das ständige Zermahlen von Nahrung verbraucht ist, wächst ein neuer nach, und der abgenutzte fällt aus.

Die beiden Arten unterscheiden sich am auffälligsten durch die wesentlich größeren Ohren und längeren Stoßzähne des Afrikanischen Elefanten. Diesen Ohren verdanken die Elefanten nicht nur ihr gutes Gehör; sie benutzen sie auch, um sich abzukühlen, indem sie mit ihnen fächeln. Darüber hinaus besitzt der Afrikanische Elefant eine fliehende Stirn und einen hohlen Rücken, während auf der Stirn des Asiatischen Elefanten zwei Wülste sitzen und das Rückgrat nach oben gewölbt ist. Der Afrikanische Elefant ist die weitaus

größere Art; ausgewachsene Bullen können 3 bis 4 Meter hoch und bis zu 7500 Kilogramm schwer werden.

Die Elefanten sind ausschließlich Pflanzenfresser, und da pflanzliche Kost relativ nährstoffarm ist und die Tiere so groß sind, müssen sie täglich rund 18 Stunden mit Fressen verbringen, um sich ausreichend zu ernähren. Sie ruhen nur um die Tagesmitte und einige Zeit im Laufe der Nacht. Mit ihrem Rüssel sammeln die Tiere Blätter, Triebe, Bambusschößlinge, Gräser und Früchte und holen sich auch Mais und Bananen von Plantagen. Ein Elefant frißt täglich eine Menge, die etwa 5 Prozent seines Eigengewichts ausmacht, und braucht rund 100 Liter Wasser, von dem er jeweils einen Eimer voll mit seinem

Rüssel aufsaugen kann.

Elefanten leben in der Regel in gut organisierten Herden, deren Größe von Familiengruppen aus 4 bis 6 Tieren bis zu Scharen von 20 bis 30 Exemplaren reicht. Gelegentlich ist ein Altbulle das Oberhaupt einer solchen Gruppe, häufig spielt jedoch eine ältere, erfahrene Leitkuh diese Rolle. Zu einer großen Herde gehören neben dem ranghöchsten Tier in der Regel einige jüngere Bullen, mehrere Kühe und ihre Nachkommen.

Eine Afrikanische Elefantenkuh bringt nach einer Trächtigkeit von 20 bis 22 Monaten ein Kalb zur Welt. Es kann schon nach wenigen Minuten stehen und trinkt dann aus den zwischen den Vorderbeinen der Mutter sitzenden Zitzen. Dazu benutzt es den Mund — der Rüssel hängt unbenutzt seitlich herab. Erst wenn das Kalb heranwächst, lernt es, den Rüssel für die verschiedenen Aufgaben einzusetzen. Die Mutter behandelt ihr Junges sehr fürsorglich, sie liebkost es mit dem Rüssel und säubert alle Hautfalten und Körperöffnungen. Wenn sie eine Gefahr befürchtet, schiebt sie das Kalb unter ihren Bauch; auf Wanderungen läuft es zwischen ihren Beinen mit. Wenn es dafür zu groß geworden ist, trottet es neben ihr her oder hält sich an ihrem Schwanz fest. Ein Elefantenkalb

wird erst im Alter von 5 Jahren entwöhnt; ausgewachsen ist es mit etwa 15 Jahren. Ein Elefant lebt ungefähr ebenso so lange wie ein Mensch, nämlich 60 bis 70 Jahre.

Abgesehen vom Menschen hat der Afrikanische Elefant kaum Feinde und führt gewöhnlich ein sehr friedliches Leben, wenn er nicht durch einen aggressiven Löwen, das plötzliche Auftauchen eines unvorsichtigen Zoologen oder vielleicht ein niedrig fliegendes Flugzeug erschreckt wird. Dann hebt das Leittier den Rüssel, als wolle es die Gefahr riechen. Mit

einem lauten Trompetenton fordert es die Herde auf, sich zusammenzuscharen. Wenn es dem Leittier gelingt, die Gefahrenquelle zu erkennen, rollt es den Rüssel ein, legt die Ohren zurück, hebt den Kopf und greift möglicherweise den Feind an. Sollen die anderen Tiere der Herde folgen, fordert das Leittier sie durch Trompeten und Kollern dazu auf.

Unten: Eine Afrikanische Elefantenkuh nimmt ihr Kalb schützend unter den Bauch. In einer größeren Herde mit einer Leitkuh kümmern sich mehrere Kühe um die Kälber.

Seekühe

(ORDNUNG SIRENIA)

Die Seekühe oder Sirenen sind einem Leben im Wasser angepaßte Säugetiere; zu ihnen gehören die Manatis oder Rundschwanz-Seekühe (FAMILIE TRICHEDIDAE) sowie die Gabelschwanz-Seekühe (FAMILIE DUGONGIDAE), von denen nur noch der Dugong existiert, während die Steller'sche Seekuh bereits im 18. Jahrhundert ausgestorben ist. Der Dugong findet sich in den Tropen der Alten Welt, vorwiegend in küstenna-

hen Gewässern; gelegentlich wandert er auch die Flüsse hinauf. Manatis gibt es in Küstengewässern und küstennahen Flüssen im Südwesten der Vereinigten Staaten, in Westindien, im nördlichen Südamerika sowie in Westafrika. Die ausgestorbene Steller'sche Seekuh *(Rhytina gigas)* lebte früher im Beringmeer; sie wurde im Laufe weniger Jahrzehnte ein Opfer menschlicher Habgier.

Die Seekühe sind massige, spindelförmige Tiere, deren Vordergliedmaßen zu Flossen abgewandelt sind. An die Stelle der fehlenden Hintergliedmaßen ist ein Schwanz getreten, der

dem der Wale ähnelt. Ausgewachsene Tiere werden 2,50 bis 4 Meter lang und können bis zu 360 Kilogramm schwer werden. An dem rundlichen Kopf sitzt eine abgeflachte Schnauze, der Mund ist von steifen, dicken Tasthaaren umgeben, die Nasenlöcher können zum Tauchen geschlossen werden.

Dugong und Manati unterscheiden sich in mehreren Punkten. Wie schon ihre deutschen Namen besagen, besitzt der Dugong einen gegabelten Schwanz, während er bei der Manati mehr oder minder abgerundet ist. Ein Dugongbulle trägt stoßzahnähnliche Schneidezähne; Backenzähne sind nur bei jungen Tieren vorhanden und fallen später aus. Die Manati dagegen besitzt 5 bis 8 Backenzähne in jeder Kiefernhälfte. Wenn der vorderste Zahn verlorengeht, rückt von hinten ein neuer nach.

Dugongs *(Dugong dugong)* leben entweder allein, paarweise oder in kleinen Gruppen; die einzelnen Tiere sind einander offenbar sehr zugetan. Sie ernähren sich von Algen und See-

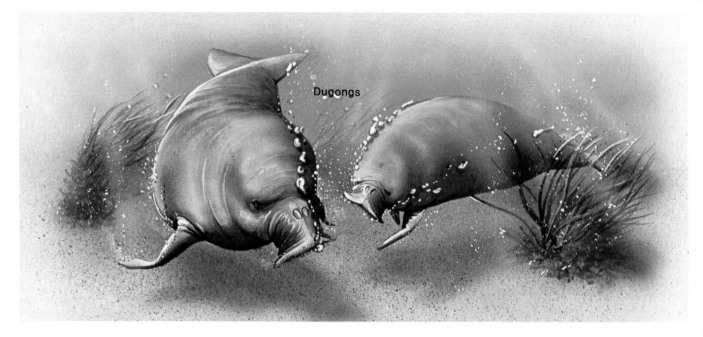

Dugongs

Dugongs — die Sirenen der Sagen

Es steht zu vermuten, daß die Sagen und Märchen, in denen von Sirenen und Meerjungfrauen die Rede ist, auf den Dugong zurückgehen. Die erste Beschreibung findet sich bei dem römischen Schriftsteller Plinius, und vielleicht beruht auch Homers Geschichte von Odysseus und den Sirenen auf diesen Tieren. Die frühen Seefahrer erzählten von Meerweibern, die wie eine menschliche Mutter ihren Jungen die Brust gaben. Was sie sahen, waren fraglos Dugongs, bei denen die Weibchen zwei Brüste haben, an denen die von der Mutter im Arm gehaltenen Jungen trinken.

Nach ungefähr elfmonatiger Trächtigkeit bringt die Kuh ein Junges zur Welt; das kann allem Anschein nach zu jeder

Eine Dugongkuh mit ihrem Jungen

Jahreszeit geschehen. Die Mutter kümmert sich liebevoll um ihr Kind und ist ständig um sein Wohlergehen besorgt. Auch daß sie es gelegentlich auf dem Rücken trägt, mag zum Entstehen der Geschichten um diese Meeresbewohner beigetragen haben. So ist es durchaus zu begreifen, daß sich Seeleute ohne

Brillen und Ferngläser, aber mit ihrer täglichen Rumration im Leibe, gelegentlich einbildeten, hübsche Mädchen im Wasser zu sehen.

Oben: *Eine Illustration zur „Kleinen Meerjungfrau" von Hans Christian Andersen. Die Meerjungfrauen oder Meerweiber wurden in den frühen Mythen und Sagen Sirenen genannt — eine Bezeichnung, der die Ordnung Seekühe ihren wissenschaftlichen Namen „Sirenia" verdankt. Der Gedanke an menschenähnliche Wesen kam auf, weil die Kühe ihren Kindern wie Menschenmütter die Brust geben.*

gräsern, die sie unter Wasser verzehren. Dazu reißen sie ganze Pflanzen aus und schütteln sie so lange im Wasser, bis der Sand herausgefallen ist; danach verschlucken sie sie fast unzerkaut. Häufig stapeln sie Futterpflanzen an der Küste auch zu Haufen, um sie später in Ruhe zu fressen.

Halbwüchsige Manatis scharen sich oft zu Gruppen aus 15 bis 20 Exemplaren zusammen; ausgewachsene Tiere leben in der Regel allein oder in kleinen Familieneinheiten. Die halbwüchsigen Tiere halten zusammen, weil sie noch zu jung sind, um Partner zu finden, aber doch schon so weit herangewachsen, daß sie nicht mehr zum Familienverband gehören. Häufig kann man beobachten, wie sich Manatis „küssen", indem sie einander mit den Schnauzen berühren. Wie die Dugongs sind sie ausschließlich Pflanzenfresser; neben Meerespflanzen verzehren sie auch Süßwassergewächse.

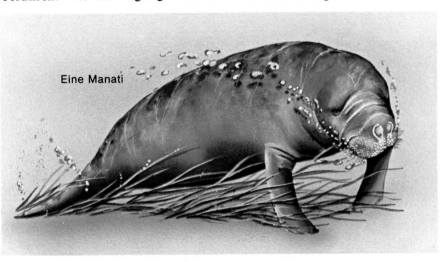

Eine Manati

Hasentiere

(ORDNUNG LAGOMORPHA)

Die zu dieser Ordnung gehörenden Hasen, Kaninchen und Pfeifhasen sind über fast die ganze Welt verbreitet; nur in der Antarktis, auf Madagaskar und in Teilen Indonesiens und Südamerikas kommen sie nicht vor. Früher fehlten sie auch in Australien und Neuseeland; dort wurden sie vom Menschen eingeführt.

Zur Familie der Pfeifhasen (OCHOTONIDAE) gehören 15 Arten, die mit Ausnahme einer in Nordamerika und einer bis nach Südosteuropa vorgedrungenen Art sämtlich in Zentralasien beheimatet sind, und zwar überwiegend in kalten und gebirgigen Regionen. Sie haben kurze, rundliche Ohren und leben in Bauen, die sie zumeist in Geröllhalden gegraben haben. Im Sommer sammeln sie trockene Gräser, die sie unter über-

Links: *In der Paarungszeit stellen sich die sogenannten „Märzhasen" auf die Hinterbeine, betrommeln sich gegenseitig und jagen sich über die Felder.*

hängenden Felsen lagern; diese Gewohnheit hat ihnen im Russischen den Namen „Heustapler" eingetragen. Mit Hilfe dieser Heuhaufen können die Pfeifhasen die Zeit überdauern, in der sie sonst nichts zu fressen finden würden.

Die rund 45 Arten der Familie der Hasenartigen (LEPORIDAE) sind in der klirrenden Kälte der Nordpolarregion ebenso anzutreffen wie in der flimmernden Hitze der Wüsten. Ohren und Gliedmaßen sind länger als bei den Pfeifhasen; alle Arten haben kurze Schwänze und können sich sehr schnell bewegen. Manche Arten graben sich unterirdische Baue, andere leben ausschließlich an der Oberfläche. Ihre großen, meißelartigen Schneidezähne wachsen ständig nach, und zwischen Schneide- und Backenzähnen liegt eine Lücke, die als Diastema bezeichnet wird. In dieser Hinsicht ähneln sie den Nagetieren, denen sie früher zugerechnet wurden, bis man herausfand, daß es sich im Grunde nur um oberflächliche Ähnlichkeiten handelte.

Der Europäische Feldhase *(Lepus europaeus)* unterscheidet sich vom Europäischen Wildkaninchen *(Oryctolagus cuniculus)* vor allem dadurch, daß er größer und schlanker gebaut ist. Außerdem besitzt der Hase längere Ohren mit einem deutlich erkennbaren schwarzen Fleck an der Spitze und längere Hinterläufe; deshalb sehen rennende Hasen aus, als liefen sie auf Stelzen, während bei den Kaninchen die hoppelnde Gangart überwiegt. Der Feldhase ist ein Einzelgänger, nur in der Paarungszeit kann man beobachten, wie mehrere Hasen einander jagen und sich „betrommeln". Ob es sich dabei nur um Rammler handelt oder ob auch Häsinnen an diesen Kämpfen beteiligt sind, ist bisher nicht bekannt. Der Europäische Feldhase gräbt keinen Bau, sondern ruht in einer sogenannten „Sasse", einem Lagerplatz in einer flachen Erdmulde. Eine Häsin bringt mehrmals im Jahr 2 bis 6 Junge zur Welt; sie können bei der Geburt bereits sehen und ihre Gliedmaßen gebrauchen und sind auch schon voll behaart.

Das Europäische Wildkaninchen lebt in einem ausgedehnten unterirdischen Bau, nur in manchen Gegenden, in denen große Teil der Population einer Seuche, der Myxomatose, zum Opfer gefallen sind, haben sich die Überlebenden und spätere Generationen auf ein oberirdisches Leben umgestellt. Die weiblichen Tiere legen sogenannte Setzbaue an, die sie mit trockenem Gras und Moos auspolstern. Männchen dürfen den Bau nicht betreten — für die blinden, nackten Jungen sorgt ausschließlich die Mutter. Nach rund 4 Wochen sind sie selbständig, und das Weibchen kann rund 14 Tage später einen neuen Wurf gebären.

Der Schneehase *(Lepus timidus)* zeichnet sich dadurch aus, daß er im Sommer ein bräunliches Fell trägt, während es im Winter bis auf die schwarzen Ohrenspitzen reinweiß ist.

Hauskaninchen

Angorakaninchen

Deutsche Riesenschecke

Holländer

Die Stammform sämtlicher Hauskaninchen oder Stallhasen ist das Europäische Wildkaninchen; heute gibt es ungefähr 50 Zuchtrassen. Zu den größten gehören die Belgischen Riesen, die bis zu 9 Kilogramm schwer werden können, während die Englischen Widder Hängeohren besitzen, die bis auf den Boden herabreichen. Besonders hübsche Tiere sind die durchweg weißen Angorakaninchen mit ihrem flaumigen Fell. Die schwarz-weißen Holländer sind bei Kindern beliebt, weil sie besonders zutraulich und unempfindlich sind. Die kleinsten Stallhasen, die Hermelinkaninchen, sind in der Regel rotäugige Albinos.

Nagetiere

(ORDNUNG RODENTIA)

Die über die ganze Welt verbreiteten Nagetiere bilden nicht nur eine sehr große Ordnung, der gut 3000 Arten und damit mehr als die Hälfte der heute lebenden Säugetiere angehören, sie sind auch, was die Zahl der Individuen betrifft, bei weitem die stärkste Gruppe.

Alle Nager tragen je ein Paar Schneidezähne im Ober- und Unterkiefer, die durch das Verzehren harter Nahrung stark beansprucht werden und ständig nachwachsen. Der wissenschaftliche Name „Rodentia" ist von dem lateinischen Verbum *rodere* = nagen abgeleitet. Wie bei den Hasentieren liegt auch bei den Nagern zwischen Schneide- und Backenzähnen die als Diastema bezeichnete Lücke. Schädelbau, Kieferform und starke Kaumuskeln ermöglichen ein kräftiges Zubeißen. Diese Einrichtungen haben in Verbindung mit ihrer erstaunlichen Anpassungsfähigkeit dazu geführt, daß sich die Nagetiere zahlreiche ökologische Nischen erobern konnten, die andere Arten nicht auszufüllen vermochten. Sie graben, laufen, klettern, hoppeln, gleiten und schwimmen in Lebensräumen, die von der Wüste und dem tropischen Regenwald bis zu den arktischen Kältezonen und dem Hochgebirge reichen. Dabei kam ihnen vermutlich auch der Umstand zustatten, daß sie überwiegend kleine, nur wenige Zentimeter lange Geschöpfe sind. Im allgemeinen werden die über 300 Gattungen in 4 Unterordnungen aufgeteilt: Hörnchenverwandte, Mäuseverwandte, Stachelschweinverwandte und Meerschweinchenverwandte.

Rechts oben: *Das ursprünglich in Amerika beheimatete Grauhörnchen hat sich in England eingebürgert und stark vermehrt.*

Rechts: *Gleithörnchen besitzen eine Flughaut, die sich von den Vorder- bis zu den Hinterbeinen erstreckt und wie ein Fallschirm wirkt.*

Die „Dörfer" der Präriehunde

Die Präriehunde (Gattung *Cynomus* mit 2 Arten) leben in großen Kolonien auf den Prärien im Zentrum Nordamerikas. Ein Präriehund„dorf" besteht aus weit verzweigten, unterirdischen Gängen, die mehrere Kilometer lang sein können und Hunderte von Eingängen haben. Auf den Sandwällen vor den Eingängen sitzen stets einige Tiere und halten Wache. Wenn Gefahr droht, geben sie ein hundeähnliches Gebell von sich, und alle Tiere flüchten blitzschnell in den nächsten Eingang. Gelegentlich nisten sich Klapperschlangen in den Bauen ein; dann ziehen sie weiter und legen anderswo einen neuen Bau an. Die Zahl der Präriehunde ist stark zurückgegangen, weil ein Großteil ihres Lebensraums in Kulturland umgewandelt wurde und ihnen außerdem die Menschen immer nachgestellt haben. Heute sind sie vom Aussterben bedroht.

Links: *In Gesellschaft seiner Jungen hält ein Präriehund-Weibchen Wache.*

Hörnchenverwandte

(UNTERORDNUNG SCIUROMORPHA)
Zu dieser Gruppe gehören nicht nur die Eichhörnchen, sondern auch Murmeltiere, Biber, Taschenratten und Backenhörnchen. Mit Ausnahme von Madagaskar, Australien und den Polarzonen sind sie über die ganze Welt verbreitet. Zu den Baumhörnchen (GATTUNGSGRUPPE SCIURINI) gehört das Grauhörnchen *(Sciurus caroliniensis)*, das ursprünglich nur in Nordamerika heimisch war, inzwischen aber auch in Europa eingebürgert ist. Das mitteleuropäische Eichhörnchen oder Eichkätzchen *(Sciurus vulgaris)* ist fast jedermann bekannt. Es ist ein flinkes Tier, das sein Nest aus Blättern und Zweigen, den sogenannten „Kobel", oft in den Astgabeln alter Bäume baut. Es ernährt sich von Nüssen, Knospen, Früchten und Insekten sowie Vogeleiern und Küken.

Die Gleithörnchen (UNTERFAMILIE PTEROMYINAE) leben überwiegend in Südasien. Die Riesengleithörnchen (Gattung *Petaurista*) erreichen, den Schwanz eingerechnet, Längen von mehr als einem Meter und können gleitend Entfernungen bis zu 60 Metern überbrücken. Alle Gleithörnchen besitzen eine Flughaut, die sich von den Vordergliedmaßen bis zum Fußgelenk erstreckt und wie ein Fallschirm wirkt.

Zu den Erdhörnchen (GATTUNGS-GRUPPE MARMOTINI) gehören Ziesel, Backen- und Streifenhörnchen, Murmeltiere und Präriehunde. Viele von ihnen besitzen Backentaschen, in denen sie Früchte und andere Nahrung mit sich herumtragen können. Typisch für die Erdhörnchen sind ausgedehnte unterirdische Baue.

Biber

(FAMILIE CASTORIDAE)
Der Biber *(Castor fiber)* ist die einzige Art dieser Familie und zugleich

Unten: *Der Kanadische Biber* (Castor fiber canadensis) *ist wie sein europäischer Verwandter ein geschickter Baumeister, der im Wasser Dämme errichtet und Burgen anlegt.*

das größte europäische Nagetier. Es gibt eine Reihe von Unterarten, darunter den früher in eine eigene Art gestellten Kanadischen Biber *(C. fiber canadensis),* der ebenso wie weitere Unterarten in Nordamerika beheimatet ist. Ein ausgewachsener Biber kann, den Schwanz eingerechnet, bis zu 1,30 Meter lang werden. Er besitzt einen breiten und flachen, mit Schuppen bedeckten Schwanz, der beim Schwimmen als Steuerruder dient. Wenn Gefahr droht, peitscht er mit dem Schwanz auf der Wasseroberfläche, bevor er untertaucht; außerdem dient er ihm als Stütze beim Benagen von Baumstämmen. Die Biber, die zumeist gesellig in kleinen Gruppen zusammenleben, sind berühmt für ihre Baukünste; in den Flüssen bauen sie Dämme und Burgen, zumeist in der Nähe von Pappeln und Weiden, die sie am liebsten fressen und zum Bauen verwenden.

Mäuseverwandte

(UNTERORDNUNG MYOMORPHA)

Zu dieser Gruppe gehören so bekannte Tiere wie Ratten und Mäuse, Hamster, Wühlmäuse und Lemminge. Ratten und Mäuse entwickelten sich vor rund 40 Millionen Jahren in der nördlichen Hemisphäre und haben sich später über die ganze Welt ausgebreitet. Wir können hier aus der großen Zahl kleiner, unscheinbarer Tiere nur wenige Arten als Beispiele herausgreifen. Von den Neuweltmäusen (GATTUNGSGRUPPE HESPEROMYINI) sind die Weißfuß- oder Hirschmäuse (Gattung *Peromyscus)* besonders nützliche Insektenvertilger. Die eurasiatische Zwergmaus *(Micromys minutus)* wird nur 6 bis 7 Zentimeter lang; sie legt auf Wiesen und Feldern zwischen Halmen kunstvolle ,,Hochnester'' an.

In der Alten Welt beheimatet sind die berüchtigten Ratten (Gattung *Rattus)* und Mäuse (Gattung *Mus)* sowie Blindmäuse, Stachelmäuse, Wurzelratten und viele mehr. Eines der anpassungsfähigsten Tiere, die es je gab, dürfte die Wanderratte *(Rattus norvegicus)* sein. Ursprünglich wohl in der zentralasiatischen Steppe beheimatet, begann sie möglicherweise bereits in der Antike, sich immer weiter auszubreiten; da sie häufig auf Schiffen mitreiste, ist sie inzwischen bis in den letzten Erdwinkel vorgedrungen. Eine ähnlich weite Verbreiterung hat die Hausmaus *(Mus musculus);* auch sie ist dem Menschen überallhin gefolgt und imstande, selbst unter ungünstigen Bedingungen zu überleben und sich fortzupflanzen.

Bilche oder Schläfer

(FAMILIE GLIRIDAE)

Bekannte Angehörige dieser Familie sind die Haselmaus *(Muscardinus avellanarius)* und der Siebenschläfer *(Glis glis).* Sie besitzen lange Schwänze, die zum Teil sehr buschig sind, und können hervorragend klettern. Im Herbst fallen sie in Winterschlaf; Puls- und Atemfrequenz werden langsam und die Körpertemperatur sinkt so weit ab, daß sie in etwa der Umwelttemperatur entspricht.

Unten: *Die berüchtigte Haus- oder Dachratte (Rattus rattus) frißt alles und zerstört noch mehr, als sie fressen kann. Die Hausratte und ihre Parasiten übertragen Seuchen wie Pest, Fleckfieber und Tollwut.*

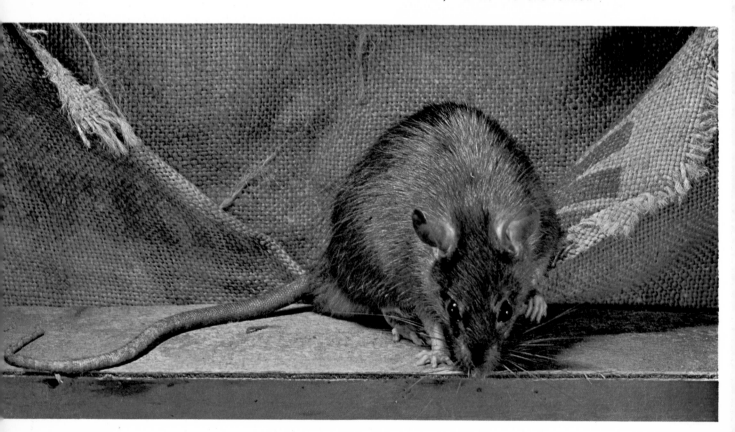

Springmäuse

(FAMILIE DIPODIDAE)
Die rund 25 Arten von Springmäusen oder Springnagern sind überwiegend in Asien beheimatet, einige kommen auch in Europa und Afrika vor. Typisch sind die stark verlängerten Hinterbeine, mit denen sie eher hüpfen als laufen. Obwohl sie durchweg nur wenige Zentimeter lang sind, können sie bis zu 2 Meter hohe Sprünge machen. Ihr Fell ist gewöhnlich sandfarben; da sie Bewohner von Wüsten- und Steppengebieten sind, sind sie in ihrer Umgebung gut getarnt. Mit ihren großen Augen und Ohren, den langen Schnurrhaaren und den kurzen Vorderbeinen, zwischen denen sie ihre Nahrung halten, sind die Springmäuse recht hübsche Tiere.

Rechts: *Haselmaus im Winterschlaf.*

Die Wanderzüge der Lemminge

Zur Gattungsgruppe der Lemminge (LEMMINI) gehören 11 Arten, die sich wie fast alle Nagetiere sehr stark vermehren. Vor allem bei den Echten Lemmingen (Gattung *Lemmus*) kommt es immer wieder zu sogenannten „Bevölkerungsexplosionen", die weite Wanderungen erforderlich machen. Das ist beim Berglemming *(Lemmus lemmus)* gewöhnlich alle 3 bis 5 Jahre der Fall, und dann ist im Fernsehen zu beobachten und im Rundfunk zu hören, wie riesige Horden Züge zum Halten bringen und Straßen verstopfen. Einige erreichen die Küsten, um ins Meer hinauszuschwimmen, bis sie vor Erschöpfung sterben. Dieses Verhalten hat zu der weit verbreiteten Annahme geführt, die Lemminge begingen „Selbstmord". Allem Anschein nach werden die Wanderungen durch Übervölkerung ausgelöst; die Zurückgebliebenen können überleben und in den Jahren bis zur nächsten Bevölkerungsexplosion gesunde Nachkommen aufziehen.

Stachelschwein-
verwandte

(UNTERORDNUNG HYSTRICOMORPHA)
Zur Familie der Stachelschweine
(HYSTRICIDAE) gehören 5 Gattungen
mit etwa 21 Arten. Man nennt sie
auch Altwelt-Stachelschweine, um
sie von den Baumstachlern der Neu-
en Welt (FAMILIE ERETHIZONTIDAE)
zu unterscheiden, mit denen sie nur
entfernt verwandt sind; die letzten
gehören zur Unterordnung der Meer-
schweinchenverwandten. Die Altwelt-Stachelschweine leben, gewöhnlich allein, in Afrika und Asien. Auffälligstes Merkmal sind die großen
steifen Stacheln und Borsten auf ih-

Rechts: *Ein südamerikanischer Greif-
stachler (Gattung* Coendou). *Die zur
Meerschweinchenverwandtschaft gehörenden Baumstachler sind träge Tiere,
die jedoch gut klettern können und sich
von Pflanzenteilen ernähren.*

284

Links: *Hände und Füße der Baumstachler sind der kletternden Lebensweise angepaßt. An den 4 Fingern und Zehen sitzen starke, gebogene Krallen, mit denen sie an Ästen festen Halt finden.*

rem Rücken, die sie mit Hilfe kräftiger Hautmuskeln aufrichten können. Die Tage verbringen sie in ihrem unterirdischen Bau schlafend; bei Anbruch der Dämmerung gehen sie auf die Suche nach saftigen Pflanzen, Wurzeln, Früchten und Borke. Wenn ihnen Gefahr droht, rasseln die Tiere mit einem am Schwanz sitzenden Hornbecher; wenn das nichts nützt, drehen sie sich um, laufen rückwärts auf den Feind zu und greifen mit gesträubten Stacheln an.

Meerschweinchenverwandte
(UNTERORDNUNG CAVIOMORPHA)

Das als Haustier sehr beliebte Meerschweinchen *(Cavia aperea porcellus)* ist ein Verwandter des größten Nagetiers, der südamerikanischen Capybara *(Hydrochoerus hydrochaeris).* Sie kann über 1 Meter lang werden und 50 Kilogramm wiegen. Die Capybaras leben in Gruppen an Flußufern und ernähren sich von Gräsern und Wasserpflanzen. Bei Gefahr flüchten sie ins Wasser.

In Südamerika leben zahlreiche Nagetiere, darunter die Maras oder Pampashasen *(Dolichotis patagonum),* die gefleckte Paka *(Cuniculus paca),* die langbeinigen Agutis (Gattung *Dasyprocta)* und die wegen ihres Pelzes geschätzten und sehr selten gewordenen Chinchillas (Gattung *Chinchilla).* Der Sumpfbiber *(Myocastor coypus)* oder Nutria wird in Pelztierfarmen gezüchtet; aus solchen Farmen entflohene Tiere haben sich bisher in Europa kaum einbürgern können.

Unten: *Ein Sumpfbiber ruht oberhalb des Gewässers, das seinen Lebensraum bildet. Die Zitzen der Weibchen sitzen so hoch, daß die Jungen auch trinken können, wenn sie auf dem Rücken der schwimmenden Mutter sitzen.*

Huftiere
(UNGULATA)

Unter der Sammelbezeichnung „Ungulata" faßt man alle pflanzenfressenden Säugetiere zusammen, die an den Zehen hornige Umkleidungen, sogenannte „Hufe" tragen. Die noch lebenden Arten, zu denen Hirsche, Pferde, Antilopen, Rinder und Kamele gehören, werden in zwei Ordnungen unterteilt, die Unpaarhufer (PERISSODACTYLA) und die Paarhufer (ARTIODACYTLA). Ihre Körper sind vielfach so gebaut, daß sie ihren Feinden in schnellem Lauf über weite Steppen- und Savannenlandschaften entfliehen können. Ihre Gliedmaßen sind durchweg recht lang; außerdem sind sie sogenannte Zehengänger, das heißt, das ganze Körpergewicht ruht auf den Zehen, die durch die aus Nägeln oder Krallen hervorgegangenen Hufe geschützt werden.

Die Backenzähne der Huftiere haben gewöhnlich breite Kauflächen;

sie ermöglichen es den Tieren, harte Gräser abzuweiden und so weit zu zermahlen, daß sie im Magen verdaut werden können.

Wildlebende Huftiere sind über die ganze Welt mit Ausnahme der australischen Region verbreitet. Doch selbst im heißen, trockenen Innern Australiens haben sich Kamele und Esel eingebürgert, die durchreisenden Forschern auf Expeditionen entwichen sind.

Unpaarhufer

(ORDNUNG PERISSODACTYLA)

Von den Angehörigen dieser Ordnung konnten nur 15 Arten bis heute überleben; sie werden in zwei Unterordnungen aufgeteilt, die Pferdeverwandten (HIPPOMORPHA) mit Zebras, Eseln und Pferden und die Nashornverwandten (CERATOMORPHA) mit Tapiren und Nashörnern. Allen

Arten ist gemeinsam, daß die ideale Mittelachse der Gliedmaßen bis zum Huf durch eine Zehe verläuft und das Hauptkörpergewicht auf der mittleren (dritten) Zehe ruht; sie werden deshalb auch als Mittelachsentiere (MESAXONIA) bezeichnet.

Nashörner

(FAMILIE RHINOCEROTIDAE)

Ein Nashorn ist an seinem großen, massigen Körper mit den dicken, kräftigen Beinen und dem großen Nashorn ohne weiteres zu erkennen. Heute leben nur noch 5 Arten, 3 in Asien und 2 in Afrika, die sämtlich vom Aussterben bedroht sind.

Die größte asiatische Art ist das gewaltige, in den Regenwäldern und Savannen Nepals, Bengalens und Assams beheimateten Panzernashorn *(Rhinoceros unicornis)*. Es kann bis zu 2000 Kilogramm schwer werden und eine Schulterhöhe von 2 Metern erreichen. Die nackte Haut ist durch Falten an Schultern und Schwanzwurzel in Platten unterteilt, die dem Tier größere Bewegungsfreiheit geben; auf diesen Platten sitzen Beulen, die wie Nieten aussehen. Haare

Links: *Ein Spitzmaulnashorn-Weibchen läßt sein Junges trinken, ohne in seiner Wachsamkeit nachzulassen.*

finden sich nur in Form von Ohrbüscheln und einer Schwanzquaste. Die Artbezeichnung *unicornis* gibt an, daß die Tiere nur ein Horn auf dem Nasenbein tragen. Mit der fingerartig verlängerten Oberlippe können sie Gräser und Zweige „greifen". Weitere asiatische Arten sind das Javanashorn *(Rhinoceros sondaicus)* und das Sumatranashorn *(Dicerorhinus sumatrensis);* von beiden leben nur noch wenige Exemplare.

Die größte afrikanische Art und überhaupt das größte Tier dieser Familie ist das in Afrika heimische Weiße oder Breitmaulnashorn *(Ceratotherium simum);* ausgewachsene Bullen können 4000 Kilogramm schwer, 2 Meter hoch und 4 Meter lang werden. Nach dem Elefanten ist es das schwerste Landsäugetier. Es besitzt breite, fast quadratische Lippen, mit denen es langsam und bedächtig Gräser abweidet. Beim Schwarzen oder Spitzmaulnashorn *(Diceros bicornis)* dagegen ist die Oberlippe verlängert und läuft in einer zum Greifen geeigneten Spitze aus; diese Art ernährt sich überwiegend von Zweigen und Blättern und ist die einzige, von der es noch größere Bestände gibt. Die Namen „Weißes" und „Schwarzes" Nashorn sind irreführend, denn beide Arten sind schiefergrau. Wahrscheinlich beruht das Wort „weiß" auf einem Übersetzungsfehler, bei dem aus dem burischen Wort *wijde* (breit) das englische *white* (weiß) wurde. Sowohl das Breitmaul- als auch das Spitzmaulnashorn besitzen zwei Hörner, die sehr lang werden können; sie bestehen aus zusammengeklebten Keratinstäbchen, dem gleichen Material, aus dem auch Haar besteht.

Von den Spitzmaulnashörnern ist bekannt, daß sie Autos oder Eindringlinge wütend angreifen können. In der Regel sind sie sanfte, friedliche Tiere, und vermutlich veranlaßt sie ihr schlechtes Sehvermögen, sich auf Objekte zu stürzen, deren plötzliche Bewegung sie beunruhigt. Gehör und Geruchssinn sind gut ausgebildet und wichtiger als die Augen.

Tapire

(FAMILIE TAPIRIDAE)

Typisch für die Tapire ist ein kurzer, beweglicher Rüssel. Von dieser Familie gibt es heute noch 4 Arten, von denen eine in den Wäldern Südostasiens lebt, während die anderen 3 in Mittel- und Südamerika beheimatet sind. Obwohl die Unpaarhufer in der Regel 1 oder 3 Zehen besitzen, tragen die Vorderfüße der Tapire 4 Zehen, ein Merkmal, das sie vermutlich von ihren ausgestorbenen Vorfahren übernommen und beibehalten haben. An den Hinterfüßen sitzen jedoch 3 Zehen wie bei allen anderen

Schabrackentapir

Angehörigen dieser Unterordnung. Die massigen Tiere haben kurze, stämmige Gliedmaßen und kurze Schwänze. Sie können gut riechen und hören, aber nur schlecht sehen.

Der Schabrackentapir *(Tapirus indicus)* ist auffällig gezeichnet.

Kopf, Hals, Schultern udn Beine sind schwarz, aber über Rücken, Flanken und Bauch zieht sich eine weiße „Schabracke". Diese Zeichnung hilft den Tieren, sich im Unterholz der Wälder zu tarnen, weil sie den Körperumriß auflöst. Innerhalb eines bestimmten Reviers wandern die Tiere auf festen Routen, die sie in regelmäßigen Abständen durch Absetzen von Kot markieren. Diese Gewohnheit haben sie mit den Nashörnern gemeinsam, die ihre Territorien auf die gleiche Weise kennzeichnen.

Der südamerikanische Flachlandtapir *(T. terrestris)* lebt in den Amazonaswäldern; er hat ein schwärzlichbraunes Fell und trägt eine kurze Mähne auf dem Nacken. Als vorzüglicher Schwimmer sucht er häufig im nächsten Gewässer Zuflucht, wenn ihn ein Feind wie zum Beispiel ein Jaguar bedroht. Die anderen beiden Arten, der Mittelamerikanische Tapir *(T. bairdi)* und der Bergtapir *(T. pinchaeque),* sind Bewohner höhergelegener Regionen.

Nach einer Trächtigkeit von ungefähr 13 Monaten bringt das Weibchen ein Junges zur Welt; gelegentlich kommen auch Zwillingsgeburten vor. Junge Tiere tragen helle Längsstreifen, die Beine sind quergestreift, der Kopf mit Flecken gezeichnet. Damit sind sie im durchbrochenen Licht des Waldes gut getarnt. Die Zeichnung verschwindet gegen Ende des ersten Lebensjahrs.

Pferdeverwandte

(FAMILIE EQUIDAE)

Die Familie der Pferdeverwandten oder Einhufer, zu der Zebras, Esel und Pferde gehören, besteht aus 6 Arten mit zahlreichen Unterarten. Sie haben größere Augen und können deshalb besser sehen als Tapire und Nashörner, aber auch bei ihnen sind Gehör und Geruchssinn von größerer Bedeutung als das Sehvermögen. Die meisten Arten dieser Familie sind auf weiten Ebenen oder offenem Gelände anzutreffen und leben zumeist in Herden mit einem Leittier. Da sie mit langen Beinen, leistungsfähigen Herzen und geräumigen Lungen ausgestattet sind, können sie bei Gefahr sehr schnell die Flucht ergreifen.

Zebras leben ausschließlich in Afrika südlich der Sahara. An ihren schwarzen oder dunkelbraunen Streifen auf weißlichem Grund sind sie leicht zu erkennen; wesentlich schwieriger ist es, die 3 Arten voneinander zu unterscheiden. Das Bergzebra *(Equus zebra)* ist die kleinste Art

und lebt am weitesten südlich. Früher durchstreiften große Herden das Land, aber heute sind nur noch Restbestände vorhanden, die zum Teil in einem Schutzgebiet im Kapland leben. Mit seinen langen Ohren, den schmalen Hufen und dem schweren Kopf hat es von allen Zebras die größte Ähnlichkeit mit dem Wildesel. Die Streifen sitzen dicht nebeneinander; an den Hinterkeulen sind sie breiter und haben größere Abstände. Wie schon ihr Name vermuten läßt, sind die Bergzebras geschickte Kletterer.

Das Steppenzebra *(Equus quagga)* ist noch verhältnismäßig häufig; allerdings sind 2 der insgesamt 5 Unterarten bereits ausgerottet. Die Zeichnung ist unterschiedlich, aber oft sitzen zwischen den dunklen hellere Schattenstreifen.

Die größte Art mit den schmalsten Streifen ist das Grévyzebra *(Equus grevyi)*. Während die anderen Zebras bellende Geräusche von sich geben, schreit das Grévyzebra wie ein Esel.

In bezug auf die Lebensweise gibt es bei den verschiedenen Zebra-

Rechts: Kämpfende Zebrahengste. Zur Brunstzeit kommt es öfters zu Kämpfen, bei denen die Hengste mit ihren spitzen Eckzähnen zubeißen und einander mit den Hufen Schläge versetzen.

Arten kaum Unterschiede. Das Leittier einer Herde ist zumeist ein alter Hengst, der unermüdlich auf der Hut ist vor den zahlreichen Feinden dieser Tiere — Löwen, Leoparden, Hyänen und Wildhunden, vor allem dann, wenn er seine Herde in der Morgen- oder Abenddämmerung zu einer Wasserstelle führt. Alle Zebras sind gesellige Weidetiere und grasen häufig gemeinsam mit Gnus, Antilopen und Straußen, wobei alle Tiere gemeinsam auf die Warnung vor einem Feind reagieren.

Trächtige Stuten ziehen sich von der Herde zurück, um ein bereits gut entwickeltes Junges zur Welt zu bringen. Das Fohlen stellt sich schon bald auf die Beine und ist nach einem Trunk an den Zitzen der Mutter imstande, der Herde zu folgen. Wäre das nicht der Fall, dann wären die Neugeborenen für die zahlreichen Raubtiere eine leichte Beute.

Das Hauspferd

Schon vor rund 4000 Jahren hat der Mensch versucht, das Pferd zum Haustier zu machen. Die zahlreichen Zuchtformen unserer Tage stammen von verschiedenen Unterarten des Wildpferdes ab und lassen sich in drei deutlich voneinander unterschiedene Gruppen einteilen. Zur ersten Gruppe gehören die Ponies und Kleinpferde wie Fjordpferd, Shetland-, Island- und Welsh-Pony. Die zweite Gruppe bilden die langbeinigen Warmblutpferde; zu ihnen gehören Araber, Hannoveraner, Trakehner und das Englische Vollblut. Das letztere entstand durch Kreuzung britischer Pferde mit Arabern; da es in erster Linie auf Schnelligkeit gezüchtet wird, können die Tiere sehr unterschiedlich aussehen. Die dritte Gruppe enthält die sogenannten Kaltblutpferde, große, kräftige Tiere, die vor allem für landwirtschaftliche Arbeiten und zum Ziehen schwerer Fahrzeuge eingesetzt werden. Zu diesen kraftvollen Geschöpfen gehören zum Beispiel die Belgier, die Percherons und die englischen Shire-Horses.

Oben: Eine Englische Vollblutstute mit ihrem Fohlen. Das Englische Vollblut wurde ausschließlich als Rennpferd gezüchtet und kann auf kurzen Strecken Geschwindigkeiten bis zu 16 Metern pro Sekunde erreichen.

Zu den ausgestorbenen Unterarten gehört das Quagga *(Equus quagga quagga),* das nur an Kopf und Hals sowie im vorderen Rückenbereich gestreift war. Es war in Südafrika heimisch und wurde abgeschossen, wo immer man es traf; das letzte freilebende Tier wurde 1878 getötet.

Wildesel und Wildpferde

Typisch für die Esel sind lange Ohren, eine kurze, aufrechte Mähne, die sich von den Ohren bis zur Schulter streckt, ein dünner, nur am Ende länger behaarter Schwanz und lange, schlanke Beine. Es gibt zwei Arten, beide mit mehreren Unterarten, den Asiatischen Wildesel oder Halbesel *(Equus hemionus)* und den Afrikanischen Wildesel *(E. asinus);* von ihm stammen die Hausesel ab. Pferde und Esel erzeugen Mischlinge; der Nachkomme eines Pferdehengstes und einer Eselstute heißt Maulesel, der eines Eselhengstes und einer Pferdestute Maultier. Aus Kreuzungen zwischen Zebras und Eseln gehen Eselzebroide, aus Kreuzungen zwischen Zebras und Pferden Pferdezebroide hervor. Diese Mischlinge sind durchweg unfruchtbar.

Von den Pferden konnte nur eine Art überleben, das Wildpferd *(Equus przewalskii),* und auch von ihm nur eine Unterart, das Östliche Steppenwildpferd oder Przewalski-Pferd *(E. przewalskii przewalskii).* Vermutlich ist aber auch dieses früher über ganz Mittelasien verbreitete Tier heute nur noch in Zoologischen Gärten anzutreffen. Von den Hauspferden unterscheidet es sich durch eine kurze schwarze Mähne, einen schweren Kopf und kleine Ohren.

Unten: *Von den Wildpferden konnten nur die Przewalski-Pferde bis heute überleben. Sie waren früher auf den weiten Ebenen beiderseits des Altaigebirges in Zentralasien anzutreffen.*

Paarhufer

(ORDNUNG ARTIODACTYLA)

Mit rund 150 über die ganze Welt — mit Ausnahme von Australien, Neuseeland und den Polarregionen — verbreiteten Arten sind die Paarhufer eine wesentlich erfolgreichere Gruppe als die Unpaarhufer.

Typisch für alle Arten ist der Umstand, daß das Hauptkörpergewicht nicht wie bei den Unpaarhufern nur auf einer Zehe ruht, sondern auf den beiden mittleren Zehen. Die Mittelachse der Gliedmaßen verläuft zwischen zwei Zehen; sie werden deshalb

auch Doppelachsentiere (PARAXONIA) genannt. Allen Verfolgungen durch den Menschen zum Trotz haben sich die Paarhufer bis heute gut behaupten können.

Die Paarhufer werden in zwei Unterordnungen gestellt, die der Nichtwiederkäuer (NONRUMINANTIA) und die der Wiederkäuer (RUMINANTIA). Die Nichtwiederkäuer, zu denen Schweine und Flußpferde gehören, besitzen einen relativ einfach gebauten Magen ohne die für die Wiederkäuer typische Schlundrinne. Bei den höher entwickelten Wiederkäuern dagegen besteht der Magen aus vier Teilen; zu ihnen gehören Hirsche,

Oben: *Europäische Wildschweine wühlen mit den empfindlichen Schnauzen im Boden nach Freßbarem. Die Frischlinge sind auffällig gestreift.*

Giraffen, Antilopen, Rinder, Schafe und die eine eigene Unterordnung (TYLOPODA) bildenden Schwielensohler oder Kamele.

Bei den Wiederkäuern wird die Nahrung abgerissen und schnell verschluckt. Sie wandert durch die Speiseröhre in den Vormagen oder Pansen und anschließend in den Netzmagen, wo sie vorverdaut wird. Wenn sich die Tiere später in einem vor Raubtieren geschützten Versteck befinden, wird die Nahrung durch Aufstoßen portionsweise in den Mund zurückgefördert, gründlich durchgekaut und dann wieder verschluckt. Diesmal gelangt sie durch die Schlundrinne der Speiseröhre in die dritte und vierte Abteilung des Magens, den Blätter- und den Labmagen, wo sie vollständig verdaut wird. Der Vorteil dieser Methode liegt darin, daß die Tiere in kurzer Zeit verhältnismäßig viel Nahrung zu sich nehmen können, um sie dann in Sicherheit und aller Ruhe zu verdauen. Wahrscheinlich ist dies einer der Hauptgründe für den Erfolg der Paarhufer.

Altweltliche Schweine

(FAMILIE SUIDAE)

Mit unserem Hausschwein haben die 8 Arten und zahlreichen Unterarten der Altweltlichen Schweine nicht viel Ähnlichkeit. Ihre Körper sind zumeist dicht behaart; bei manchen Arten haben sich die Eckzähne zu großen, nach oben gekrümmten Hauern entwickelt. Dagegen sind die meisten Hausschweine nur spärlich behaart und besitzen keine Hauer. Unter den Paarhufern nehmen die Schweine insofern eine Sonderstellung ein, als sie in einem Wurf bis zu 14 Junge zur Welt bringen können und entsprechend viele Zitzen haben.

Das Wildschwein (Sus scrofa) war früher in den Wäldern Europas, Asiens, Nordafrikas, Sumatras und Javas häufig anzutreffen. Im Laufe der Jahrhunderte ist das Schwarzwild, wie es von den Jägern genannten Populationen haben sich in verschiedenen Teilen Asiens erhalten. Sie sind Allesfresser, die ihre Nahrung nicht wiederkäuen und in Verbänden, sogenannten „Rotten", leben. Die Jungen — sie heißen Frischlinge — tragen auffällige Längsstreifen auf ihrem braunen Fell. Neuerdings wird vermutet, daß sie nicht der Tarnung dienen, sondern der Mutter als optische Signale helfen, ihre Kinder im Auge zu behalten.

Das Warzenschwein (Phacochoerus aethiopicus) lebt in den Steppen- und Savannenlandschaften Afrikas.

Mit warzenartigen Auswüchsen am Kopf und langen Hauern ist der Eber ein recht häßliches Geschöpf. Der spärlich behaarte Körper ruht auf kurzen Beinen. Wandernde Rotten bieten einen eigentümlichen Anblick: die kurzen, dünnen Schwänze, die in Quasten enden, werden hochgehalten und sehen aus wie schmutzige Fähnchen. Die Bache hat nur 4 Zitzen und bringt deshalb in der Regel auch nicht mehr als 4 Frischlinge zur Welt.

Die größte Art dieser Familie ist das in den Regenwäldern Kenias und des Kongogebietes lebende Riesenwaldschwein (Hylochoerus meinertzhageni), während die merkwürdigste Art der fast kahle, oft sehr runzlige Hirscheber oder Babirusa (Babyrousa babyrussa) auf der Insel Celebes sein dürfte. Den Namen „Hirscheber" verdankt er den großen, absonderlichen Eckzähnen, die aus Ober- und Unterkiefer herauswachsen und sich oft nach hinten krümmen.

Pekaris

(FAMILIE TAYASSUIDAE)

Die Pekaris oder Nabelschweine sind in Mittel- und Südamerika sowie im südlichen Nordamerika beheimatet. Obwohl sie eine entfernte Ähnlichkeit mit den Altweltlichen Schweinen aufweisen, bestehen doch so beachtliche Unterschiede, daß sie in eine eigene Familie gestellt wurden. Einer von ihnen liegt darin, daß die Hauer nicht wie bei den Altweltschweinen nach oben, sondern nach unten gekrümmt sind; außerdem sitzen an den Hinterfüßen nur 3 Zehen (bei den Schweinen sind es 4), und der Magen ist komplizierter gebaut.

Pekaris leben zum Teil in kleinen Verbänden, zum Teil in großen Herden aus bis zu 100 Tieren, zumeist in den Randgebieten der Wälder, wo sie sich von verschiedenen Pflanzen und ihren Früchten ernähren. Gelegentlich fressen sie auch Nagetiere, Würmer, Insekten und sogar Schlangen.

Das Halsbandpekari (Tayassu tajacu) ist bis in die Wüstengebiete im Südwesten der USA vorgedrungen. Seinen Namen verdankt es einem breiten, gelblichweißen Band, das sich wie ein Kragen um die Kehle herumzieht. Das Weißbartpekari oder Bisamschwein (Tayassu albirostris) ist von Paraguay bis Mexiko verbreitet und hat einen leuchtendweißen Fleck auf der unteren Gesichtshälfte.

Unten: Ein aufgeschrecktes afrikanisches Warzenschwein hat seine Suhle verlassen und läuft mit steil aufgerichtetem Schwanz davon.

Flußpferde

(FAMILIE HIPPOPOTAMIDAE)

Die Flußpferde sind entfernte Verwandte der Schweine; mit ihnen zusammen bilden sie die Unterordnung der Nichtwiederkäuer. Die Familie besteht nur aus 2 Arten, von denen das Flußpferd (*Hippopotamus amphibius*) dem Breitmaulnashorn den Rang des zweitgrößten Landsäugetiers streitig macht. Ein ausgewachsener Bulle kann bis zu 4,50 Meter lang werden und eine Schulter-

Links: *Flußpferde ruhen auf einer Sandbank. Diese entfernten Verwandten der Schweine bewegen sich an Land recht unbeholfen; im Wasser sind sie eher in ihrem Element und weniger schwerfällig.*

Das Herdenleben der Flußpferde

Wie schon die Artbezeichnung *amphibius* verrät, ist das Flußpferd im Wasser und auf dem Lande gleichermaßen zu Hause. Die sonnigen Tage verbringt es, indem es im Wasser ruht oder auf einer Sandbank ein Sonnenbad nimmt. Es kann tauchen und hält es im Durchschnitt 2 bis 4 Minuten unter Wasser aus, aber zumeist bleiben Ohren, Augen und Nasenlöcher oberhalb der Wasseroberfläche. In der Nacht kommen die Tiere an Land, wandern schwerfällig umher und weiden hohe Gräser und Schilf ab. Dabei bewegen sie sich auf festgelegten Pfaden; in der Regel entfernen sie sich nicht weiter als 2 bis 3 Kilometer vom Wasser, in das sie kurz vor Tagesanbruch zurückkehren.

Früher waren Herden von 100 oder mehr Tieren ein vertrauter Anblick; heute besteht eine Gruppe aus durchschnittlich 10 Tieren. Das Leittier einer solchen Herde kann ein großer Bulle sein, aber häufig spielt eine alte Kuh die dominierende Rolle. Jede Gruppe besitzt ihr eigenes Revier, in dessen Zentrum eine „Krippe" aus Kühen und Jungtieren lebt, während die Randbezirke von erwachsenen Bullen bewohnt sind. Während der Brunst kommt es häufig zu heftigen Kämpfen zwischen den Bullen, und wenn sie dabei den Rachen weit aufreißen, ist das kein Gähnen, sondern ein Zeichen der Angriffsbereitschaft. Bei solchen Kämpfen bringen sie sich mit ihren großen Eckzähnen oft ernsthafte Verletzungen bei, die zwar rasch verheilen, aber tiefe Narben hinterlassen.

Brünstige Kühe suchen sich einen Partner; die Paarung findet im Wasser statt, und nach einer Tragzeit von rund 240 Tagen wird das Junge geboren, das ungefähr einen Meter lang ist und etwa 30 Kilogramm wiegt. Meistens findet auch die Geburt im Wasser statt, gelegentlich bereitet sich die Mutter auch ein Schilfbett. Ein junges Flußpferd kann schon sehr bald auf eigenen Beinen stehen und auch schwimmen. Die Mutter bringt ihm bei, daß es sich beim Schwimmen auf der Höhe ihrer Schulter zu halten hat, damit sie es bei Gefahr schützen kann. An Land geht es ganz dicht an ihrem Hals oder ihrer Schulter, so daß sie stets ein wachsames Auge auf das Kleine haben kann.

höhe bis 1,65 Meter erreichen; das Höchstgewicht liegt bei 3200 Kilogramm. Der massige, dickhäutige und fast haarlose Körper ruht auf kurzen, säulenförmigen Beinen, an denen jeweils 4 huftragende Zehen sitzen. Borsten finden sich nur am Mund und am Schwanzende; das Ohrinnere ist behaart. Die großen Eckzähne wachsen ständig nach und können eine Länge von 40 bis 60 Zentimetern erreichen. Das früher in den Flüssen Afrikas sehr häufige Flußpferd ist heute nördlich von Karthum und südlich des Sambesi ausgestorben, wenn man von Schutzgebieten wie dem Krüger-Nationalpark absieht. Die zweite noch lebende Art ist das Zwergflußpferd *(Choeropsis liberiensis),* ein scheuer Waldbewohner mit einem kleinen Verbreitungsgebiet in Westafrika. Es ist wesentlich kleiner als das Flußpferd und wirkt rundlicher.

Kamele

(FAMILIE CAMELIDAE)

Zur Familie der Kamele, die als Schwielensohler eine eigene Unterordnung (TYLOPODA) bilden, gehören 2 Gattungen mit je 2 Arten: Großkamele *(Camelus)* und Lamas *(Lama).*

Von der Wildform des Zweihöckrigen Kamels oder Trampeltiers *(Camelus ferus)* leben nur noch Restbestände in Zentralasien, zum Beispiel in der Gobi, die sich im Winter in eine Kältewüste verwandelt. Fast alle Zweihöckrigen Kamele, die man heute in Zoologischen Gärten zu sehen bekommt, sind Hauskamele *(C. ferus bactrianus).* Das sehr selten gewordene Wildkamel *(C. ferus ferus)* hat kleinere Höcker, kleinere Füße und kürzere Haare und ist im ganzen schlanker gebaut als das schon sehr früh domestizierte Hauskamel.

Das Dromedar *(Camelus dromedarius)* besitzt nur einen Höcker und wird deshalb auch Einhöckriges Kamel genannt. Wilde Dromedare gibt es nicht mehr, aber in Afrika, Australien und Südasien leben verwilderte Nachkommen der Haustierform. Die wilden Dromedare waren früher vermutlich in Nordafrika und Arabien beheimatet. Schwere Rassen werden als Lasttiere eingesetzt, schlanke dienen als Reittiere.

Die Kamele sind einem Dasein in heißen und kalten Wüstengebieten gut angepaßt. Sprichtwörtlich ist ihre Fähigkeit, lange Zeit ohne Wasser existieren zu können. Wie das möglich ist, hat man erst in jüngster Zeit herausgefunden: das Geheimnis liegt im Wassergehalt des Blutes und in der Regulierung der Körpertemperatur. Kamele treten nicht wie die anderen Paarhufer mit den Zehenspitzen auf, sondern mit den Sohlen der äußeren Glieder der beiden mittleren Zehen — eine Anpassung, die verhindert, daß sie in den Wüstensand Arabiens oder den Schnee der asiatischen Gebirgsregionen einsinken.

Seit vielen Jahrhunderten dienen die Kamele dem Menschen als Last- und Reittiere; außerdem liefern sie ihm Haar für seine Kleidung, Häute zur Lederherstellung und Milch und Fleisch als Nahrung; getrockneter Kot dient sogar als Heizmaterial. Obwohl sie von modernen Verkehrsmitteln weitgehend verdrängt wurden, sieht man auch heute noch in ihrem Verbreitungsgebiet große, aus vielen Tieren bestehende Karawanen, die Waren transportieren. Ein kräftiges Tier kann eine bis zu 450 Kilogramm schwere Last tragen.

Lamas oder Kleinkamele

In Südamerika leben die Lamas oder Kleinkamele; sie besitzen keine Höcker und sind kleiner und leichter gebaut als ihre Verwandten in der Alten Welt. Zur Gattung *Lama* gehören gleichfalls nur 2 Arten: das Guanako *(L. guanicoe),* von dem die Haustierformen Lama *(L. guanicoe glama)* und Alpaka *(L. guanicoe pacos)* abstammen, sowie das Vikunja *(L. vicugna).* Beide Arten waren früher weit verbreitet, und vermutlich haben schon die Vorgänger der Inkas in Peru Lamas und Alpakas als Haustiere gehalten. Noch heute sieht man in den Anden große Herden, von denen das Leben vieler Indianer abhängt. Das Lama ist in erster Linie ein Lasttier, das die Indianer außerdem mit Fleisch und Fellen versorgt, während das Alpaka Wolle liefert, die besonders weich und warm ist.

Das sehr selten gewordene Guanako ist das größte in Amerika wild lebende Säugetier. Es kann bis zu 2,25 Meter lang und 1,30 Meter hoch werden. In den Anden ist es in Höhen von mehr als 4000 Metern anzutreffen; einige Tiere leben auch in heißen, trockenen Tiefebenen und in der Pampa Argentiniens. Guanakos bilden kleine Herden aus durchschnittlich 4 bis 10 Stuten und ihren Fohlen, die von einem Hengst angeführt werden. Heranwachsende Hengste werden davongejagt und schließen sich zu Jungmännertrupps aus 12 bis 50 Tieren zusammen. Die Stute bringt nach rund elfmonatiger Trächtigkeit ein Fohlen zur Welt, das schon kurz nach der Geburt stehen und mit erstaunlicher Ausdauer herumrennen kann.

Hirschferkel
(FAMILIE TRAGULIDAE)

Mit einer Höhe von nur 20 bis 40 Zentimetern gehören die Hirschferkel oder Zwerghirsche zu den kleinsten Huftieren. Es gibt 2 Gattungen mit 4 Arten: das Afrikanische Hirschferkel, auch Wassermoschusratte genannt *(Hyemoschus aquaticus),* und in Asien den Großkantschil *(Tragulus napu),* den Kleinkantschil *(T. javanicus)* und den Fleckenkantschil *(T. meminna).*

Die Hirschferkel sind scheue Einzelgänger, die wie Kaninchen blitzschnell durch das Unterholz der tropischen Wälder schlüpfen. Sie ernähren sich in der Hauptsache von abgefallenen Früchten und Blättern, die zum Teil von Wasserpflanzen stammen. Die Hirschferkel bilden eine Teilordnung der Wiederkäuer. Sie besitzen bereits den für die gesamte Unterordnung typischen vierteiligen Magen, wobei jedoch der Blättermagen zurückgebildet ist, so daß sie eine Art Bindeglied zwischen den Nichtwiederkäuern mit zweigeteiltem und den anderen Wiederkäuern mit viergeteiltem Magen darstellen. Bei den Männchen fallen die langen, säbelähnlichen Eckzähne auf, die wie Stoßzähne aus dem Oberkiefer herausragen. Im Gegensatz zu den meisten anderen Wiederkäuern finden sich bei den Hirschferkeln weder Hörner noch Geweihe.

Unten: *Das anmutige Guanako, ein südamerikanischer Verwandter der Großkamele, lebt in den höheren Regionen der Anden und in den Pampas Argentiniens; es ernährt sich von Gräsern. Es steht oder schwimmt gern im Wasser.*

Die Vikunjas — vom Aussterben bedroht

Das Vikunja sieht aus wie eine kleinere, schlankere Version des Guanako. Es lebt auf den Hochebenen der Anden in Höhenlagen zwischen 3800 und 5500 Metern, durch sein dichtes, feines Fell vor schneidenden Winden, Hagel, Frost und Schnee geschützt. Bis um die Mitte des 20. Jahrhunderts wurden ungezählte Vikunjas ihres Fleisches und ihrer Wolle wegen hingeschlachtet, und so kann es kaum überraschen, daß von einer ursprünglichen Population von mehr als einer Million um 1950 nur noch rund 100 000 Tiere übriggeblieben waren. Allen Warnungen und Schutzgesetzen zum Trotz ging die Jagd weiter, bis der Bestand um 1960 auf weniger als 10 000 Tiere gesunken war. Als erstes Land richtete Peru ein Schutzgebiet für die Vikunjas ein, und später schlossen sich Bolivien, Argentinien und Chile mit Maßnahmen zur Erhaltung dieser Art an. Sie bestehen heute aus drei Programmen: dem Schutz freilebender Tiere, der Aufklärung der Schulkinder und dem Verbot des Handels mit Vikunja-Produkten. Großbritannien und die Vereinigten Staaten haben ein Einfuhrverbot für alle Produkte aus der Wolle dieser Tiere erlassen und tragen damit zu ihrer Erhaltung bei. Inzwischen hat sich der Bestand schätzungsweise wieder verdoppelt, und in einigen Schutzgebieten vermehren sich die Tiere so stark, daß sie sogar wieder in jenen Regionen eingebürgert werden konnten, in denen ihre Vorfahren hingeschlachtet wurden.

Obwohl vor allem die Kantschile noch relativ zahlreich und den Eingeborenen wohlbekannt sind, bekommt man die außerordentlich scheuen Nachttiere nur selten zu Gesicht; dementsprechend wissen wir nicht sonderlich viel über ihr Verhalten. Vom Afrikanischen Hirschferkel ist bekannt, daß es Bäume erklettert, um ein Sonnenbad zu nehmen oder einem Feind zu entfliehen. Nach einer Trächtigkeit von rund 150 Tagen bringen Hirschferkel ein Junges, gelegentlich auch Zwillinge zur Welt.

Rechts: *Die asiatischen Hirschferkel oder Kantschile sind kaninchen- bis hasengroße Geschöpfe mit kaum bleistiftdicken Beinen. Sie gehören zu den Wiederkäuern, bilden aber in Anbetracht einiger Besonderheiten eine eigene Teilordnung.*

Hirsche

(FAMILIE CERVIDAE)

Diese große Familie wird in mehrere Unterfamilien eingeteilt, von denen die der Moschushirsche oder Moschustiere (MOSCHINAE) die primitivste ist. Sie besteht nur aus einer Art, dem mit mehreren Unterarten von China über Korea bis in die westliche Mongolei verbreiteten Moschushirsch *(Moschus moschiferus)*. Die relativ kleinen Tiere haben gedrungene Körper mit kleinen Köpfen und ein grobes Fell. Die Hinterbeine sind länger als die Vorderbeine, so daß der Rücken zum Gesäß hin ansteigt. Der Kopf hat eine gewisse Ähnlichkeit mit dem eines Känguruhs. Wie bei den Hirschferkeln tragen auch beim Moschustier die Männchen hauerartige obere Eckzähne. Darüber hinaus sitzt an ihrem Bauch ein Beutel mit Drüsen, die während der Brunft eine salbenartige Substanz, den Moschus, absondern. Dieser Duftstoff wird seit Jahrtausenden zur Herstellung von Parfums und Seifen verwendet, und obwohl es inzwischen künstliche Duftstoffe gibt,

werden noch immer zahlreiche Moschustiere getötet; es erscheint fast wie ein Wunder, daß die Moschustiere noch nicht ausgestorben sind.

Muntjakhirsche

(UNTERFAMILIE MUNTIACINAE)

Zu dieser Unterfamilie gehören 2 Gattungen, die Muntjak- und die Schopfhirsche, mit je einer Art und zahlreichen Unterarten, die über Indien und Ceylon, den Malaiischen Archipel sowie China und Formosa verbreitet sind. Die schlank gebauten Tiere werden bis zu 1,35 Meter lang und bis zu 65 Zentimeter hoch; das Gewicht ausgewachsener Tiere liegt zwischen 15 und 35 Kilogramm. Gelegentlich werden sie auch „Bellhirsche" genannt, denn wenn sie erregt sind, stoßen sie kurze, harte Töne aus, die an Hundegebell erinnern. Die Männchen tragen hauerartige Eckzähne wie die Erdferkel und Moschustiere, außerdem aber auch ein kleines, einfaches Geweih. Muntjakhirsche halten sich vorwiegend in hügeligem und dicht bewachsenem Gelände auf.

Echthirsche

(UNTERFAMILIE CERVINAE)

Die meisten Angehörigen dieser aus 13 Arten bestehenden Unterfamilie leben in Südasien oder auf dem Malaiischen Archipel. Zu ihnen gehört der Axishirsch *(Axis axis)* und der Indische Sambar oder Pferdehirsch *(Cervus unicolor)* ebenso wie der in Südasien, Japan und Formosa beheimatete Sikahirsch *(Cervus nippon)*. Die einzigen in Europa wildlebenden Arten sind der Damhirsch *(Dama dama)* mit einer europäischen und einer asiatischen Unterart sowie der Rot- oder Edelhirsch *(Cervus elaphus)* mit zahlreichen Unterarten. Im Laufe der Jahrhunderte wurden mehrere Hirscharten in Europa eingeführt — die Hirschjagd war schon immer ein beliebter „Sport".

Ein typisches Beispiel hierfür liefert der Damhirsch. Er war ursprünglich im Mittelmeerraum hei-

Rechts: *Kämpfende Damhirsche. Während der Brunft im September und Oktober führen die Hirsche Ritualtänze aus und versuchen, mit dunklem Bellen die Aufmerksamkeit der Kühe auf sich zu lenken.*

misch, ist aber heute in Wäldern und Parks überall in Europa ein vertrauter Anblick. Die mittelgroßen Tiere mit einer Schulterhöhe von knapp einem Meter tragen im Sommer ein geflecktes, gelblichbraunes Fell, das Winterkleid ist einfarbig grau. An ihrem geschaufelten, vielendigen Geweih sind sie leicht zu erkennen. An den Hirschen fallen außerdem stark vorspringende Kehlköpfe auf; während der Brunft geben sie rauhe Laute von sich, die fast wie Husten klingen. Im Mai oder Juni bringen die Kühe jeweils ein Kalb zur Welt.

Zu den bekanntesten Tieren Europas gehören die Rothirsche. Ein ausgewachsener Hirsch kann bis zu 1,50 Meter hoch werden und eine Geweihkrone mit zahlreichen Enden und rund einem Meter Länge tragen. Ein solches Tier wird in der Jägersprache „Kapitalhirsch" genannt. Die Kühe sind kleiner und geweihlos.

Im Frühjahr und Sommer leben die Hirsche allein oder in Männergruppen, aber im Herbst, wenn sie ihre Geweihe gefegt, das heißt von der Haut, dem „Bast", befreit haben, beanspruchen sie als „Platzhirsche" ein eigenes Territorium und sammeln zahlreiche Kühe um sich. Diese Zeit wird „Brunft" genannt, und die Hirsche lassen ein lautes Röhren ertönen, um ihr Revier abzugrenzen und weibliche Tiere anzulocken. In dieser Zeit kommt es häufig zu Kämpfen zwischen rivalisierenden Hirschen, und der Zusammenprall der Geweihe ist oft weithin hörbar. Nach einer Trächtigkeit von rund 250 Tagen bringt die Hirschkuh dann im Mai oder Juni ein geflecktes Kalb zur Welt.

Rechts: *Ein Kapitalhirsch ist „Herr des Waldes". Die prächtigen Rothirsche lassen im Herbst ihre weithin hörbaren Brunftrufe erschallen. Das Röhren soll das Territorium abgrenzen, die Kühe zusammenhalten und andere Hirsche davor warnen, in sein Revier einzudringen.*

Ostwapiti
(Cervus elaphus canadensis)

Zu den Rot- oder Edelhirschen gehören auch die in 6 Unterarten über Nordamerika verbreiteten Wapitis. Es sind kleine bis sehr große Tiere, deren Fell jedoch nicht rötlich ist, sondern graubraun; männliche Tiere tragen eine dunkelbraune Mähne. In der Brunftzeit stoßen sie quietschende Rufe aus. Der Ostwapiti *(Cervus elaphus canadensis)* ist wahrscheinlich ausgestorben; am häufigsten ist heute der Felsengebirgswapiti *(C. elaphus nelsoni).* Weitere Unterarten konnten durch die Einrichtung von Schutzgebieten gerettet werden.

Trughirsche

(UNTERFAMILIE ODOCOILEINAE)
Die bekannteste Art dieser Gruppe ist das Reh *(Capreolus capreolus)*, das mit seinen Unterarten in Europa und Asien lebt. Nahe Verwandte sind zwei in Amerika nicht weniger bekannte und beliebte Arten, der Weißwedel- oder Virginiahirsch *(Odocoileus virginianus)* und der Großohr- oder Maultierhirsch *(O. hemionus).* Der Weißwedelhirsch ist von Südkanada bis zum Norden Südamerikas

Der Elch — von allen Hirschen der größte

Zu den Elchhirschen (UNTERFAMILIE ALCINAE) gehört nur eine Art, der Elch *(Alces alces),* der mit 7 Unterarten im Norden Europas und Asiens sowie in Nordamerika verbreitet ist. Der Elch ist der größte Hirsch und an seiner breiten, stark überhängenden Oberlippe und dem schaufelartig verbreiterten Geweih leicht zu erkennen. Männliche Tiere tragen zudem am Hals einen lang herabhängenden Hautsack, die sogenannte Wamme.

Im Sommer ziehen die Elche in kleinen Gruppen umher, aber wenn im Winter die Nahrung knapp wird, sammeln sie sich an bestimmten Plätzen, wo sie den Schnee platt getrampelt haben. Gelegentlich fallen Elche Wölfen oder Pumas zum Opfer; im allgemeinen vermögen sie sich mit ihren Geweihen und Hufen aber erfolgreich zur Wehr zu setzen.